◆文獻學研究的回顧與展望◆

第二屆中國文獻學學術研討會論文集

周彥文主編

臺灣 學生書局 印行

高　序

　　中國是重文化、重歷史的民族，因此，相關的文獻是十分豐富的，它不但是中國文化的寶藏，也是人類文明的重要遺產。當然，做為中國文化傳承者的一份子，海峽兩岸的學者在此的觀念與意見卻也十分一致的。易言之，中國文獻如果連中國人都不重視與珍惜，又豈是合情之論？為了整合海峽兩岸的文獻學者共同為中國文化而努力的力量，淡江大學中文系在周彥文教授的推動下，分別邀請了前故宮博物院副院長現為淡江大學中文系講座教授的昌彼得教授、前文獻處處長現為淡江大學中文系教授的吳哲夫教授，銘傳大學的陳仕華教授，共同為兩岸文獻學學術研討會的舉行而奮鬥。87年5月在淡江大學召開了第一屆兩岸文獻學學術研討會，大陸不少重要的文獻學者皆參與盛會，尉為時盛。

　　國際化是本校發展的重要指標之一，國際化不只是邀請國際學人來淡江大學，同時也要將淡江大學帶上國際舞台，中文系在此可說任重道遠。我們除了在國際漢學有東亞漢學及歐洲漢學的推動外，也積極地將視野兼及大陸學界，而文獻學正是重點之一。因此，本系與山東大學古籍研究所毅然推動第二屆兩岸文獻學學術會議，90年4月在山東大學召開。此亦即本次會議論文集之出版緣由也。藉由文獻學會議，我們建立了與大陸學者深入而愉快的學術合作模式，這是兩岸學者多年努力的目標，如今可說是曙光大開，令人振奮。在此，我要

特別向山東大學的杜澤遜教授及本系周彥文教授致敬,感謝他們爲會議的付出與辛勞!當然,這樣的努力仍在持續中,2002年6月本系在吳哲夫教授的推動下,將與北京大學、復旦大學的古籍所,共同舉辦第三屆的兩岸文獻學會議,成果之豐碩,當是可以預期的。

即就文獻學本身而言,廿一世紀的文獻學顯然面對著空前的情境與挑戰,等待著吾人的回應。首先,文獻的多寡與書寫、保存工具之發展是息息相關的。當紙張的使用大量而普遍時,文獻本身的容量也因此增加,此時遠非石板、木板之書寫文獻所可比擬。如今,電腦資訊的發達,使文獻的書寫以及保存都獲得重大且完全異質性的突破,如此將會使文獻在量上及形式上都產生極大之變化。如此大量而多形式之文獻,吾人應以何種文獻學態度及方法加以面對,無疑是廿一世紀文獻學的重要挑戰之一。其次,正由於文獻之產生及保存皆已獲重大突破,進一步的問題是:吾人如何篩選眞正有價值的文獻?資訊及知識的爆炸,也同樣表現在文獻上,我們一方面固然有了空前的文獻內容,但是另 方面卻也得有新方法來選擇分類諸多的文獻。此中,不但有量的問題,也有形式的問題,如此多的量及形式,又要用怎樣的文獻學方法加以掌握呢?

值得一提的是,由於人類科技的進步,大量且異質地改變了人類生活環境,也使人不得不有新的思維與經驗,以面對新局。由於古今經驗之差異日漸擴大,因此,古代之經驗知識及文獻,對今日世異之意義價值究竟何在,卻也是值得深思的問題。文獻學不必也不應該成爲考古學的一部份,它一樣可以有新發展,新生命,甚至也可以有未來觀及展望,就此而言,新文獻學的呼聲就成爲你我必須嚴肅面對的課題了。針對此,淡江大學中文系已著手推動「文獻資源暨漢語文

化學研究所」的籌設，由吳哲夫、周彥文、盧國屏三位教授負責推動
籌備工作。本所的籌設不但將整合文獻資源與漢語文化之研究成果，
同時也是希望能由傳統的學問中，突破舊習，賦予期永恆的生命與發
展。當然，這也要請學界的師友多予批評指導了。《詩經》有「嚶鳴
求友」之義，今以此文亦是有求諸友之支持鼓勵也。

　　「大江東去浪淘盡，千古風流人物」，人間的陰晴圓缺與悲歡
離合都是天命之常，何妨放心直行，但求無愧。而每次的會議、交流，
我都為彼此的真誠與理想而感動，這也正是淡江中文日新又新、奮進
不已的原動力之所在。「淡水文風盛，江邊名士多」，豈非淡江師友
之生命寫真？是為序。

高柏園　序於淡江大學中文系

民國91年1月9日

周　序

　　我們在春天繁花盛開的時節抵達了山東大學。這所位於以泉水和垂楊著稱的濟南市中的名校，今年正好是立校一百週年。

　　光緒二十七年（1901）時，袁世凱上書要求在濟南設立「山東大學堂」，光緒皇帝御批准設，這就是山東大學的前身。當時，在京城中已經有了「京師大學堂」，而山東大學堂，就成為中國「京外」的第一座學府。去年山東大學為了籌備一百週年校慶，特別委託了前台灣大學校長孫震先生在台灣找尋當年設校的原始文獻，沒想到孫震先生竟真的在故宮博物院中找到了經光緒御批的袁氏上書。

　　那天山東大學的副校長徐顯明先生在開幕式中講述這段奇巧的因緣時，當時還任職故宮博物院圖書文獻處處長的吳哲夫教授正在座上。看到他們會心的相視一笑，我突然強烈的感覺到文獻似乎有自己的生命，它可以跨越時空，冷冷的覷視著我們這個擾攘的世局。

　　山東大學歷來都不乏優秀的學者，早年聞一多、沈從文、老舍等先生都曾經在此任教。而目前在山大任教的學者中，最值得一提的，是大陸當前文獻學界的耆老王紹曾教授。王老今年已經高齡九十一歲。在我們籌備這次會議時，王老就曾經親筆寫信來聯絡過，那一筆蠅頭工楷，任誰看了都不敢相信這是一位九十一歲的老先生寫的。到了山大，見了這位老先生，雖然他因年紀較大，行動較為緩慢，但是仍然聲音宏亮，精神矍鑠。他以〈重新認識百衲本二十四史版本的

重要價值〉爲題，率先上場發表論文。不但一絲不苟的將論文宣讀完畢，而且全篇論文仍是用他那蠅頭工楷親自撰寫完成。論文發表後，全場報以最熱烈的掌聲，以表達對他的崇敬。接下來淡江大學中文系主任高柏園教授上場時，引用《論語》中的話，讚揚王老眞是「發憤忘食，樂以忘憂，不知老之將至」的典範。的確，王老好學不倦的精神，眞是令人敬佩。山大古籍所有這麼一位文獻學界的瑰寶，眞使我們羨慕不已。

這次的會議，除了有王老這樣的重量級人物親自來發表論文外，由山東本地，以及北京、上海、南京、陝西、湖南、湖北、浙江等外地來的學者，多至百餘位。其中申請發表論文的，連台灣過去的學者在內，共有四十多位。我曾經參加過不少學術會議，可是在質和量上都如此豐盛的會議，還是第一次看到。在台灣，文獻學還算是一門冷門學問，可是在大陸學術界中，竟有這麼多優秀的學者關心這個學門，這眞使我們軍心大振。尤其看到有不少博、碩士生也來參與會議，甚至可以提出頗具學術水準的論文，更使我們感到十分快慰。每場會議後，這些研究生們都會聚在一起討論問題，相互交換找資料的途徑，我們這些當老師的是看在眼裡，樂在心裡。

我尤其要特別感謝這次會議的實際主辦人杜澤遜教授。我們之所以會在經過多次討論後，決定要邀請山東大學古籍所和我們合辦這個規模宏大的會議，除了山大在古籍整理研究上的卓越成就外，對杜教授的考量，也是決定性的因素之一。原因無他，只能說他和我們特別有緣。我們固然知道山大有許多優秀的人材，可惜我們都還不認識。杜教授就不同了，九六年時他在北京編《四庫未收書》，我恰好路過北京，就認識了他。前年淡江大學召開第一屆中國文獻學會議，以《四

庫全書》爲議題，我們理所當然的邀請他來發表論文。他在學問和人品上的表現，都使我們留下了極爲深刻的印象。這次辦會議，雖說兩校合辦，但是由於會議地點是在大陸，所有煩人的籌備工作，都得一位在大陸的學者來負責。杜教授爲人極其盡責，我們大家都說，非他莫屬了。於是我厚著臉皮和他聯絡，請他幫忙。杜教授果然盡心盡力，花了很多的心力去籌備。除了親赴北京去爭取經費外，所有瑣事都一一料理妥當，終於把這次會議辦得有聲有色。會議期間，我說要當眾感謝他，沒想到他竟然堅拒，再三囑我不要在會議上提到他籌備的經過。他一直說爲山大和兩岸的學術交流出點力，是他應該做的事；可是我們大家看在眼裡，心中都爲他的付出感到良心不安。尤其是我這個「始作俑者」，如果再不利用這個機會對他說出我們的感謝，那我眞是對不起自己的良心了。

　　我還要感謝山大古籍所所長劉曉東教授和前任所長董治安教授的全力支持，以及全國高校古籍整理委員會、山東省教育廳、山大各級長官的行政支援。如果沒有他們在背後運籌帷幄，這次的會議就不會如此成功。

　　論文集要出版了！論述專精的大作如此眾多，我也不想在此蛇足。我只想道出內心衷實的感謝，由於許多人默默的努力，使兩岸的交流更加密切。而山東大學那深富人文氣息的優美校園，以及悠遊在此氛圍中的諸位學者，他們的身影，都必定會長駐在我們的心頭。

淡江大學中文系　**周彥文**

2001/12/23　淡水五虎崗

致　辭

董治安*

各位專家、學者，先生們、朋友們：

　　山東大學古籍整理研究所與臺灣淡江大學中文系聯合舉辦的海峽兩岸第二屆中國文獻學學術研討會，現在如期揭幕了。我受山東大學古籍整理研究所同人的委託，並以個人的名義，向各位來賓，特別是遠道而來的臺灣客人，表示由衷的歡迎，致以親切的問候！

　　我國是文明古國，也是文獻大國。我國現存文獻歷史之久遠，形式之多樣，數量之繁富，都很少有其他國家能夠相並比。浩如煙海的歷代文獻是中華民族的寶貴財富，同時也爲我們的整理與研究，提出了繁重的任務。中國文獻學是一門古老而年輕的重要學科。說它古老，是因爲早在兩千五百多年以前，孔子就已有了整理「六經」的學術實踐，在公元前一世紀左右，劉向、劉歆在校勘學和目錄學等方面更取得了突出的成就；此後各個歷史階段，在古籍整理及其理論總結方面也積累了大量的經驗，凡此等等，都蘊涵著我國文獻學發展的優良傳統。說它年輕，是因爲中國文獻學科學體系的基本建立，應該說

---

* 山東大學古籍所教授、前所長

還是較爲晚近的事。事實上，正是經過具有現代意義的審視和詮釋，人們對於中國文獻學的內容、任務、方法、分類等，才開始有了更自覺、更明晰、也更科學的認識，這樣，隨著歷史的演進，中國文獻學這一傳統學科就逐漸獲得了新的建構，從而被注入了新的發展活力。

一個時期以來，不論是祖國大陸還是臺灣方面，對於古籍（包括出土文獻）的整理與研究，以及有關文獻學理論的探討，都取得了引人注目的成績。尤其令人高興的是，近幾年來，由於海峽兩岸文化學術聯繫的不斷增加，在古籍整理研究方面，也陸續開展了極其有益的交流活動。1996年4月，由全國高等院校古籍整理研究工作委員會與（臺灣）漢學研究中心，聯合在臺北舉辦了第一屆「兩岸古籍整理研究學術研討會」，這是海峽兩岸此一領域學者首次大規模的聚會，受到雙方有關當局和媒體的高度重視；兩年以後，即1998年5月，繼續由上述單位聯合在北京舉辦了第二屆「古籍整理與傳統文化研討會」；而第三屆「兩岸古籍整理研究學術研討會」，也計劃於2001年4月在臺北舉行。這種定期舉行的較大規模的學術研討，有利於兩岸學者切磋學術、交流經驗，對於推動古籍整理和中國文獻學的向前發展，起到了重要的作用。

我們今天在這裏舉辦的文獻學學術研討會，同樣是著眼於兩岸此一領域學者切磋學術、交流經驗的需要。事情的緣起是，1998年5月，臺灣故宮博物院與淡江大學中文系，聯合舉辦了一次以「四庫學」研究爲主題的中國文獻學學術研討會。這次會議，議題集中，與會者暢所欲言，準備充分，取得了很好的成果。我校古籍研究所杜澤遜教授參加了會議，對會議的成功留下了深刻的印象。2000年10月上旬，淡江大學中文系周彥文教授（98年會議發起人）通過杜澤遜教授向山東

大學古籍研究所提出建議，希望繼上次會議之後，能於2001年聯合在山東大學舉辦第二屆中國文獻學學術研討會。山東大學古籍研究所作了慎重考慮之後，原則上接受了淡江大學中文系的建議。隨後，立即向學校有關部門作出彙報，得到積極的支援。接著又向全國高校古籍整理研究工作委員會發出請示報告，同樣得到了有力的支援和熱情的鼓勵。經與各個方面磋商，最終把2001年3月底這個開會時間正式確定了下來。

　　由此可見，這次學術研討會議的順利召開，是海峽兩岸學者雙向互動的結果，反映了積極發展中國文獻學的共同願望。這次會議，規模不大，又由研究所承辦，雖經各方面大力支持，條件畢竟有限。然而，會議參加者都是在文獻學方面研究有素的學者，而且大多是正積極活動於中國文獻學教學與科研工作第一線的學者；從提供的論文看，相當廣泛地涉及到古文獻整理、研究和理論探討的若干重要方面，其中不乏深層次問題的思考，或就某些學術前沿性問題作出的探索。這都表明，此次會議將是一個學術氣氛濃厚、內容充實而重要的會議。兩岸學者通過交流心得、相析疑義、總結經驗，一定會在上次會議的基礎上，對中國文獻學的研討進一步取得更多的成績。

　　　預祝會議成功！
　　　謝謝大家

文獻學研究的回顧與展望
——第二屆中國文獻學學術研討會論文集

目　錄

試論子夏與《喪服傳》的關係

丁　鼎*

摘　要

本文依據有關文獻記載，對子夏與《喪服傳》的關係進行了考察和探討。文章認為將《喪服傳》完全說成是由子夏所「作」可能與史實不符，但將其看作是由子夏所「傳」還是有較可靠的根據的。也就是說，《喪服傳》當是由孔子弟子子夏（卜商）所承傳，就是子夏將其師從孔子學禮時所習得的有關解釋《儀禮・喪服》經、記的內容，再口授給其弟子，後由其弟子與再傳弟子「師師相傳」下去，並著於竹帛，編訂為《喪服傳》一書。需要說明的是，子夏對《喪服傳》所作的工作雖然不能排除其中有「作」的成分，但主要應定位在「傳」上。

關鍵詞　儀禮　喪服傳　子夏　儒學　孔子

---

*　煙臺師範學院教授

《儀禮·喪服》篇除「經」文、「記」文之外，還有「傳」文，這在《儀禮》十七篇中是獨一無二的。其中的「傳」文即是著名的《喪服傳》（也稱《服傳》）。《喪服傳》的撰作者是誰？子夏與《喪服傳》究竟有著怎樣的關係？對此，學界一直聚訟紛紜，迄無定論。今不揣淺陋，試對這一問題略陳管見如下。不當之處，唯望海內方家不吝賜教是幸。

今本《儀禮·喪服》篇包含「經」、「記」與「傳」三部分，是經、記、傳的合編本。該篇總麻章後標有「記」字，此前爲經文部分，此後爲記文部分，而經、記部分均有標注「傳曰」的解釋性文字，這就是相傳爲子夏所「傳」的《喪服傳》。起初，《喪服傳》與《喪服經》（含記文）別本單行，亦即今本《儀禮·喪服》篇曾經以單經本與單傳本兩種本子分別流傳。這從東漢班固所撰《白虎通》的稱引中即可見其迹象。如《白虎通》卷四〈封公侯·爲人後〉、卷七〈王者不臣·不臣諸父兄弟〉與〈子爲父臣異說〉、卷九〈姓名·論名〉、卷十〈嫁娶·事舅姑與夫之義〉等篇章中凡五次稱引《儀禮·喪服》篇之傳文均曰「《禮·服傳》」；而卷八〈宗族·論五宗〉、卷十一〈喪服·諸侯爲天子〉等篇章中凡兩次稱引《儀禮·喪服》之經文均曰「《喪服經》」，又於卷十〈嫁娶·卿大夫妻妾之制〉中稱引《儀禮·喪服》之經文曰「《禮·服經》」。❶可見漢人是嚴格區分《儀禮·喪服》中的經文與傳文的。又據東漢熹平石經所刻《儀禮》只有《喪服》經文，而無《喪服傳》的史實，似可推論出《儀禮·喪服》的經與傳在漢代別本而行的結論。

---

❶ 此據陳立《白虎通疏證》，吳則虞點校本，北京：中華書局1994年8月版。

現代考古發現也可證明《儀禮·喪服》的經與傳在漢代曾別本而行的史實。1959年7月甘肅武威縣出土了比較完整的九篇《儀禮》，一篇寫於竹簡，八篇寫於木簡。這九篇簡本《儀禮》中最有學術價值的是三種本子的《儀禮·喪服》：

> 甲本——木簡，較乙本字大而簡寬。簡長55.5釐米，約合漢尺二尺三寸。第一、二簡之背面題曰「《服傳》」、「第八」。簡文內容爲《儀禮·喪服》的經、傳、記，但經、記俱不足今本經、記的二分之一，而傳文卻基本上與今本傳文相同。

> 乙本——木簡，較甲本字小而簡窄。簡長50.5釐米，約合漢尺二尺一寸。第一、二簡背也題曰「《服傳》」、「第八」。簡文內容與甲本《服傳》相同。

> 丙本——竹簡，簡長與甲本相同。簡背無篇題。內容爲《儀禮·喪服》的經、記之文，而無傳文。其經、記之文與今本相同，當是別本單行的單經本（含記文）。

由於甲、乙本《服傳》所錄的經、記之文均不及今本經、記之文的二分之一，因而陳夢家先生曾誤認爲甲、乙本《服傳》爲刪經刪記的《喪服經傳》本，是漢人依據西漢時施行喪服的實際情況而刪去部分經、記後所形成的本子。❷而沈文倬先生則通過嚴謹的考證，論定甲、乙本《服傳》並非刪經刪記之《喪服經傳》，而是《儀禮·喪

---

❷ 參見中國科學院考古研究所、甘肅省博物館《武威漢簡》，考古學專刊乙種第十二號，文物出版社1964年9月版。

服》傳文的單行本，其部分錄有經文者，「是出於撰作者爲解經所需的引述；有些經記之文意義顯明，可以錯互參見，沒有撰傳必要，其文就不見於單傳」。❸沈氏之說理據充分，可爲定讞。

關於《喪服傳》的作者，迄今仍是一個懸而未決的問題。相傳本篇傳文是孔子弟子子夏所「傳」或「作」。《隋書》卷三十二〈經籍志一〉曰：「其〈喪服〉一篇，子夏先傳之，諸儒多爲注解，今又別行。」今本《儀禮・喪服第十一》篇題下標有「子夏傳」三字。賈公彥疏曰：「傳曰者，不知是何人所作，人皆云孔子弟子卜商字子夏所爲。……師師相傳，蓋不虛也。」唐開成石經《儀禮・喪服》篇標題作「喪服第十一子夏傳」。不過，據阮元《儀禮・喪服》校勘記，石經此題原刻作「喪服經傳第十一」，無「子夏傳」三字，後磨改爲現今的樣子。而前述簡本《服傳》亦無「子夏傳」三字。可見隋唐以前人們還只是傳說《喪服傳》爲子夏所「傳」或「作」，至隋唐之際，人們始將《喪服傳》的「傳者」或「作者」明確著錄爲子夏。

後世經學家對於子夏「傳」或「作」《喪服傳》的說法，疑信不一。宋儒朱熹相信子夏作《喪服傳》。他的學生子升問：「《儀禮》傳、記是誰作？」朱熹回答說：「傳是子夏作，記是子夏以後人作。」❹

元代禮學家敖繼公則對子夏作《喪服傳》之說很不以爲然。他說：

---

❸ 沈文倬〈漢簡〈服傳〉考〉（上、下），《文史》第二十四輯、第二十五輯。

❹ 朱熹《朱子語類》卷八四〈禮〉一〈論修禮書〉，北京：中華書局1986年3月版，第2187頁。

先儒以傳爲子夏所作，未必然也。今且以記明之。漢〈藝文志〉言《禮經》之記，爲師古以爲七十子後學者所記，是也。而此傳則不特釋經文而已，亦有釋記文者焉。則是作傳者又在作記者之後明矣。今考傳文，其發明禮意者固多，而其違悖經義者亦不少。然則此傳亦豈必知禮者之所爲乎？而先儒乃歸之子夏，過矣。❺

清儒方苞則懷疑《儀禮·喪服》經、傳均經王莽、劉歆增竄。他說：

余少讀《儀禮喪服傳》，即疑非卜氏所手訂，乃一再傳後門人記述而間雜以己意者；而於經文，則未敢置疑焉。惟尊同者不降，時憮然不得於余心。乃試取《傳》之云爾者剟而去之，而傳之文無復舛複支離而不可通曉者；更取《經》之云爾者剟而去之，而《經》義無不即乎人心；然後知是亦歆所增竄也。蓋喪服之有厭降，見於子思、孟子之書。惟尊同不降，則秦、周以前載籍更無及此者。而於莽之過禮竭情以侍鳳疾，及稱太皇太后，義不得服功顯君事尤切近，故假是以爲比類焉。❻

清儒任大椿（幼植）認爲《喪服傳》並非子夏所傳，而是劉歆、王莽輩附會僞造的，其說曾受到戴震等學者的駁斥。❼

---

❺ 敖繼公《儀禮集說》卷十一〈喪服·記〉後案語，台北：商務印書館影印文淵閣《四庫全書》本。

❻ 方苞《方苞集》卷一〈書考定儀禮服後〉，上海古籍出版社，1983年版。

❼ 曹元弼《禮經學》卷五〈戴氏震與任幼植書辨〈喪服經傳〉〉（《續四庫全

著名禮學家胡培翬雖然認為歆莽增竄《喪服傳》說是「喪心病狂」，但他認為《喪服傳》是否為子夏所作還難以定論。他說：

> 今案：經文精微詳悉，非周公莫能作。記、傳亦皆聖賢之徒為之。但此傳為子夏所作與否，似當在闕疑之列。近儒乃謂傳文有莽、歆增竄者。《禮經釋例》云：《周官》晚出，故宋人或疑莽、歆偽撰，若《儀禮》自西漢立學以來，從無有疑及之者。為此論者，自非喪心病狂，不至於此。蓋深惡其說之足以害經也。❽

另一著名禮學家曹元弼則在批駁歆莽附會增竄《喪服傳》說的同時，進一步申說、論述了子夏作《傳》的可能性與合理性。他說：

> 疏云：人皆云云，師師相傳。則作傳者為子夏，自周以來舊說也。作者創始之辭，後儒傳述增續，但可謂之述，不可謂之作。故《孝經》有子曰、曾子曰，而鄭君《六藝論》以為孔子作。《史記·弟子列傳》以為曾子作。《詩》小序，子夏、毛公合作，而統言則曰子夏序。《公羊傳》數傳始著竹帛，傳內有子公羊子曰，而賈云公羊高所作。此傳云子夏作，蓋同斯例。傳文兼釋經、記。經是周公所制，釋經者實子夏

書》本）：「幼植奮筆加駁於孔沖遠、賈公彥諸儒，進而難漢之先師鄭君康成矣，而訾漢以來相傳之子夏《喪服傳》為劉歆、王莽附會矣。進而遂訾《儀禮》之經周公之制作為歆莽之為矣。嗚呼！《記》不云乎：毋輕議禮。……俗學膚淺，往往求之不可通，輒肆指摘云：劉歆竄入若干。」

❽ 胡培翬《儀禮正義》卷二一，江蘇古籍出版社1993年7月版，第1340頁。

原文,記是七十子後學所爲,釋記者皆後師增續。其釋經處有一二未安,爲鄭注所駁者,或數傳後失其本説,而以意補之,未能盡善。淺妄之徒,因傳有釋記處遂謂此傳全出作記之後,非子夏所爲,致爲歆、莽增竄之誣,殊可歎也。此傳既爲子夏作,不題子夏傳者,詩序亦不題子夏序,故陸氏《詩·釋文》引沈重云:「案鄭《詩譜》意大序是子夏作,小序是子夏毛公合作也。」❾

　　大概是受近現代疑古思潮的影響,現當代學者已很少有人相信和堅持《喪服傳》爲子夏所「傳」或「作」的説法,連力主子夏作《傳》説的曹元弼的入室弟子沈文倬先生也再不相信此説,他認爲:「《喪服》稱子夏傳雖始於唐人,但當時並無一致之説。簡本無此三字(「子夏傳」),解決了這個懸案,子夏撰傳之説不足信據。」❿在不相信子夏「傳」或「作」《喪服傳》的現當代學者中,以陳夢家與沈文倬二先生關於《喪服傳》撰作時代的説法最有代表性。

　　陳夢家先生推論《喪服傳》當作於漢宣帝甘露石渠會議之後,「有可能爲后倉或其徒慶普所作或流傳」,「它的撰作或行世,當在昭、宣之世」。因爲慶普與大小戴同爲后倉之弟子,故又推定其爲今文學。其根據有二:其一,宣帝甘露三年二月舉行石渠閣會議所寫成的《石渠議奏》,引有《喪服》經文「庶人爲國君」與記文「宗子孤爲殤」,這些都不見於簡本《服傳》。陳氏遂以爲此等經記之文已被

---

❾　曹元弼《禮經校釋》卷十二,《續修四庫全書》本(据清光緒十八年刻本影印)。

❿　沈文倬〈漢簡〈服傳〉考〉(下),《文史》第二十五輯。

《服傳》作者所刪削，從而判斷簡本《服傳》之成書「當在甘露之後」。其二，根據《石渠議奏》與大小戴等說解《喪服》之義與《服傳》有同有異，陳氏遂以爲《服傳》「不可能出於后氏諸徒小戴、聞人（通漢）之手」，「是二戴以外的家法」，從而斷定《服傳》「可能是慶普之學」，屬今文學，而「刪經與撰傳同時進行」。⓫

　　沈文倬先生雖然也不相信子夏作過《喪服傳》，但他不同意陳夢家先生將《服傳》的成書時代定在甘露之後的觀點。其主要理由有如下幾點：其一，《通典》所引《石渠議奏》中有三處引用《服傳》之文，可見《服傳》作於甘露之前。其二，石渠會議參加者皆爲今文家，從大小戴、聞人通漢等人對《服傳》抱無視、曲解、非難的態度，可推定《服傳》不可能是今文學，而可能是古文學。其三，鄭玄所作《儀禮》注，於《服傳》無今古文校勘，但以其他篇目中所校古今文異字來核對簡本《服傳》，則簡本《服傳》之文每同於古文，從而可推定《服傳》當爲古文。其四，《服傳》中有引用小戴《禮記》中的〈喪服小記〉、〈大傳〉、〈喪大記〉、〈問喪〉、〈服問〉、〈間傳〉、〈三年問〉、〈檀弓〉、〈喪服四制〉等篇之文，而這些篇目大多爲七十子後學所記，故斷定《服傳》撰作時代之上限在《禮記》論禮諸篇成書以後，即周愼靓王以後（西元前315年），其下限在秦始皇焚書以前。⓬

　　按：沈氏據《石渠議奏》有引《服傳》之文，駁陳氏以爲《服

⓫　參見中國科學院考古研究所、甘肅省博物館《武威漢簡》，考古學專刊乙種第十二號，文物出版社1964年9月版，第17～35頁。
⓬　沈文倬《漢簡〈服傳〉考》（下），《文史》第二十五輯。

傳》作於甘露後之非，又據鄭玄校古今文之例，推論《服傳》爲古文，均有理有據，可以信從。但他與陳夢家氏及其他當代學者徹底否定子夏與《喪服傳》有關的觀點還有重新探討的必要。筆者認爲，說《喪服傳》完全由子夏所「作」，可能與史實不符。但將《喪服傳》看成是由子夏所「傳」，還是不容輕易否定的。雖然唐人說《喪服傳》爲子夏所「傳」似乎是出於傳說，但傳說不一定無據；雖然由於文獻不足徵，現已難以確切認定子夏與《喪服傳》的關係，但種種迹象顯示《喪服傳》由子夏所「傳」的可能性是完全存在的。也就是說，子夏具備「傳」〈喪服〉的資格和條件。

按，子夏，氏卜名商，字子夏，春秋戰國之際衛國人，生於西元前507年，少孔子44歲。❸他在孔門弟子中以精通古代典籍而著稱，卓然成家，因此很受孔子欣賞和器重。據楊伯峻先生統計，在《論語》一書中記載子夏的文字有23處，僅次於子路（47處）和子貢（44處），比孔子最得意的弟子顏淵還多6處。❹由此可見子夏在孔門中的地位。孔子甚至認爲子夏思想對自己有觸發作用，這在孔門弟子中是絕無僅有的，如《論語·八佾》載：

> 子夏問曰：「『巧笑倩兮，美目盼兮，素以爲絢兮。』何謂也？」子曰：「繪事後素。」（子夏）曰：「禮後乎？」子曰：

---

❸　《史記》卷六七《仲尼弟子列傳》，北京：中華書局1959年版，第2202頁。關於子夏的里籍，裴駰集解曰：「《家語》云衛人，鄭玄曰溫國卜商。」司馬貞索隱曰：「《家語》云衛人，鄭玄云溫國人，不同者，溫國今河內溫縣，元屬衛故。」

❹　楊伯峻《論語譯注》后附《論語詞典》，中華書局1980年10月第2版，第217、218、第311頁。

「起予者商也！始可與言《詩》已矣。」

這是說當子夏問到《詩經》中「巧笑倩兮」等詩句是什麼意思時，孔子回答說：先有潔白的底子，然後才能繪畫。子夏把這個意思進一步加以引伸說：那麼，是不是禮樂的發生在仁義之後呢？❶❺孔子感到子夏講得太好了，便說：能夠觸發我的是你子夏呀！現在可以和你討論《詩經》的問題了。在孔門弟子中，受到孔子如此讚賞者是非常罕見的。這表明子夏能夠引伸、發揮孔子的思想並能在一定程度上對孔子有所觸發，足見他對儒家經典有深入的研究和領會。所以孔子在總結他的優秀弟子的特長時說：「德行：顏淵、閔子騫、冉伯牛、仲弓。言語：宰我、子貢。政事：冉有、季路。文學：子游、子夏。」所謂「文學」即是指古代文獻，可見子夏在古代文獻研究方面的才能和造詣。有鑒於此，當代學者姜廣輝先生在論述孔門弟子時指出：「韓非子說：『孔子之後，儒分為八。』其說語焉不詳。以今考之，七十子之徒學問成就最高，從而成為大宗師者有三人：一為子游；一為子夏；一為曾子。……子夏一系，可稱為『傳經派』。子游、子夏在孔門中以通曉典籍著稱，……子夏一派對傳統文化，尤其是對原典的全面研習有很大貢獻。後來的荀子除繼承子弓一系外，也繼承了子夏一系的學說，成為傳經之儒，漢以後經學的發展，主要是這一派的推動。」❶❻姜先生之說非常中肯地說明了子夏在儒家經典傳授方面的

---

❶❺ 原文「禮後乎」，未明確說出「禮」在「仁義」之後，茲据楊伯峻先生之說。參見楊著《論語譯注》，中華書局1980年12月第2版，第25～26頁。

❶❻ 姜廣輝《郭店楚簡與道統攸系——儒學傳統重新論釋論綱》，《中國哲學》第二十一輯（遼寧教育出版社2000年1月版）。

重要貢獻。

《呂氏春秋·慎行論第二·察傳》載：「子夏之晉，過衛，有讀史記者曰：『晉師三豕過河。』子夏曰：『非也，是己亥也。夫己與三相近，豕與亥相似。』至於晉則問之，則曰：『晉師己亥涉河也。』」這說明，子夏對古典文獻確實很有研究，具備傳授儒家經典的學養和能力。孔子將他列入「文學」一科，是符合實際的。

孔子去世後，子夏便到魏國西河講學，傳授儒家經典。《史記·仲尼弟子列傳》載：「孔子既沒，子夏居西河教授，爲魏文侯師。」《史記·儒林傳》又載：「自孔子卒後，七十子之徒散遊諸侯，大者爲師傅卿相，小者友教士大夫，或隱而不見。……子夏居西河，子貢終於齊。如田子方、段干木、吳起、禽滑釐之屬，皆受業于子夏之倫，爲王者師。是時獨魏文侯好學。」《呂氏春秋》卷二一〈察賢〉亦載：「魏文侯師卜子夏，友田子方，禮段干木。」可見子夏在西河講學，頗負盛名，影響很大，弟子甚眾。

據傳《春秋公羊傳》與《春秋穀梁傳》的作者都是子夏的弟子。如東漢戴宏《春秋說序》在講述《春秋》的傳承關係時說：「子夏傳與公羊高。」❶而東晉元帝時太常荀崧則於奏疏中敘述《春秋公羊傳》傳授源流云：「昔周之衰，下陵上替，上無天子，下無方伯，善者誰賞？惡者誰罰？孔子懼而作《春秋》。……時左丘明、子夏造膝親受，無不精究。孔子既沒，微言將絕，……公羊高親受子夏。」❶然則《春秋公羊傳》係傳自子夏。另如楊士勛《春秋穀梁傳序疏》云：

---

❶　《春秋公羊傳注疏·何休序》徐彥疏引。

❶　《晉書》卷七五〈荀崧傳〉，北京：中華書局1974年版，第1978頁。

「穀梁子名淑（當爲俶），字元始，魯人。一名赤。受經于子夏，爲經作傳，故曰《穀梁傳》。」阮元《穀梁傳註疏校勘記》曰：「王應麟云：『穀梁子或以爲名赤，或以爲名俶，顏師古又以爲名喜。』按：作俶是也。齊召南云：《爾雅》俶訓始，故字元始。」可見，《春秋穀梁傳》也是傳自子夏。

從有關文獻記載來看，子夏在儒家經典的承傳上確實作出過重要貢獻。《史記·孔子世家》在談到孔子修《春秋》時說：「至於爲《春秋》，筆則筆，削則削，子夏之徒不能贊一辭。」這裏所謂「子夏之徒不能贊一辭」，筆者認爲並非意味著子夏及其弟子在《春秋》的傳授上無所作爲，而是強調孔子所修《春秋》質量之高，即使子夏及其弟子這些具有很高「文學」造詣的後學們也難以參與修訂一字一辭。這裏只說子夏之徒對《春秋》如何，而不言及其他孔門弟子，從另一側面反映了子夏在儒家經典的承傳上較其他孔門弟子曾發揮過更重要的作用。

東漢司空徐防於和帝時上疏說：「臣聞《詩》、《書》、《禮》、《樂》，定自孔子，發明章句，始於子夏。」❶所謂「發明章句」即是指進行注解一類的工作，而《喪服傳》實際上就是《儀禮·喪服》經文與記文的注解，然則上引徐防之疏文就是肯定《喪服傳》傳自子夏。

宋人洪邁於其名著《容齋隨筆·續筆》卷十四「子夏經學」條云：

> 孔子弟子惟子夏於諸經獨有書。雖雜記傳言未可盡信，然要

---

❶ 《後漢書》卷四四《徐防傳》，北京：中華書局1965年版，第1500頁。

爲與他人不同矣。於《易》則有傳，於《詩》則有序。而《毛詩》之學，一云子夏授高行子，四傳而至小毛公；一云子夏傳曾申，五傳而至大毛公。於《禮》則有《儀禮·喪服》一篇，馬融、王肅諸儒多爲之訓説。於《春秋》，所云『不能贊一辭』，蓋亦嘗從事於斯矣。公羊高實受之於子夏，穀梁赤者，《風俗通》亦云子夏門人。於《論語》，則鄭康成以爲仲弓、子夏等所撰定也。❷⓪

　　洪邁所云子夏在諸經傳授中的作用，都是本於兩漢魏晉人之説。其説雖然未必完全可信，但依據前述子夏在儒家經典傳授工作中的地位和貢獻，依據他晚年曾在西河大規模教授生徒的經歷，我們有理由相信徐防與洪邁關於子夏與《儀禮·喪服》之説當是有所本的，不會是空穴來風。

　　除了前述種種可以説明子夏具備傳授《喪服傳》的條件和資格以外，還有如下其他兩條理由可以作爲《喪服傳》傳自子夏的旁證。

　　其一、《禮記》論禮諸篇爲春秋戰國之際七十子後學所陸續纂輯，現已基本成爲學界共識。而在論禮諸篇中載有不少子夏向孔子請教或與其他人商討喪禮與喪服之事，如《禮記·檀弓上》載子夏曾向孔子請教「居君之母與妻之喪」的問題；又載狄儀曾向子夏請教喪服問題，並根據子夏的意見而爲同母異父之昆弟制齊衰之服。《禮記·曾子問》載子夏曾與孔子討論「三年之喪卒哭，金革之事無辟」的問題。可見子夏確實對喪服制度很有興趣，也很有研究。尤其值得注意的是《禮記·檀弓上》載：

---

❷⓪　洪邁《容齋隨筆》，上海古籍出版社1978年7月版，第390頁。

> 孔子之喪，有自燕來觀者，舍於子夏氏。子夏曰：「聖人之
> 葬人與？人之葬聖人也。子何觀焉？昔者夫子言之曰：『吾
> 見封之若堂者矣，見若坊者矣，見若覆夏屋者矣，見若斧者
> 矣，吾從若斧者焉。』馬鬣封之謂也。今一日而三斬板、而
> 已封，尚行夫子之志乎哉！」

　　這是說在為孔子舉行葬禮時，有客人從燕國來參觀，住在子夏
家中。而子夏則認為：「若聖人之葬人與？則人庶有異聞，得來觀者。
若人之葬聖人，與凡人何異？而子何觀之？」❷❶燕人前來參觀孔子葬
禮之所以「舍於子夏氏」，可能有兩方面的原因：其一，可能是由於
子夏深通喪禮，被委派為孔子葬禮的主持人，燕人則因參觀葬禮而舍
於其家；其二，可能是由於子夏當時以精通喪禮而聞名於列國間，因
而燕人慕名前來拜訪參觀。無論如何，此事都反映出子夏可能確實是
當時著名的喪禮專家。然則由這樣的喪禮專家在向弟子傳授由孔子所
編訂的《儀禮》各篇時，對特別繁難的《喪服》篇進行特別詳盡的講
解，再由其弟子與再傳弟子「師師相傳」下去，並於後世著於竹帛，
編訂成別本單行的《喪服傳》，就完全是入情入理的事情。
　　其二、從《喪服傳》與《公羊傳》、《穀梁傳》的句式對比中，
可以發現三書的句式非常相似，從而可以推定可能在師承傳授上有一
定的淵源關係。正如唐賈公彥於《儀禮·喪服》篇疏中所云：

> 案：《公羊傳》是公羊高所為。公羊高是子夏弟子。今案，
> 《公羊傳》有云『者何』、『何以』、『曷為』、『孰謂』

---

❷❶　孔穎達《禮記正義》引王肅語。

之等，今此傳亦云『者何』、『何以』、『孰謂』、『曷爲』
等之問，師徒相習，語勢相邅（連），以弟子卻本前師，此傳
（指《喪服傳》）得爲子夏所作，是以師師相傳，蓋不虛也。㉒

　　賈氏的這一發現是很有見地的。他從語言運用情況揭示出《喪
服傳》與《公羊傳》兩書的內在聯繫。二者通篇都以師生問答的體例
結構成書（篇），頻繁運用『者何』、『何以』、『孰謂』、『曷爲』
等詞語提示問題，然後作出解釋。此外還有《穀梁傳》在體例上也採
用這種形式結構成書。而除此三書之外，其他從先秦流傳下來的古文
獻很少有採用這種體例的，原因何在？筆者認爲其原因就在於此三書
在師承傳授上有一定的淵源關係，具體說來，就是說《喪服傳》可能
與《公》、《穀》二傳一樣，其主體內容本來是子夏當年在西河講學
時所口授的內容，後來由其弟子與再傳弟子代代相傳地承傳下去並加
以一定的損益潤色後著於竹帛。因此，唐人將《喪服傳》署爲「子夏
傳」當有所本，未可厚非。

　　綜上所述，我們可以對子夏與《喪服傳》的關係作出這樣的認
識和理解：《儀禮·喪服》的經文基本上是孔子依據宗周時代流傳下
來的喪服禮俗，參以己意，加以系統化、整齊化而編纂成書的，當然
其中也可能會包含一些七十子後學所增益修訂的內容。而《喪服傳》
則當是孔子弟子子夏所承傳，就是子夏將其師從孔子學禮時所習得的
有關解釋《儀禮·喪服》經、記的內容，再口授給其弟子，後由其弟
子與再傳弟子「師師相傳」下去，並著於竹帛，編訂爲《喪服傳》一

㉒　賈公彥等《儀禮注疏》，北京：中華書局1980年影印《十三經注疏》本，第
　　1096頁。

書。需要說明的是，《喪服傳》的內容主要是由子夏從孔子所習得並傳授給其弟子，也就是說，子夏對《喪服傳》所作的工作雖然不能排除其中有「作」的成分，但主要還是應定位在「傳」上。我們之所以同意《喪服傳》為「子夏傳」的觀點，而不完全同意「子夏作」的說法，原因就在於此。

論《孔子家語》的眞僞
及其文獻價値

王承略*

摘　要

王肅注本《孔子家語》是對劉向校本《孔子家語》的「增加」，並非所有的「增加」都出自王肅之手，但某些語句的改易和添加，只能是王肅所為，其目的在於為自己的學說辯護，或別有用心地讓鄭玄出醜，幸而王肅篡改的範圍不算太大，今本《家語》的大部分內容尚保持著劉校本的原貌，因而未可籠統地視為偽書而全盤否定，應該重新審視並充分肯定其重要的文獻價值。

關鍵詞　孔子家語　王肅　辨偽

＊　山東大學古籍所副教授

　　對孔子及其弟子生平活動的瞭解，人們總苦於資料無多。可資利用的主要典籍不過只有《論語》、《左傳》、《禮記》、《史記》等幾種而已。而先秦至兩漢的著述所載孔子及其弟子的言行，總起來看，往往比較零散，且彼此之間或不無文字差異，有時令人無所適從，所以進一步拓寬研究的資料範圍是很有必要的。拓寬研究資料範圍的一個重要方面，就是對現有的材料重新審視，其中對《孔子家語》的挖掘和利用尤爲不可忽視。

　　《孔子家語》最早見於《漢書・藝文志》，被著錄在「六藝略」《論語》類。從著錄的類別和書名上不難看出，《孔子家語》的性質大概與《論語》近似，較多記載了孔子及其弟子的言行。〈藝文志〉所錄之書，除劉向、杜林、揚雄三家而外，都是經過劉向、劉歆父子校理過的，受當時書寫條件和政治上、學術上種種因素的制約，「六藝」之外的典籍大都流傳不廣，加以兩漢之交的動盪和漢末的董卓之亂，爲數眾多的書籍毀於兵燹，《孔子家語》有幸忝附「六藝」之尾，故其流傳不絕如縷。三國時魏王肅從他的學生、孔子二十二世孫孔猛處得到了一部《家語》，凡四十四篇。王肅以書中所論與自己的學術觀點「有若重規疊矩」（《孔子家語・序》），乃爲之注，至今傳於世，且基本首尾完具。

　　王肅是繼鄭玄之後著名的經學大師，因與司馬政權的特殊關係，他的經注立於學官，顯赫一時。不過王肅學識號稱淵博，人品卻不無可議之處。治經一味排斥鄭玄，早已超出了心平氣和的學術爭鳴，又涉嫌製作多部僞書，所以對於他得到的《家語》的眞實性就引起了後世學人的懷疑。宋代的王柏、清代的姚際恒、四庫館臣、范家相、孫志祖等均以爲今本《家語》是王肅僞造的，目的是托古以自重，從而

攻擊鄭玄之學。自清以來，這種觀點一直佔據上風，影響所及，人們談僞色變，在孔子及其弟子的研究中，《家語》自然也就難得一用了。

與王肅造僞之說不同意見者，有宋代的朱熹、黃震，清代的陳士珂、錢馥、沈欽韓等。尤其是陳士珂，撰《孔子家語疏證》，意在證明《家語》淵源有自，決非王肅僞造。這些學者的言論、考辨和著作，儘管不曾引起人們太多的關注，無法從根本上改變人們對《家語》業已形成的認識，但事實上終究發生了一定的引導作用，《家語》已被間或引用，成爲著書立論的重要根據，尤其某些《家語》獨有他書皆無的資料，頗得一部分學者的認可。不過總體看來，人們尚心懷惴惴，不敢過多引證，或有所稱引而隱其出處，顯出了棄之不舍、用之不安的心態。

《家語》成書的眞實情形究竟如何，其眞僞的比例到底如何裁定，直接關係到了對這部書的認識、評價和利用，所以很有必要作較細緻的分析以澄清事實。前代學人殫精竭慮不曾使問題最終解決，已表明其難度和複雜性。在此我不揣譾陋，試提出個人膚淺的看法。

當王肅利用自注《家語》肆意批評鄭玄時，鄭學的捍衛者、晉中郎馬昭奮起駁斥王肅之說。馬昭與王肅並時，又是學術勁敵，他的話應該是判斷《家語》眞僞的最重要的尺度。《禮記·樂記》正義引馬昭曰：「《家語》，王肅所增加。」請注意，馬昭用的是「增加」二字，而不是「僞造」二字。可見馬昭只斷言《家語》中有王肅的增飾成分，而不曾認定王肅僞造了《家語》全書。

因王注本《家語》是對劉校本《家語》的「增加」，二者有所不同，故顏師古注《漢書》時特別指出：「非今所有《家語》。」許多學者據此論定王注《家語》是僞書，恐非顏師古本意。

再從王注本流行以後利用情況看，學者們大都廣徵博引，毫不排斥，《史記》三家注、《五經正義》等莫不如此。可見自南朝至於李唐，學術界尚未因《家語》中有王肅的增飾成分而摒棄不用。懷疑《家語》是徹頭徹尾的僞書，持全盤否定之態度，肇始於南宋。

王注本較之劉校本到底「增加」了些什麼，王肅以前是否就已經有所「增加」，把這兩個問題考辨清楚，是評價王注本乃至恢復劉校本原貌的關鍵。事隔千有餘年，要弄清王肅增加的內容誠非易事，然而亦不是毫無辦法。比如我們通過考察學術發展的歷史進程，《家語》本文與其他先秦兩漢文獻的互見，以及王肅與鄭玄學術觀點的對立，就能發現王肅「增加」的某些痕跡。

四十四篇中有整篇增加者，如〈廟制〉，論天子立七廟，諸侯立五廟，大夫立三廟，士立一廟，庶人無廟，爲有虞至於周不變之制；論郊以配天，論禘爲五年大祭等，皆是兩漢經學爭論的焦點問題。《家語》托爲孔子之言以爲定論，而不曾想到漢儒之所以聚訟不決，紛紛論爭天子七廟到底是那七廟，三代之制是否相同等等，正在於文獻無徵，難以稽考。若有孔子明文可據，何用群言沸騰，呶呶不息（參皮錫瑞《經學歷史》）。鄭玄所論與此絕不相同，可見此篇應該是鄭玄以後才增入《家語》的。又如〈五帝〉篇，論古帝、三代與五行的搭配關係，以太皥配木，炎帝配火，黃帝配土，少皥配金，顓頊配水，堯配火，舜配土，夏配金，殷配水，周配木，只要對五行始終說略知一二者，就能發現，這樣的組配，只能出現於王莽「篡漢」以後。也就是說，劉校本中不可能有此一篇。那麼這一篇增加於王莽到王肅之間。增加者可能是王肅，也可能另有其人。李學勤先生指出：王肅自序稱《家語》得自孔猛，當爲可信；《家語》很可能陸續成於孔安國、孔

僖、孔季彥、孔猛等孔氏家學之手，有很長的編纂、改動、增補過程，
是漢魏孔氏家學的產物（見《竹簡〈家語〉與漢魏孔氏家學》）。假若我
們不論青紅皂白，把《家語》中所有新增入的成份歸咎於王肅一人，
那就極有可能冤枉了他。

　　當然，我們有足夠的證據表明，某些增飾的成份，特別是語句
的改易和添加，只能出自王肅之手。他增飾的目的，是特意爲其學說
辯護，或別有用心地讓鄭玄出醜。比如，關於嫁娶之正時，毛亨在《詩
故訓傳》中不止一次地指出在多季，鄭玄則根據《周禮》「中春之月，
令會男女」的記載，認爲當在仲春之月，所以他箋《詩》時每每改易
毛《傳》。在這個問題上，王肅旗幟鮮明地反對鄭玄，而以毛亨爲是。
但毛亨所論婚姻正時，除《荀子》中稍稍提及外，不復見於先秦儒家
其他典籍。王肅卻能在《家語》中挖掘出最具權威性的孔子之言以證
成毛亨之說，其文云：「霜降而婦功成，嫁娶者行焉。冰泮而農桑起，
婚禮而殺於此。」聖人既有言在先，鄭玄自屬大謬不然。今按，這段
文字出自〈本命解〉，此篇亦爲《大戴禮記》所錄存，但《大戴禮記》
中恰恰沒有王肅稱引的孔子之言。王肅又引《家語·禮運》「冬合男
女，春頒爵位」之語進一步佐證嫁娶之時，按《禮運》又見《禮記》，
二者文字大致相同，惟獨王肅引以爲據的這句話，《禮記》作「合男
女、頒爵位必當年德」。王肅爲一己之私，曲意篡改《家語》文字，
可謂昭然若揭，一目了然。

　　又如《禮記·樂記》：「昔者舜作五弦之琴，以歌〈南風〉。」
鄭注：「南風，長養之風也，以言父母之長養也。其辭未聞也。」王
肅則根據《尸子》、《家語·辯樂》補出了鄭玄聞所未聞的歌辭。按：
〈南風〉之歌名，數見於先秦兩漢其他典籍，如《韓非子·外儲說左

上》、《越絕書》卷十三、《新語·無爲篇》、《韓詩外傳》卷四、《淮南子·詮言訓》及〈泰族訓〉、《說苑·修文篇》、《風俗通·聲音篇》等，統統是僅有歌名而無其辭，《尸子》、《家語》中存其歌辭，就不能不令人疑惑。考《隋書·經籍志》著錄《尸子》二十卷〈目〉一卷，注云：「梁十九卷。其九篇亡，魏黃初中續。」可知《尸子》幾乎有一半的內容是魏黃初續作的。〈南風〉歌辭所在的〈綽子篇〉，應該就在黃初九篇「續作」之列。《文選》卷十八〈琴賦〉注引《尸子》所載〈南風〉歌辭作「南風之薰兮，可以解吾民之慍」，可見〈綽子篇〉裏的〈南風〉歌辭當只此一句。到了《家語·辯樂》則又添加了下句：「南風之時兮，可以阜吾民之財兮。」於是完整的〈南風〉之歌遂被炮製而出。此歌的僞造，本無關學術弘旨，王肅所爲，純屬爭強好勝。爲炫示自己的學識在鄭玄之上，王肅眞是用心良苦，不擇手段。

王肅挖空心思篡改《家語》本文，對鄭玄的學術和人身進行攻擊，確實有失一代學者的風範。幸而王肅篡改的範圍不算太大，並非凡是動用《家語》攻駁鄭玄之處都經過他的改竄。實際情況是，王肅每每稱引《家語》本文以批評鄭玄。

如《禮記·禮運》：「禮……其居於人也曰養。」鄭注：「養當爲義字之誤。」王肅不同意鄭玄字誤之說，因《家語·禮運》篇亦作養，與《禮記》合。

又如《禮記·雜記》：「大夫爲其父母兄弟之未爲大夫者之喪服如士服，士爲其父母兄弟之爲大夫者之喪服如士服。」鄭注以爲大夫喪服禮逸失，與士喪服禮不同者不得而知，引晏嬰爲父服士服之事，以爲晏嬰出於謙虛。王肅主張喪服自天子以下無等，晏嬰所服並不是

故意捨棄大夫之喪服而用士喪服，他只是厭惡當時喪服之禮頹廢，故服重服以警世人，又恐惹人怨恨，故當有人批評他所服非大夫之服時，他並不直接指出別人的批評非是，而只是說了句「只有諸侯的卿才相當於大夫」以敷衍過去。王肅以為此乃晏嬰謙詞以避害，並引孔子之說「晏平仲可謂能遠害矣」云云，為自己的主張提供佐證。姑且不論王肅對晏嬰所服喪服的理解是否與孔子相同，他引孔子之言則絕不是偽造的，因此事又見《晏子春秋》，孔子之語赫然在焉。

再如《禮記·樂記》論〈大武〉之樂，「六成復綴以崇天子夾振之而四伐」，鄭注釋「崇」為「充」，並云「凡六奏以充〈武〉樂也」。按，依准鄭注，則「天子」下讀，成為「夾振之而四伐」之人。王肅見到的《家語·辯樂》文字作「六成而復綴以崇其天子焉眾夾振焉而四伐」，多出「其」「焉」「眾」三字，「天子」就只能上讀了。大概因為鄭玄破字創義過於曲解，天子親自「夾振之而四伐」又不太合乎情理，所以清代學者孫希旦、朱彬及中華書局標點本《史記·樂書》，都一致採用王肅之說。能令古今學者折服信從，可見《家語》中文字原當如此。

綜上所述，可以得出如下結論：今本《家語》的大部分內容還保持著劉校本的原貌；今本較之劉校本多出的篇目和文字，有的確實是王肅所為，有的則可能是孔氏家學中人所為；王肅為攻駁鄭玄而篡改《家語》的文字，其情形和數量是有限的；王肅偽造全書的觀點不能成立。

今本《家語》確有來歷，有相當一部分篇章結集於西漢之時，其文獻價值之高，也就不言而喻。

首先，《家語》保存了某些獨一無二的文獻資料，是研究孔子、

孔子弟子及先秦兩漢文化典籍的重要依據。例如〈本命解〉載，孔子之母徵在，「以夫之年大，懼不時有男，而私禱尼丘之山以祈焉，生孔子，故名丘，字仲尼」。這比起《孔子世家》說孔子「生而首上圩頂，故因名曰丘」，更顯得合乎人情和接近事實。本篇又載「孔子三歲而叔梁紇卒，葬於防。至十九，娶於齊之亓官氏，一歲而生伯魚。魚之生也，魯昭公以鯉魚賜孔子。榮君之貺，故因以名曰鯉，而字伯魚。魚年五十，先孔子卒。」不見於先秦兩漢其他典籍，自魏晉以下，學者們一般認為這些材料是可信的。又如〈七十二弟子解〉篇，所列與〈仲尼弟子列傳〉同為七十七人，然二者多有差異。公孫孺、秦商、顏亥、叔仲會四人，《家語》有事迹，而《史記》皆無；《史記》有公伯遼、秦冉、鄡單三人，《家語》不載，而別有琴牢、陳亢、縣亶當此三人之數。此外二者所記人物名字不同、籍貫不同、孔子年歲不同，比比皆是。自鄭玄《孔子弟子目錄》亡佚以後，學者們研究孔子弟子，一貫採用的方法就是取材二篇並通過相互對比補充以折中其間，可見這二篇在利用價值上已經難分軒輊了。

其次，《家語》保存了比較準確可靠的文獻資料，可以對傳世的其他典籍匡謬補缺，具有足資參考利用的史料價值。例如關於顏回的生卒年壽，可以根據《家語》糾正《史記》傳本之訛。《論語·先進》載：「顏淵死，顏路請子之車以為之椁。子曰：『才不才，亦各言其子也。鯉也死，有棺而無椁。吾不徒行以為之椁。以吾從大夫之後，不可徒行也。』」可見顏回卒于孔鯉之後，孔子之前。按，孔鯉卒於公元前483年，孔子卒於公元前479年，斑斑可考。顏回卒於二人之間，其時應該在公元前481年前後。《史記·仲尼弟子列傳》云回「少孔子三十歲」，則可推出其生於公元前522年，年壽四十一、

二。〈仲尼弟子列傳〉又載：「回年二十九，髮盡白，蚤死。」春秋、戰國時人的平均壽命並不長，顏回果真四十餘歲卒，似不得稱爲「蚤死」，《史記》的記載自相矛盾由此可見。《史記索隱》引《家語》則云：「年二十九而髮白，三十二而死。」年壽僅三十二，稱其早卒方顯得較爲合乎情理。根據《家語》，可知顏回少孔子實爲「卅」歲，傳抄時漏掉一豎，就訛變成「卅」了。又如〈七十二弟子解〉記樊須「少孔子四十六歲」，《史記》作「三十六歲」。考《左傳》哀公十一年，季氏以「須也弱」爲由，不同意樊須爲車右，則當孔子六十八歲時，樊須二十歲左右，所以《家語》的記載是可信的，《史記》的傳本則又一次將四十訛變成三十了。

復次，《家語》保存了一大批比較原始的文獻資料，有許多地方明顯地勝於其他相關古籍，具有重要的版本、校勘價值。如〈大婚解〉云：「夫其行己不過乎物，謂之成事。不過乎，合天道也。」《禮記·哀公問》此處僅有「不過乎物」四字，於義不確，故朱熹曰：「以上下文推之，當從《家語》。」（孫希旦《禮記集解》引）又如《賢君》篇「孔子見宋君」云云，《說苑·政理》作「梁君」。清俞樾曰：「仲尼時無梁君，當從《家語》作宋君爲是。」（向宗魯《說苑校證》引）《家語》中與先秦兩漢典籍重出的材料不在少數，經過千餘年的流傳，他書文字有誤而《家語》或不誤，這就不徒有助校勘而已，其保存正確的史料之功，尤應給予足夠的重視。

《家語》的大部分內容是切實可靠的，而且具有不可替代的文獻價值，所以它在孔子、孔子弟子及古代儒學思想研究中的重要地位，應該予以肯定，若仍一味地以人廢書，全盤否定，顯然是極端不負責任的。當然對於其中非劉校本原貌的部分我們一定要區別對待，尤應

注意參取旁證，並結合地下出土文獻《儒家者言》等，細加審視，以期剔僞存眞。要做好這一工作，熟悉和瞭解《家語》就成爲當務之急。已故著名學者王利器先生和山東大學青年學者張濤教授善於把握學術動態，分別完成了《孔子家語疏證》和《孔子家語注譯》，前者即將刊行，後者已於1998年由三秦出版社出版。可以肯定，這兩部著作的撰著和問世，必將進一步引起學術界對《孔子家語》研究的關注，有助於把孔子、孔子弟子和古代儒學的研究推向深入。

韓國流傳保存中國古典小說之狀況

——以江原大學版《中國小說繪模本》為主的考察

王國良*

摘　要

本論文試圖通過十八世紀中葉朝鮮英祖嬪妃——完山李氏所編輯《中國小說繪模本》，考察當時中國小說在韓國流傳的大致情形。同時，也根據現代學者對南韓公私立圖書館收藏中國小說所做的調查，評估該地保存中國古典小說之現況。如此，不但有助於明瞭古代中國圖書在其他漢文化圈流通的部份狀況；對於該國的學術及社會風氣，也可以有某種程度之理解。

關鍵詞　文言小說　通俗小說　典藏　亡佚

---

* 東吳大學中文系教授

壹、緒 言

　　位居東北亞的朝鮮半島與中國大陸緊鄰，彼此間有悠久綿長的
政經文化交流關係。尤其在脫離中國郡縣統治之後所建立的高句麗、
百濟、新羅三國，以及統一而後形成的新羅、高麗、李氏朝鮮等王朝，
無論在典章制度、學術思想、文學藝術等方面，均受到中國文化深刻
且持久的影響。除了雙方使節往來交遊，韓人留學僧侶士子勤於吸收
研究以外，典籍文獻之購置贈予也發揮了積極的橋樑功能。當然，漢
字在朝鮮半島的長期使用，則是扮演了關鍵角色。

　　典籍傳入朝鮮，大致有幾種途徑。一是歷代王朝以官方名義向
中國求書或購書；二是由來華使者及留學人員帶回各種書籍；三是透
過商業行為將印刷物傳進朝鮮半島。大量刻印的經典和通俗讀物（特
別是小說），可能藉由第三種為主要管道。此外，朝鮮官方及民間也
不斷刊印漢文書籍，以滿足各階層的需求。經過了千百年的增添累積，
其中雖有天災人禍造成不少毀損亡佚，朝鮮一地收藏保存的中國舊
籍，數量仍然極為可觀，初步估計約有數千種之多。

　　中國古典小說東傳朝鮮半島，以文獻記載而言，大概以《和漢
三才圖會》所載晉武帝太康五年（西元二八四年）百濟古爾王向日本獻
《山海經》最早，可證之前該書即已傳入。此後，有關唐、宋時期小
說流傳的零星紀錄，仍可蹤跡一二。但是到了明、清時代，也就是十
五世紀至十九世紀初，則進入鼎盛期。跟日本流傳收藏中國小說，可
以從《日本國見在書目錄》、《商舶載來書目》、《舶載書目》及《小

說字彙‧援引書目》獲得比較具體完整資訊相比，韓國方面的相關記載就顯得零星而缺乏系統。所幸在十八世紀中葉，朝鮮英祖嬪妃完山李氏爲中國古代小說人物繪模專集撰寫〈小敘〉中，廣泛記錄了文言暨白話說部稗史七十餘種名目，爲後人提供不少有價值的信息，意義非凡。

貳、談江原大學版《中國小說繪模本》

目前韓國國立中央圖書館所藏書畫中，有一冊表紙書名題作《支那歷史繪模本》的畫帖，共七十張❶，以無紋柳綠色厚褙表紙、土紅絲綴裝幀。其內有朝鮮英祖繪士主簿金德成（一七二九年～一七九七年）等人根據宮廷收藏中國稗官野史所載歷代事蹟模畫插圖一百二十八幅，冊前有完山李氏於壬午（英祖卅八年，清乾隆廿七年，西元一七六二年）閏五月初九日撰成之序、小敘各一篇。（按：今本〈小敘〉末云：「引書序于首，又作小跋於末，以傳後之子孫。」似乎「敘」乃「跋」字之誤，且當置於插圖之後。其詳待考。）

在李氏〈小敘〉中，曾羅列了一般士大夫比較少措意的稗官小史書目八十三種，其中有七十四種是小說。由於暎嬪李氏與傳抄翻譯中國小說有密切關係，因此自二十世紀七〇年代以來即引起學界

---

❶ 朴在淵，〈完山李氏〈中國小說繪模本〉解題〉（韓國春川，江原大學校出版部，《中國小說繪模本》，一九九三年八月），頁一五五註❶云：「60張」，與實際情形不符，當係筆誤。

中翻譯小說研究者對《繪模本》的興趣與重視。曹喜雄曾據〈小敍〉
所列書目，對韓國精神文化研究院樂善齋藏韓文《太原志》、《聘
聘傳》兩種爲朝鮮小說提出質疑❷。九〇年代朴在淵撰寫《朝鮮時
代中國通俗小說翻譯本研究》博士論文，再次以樂善齋藏韓文之小
說翻譯本爲主，做全面性探討，並特別仔細考察《繪模本》的內容
及相關問題。❸

　　一九九三年八月，韓國春川市江原大學校出版部印行《中國小
說繪模本》。據編者朴在淵博士的說明，中央圖書館藏本封面上「支
那歷史繪模本」題簽應是二、三十年代日本統治韓國時所寫，今根據
其實際之內容改作《中國小說繪模本》。此次印本，在正文之後有附
錄十種，包括朴在淵兩篇有關完山李氏《繪模本》的韓文解題及中文
提要、一篇金相燁對金德成插畫的相關討論，以及崔溶澈、朴在淵合
編〈韓國所見中國通俗小說書目〉、朴在淵編〈韓國所見中國彈詞鼓
詞書目〉、同人編〈韓國所見中國通俗小說朝譯本書目〉等。這些都
是非常實用而具有參考價值的資料，十分可貴。

參、《中國小說繪模本·小敍》考述

　　完山李氏當宮廷繪士模畫完成中國小說圖冊後，曾親自撰有序

---

❷　曹喜雄，〈樂善齋藏翻譯小說之研究〉，《國語國文學研究》62·63號，一
　　九七三年十二月。

❸　朴在淵，《朝鮮時代中國通俗小說翻譯本研究》。韓國外國語大學博士論文，
　　一九九二年十二月。

及跋文（即〈小敘〉）各一篇。其序文云：

> 夫此畫者，則古今行跡，諸家數抄，一並選編，令繪士若干
> 人，摸本成冊。其中，有可鑑可戒者，有可實可虛者。何則？
> 爲漢高之中矢捫足，宋江之一分忠義，伯牙之知遇非常，千
> 古之下，其可鑑焉者；魏公之好鶴亡國，項籍之烏江自刎，
> 平妖之媚兒妖變，八戒之貪酒嗜色，百世之後，亦可戒焉者
> 也。諸葛之西城，赤壁之東風，文彥博之除妖，或以正勝邪，
> 以誠感天，以智敗愚也，其事實也；行者之變化，公孫之鬥
> 法，唐宗之求經，無載於史冊，而但警世之言，其事之不實，
> 可知矣。凡一卷之內，歷代悉備，可足春日冬夜，求病求寂，
> 一助消日也夫。

李氏用了大約二百字，交代了選編的緣起及圖畫內容的一二；
再者，除了在平日消遣之外，並希望它們有警世鑑戒之作用。

至於目前在中國古典小說研究界頗引起注意的一篇跋語（亦即通
稱的〈小敘〉）則云：

> 夫《四書》、《六經》及《綱目》、《通鑑》、《宋鑑》、
> 《明史》、《綱鑑》諸書，韓、柳、白、李、杜、蘇諸集，
> 朱子諸書，《二程全書》等諸子百家之外，又有稗官小史等
> 諸書，其名不可勝記。然其中有大小、精粗、虛實、警世之
> 分。何則？概其條目之大，則曰《開闢演義》，曰《涿鹿演
> 義》，曰《西周演義》，曰《列國志》，曰《西漢演義》，
> 曰《東漢演義》，曰《三國志》，曰《東晉演義》，曰《西

晉演義》，曰《禪眞逸史》，曰《隋唐演義》，曰《殘唐演義》，曰《南宋演義》，曰《北宋演義》，曰《皇明英烈傳》，曰《續英烈傳》，曰《焦史演義》也。其條目之小，則曰《留人眼》，曰《西湖佳話》，曰《人中畫》，曰《禪眞後史》，曰《剪燈叢話》，曰《文苑楂橘》，曰《艷異編》，曰《五色石》，曰《型世言》，曰《醒世恆言》，曰《拍案驚奇》，曰《今古奇觀》，曰《列仙傳》，曰《女範》，曰《士範》，曰《養正圖解》，曰《孫龐演義》，曰《四才子書》，曰《玉巧利》，曰《玉支磯》，曰《春風眠》，曰《春柳鶯》，曰《破閑談》，曰《巧聯珠》，曰《好逑傳》，曰《王翠翹傳》，曰《弁以釵》，曰《引鳳簫》，曰《鳳簫梅》，曰《山中一夕話》，曰《仙媛傳》，曰《富公傳》，曰《盛唐演義》，曰《太原志》，曰《聖經直解》，曰《七克》，曰《聘聘傳》，曰《西廂記》也。其中又有大中小帙，曰《西遊記》，曰《後西遊記》，曰《東遊記》，曰《水滸志》，曰《後水滸志》，曰《水滸後傳》，曰《西洋記》，曰《包公演義》，曰《無冤錄》，曰《迪吉錄》，曰《感應篇》，曰《剪燈新話》也。又其中有淫談怪說，曰《濃情快史》，曰《昭陽趣史》，曰《錦屏梅》，曰《陶情百趣》，曰《玉樓春》，曰《貪歡報》，曰《杏花天》，曰《肉蒲團》，曰《戀情人》，曰《巫夢緣》，曰《燈月緣》，曰《鬧花叢》，曰《艷史》，曰《桃興圖畫》，曰《百抄》，曰《何潤傳》也。形形色色，鬱鬱蒽蒽，不可盡喻。其中可鑑可戒者，可笑可愛者，抄集成冊，令繪士主簿金德成等若干人，摸本粧冊。開卷歷代事跡，其可瞭然；

引書序于首，又作小跋於末，以傳後之子孫，其勿泛看也夫。

在朝鮮英祖卅八年（壬午，一七六二年）閏五月初九日，完山李氏一口氣寫了〈序〉、〈小敘（跋）〉兩篇文章。在第二篇頗有鳥瞰中國歷代著述之意，然尤著意於稗官野史之流，因此洋洋灑灑開列了她個人所見知的八十三部書。其中，屬於小説類就有七十四種之多，而且還依其內容或形式大致予以歸類，簡直可以當做十八世紀中葉韓國收藏中國小説書目看待。

爲了方便考察上述七十四種小説在韓國的流傳及亡佚情況，本節即參照江原大學校版《繪模本》及附錄之八、之十兩種書目做比對（文章中簡稱「崔容澈・朴在淵」、「朴在淵」）。另外，還參考閔寬東《中國古典小説在韓國之傳播》（上海，學林出版社，一九九八年）第二章版本情狀之著錄（簡稱「閔寬東」），然後略加分類考述。同時，也取日本寬政四年（一七九二年）大阪書林爲「初讀舶來小説者」編輯的一部中國俗語辭書——《小説字彙》所附〈援引書目〉，做爲參照（列於每條之末，簡稱「大阪」），以見同期日本流傳狀況之一斑。

一、文言小説之屬

1.《列仙傳》。舊題漢劉向撰。今傳《正統道藏》以下諸本，並爲二卷。韓國奎章閣藏清掃葉山房印本，殘。　閔寬東

2.《剪燈新話》。明瞿佑撰。四卷。韓國垂胡子集釋《句解》本，二卷。奎章閣、嶺南大、建國大、高麗大等收藏中國及韓國刊本多種。崔溶澈・朴在淵、朴在淵、閔寬東

3.《艷異編》。題明王世貞撰。現存有四十五卷、四十卷、十二

卷本等。目前韓國未見收藏舊本。　崔溶澈・朴在淵、朴在淵　大阪

　　4.《剪燈叢話》。明自好子編。十二卷。目前韓國未見收藏。

　　5.《文苑楂橘》。編者未詳。今傳朝鮮十七、十八世紀間活字本，題《刪補文苑楂橘》，二卷。中央圖書館、精神文化研究院、高麗大收藏。　閔寬東

　　6.《山中一夕話》，又名《開卷一笑》。題明李卓吾編次，笑笑生增訂。六卷。韓國未見收藏。　大阪

　　7.《聘聘傳》。明李昌祺撰《剪燈餘話》卷五〈賈雲華還魂記〉之改題。今有韓文寫本，五卷，藏於精神文化研究院。　朴在淵、閔寬東

　　此外，有《破閑談》、《仙媛傳》、《富公傳》、《迪吉錄》等，待考。

二、通俗小說之屬

(一)短篇話本

　　1.《醒世恒言》。明馮夢龍編。四十卷。奎章閣藏明刊本殘存九冊，廿二卷；釜山大亦藏殘本七冊，刊年未詳。　崔溶澈・朴在淵、朴在淵、閔寬東　大阪

　　2.《拍案驚奇》。明凌濛初編。四十卷。韓國未見收藏舊本。　崔溶澈・朴在淵、朴在淵　大阪

　　3.《今古奇觀》。明抱甕老人編。四十卷。目前有高麗大、延世大、成均館大、慶北大……等藏清刻本暨石印本。　崔溶澈・朴在淵、朴在淵、閔寬東　大阪

　　4.《型世言》。明陸人龍撰。十卷四十回。奎章閣藏明崇禎刊本。

另外，精神文化研究院藏韓文寫本，四冊，不全，卷首缺。　崔溶澈·朴在淵、朴在淵、閔寬東

5.《人中畫》。清佚名編。十六回。今存清嘯花軒等刊本。韓國未見傳本。　崔溶澈·朴在淵、朴在淵

6.《留人眼》。清佚名編。嘯花軒本《人中畫》內封扉頁右上角題《留人眼》。日本宮內廳書陵部藏《舶載書目》著錄此書三冊。完山李氏另題一書，恐係疏忽而重複❹。韓國未見傳本。　崔溶澈·朴在淵、朴在淵

7.《西湖佳話》。清墨浪子編。十六卷。奎章閣藏有乾隆芥子園刻本，朴在淵亦藏清刻本一部。　崔溶澈·朴在淵、朴在淵、閔寬東大阪

8.《五色石》。清筆煉閣主人編。八卷。韓國未見傳本。　崔溶澈·朴在淵、朴在淵　大阪

㈡歷史演義

---

❹　林辰，《明末清初小說述錄》（瀋陽，春風文藝出版社，一九八八年三月），頁一六三~四，『「留人眼」之謎』謂：「清人所說的『留人眼』，是招人愛看的意思。清之書坊，刻印小說者多有在封面上方或書名左右，加上醒目的招引讀者的文字，以起宣傳廣告的作用。……似此，則《人中畫》封面左右所題之『留人眼』，應是書坊（或者作者）用以引起讀者注目的宣傳文字，既不是一部小說作品名，也不是同書之異名。」朴在淵撰〈關於完山李氏《中國小說繪模本》〉（韓國春川，江原大學校出版部，《中國小說繪模本》），頁二〇一云：「以前對於『留人眼』與『人中畫』」…眾說紛紜，但在《繪模本》中，『人中畫』與『留人眼』各以作品名稱拼列起來，因此可知是不同的作品。」個人比較偏向林氏的看法。蓋完山李氏並非專業研究者，任意標示書名的可能性極高，偶然重複著錄也可以理解。

1.《開闢演義》，全稱《新刻按鑒編纂開闢衍繹通俗志傳》。明周游撰。六卷八十回。成均館大、高麗大、慶北大藏有清刊本。另奎章閣、延世大藏韓文寫本。 崔溶澈·朴在淵、朴在淵、閔寬東 大阪

2.《涿鹿演義》。佚名撰。卷數、回數，不詳。疑敷演黃帝、蚩尤涿鹿爭鬥事。今韓國未見傳本。 崔溶澈·朴在淵、朴在淵

3.《西周演義》。明佚名撰。十六卷。法國巴黎國家圖書館藏清嘉慶刻本，題爲《繡像春秋列國新增西周演義》，有陳繼儒序。另外，韓國江陵市船橋莊藏有明鍾伯敬批評《封神演義》殘本十七卷（缺卷九、十、二十），封面題《西周演義》。奎章閣、精神文化研究院，並藏有韓文寫本，亦係《封神演義》之譯本。 崔溶澈·朴在淵、朴在淵、閔寬東

4.《列國志》。有兩種系統。一爲《春秋列國志傳》，八卷，明余象斗批評重刊本；十二卷，明陳繼儒評點本。韓國未見傳本；唯中央圖書館有韓文《春秋列國志》抄本，十七冊。一爲《新列國志》，明馮夢龍撰。一〇八回。清蔡元放評點，改題《東周列國志》。奎章閣、高麗大、成均館大、玄谷書院等藏有清刊本。又嶺南大有韓文抄寫《列國志》殘本；日本國會圖書館東洋文庫亦藏韓文本《列國志》，四十二冊。 崔溶澈·朴在淵、朴在淵、閔寬東 大阪

5.《孫龐演義》，全名《孫龐鬥智演義》。明吳門嘯客撰。二十卷二十回。韓國未見傳本，唯精神文化研究院有韓文寫本，五冊五卷。崔溶澈·朴在淵、朴在淵、閔寬東 大阪

6.《西漢演義》。明甄偉撰。八卷一〇一則。奎章閣、延世大、高麗大、成均館大、梨花女大等藏有清刻本。另外，中央圖書館、奎

章閣、高麗大，都收藏韓文寫本。　崔溶澈·朴在淵、朴在淵、閔寬東　大阪

7.《東漢演義》，全名《東漢十二帝通俗演義》。明謝詔撰。十卷一四六則。中央圖書館、延世大、高麗大、成均館大、朴在淵等都藏有清刻本。中央圖書館又藏韓文寫本，六冊六卷。　崔溶澈·朴在淵、朴在淵、閔寬東　大阪

8.《三國志》，又稱《三國志傳》、《三國志通俗演義》。明羅貫中撰。明刊本有十二卷及廿四卷，或二四〇則，或一二〇回。清康熙毛宗崗增刪本，六十卷一二〇回。朝鮮仁祖五年（明熹宗天啓七年，西元一六二七年），曾翻刻林周曰校本，今僅存殘本。中央圖書館、奎章閣，以及各大學圖書館或個人收藏毛氏批點本，則不計其數。另外，中央圖書館、奎章閣、精神文化研究院等，均藏有多種韓文抄寫本《三國志》或《三國誌》。二十世紀三〇年代，漢城還出現坊刻韓文本。崔溶澈·朴在淵、朴在淵、閔寬東　大阪

9.《西晉演義》。

10.《東晉演義》。兩書合稱《東西晉演義》。明楊爾增撰。十二卷五十回。又一種名為《東西兩晉志傳》，西晉四卷一一六則，東晉八卷二三一則，內容稍異。韓國未見傳本。　崔溶澈·朴在淵、朴在淵

11.《豔史》，全名《隋煬帝豔史》。明齊東野人撰。八卷四〇回。今高麗大藏本，八冊卅二卷（回），版心題《豔史》；奎章閣藏本，十二冊廿二卷。　崔溶澈、朴在淵、朴在淵、閔寬東　大阪

12.《隋唐演義》。清褚人穫撰，二十卷一〇〇回。中央圖書館、高麗大、成均館大、釜山大均藏有清刻本。另外，奎章閣藏有韓文寫

本，十冊十卷。　崔溶澈·朴在淵、朴在淵、閔寬東　大阪

　　13.《盛唐演義》。未見各家著錄，亦無傳本。或疑爲《說唐演義》之訛，蓋是。　崔溶澈·朴在淵、朴在淵

　　14.《殘唐演義》，全名《殘唐五代史演義》。題明羅貫中編輯、李贄批評。八卷六〇則。延世大、成均館大藏有清刊本。另外，精神文化研究院藏韓文寫本，五冊五卷。　崔溶澈·朴在淵、朴在淵、閔寬東　大阪

　　15.《北宋演義》。

　　16.《南宋演義》。兩書合併當即《按鑒演義南北宋志傳》。明熊大木編。北宋十卷，南宋十卷。成均館大收藏明刻後印本；高麗大、成均館大收藏有清刊本。另外，韓國精神文化研究院藏韓文寫本《北宋演義》五冊，日本東洋文庫藏本則十三冊；李謙魯藏韓文寫本《南宋演義》，七冊。　崔溶澈·朴在淵、朴在淵、閔寬東　大阪

　　17.《皇明英烈傳》，一名《皇明開運英武傳》，又名《雲合奇蹤》。明佚名撰，或題明徐渭編。八十回。中央圖書館、奎章閣、東亞大收藏明或清刊本。另外，精神文化研究院有韓文寫本，八冊八卷。崔溶澈·朴在淵、朴在淵、閔寬東　大阪

　　18.《續英烈傳》。明空谷老人撰。五卷三十四回。奎章閣、梨花女大藏有清刊殘本。　崔溶澈·朴在淵、朴在淵、閔寬東

　　19.《西洋記》，全名《三寶太監西洋記通俗演義》。明羅懋登撰。二十卷一〇〇回。延世大藏清刊本，已殘缺；奎章閣藏清末活字本。　崔溶澈·朴在淵、朴在淵、閔寬東　大阪

　　20.《焦（樵）史演義》。清江左樵子撰。八卷四〇回。韓國未見傳本。　崔溶澈·朴在淵、朴在淵

㈢艷情·才子佳人

1.《錦屏 (金瓶) 梅》。明笑笑生撰。十卷一〇〇回。奎章閣、精神文化研究院、高麗大、成均館大、梨花女大藏有清刊第一奇書本。崔溶澈·朴在淵、朴在淵、閔寬東　大阪

2.《貪歡報》，又名《歡喜冤家》、《艷鏡》。明西湖漁隱主人撰。二十四回。韓國未見傳本。　崔溶澈·朴在淵、朴在淵　大阪

3.《弁以 (而) 釵》。明心月主人撰。四集二十回。韓國未見傳本。　崔溶澈·朴在淵、朴在淵

4.《昭陽趣史》。明艷艷生撰。二卷六十五則。韓國未見傳本。　崔溶澈·朴在淵、朴在淵　大阪

5.《濃情快史》。清餐花主人撰。三十回。東亞大藏有抄本六冊。崔溶澈·朴在淵

6.《肉蒲團》，一名《覺後禪》。清情隱先生撰。二十回。高麗大藏日本刻本。　崔溶澈·朴在淵、朴在淵　大阪

7.《王翠翹傳》，當指《金雲翹傳》。清青心才人撰。二十回。韓國未見傳本。　崔溶澈·朴在淵、朴在淵　大阪

8.《玉巧利 (嬌梨)》，一名《雙美奇緣》。清荑狄山人撰。二十四回。成均館大藏有清刻本。另外，高麗大藏韓文寫本，一冊；日本東京大學藏韓文寫本兩種。　閔寬東、朴在淵　大阪

9.《四才子書【平山冷燕】》。清荻岸散人撰。二十回。奎章閣、成均館大藏有清刻本。另外，中央圖書館、精神文化研究藏有韓文寫本各一部。　崔溶澈·朴在淵、朴在淵、閔寬東　大阪

10.《王支磯 (璣)》。青天花藏主人撰。二十回。韓國未見傳本；唯延世大藏有《玉友機》 (即《玉支璣》)，韓文寫本四冊。　崔溶澈·

朴在淵、朴在淵　大阪

11.《鬧花叢》。清癡情士撰。四卷十二回。韓國未見傳本。　崔溶澈・朴在淵、朴在淵

12.《春柳鶯》。清南北鷁冠使者撰。十回。韓國未見傳本。　崔溶澈・朴在淵、朴在淵

13.《鳳簫梅（媒）》。清鶴市散人撰。四卷十六回。韓國未見傳本。日本寶曆甲戌（清乾隆十九年，西元一七五四年）《舶載書目》，記載有素位堂刻本。　崔溶澈・朴在淵、朴在淵　大阪

14.《巧聯珠》。清煙霞散人撰。十五回，韓國未見傳本。　崔溶澈・朴在淵、朴在淵　大阪

15.《燈月緣》。清煙水散人撰。十二回。韓國未見傳本。　崔溶澈・朴在淵、朴在淵　大阪

16.《巫夢緣》。清佚名撰。十二卷。韓國未見傳本。　崔溶澈・朴在淵、朴在淵

17.《好逑傳》，又名《俠義風月傳》。清名教中人撰。十八回。奎章閣、精神文化研究院、成均館大藏有清刻本。另外，奎章閣、梨花女大藏韓文寫本各一部。　崔溶澈・朴在淵、朴在淵、閔寬東　大阪

18.《玉樓春》，全名《覺世姻緣玉樓春》。清白雲道人撰。有十二回、二十回、二十四回本。韓國未見傳本。　崔溶澈・朴在淵、朴在淵　大阪

19.《引鳳簫》。清楓江伴雲友撰。十六回。韓國未見傳本。　崔溶澈・朴在淵、朴在淵　大阪

20.《杏花天》。清天放道人撰。四卷十四回。韓國未見傳本。　崔

溶澈‧朴在淵、朴在淵　大阪

21.《戀情人》，一名《迎風趣史》。清佚名撰。六卷十二回。韓國未見傳本。　崔溶澈‧朴在淵、朴在淵　大阪

22.《何澗（河間）撰》。清佚名撰。卷回不詳。清康熙劉廷璣《在園雜志》卷二著錄。韓國未見傳本。　崔溶澈‧朴在淵、朴在淵

23.《春風眠》。未見各家著錄。或疑即日本《舶載書目》所記《醉春風》，可備一說。韓國未見傳本。　崔溶澈‧朴在淵、朴在淵

此外，尚有《百抄》、《陶情百趣》、《桃興圖畫》三種，疑亦屬於豔情類，其詳待考。

㈣其　他

1.《西遊記》。明吳承恩（？）撰。二十卷一○○回。奎章閣、精神文化研究院、延世大、高麗大、梨花女大、成均館大、嶺南大、釜山大、全南大、全北大、啓明大、建國大、玄谷書院均藏有清刻本。另外，中央圖書館、奎章閣、精神文化研究院藏有韓文節譯本。　崔溶澈‧朴在淵、朴在淵、閔寬東　大阪

2.《後西遊記》。清佚名撰。四十回。韓國未見傳本。　崔溶澈‧朴在淵、朴在淵　大阪

3.《東遊記》，全稱《八仙出處東遊記》。明吳元泰撰。二卷五十六則。本書與《西遊記》、《南遊記》、《北遊記》合稱《四遊記》或《四遊全傳》。今成均館大藏有韓文寫本《東遊記》一冊。　崔溶澈‧朴在淵、閔寬東　大阪

（以上神魔類）

4.《水滸志（傳）》，全稱《忠義水滸傳》，簡本有稱《忠義水滸志傳》者。明施耐庵撰。一○○回、一○二回、一一五回、一二

〇回；金聖歎本，七〇回。奎章閣、精神文化研究院、延世大、高麗大、成均館大、嶺南大、全北大、啓明大、江陵市船橋莊藏有清刻金改本。中央圖書館藏韓國寫本《水滸誌》十五冊。另外，奎章閣、梨花女大藏有韓文寫本《水滸誌》。 崔溶澈・朴在淵、朴在淵、閔寬東 大阪

5.《後水滸志（傳）》。清青蓮室主人撰。四十五回。韓國未見傳本，唯精神文化研究院藏有韓文寫本《後水滸傳》（《後水滸誌》）十二冊，申龜鉉亦藏有六冊。 崔溶澈・朴在淵、朴在淵 大阪

6.《水滸後傳》。清陳忱撰。八卷四十回。韓國未見傳本。

7.《禪眞逸史》。明清溪道人撰。八集四十回。韓國未見傳本，唯精神文化研究院藏有韓文寫本兩部。 崔溶澈・朴在淵、朴在淵、閔寬東 大阪

8.《禪眞後史》。明清溪道人撰。十集六十回。韓國未見傳本。 崔溶澈・朴在淵 大阪

9.《包公演義》，全稱《包孝肅公百家公案演義》。明佚名撰。六卷一百回。奎章閣藏明刻本，缺卷三。另外，精神文化研究院藏韓文寫本七冊。 崔溶澈・朴在淵、朴在淵、閔寬東 大阪

（以上俠義・公案類）

此外，有《太原志》一種，演述元金陵林成（？）遠遊太原五國發跡變態故事，撰者及卷回不詳。朴在淵〈完山李氏《中國小說繪模本》解題〉，將之歸入英雄小說類❺。今韓國不見傳本，然精神文化研究院藏有韓文寫本四冊。見崔氏、朴氏、閔氏三家著錄。

---

❺ 同註❶，頁一六八。

肆、結　語

　　晚明陳繼儒（一五五八年～一六三九年）《太平清話》卷上云：「朝鮮人極好書。凡使臣到中土，或限四五十人。或舊典，或新書，稗官小說，在彼所缺者。五六十人日出市中，各寫書目，分頭遇人遍問，不惜重金購回，故彼國反有異書藏本也。」他們購買的書籍，雖然包含經、史、子、集各種各類，而稗官小說既不太艱深，內容則博雜有趣，有時還可以做爲練習寫作或會話的範本，因此更廣受歡迎。

　　從十五世紀以降，明朝與李氏朝鮮基本上維持著穩定友好的關係，雙方使節往來頻繁，清初仍然沒有多大改變。使節團成員回國時，除了攜帶回贈禮物外，通常還附載不少私人物品，中國的印本書籍也是其中之一。李王宮廷圖書館－奎章閣固然庋藏有豐富的經籍秘本，而後宮女眷則偏愛野史說部之類。十八世紀中葉，朝鮮英祖寵妃暎嬪李氏居住的藏春閣與麗暉閣陸續收藏有數十部話本、歷史演義、才子佳人及艷情小說等中國書籍，也就不足爲奇。

　　到下一位國君正祖繼位，他在十二年（一七八八年）頒下禁止外交人員攜回唐板稗官小說和經史等印刷物的御命。十五年、十六年、十七年，又有同樣的禁令。結果如何，固然不得而知，但宮廷藏書則是來源減少或者斷絕。更不幸的是十四年昌慶宮通明殿火災，西側的藏春閣、麗暉閣也遭殃及，所藏書籍皆付之一炬。因此，我們今天藉由《中國小說繪模本·小敘》，遙想當年輾轉輸入朝鮮，且有幸收藏於後宮的這批「稗官小史」，再對照今日南韓公私文化機構或個人所

藏同類書籍亡佚過半，而同期輸入日本的小說，則大抵留存後世的狀
況❻，也難免要感觸良深了。

---

❻ 倘若石印本及鉛排本不計，目前韓國尚存者廿四種，殘闕者七種，亡佚者則
有四十三種，接近六成。比較特別的是「艷情·才子佳人」之屬廿六種，存
者五種，殘者一種，其餘二十種俱已亡佚，似乎間接反映出朝鮮半島受儒家
傳統文學觀影響的大致情況。至於日本大阪書林編《小說字彙·援引書目》
所載，與《中國小說繪模本·小敘》相同者四十四種，現今僅有《鳳簫媒》、
《戀情人》、《後水滸傳》三種不見公私收藏，簡直不可思議。

試論敢爲天下先的張元濟先生

——從整理《百衲本二十四史校勘 記》重新認識《百衲本二十四 史》的版本價值

王紹曾*

在學術界幾乎無人不知在20世紀30年代張元濟先生輯印過一部《百衲本二十四史》（以下簡稱《衲史》），一時歎爲奇觀。當時蔡元培、胡適、傅斯年、傅增湘、汪兆鏞等學者名流，對輯印《衲史》都十分關注，備加贊揚。已故張舜徽教授，經過《衲史》與武英殿本（以下簡稱殿本）對勘，從十個方面論證，《衲史》是「全史中最標準的本子」。鄭振鐸同志在〈縮印百衲本二十四史序〉中，也充分肯定《衲史》「用最早最好的各史版本來發清代殿本《二十四史》的任意竄改

＊　山東大學古籍所教授

之覆，這是一個很重要的事業，對於科學工作者們有很大的幫助」。
殿本刊於清乾隆四年（1749），直到20世紀30年代，歷經200餘年，這
個被清代統治者竄改得面目全非的殿本，經過光、宣之際五局合刻本
的大量翻刻，藏書家和學者的案頭幾乎全是殿本。沒有一個人敢站出
來發清代統治者任意竄改之覆，還全史之本來面目。敢爲天下先的張
元濟先生，看在眼裏，憑藉他廣博的學識、商務印書館的財力、人力，
從籌設涵芬樓之日起，便有意識地搜羅全史中的宋元明善本，再向國
內外藏書家通假，用張元濟先生自己的話說：「求之坊肆，勾之藏家，
近走兩京，遠弛域外。每有所覯，輒影存之。後有善者，前即舍去，
積年累月，均得有較勝之本。雖舛錯疏遺，仍所不免。而書貴初刻，
洵足以補殿本之罅漏。」（〈影印百衲本二十四史序〉）《衲史》的影印
出版，凝聚著張元濟先生二十年的精力。這是中國文化史上的一件大
事。據有關資料表明，張元濟先生於1925年9月，即已校勘《梁書》，
同年11月校過《五代史記》。1927年4月校過《陳書》，同年6月校過
《宋書》，同年12月校過《南齊書》、《舊唐書》。1928年1月校過
《金史》，直至1936—1937年參與校勘《宋史》。1928年2月前，已
校過《魏書》、《北齊書》，1928年以後，又續校《史記》、《漢書》、
《晉書》、《南史》、《北史》及其他諸史。其中《晉書》校過四種，
《史記》校定時間，當在1931年借到日本上杉侯爵家所藏黃善夫本全
帙補完缺卷以後。張元濟先生自己承認《衲史》「一掃學術上二百餘
年之陰霾」（《張元濟書札》增訂本1937年4月9日〈致汪兆銘書〉），事實
證明，確鑿無疑。我們應該承認，《衲史》的影印出版，不僅「一掃
學術上二百餘年之陰霾」，就其廣羅宋元明善本之多，千補百衲之艱
辛，與夫校勘之認眞不苟，可謂空前絕後，千百年來未有之盛業。自

乾嘉大師王（鳴盛）、錢（大昕）而後，以如此眾多的宋元明善本及名家批校本校勘全史者，惟先生一人而已。其校勘成果，轉出王、錢之上。因爲王、錢以理校爲主，所見善本不多，憑藉他們驚人的學養，過人的才識，發現全史中的誤、衍、顚、脫，往往與宋、元、明善本暗合（亦有王、錢認爲舛誤，而宋元明善本不誤者），而張元濟先生，則以殿本與宋元明舊本對校爲主，而參以眾本，並兼採本校、他校、理校，故於異文是非，每加案斷，悉中肯綮。我們只要讀一下傅增湘《校史隨筆·序言》，就能對《衲史》成書之難，與張元濟先生校史之勞，得到充分地瞭解。可是一般人只知道《衲史》，卻不瞭解《衲史》之所以可貴，在於《衲史校勘記》。清儒段玉裁〈與諸同志論校書之難〉：「校書之難，非照本改字，不訛不漏之難也，定其是非之難。」（見《經韻樓集》卷十二）張元濟先生《衲史校勘記》的重要價值，不僅臚列眾本文字異同，尤其重要的在於定異文的是非，從而將校勘結果，確定哪些字該「修」、該「補」（張先生所說的「修」，實際上就是「改」），哪些字一仍其舊。而且所有修補的字都得有版本依據。因此可以這樣說，張先生不僅「一掃二百餘年之陰霾」，即連用作《衲史》底本的宋元明舊刊所有明顯的誤、衍、顚、脫也爲之一掃而空。這就要有遠見、有膽識，更要有敢爲天下先的精神才能這樣做。這在中國校勘學史上是空前的。

關於《衲史校勘記》成書的經過，張元濟先生《校史隨筆·自序》中說：

> 曩余讀王光祿《十七史商榷》，錢宮詹《廿二史考異》，頗疑今本正史之不可信。會禁網既弛，異書時出，因發重校正

　　史之願，聞有舊本，展轉請托，就地攝影，影本既成，隨讀
　　隨校，有可疑者，輒錄存之。每畢一史，即摘要以書於後，
　　商務印書館既覆印舊本行世，先後八載，中經兵燹，幸覩厥
　　成。余始終其事，與同人共成校勘記百數十冊，文字繁冗，
　　亟待董理，際茲世變，異日能否續印，殊未敢言。

　　時在1938年9月，上海已成孤島。《校史隨筆》就在這個時候出版。《校史隨筆》中提到的《衲史》異文是非，只是《衲史校勘記》的一個縮影。張元濟先生所說的「校勘記百數十冊」，憑1960年中華書局點校《二十四史》向商務印書館借用時的借據證明，共計23種，173冊（《明史》原無校勘記），令人十分遺憾的是《衲史校勘記》，中華書局校點完成之日，並未妥善保存、如數歸還商務，商務也無人過問，結果被中華遺失了《晉書》、《北齊書》、《周書》、《北史》、《舊五代史》、《遼史》、《元史》7種43冊，外加《宋史》一冊，共計44冊。中華在點校《二十四史》時，曾以《後漢書》、《南齊書》、《陳書》、《南史》、《北史》、《新唐書》、《五代史記》、《宋史》、《遼史》、《金史》、《元史》等十一史作底本，用《漢書》、《三國志》、《晉書》、《宋書》、《梁書》、《魏書》、《北齊書》、《周書》、《隋書》、《舊唐書》等10史作校本，證明點校本曾大量利用了《衲史》的成果，特別是在點校本校勘記中引用「張元濟校勘記云云」隨處可見。所以程千帆先生說：「中華本固有功，然百衲不先出，則中華諸底本亦無以植其基也。」胡適給張元濟先生通信，曾經三次提到《衲史》校勘的事，在1927年12月10日的信上說：

　　承賜借《舊唐書》，先生的校注極有用處。如李白一傳，殿

本脫二十六字，正是極重要之文。少此二十六字，此傳遂不可讀。今人論李白，多據《新書》，其實《新唐書》遠不如《舊書》之可靠。倘非先生用宋本校補之本，我竟不知此傳的本來面目了。故草此書道謝，並盼先生早日將校本全史付印，以惠學者。

同年12月14日的信上又說：

先生校全史之功作，眞可敬佩，令我神往。鄙意以爲先生宜倩一、二助手，先將已校各書過錄一、二副本。

其實張元濟先生早就打算影印舊本正史，就在胡適提出建議的前兩個月，1927年10月27日，已經第一次開出影印《衲史》的版本目錄，徵求傅增湘的意見（見《張元濟傅增湘論書尺牘》第117—118頁），不過當時還沒有《衲史》的名稱。胡適的第三封信是在1930年3月27日寫的，當時他已見到《衲史》的樣本，他在信上說：

《廿四史》百衲本樣本，今朝細看，歡喜讚歎，不能自己。此書之出，嘉惠學史者眞不可計量。惟先生的校勘記，功力最勤，功用最大，千萬不可不早日發刊。若能以每種校勘記附于每一史之後，則此書之功用，可以增加不止百倍。蓋普通學者很少能得殿本者，即有之亦很少能細細用此百衲本互校。校勘之學是專門事業，非人人所能爲，專家以其所得嘉惠學者，則一人之功力可供無窮人之用，然後可望後來學者能超過校史的工作而作進一步的事業。此意曾向先生陳述過，今讀樣本，更越覺此事之重要，故於道謝之餘，重申此說。

　　胡適的建議，無疑是正確的。但胡適希望校勘記附於每史之後，而且希望「千萬不可不早日發刊」，衡以當時的主客觀條件，很不現實。校勘記不僅要全面反映各本文字異同，更重要的是要定異文的是非。定異文是非是一項艱巨複雜的工作，王鳴盛、錢大昕竭畢生之力，才寫成《十七史商榷》、《廿二史考異》，阮元《十三經註疏校勘記》是在江西巡撫任上憑藉他地位與聲望，邀請了一批知名學者，如德清徐養原校《周易》、《尙書》，元和顧廣圻校《毛詩》，武進臧庸校《周禮》、《春秋公羊傳》、《爾雅》，臨海洪震煊校《禮記》，錢塘嚴傑校《儀禮》、《春秋左傳》，如此等等。而總其成者實爲金臺段玉裁。後來阮元調撫河南，這些學者仍留在江西校勘，據阮元的兒子阮福後來回憶說：「校書之人，不能如家大人在江西之細心，其中錯字甚多，有監本毛本不錯，而今反錯者。《校勘記》去取亦不盡善，故家大人不以此刻本爲善也。」（見《雷塘盦弟子記》）可見校勘之難，決非旦夕可成。張先生校勘《衲史》與阮校不同之處，在於阮校明知宋版之誤，但加圈於誤字之旁，而附校勘記於每卷之末，張元濟先生校《衲史》，意在使《衲史》成爲全史之定本，故於宋元舊刊明顯之誤、衍、顚、脫而有版本依據者，斟酌去取，逕行校改。此實劉向校書之家法，並非張元濟先生所獨創。何況清代統治者肆意竄改，在全史中處觸皆是，如用阮校方法，僅於竄改之文加圈爲記，讀者必須於校勘記中耐心尋究，勢必耗費精力，同時失卻全史之本來面目。故逕行校改，完全符合治史者的要求。有人顧慮，如宋元舊本改字，讀者誤以爲宋元舊本無一差錯。其實這個問題，只要打開校勘記來看，這種疑慮就完全解決了。又有人認爲刻本影印本不同，刻本可以改字，盧文弨、孫星衍就是這樣做的，影印本則必須保存原貌，而將異文於

校勘記中如實反映，否則不但讀者誤以爲宋元舊本，概無一誤，而且
淆亂版本系統。其實這種顧慮也是多餘的。《衲史》經過校改，已經
自成系統，已非原來的宋元舊本。因此不存在淆亂版本系統的問題。
關於《衲史》校改問題，我曾向顧廷龍先生請教，他認爲這在當時是
一種創造。因此我再一次感覺到，只有敢爲天下先的張元濟先生才能
開影印本校改之先河。這當然必須有條件的人才能這樣做。段玉裁還
曾說過：「故刊古書者，其學識無憾，則折衷爲定本以行於世，如戴
東原師之《大戴禮記》、《水經注》是也。其學識不敢自信，則照舊
刊之，不敢措一辭，不當捃摭各本，侈口談是非也。」（《經韻樓集》
卷十一〈答顧千里書〉）段玉裁說的是刊本，我認爲同樣適用於影印本。
現在《衲史校勘記》沈埋了半個多世紀，商務印書館終於將現存16種
委託我負責整理，經多年的努力，賴諸同仁的通力合作，幸觀厥成，
商務正在陸續付印出版，《衲史》校改之謎，終將大白於天下。我作
爲《衲史校勘記》整理工作的主持人，深感責任重大，惟恐失之毫釐，
謬以千里。我爲了把16種校勘記的整理結果，編製了一張〈衲史校勘
情況表〉（附論文後）。特別重要的，我對《衲史校勘記》的出校條
數，與校改條數。根據各史的整理說明，做了一次匯總統計，其中出
校條數最多的是《宋史》，其次是新舊《唐書》，再次是《魏書》，
其餘如《史記》、《漢書》、《後漢書》、《三國志》、《宋書》都
在4,000－4,900條之間。校改的條數，自然也以《宋史》爲第一，其
次是《新唐書》、《魏書》、《史記》、《三國志》，再次就是《宋
書》，校改最少的是《漢書》。總計出校80,221條，校改19,135條。
如果加上丟失的七種，爲數更加可觀。如此眾多的出校條目和校改條
目，都是經過張元濟先生逐條核實，特別是批「修」或「補」的條目

都是張元濟先生親筆所批，必要時書眉上都加按語，以定異文是非。簡單的，只有幾個字，長一點的多達數十字。我從前《四史》校勘記中搜集了一些資料，歸納起來，張先生定異文是非，大概有以下幾種不同情況：

一、以文義定異文是非

例如《史記》傳卷十、十七頁、後九行注：宋本「謂獻恒山之東五城」，殿本東作末，眉批：疑恒山之脈，由西趨東，故以東爲尾，殿本末似誤。

又如《漢書》志卷二、廿四頁、前三行，宋本「般縱縱」，殿本縱縱作傱傱。眉批：注人相從，則以縱爲是。

又如《後漢書》紀六、十一頁、後五行，宋本「通章句文吏」，殿本吏作史。眉批：諸生文吏偶舉，宋本是。又如《後漢書》紀十上、二十頁、後九行，宋本「亦以建初二年與中姊」，殿本脫亦以二字。眉批：案竇后以建初二年入宮，故云亦以建初二年，宋本義長。

又如：《後漢書》傳四、十三頁、後七行，宋本「都尉事耶」，殿本耶作也。眉批：案語意謂此非都所得與聞，宋是。

二、以本書上下文證異文是非

例如《史記》書卷五、九頁、前五行注，宋本「輿四星」，殿

本四字作鬼五。眉批：據下文分貼東北、東南、西南、西北，又云中一星，則四星二字不誤。

又如《史記》世家卷十七、廿八頁、後五行注，宋本「國都城記」，殿本國字上有宗字。朱批：前已見過，亦無宗字。

又如《後漢書》紀六、廿四頁、後五行，宋本「九江賊馬勉稱黃帝」，殿本黃作皇。眉批：下文有黑帝，則黃不誤，宋是。

又如《後漢書》紀八、一頁、後一行，宋本「父爲吏」，殿本父作公，眉批：案後三行父爲吏再見，既申言之，父既爲軍吏云云，則父字較公字爲明直，宋是。

又如《後漢書》紀八、十頁、後四行，宋本「至延熹三年」，殿本三作二，眉批：本紀七桓帝紀延熹二年秋七月丙午皇后梁氏崩，乙丑葬懿陵，宋本誤。（紹曾案：此條須與校勘記原稿核對）

三、以注文證白文，或以白文證注文

例如《史記》傳五十一、十二頁、後六行，宋本「漢匈奴相紛挐」，殿本挐作拏，宋本闌內批：注亦作拏。

又如《後漢書》紀一上、十六頁、前四行，宋本「㱠厥樂魁」，殿本樂作渠。眉批：按此句爲白文渠帥二字注，承上渠大也來，當是渠。

又如《後漢書》紀八、十頁、前一行注，宋本「永安宮之大僕也」，殿本大作太。眉批：案白文作太，此誤。

又如《後漢書》傳四下、十一頁、後九行宋本「下有二小石犬

爲足」，殿本二作三。眉批：三是。注有三公輔也。

四、以他書證異文是非

例如《史記》書卷三、四頁、後一行注，宋本「日離宮闕道」，殿本闕作閣。宋本闌內批：〈天官書〉是閣。

又如《史記》書卷五、四二頁、後一行注，宋本「星孛於河戍」（下三見），殿本戍作戒。眉批：《漢書·天文志》作戍。

又如《史記》世家卷十、十七頁、後二行注，宋本「又汝州襄成縣」，殿本汝作許。眉批：查《一統志》，汝字不錯。

又如《三國志》魏書紀一、五頁、後八行，宋本「隨太祖到滎陽」，殿本滎作榮。眉批：案滎陽見《左傳》宣公十二年邲之戰。

又如《三國志》魏書紀一、十頁，後二行注，宋本「獲其龍東」，殿本龍作鼓。眉批：見《漢書》建武十三年，龍誤。

又如《三國志》魏書紀一、廿七頁，宋本「少爲范傍許章所識」，殿本傍作滂。眉批：《後漢》作滂，滂字於義爲勝。

這種例子，在《後漢書》裏還有很多。

五、以歷史事實定異文是非

例如《史記》世家卷十、十八頁、後五行注，宋本「在昭公二十三年」，殿本二作三。殿本闌內朱批：昭公只有三十二年。

又如《史記》世家卷十三、卅三頁、後一行注，宋本「昔陽服國所都也」，殿本服作肥。眉批：查春秋時無服國，肥子白狄也。

又如《史記》世家卷十七、廿八頁、後五行注，宋本「漢封夫子十二代孫志爲襃成侯」，殿本志作忠。朱批：查《孔氏祖庭廣記》，十二代名延年，十三代名霸，封關內侯，號襃成君，生子光。然則志、忠皆誤也。

又如《後漢書》紀十上、卅二頁、後八行注：宋本「小乙之子」，殿本小作祖。眉批：按祖乙爲河亶甲子，祖乙崩，子祖辛立，宋是。

又如《後漢書》紀九、一頁、後九行注：宋本「靈帝建元四年」，殿本建元作熹平。眉批：案靈帝無建元年號。

又如《後漢書》紀十上、廿九頁、後四行，宋本「永初九年」，殿本初作平。眉批：按永初安帝年號，見紀五，宋是。

六、以干支推算定異文是非

例如《後漢書》紀五、廿四頁、前三行宋本「五月庚辰」，殿本辰作申。眉批：按本年四月有丙辰、丁巳、甲子、己巳、甲戌，五月不得有庚申，後又言丙申，則殿本實誤。

又如《後漢書》紀五、廿八頁，宋本「戊戌」，殿本戌作辰。眉批：按三月既有甲午，不得復有戊辰，殿本誤。

又如《後漢書》紀八、九頁，前四行，宋本「正月辛丑」，殿本丑作巳。眉批：按是年十月癸丑朔，以此推之，正月不得有辛巳，殿誤。

七、以殿本《考證》定異文是非

例如《史記》紀卷四、六頁、後八行，宋本「後十年而崩」，殿本十作七。眉批：《考證》云誤七爲十。

又如《史記》紀卷四、卅四頁、後二行注，宋本「西周與東分王政理」，殿本王作主。眉批：《考證》亦作王。

又如《漢書》傳卷九、三頁，前六行注，宋本「舊未爵者」，殿本未作有，眉批：見《考證》。按《考證》云：「疑應作未封爵者。」

又如《後漢書》紀一下、廿一頁、前二行注，宋本「在今慶州馬嶺西北」，殿本馬作鳥。眉批：與《考證》合，宋是。

又如《後漢書》紀十下、十六頁、後六行，王美人不提行，殿本提行。眉批：宋是。此插筆，非另爲王美人傳也。自王美人起，至令儀頌數句，僅爲上文鴆殺王美人句補證。見《考證》。

又如《後漢書》傳卅五、廿一頁、前二行注，宋本「漢官儀椎成作鍛成」，殿本無儀字。眉批：《考證》當增儀字，此正合。

又如《後漢書》傳卅八、四頁、前九行注，宋本「逸詩也」，殿本也作曰。眉批：《考證》曰：當改也，此正合。

八、利用舊校以定是非

例如《漢書》利用宋祁校語及王念孫《漢書雜誌》在《校勘記》

中處處皆是。如紀一下、十九頁、後九行，宋本「疾可治於是」，殿本治下有「不醫曰可治」五字。眉批：與宋云舊本、越本合。王念孫亦採宋祁注。

又如《漢書》傳二十、十二頁、後十行，宋本「亡留門者」，殿本門下有下字。眉批：與宋云邵本合，王念孫言是。（王云：景祐本亦無下字）

又如《漢書》傳廿一、廿二頁、後三行，宋本「臣之所大惑也」，殿本所下有以為二字，大下有王字。眉批：與宋云景德本合，王念孫言是。

又如《後漢書》利用何焯校語，如傳六三、十四頁、前二行，宋本「溫伯慎」，殿本溫下作子字。眉批：宋本模糊，然不似子，尚留一痕迹，何校改子為字，此應照修（案：校勘記何校改子為字，誤書改字為字）。

又如《三國志》利用孔繼涵校本，如《魏志》紀一、廿七頁、後二行注，宋本「鴿字孟皇」，殿本皇作黃。眉批：孔改皇，見孔校，皇是。

又如《魏書》紀一、四四頁、後四行注，宋本「因以間之」，殿本間作聞。眉批：聞誤，見孔校。

此外，《後漢書》還利用劉攽《東漢刊誤》，證明《衲史》所用作底本的紹興監本，劉攽所刊誤字，紹興監本不誤，足見劉氏所見之本，已非監本之舊。至於王氏《商榷》、錢氏《考異》，張先生均充分利用。

九、表示存疑者不斷是非

例如《史記》世家卷十七、廿九頁、後十行注，宋本「宋之上官氏」，殿本上作丁，汲作等。朱批：辨論甚多，仍之可也。

又如《後漢書》紀五、三頁、前四行，宋本「乙亥隕石于陳留」，殿本亥作酉。眉批：是年干支見於史者：八月癸丑、九月庚子，是間距四十八日。庚子至丙寅爲二十七日，乙亥上距庚子三十六日，若乙酉則上距庚子三十六日。日，下文言及冬十月，疑有錯簡。又是年十二月有甲子、乙酉，而明年正月朔爲癸酉，實不可考。

又如《後漢書》紀八、廿三頁，前六行，宋本「改光喜爲昭寧」，殿本喜作熹。眉批：本書光喜兩見，宋本前後均作喜，似不盡爲誤刊，獻紀卻作熹。

此外，義可兩通者不辨是非，亦不作校改，這種例子，舉不勝舉。

以上這些例子，並不足以概括張元濟先生定異文是非的方法，不過從上面九個方面，已經可以看到張先生校勘的認眞不苟。他所定的異文是非，遠遠凌駕於前人之上。我準備16種校勘記出齊後，再作《衲史校勘記校勘舉例》。由於張元濟先生對異文是非，慧眼獨具，定得準。因此，他的校改，就有了科學依據。

根據以上我所見到的和談到的問題，我覺得《衲史》不僅集宋元舊本之大成，所有參校本幾乎把宋元以來全史的彙刻本、單刻本、名家批校本，網羅殆盡，即連武英殿本也給予足夠的重視，凡武英殿本勝於宋元舊者，照樣批「殿本是」，或「殿勝宋」，並據以校改。特別值得注意的，現存張元濟先生《校勘記稿本》十二種，除《史記》、

《宋史》、《金史》校勘記外，大都分上下冊，上冊以宋本校殿本，下冊以殿本校宋本。例如《漢書校勘記》一至三爲上冊親題宋本勝於殿本。第四冊爲下冊，殿本勝於宋本。我們這次整理《漢書校勘記》的時候，已將下冊殿本勝於宋本各條，分別在備註闌內加注「殿勝宋」字樣。其他如《宋書》、《南齊書》、《梁書》、《陳書》、《魏書》、《南史》等校勘記，均分上下冊。《五代史記校勘記》特於上冊標識「以宋本校正殿本」，加了一個「正」字，下冊則以殿本、汪本校宋本。儘管殿本存在這樣那樣的舛誤，但它優勝之處，並不埋沒，而且非常重視殿本《考證》。可見張元濟先生對待殿本，還是抱著實事求是的科學態度。因此，我們可以認爲《衲史》是集宋元舊本與武英殿本及其他參校本之長於一身的整理本，自成系統，既保持了宋元明舊本的原貌，又有別於原有的宋元明舊本。這是名副其實的百衲本。與錢曾和宋犖拼湊幾個宋本（宋犖還拼湊三種元本）號稱《百衲本史記》，不可同日而語。因此，我以爲《衲史》是校勘學史上的創舉，是版本史上的重大貢獻。它的價值遠遠高於宋元明舊本。有人以爲有了中華點校本《二十四史》便可以取代《衲史》，我不以爲然。雖然點校本《二十四史》，充分利用了《衲史》（《史記》除外），吸取了《衲史校記》的成果，並依據張校改字，但由于校勘者見仁見智的不同，取捨之間就有了差異，我在《近代出版家張元濟》（增訂本）中，以朱季海先生《南齊書校議》爲例，點校本《南齊書》用衲本作底本，本來衲本不誤，點校本反而誤改；本來張校不誤，點校本反以爲誤。這種例子，當然不限於《南齊書》。因爲有了《衲史》和《衲史校勘記》，就有可能對全史作進一步整理校勘，起到不可估量的作用。因此，以點校本《二十四史》取代《衲史》，是皮相之論。

2001年3月29日于山東大學古籍整理研究所，時年九十有一。

附《衲史現存16種校勘情況表》

書名	校勘記數	底本	參校本	出校條數	校改條數	備註
史記	6	宋慶元間刻黃善夫三家注本	劉喜海百衲本、汲古閣索隱本、王延喆三家注本、影刻蜀大字本	4,900餘條	1,800餘條	校勘記係張元濟先生手稿。
漢書	11	宋景祐監本，溝洫志、藝文志以元正統本配補。	汲古閣本、南監本、北監本、汪文盛本、元大德本、宋祁校語、殿本考證。	4,449條，	93條	內有張元濟先生手校本四冊，一至三為上冊，宋本勝於殿本，第四冊為下冊，殿本勝於宋本
後漢書	7	宋紹興監本，配以北圖及日本靜嘉堂文庫殘宋本	元大德本、明正統本、北監本、汪文盛本、汲古閣本、劉攽校語、殿本考證。	4,914條	249條	
三國志	12	宋紹熙建本，《魏志》前三卷以紹興本配補。	晉抄本、宋大字本、宋補本、北監本、汲古閣本、汪氏校本、孔繼涵校本。	4,605條	1,337條	
宋書	6	宋刻眉山七史三朝遞修本、宋元遞修本，以明北監本、嘉業堂劉氏、鐵琴銅劍樓瞿氏及涵芬樓元明遞修本、汲古閣本配補。		4,924條	1,145條	內有張元濟先生原稿一冊，時在民國16年6月
南齊書	3	宋刻眉山七史紹興重刻元修本	三朝本、南監本、北監本、汲古閣本。	1,549條	154條	內有張元濟先生原稿一冊，上下二卷，上卷以宋本校殿本，下卷以殿本校宋本，

						時在民國16年12月。
梁書	3	宋刻眉山七史元補本，各卷缺頁以元明遞修本配補。	三朝本、嘉靖本、南北監本、汲古閣本	1,561條	修328條補102條	內有張元濟先生原稿一冊，分上下兩部分，上以宋本校正殿本，下以殿本校正宋本，時在民國14年9月。
陳書	3	宋刻眉山七史本，缺卷以靜嘉堂文庫本配補。	三朝本、北監本、汲古閣本	1,122條	176條	內有張元濟先生手校原稿一冊，時在民國16年4月。
魏書	7	宋刻眉山七史元修本	三朝本、北監本、汲古閣本、北史、南史、王先謙校記，蔣本、殿本考證	5,387條	2,225條	內有張元濟先生手校原稿二冊。校勘記定本第一冊前附有誤修字表
隋書	4	元大德九路刻本	北監本、汲古閣本、北史、殿本考證	2,622條	779條	校勘記定本卷首附有誤修字表
南史	7	元大德九路刻本，缺卷以鐵琴銅劍樓、江安傅氏藏本配補	北監本、汲古閣本、宋書、南齊書、梁書、陳書、隋書、殿本考證	3,174條	863條	內有張元濟先生手校原稿一冊107頁。定本卷首附有誤修字表
舊唐書	15	宋紹興刻本，缺卷以明聞人詮覆宋本配補	殿本考證(稱沈本)、岑校、新唐書、通典、唐會要、太平御覽、冊府元龜、全唐文等	8,710條	1,447條	校勘記第二冊卷十五至十八，第六冊傳一百十五至一百十九、第七冊傳一百三十七上至一百五十下，內有三至六頁均為張元濟先生手校。校勘記第一冊卷首附有誤修字表。
新唐書	14	宋嘉祐刻本，缺卷	宋大字本、北監本、	9,726條	2,505條	校勘記定本第一

書名	冊	底本配補	版本			備註
		以北圖殘帙，宋閩刻殘本、宋魏仲立刻本配補。	汲古閣本、日本照小字本			冊卷首附誤修字表。宋魏仲立本改爲嘉祐本行款。
五代史記	5	宋慶元刻本，原缺序目，以江安傅氏藏宋刊別本配補（稱爲殘宋）。	殘宋本、汪文盛本、南、北監本、汲古閣本、彭元瑞本、劉世珩本、十七史商榷、廿二史考異、五代史纂誤、纂誤補	2,010條	259條	內有張元濟手校原稿一冊，上以宋本校正殿本，下以殿本、汪本校宋本，時在民國14年11月。校勘記批誤修四條。
宋史	20（缺元至正六年江浙等處行中書省刻本，第11冊）	缺卷以明成化七年至十六年朱英刻本配補。	元抄本、北監本	18,273條	5,589條	將成化本行款改爲元本行款。校勘者除張元濟先生外，有朱嘉祥、裘德生、蔣仲茀、黃肇成、瞿鳳起、汪樹穀、歸子均，共計八人。時在民國25—26年。
金史	8	元至正本，缺卷、缺葉、缺行，以元初覆本、再覆本配補。	南、北監本、施國祁《金史詳校》	2,295條	39條	校勘記定本第一冊卷首附誤修字表、漏修字表。內有張元濟先生手校本二冊，時在民國17年1月。
總計	130	宋本12種 元本4種		80,221條	19,135條	內有張元濟校勘記12種

《四庫全書總目》之考據方法

司馬朝軍*

摘　要

本文分七大類二十九條全面總結《四庫全書總目》之考據
方法，比較完整地揭示了四庫館派的考據學規則。

關鍵詞　考據方法　四庫全書總目

清代考據學家力反宋明空疏學風，提倡實事求是的樸學，從大
量的實證研究中摸索出了一整套考據方法。《四庫全書總目》（以下
簡稱《總目》）在全面總結考據方法方面亦作出了積極探索，惜乎散錢
滿屋，未能繩牽條貫，今試以一線串之。

(一)孤　證

梁啟超指出：「孤證不為定說。」「孤證不足以成說，非薈萃

＊　武漢大學圖書情報學院博士生

而比觀不可。」**❶**

⑴單文孤證，不足為據

這是考據學最基本的原理。因為僅憑孤證難以下結論。如《周易古本》提要云：「自宋以來，復古《易》者甚多，皆各有更定，彼此互異，然未有以卦辭、爻辭分篇者。（華）兆登據馬融、陸績之說，以為爻辭周公作，故應與文王異卷，究為單詞孤證，經傳別無明文。」（《總目》V8）僅引馬融、陸績之說，不過一條孤證，不能得出「爻辭周公作」的結論。《音聲紀元》提要云：「至於黃鍾律長九寸，歷代相傳，初無異說。惟李文利獨據《呂氏春秋》謂黃鍾之第三寸九分，而以司馬遷九寸之說為誤。又即其三寸之說推之，以為黃鍾極清，而以宮聲極濁之說？誤。單文孤證，乖謬難憑。」（《總目》V44）《周易圖說》提要云：「其實『河圖』、『洛書』雖見經傳，而今之五十五點、四十五點兩圖，其為古之『圖』、『書』與否，則經傳絕無顯證。援《左傳》有『三墳』，而謂即毛漸之書，援《周禮》有『連山』、『歸藏』，而謂即劉炫之書，考古者其疑之矣。且《繫辭》言『洛書』，不言即『九疇』，《洪範》言『九疇』，不言即『洛書』。」（《總目》V4）《鶡冠子》提要云：「《柳宗元集》有〈鶡冠子辨〉一首，乃詆為言盡鄙淺，謂其〈世兵編〉多同〈鵩賦〉，據司馬遷所引賈生二語以決其偽。然古人著書，往往偶用舊文，古人引證，亦往往偶隨所見，如『穀神不死』四語今見《老子》中，而《列子》乃稱為《黃帝書》。『克己複禮』一語今在《論語》中，《左傳》乃謂『仲尼稱：志有之』，『元者，善之長也』八句，今在《文言傳》中，《左傳》

---

❶ 梁啟超：《中國歷史研究法》P41。

乃記爲穆薑語。司馬遷惟稱賈生，蓋亦此類。未可以單文孤證遽斷其
僞。」（《總目》V117）

　　《總目》「孤證不足爲據」的準則，成爲乾嘉學派共同遵守的
學術規範。如程瑤田說：「孤證固疑，不可爲典要。」❷戴震認爲「據
以孤證以信其通」與「出於空言以定其論」一樣，難以令人信服。❸
汪廷珍亦云：「經史之學，與各項雜文不同，必有實證確憑方可定前
人未定之案，正前人未正之誤。若以空虛之理，或孤證偏詞，遽爲論
斷，且有乖於聖人好古闕疑之旨，雖學博力厚，足以壓倒一切，究竟
獻酬群心，終不能使人人心折。其於學術，殊無所補，萬一小有差失，
爲害轉大。」❹乾嘉學者的看法與《總目》如此默契，絕非偶然。黃
侃云：「考據之學有三要，一曰不可臆說，二曰不用單文，三曰不可
迂折。」又云：「今日籀讀古書，……當精心玩索全書，而不可斷
取單辭。」❺不作單文孤證，已爲近、現代學者廣泛接受。王力說：
「跟歸納法相反，就是所謂孤證，只有一個例子來說明，完全沒有歸
納，它跟科學方法是違背的。」❻梁啓超說：「乾嘉學者，實成一種
學風，和近世科學的研究法極相近，我們可以給他們一個特別的名稱，
叫做『科學的古典派』。」❼《總目》考據方法之所以與科學的研究
法相似，是因爲《總目》對西學方法有清醒的認同，並非只是一種偶

---

❷　阮元：《皇清經解》V526。

❸　戴震：《戴東原集》卷九〈與姚孝廉姬傳書〉。

❹　汪廷珍：《實事求是齋遺稿》卷四〈又複阮甫書〉。

❺　黃侃：《蘄春黃氏文存》P218。

❻　王力：《怎樣寫學術論文》。

❼　梁啓超：《中國近三百年學術史》。

然的巧合。《總目·幾何原本》對西方科學中的演繹法有清晰的敘述：
「其書每卷有界說、有公論、有設題。界說者，先取所用名目解說之。
公論者，舉其不可疑之理。設題則據所欲方之理。次弟設之，先其易
者，次其難者，由淺而深，由簡而繁，推之至於無以復加而後已。」
（《總目》V107）演繹與歸納，爲術不同，但相反相承。正是科學方
法的理性之光，照亮了乾嘉考據學的深邃之徑。

(2)偶異者不足爲據

今人有云：「例不十，法不立；例外不十，法不破。」偶異者
即指例外。《總目》認爲例外不足爲憑，如《漁樵對問》提要云：「所
稱有溫泉而無寒火者，楊愼《丹鉛錄》嘗引葛洪《抱朴子》蕭邱寒焰
以駁之。不知儒者論理，論其常耳，其偶異者，即使有之，不足爲據。
執松柏而謂冬不肅殺，執靡草而謂夏不茂育，則拘墟之見也。且蕭邱
誰得而見之？葛洪又何自而知之？」（《總目》V95）偶異者亦屬孤證。
《總目》這種思想，可能受到前輩學者毛奇齡的影響，毛氏曾指出：
「宋人邢昺注書，非無引據，往往據一廢百，且必廢其正說，而據其
旁說。」❽以偶異者爲立論的根據，得不出正確的結論。

(二)僞證

郭沫若在談到「關於文獻的處理」時說過一段十分精彩的話：
「無論作任何研究，材料的鑒別是最必要的基礎階段。材料不夠固然
大成問題，而材料的眞僞或時代性如未規定清楚，那比缺乏材料還要
更加危險。因爲材料缺乏，頂多得不出結論而已，而材料不正確便會

---

❽　毛奇齡：《西河全集》V8。

得出錯誤的結論。這樣的結論比沒有更要有害。」❾梁啓超也指出：「其普通公認之史料又或誤或偽，非經別裁審定，不堪引用。」❿《總目》對待偽證（分爲偽書、偽說兩種）也是從嚴審查。

(3)晚出偽書，不足爲據

偽書是有害證據，不能引以爲據。如《陸堂詩學》提要云：「《家語》偽作，《孔叢》晚出，乃動輒引爲確典，亦不可爲訓。」（《總目》V18）《大學新編》提要云：「是書前列《大學》正文一卷，以豐坊偽石經爲據，殊爲不考。」（《總目》V37）《經籍異同》提要云：「至《石經大學》，本豐坊偽撰，據爲定論，尤失考矣。」（《總目》V37）《李衛公通纂》提要云：「至《李衛公問對》一書，出自阮逸偽託而一概列入，絕無辨證，可知其考訂之疏矣。」（《總目》V60）《今世說》提要云：「徐喈鳳序引漢黃憲爲說，然《天祿閣外史》本王逢年之偽書，烏足據乎？」（《總目》V143）不辨眞偽，是考據一弊。浪引偽證，愛博嗜奇，適得其反。

(4)偽造之說，不足爲據

偽說如同偽書，也是有害證據，在清除之列，不能佐證。如《說書偶筆》提要云：「（李）在坊〈序〉又稱：『明永樂間有專以詆朱注爲能者，上其所著書，成祖深加譴責，急命火其書，磔其人。』考楊士奇《三朝聖諭錄》載『永樂二年饒州府士人朱季之獻所著，專斥濂、洛、關、閩之說，上覽之怒甚，敕行人押季之還饒州，會布政司府縣官及鄉之士人明論其罪，笞以示罰。而搜檢其家所著書，會眾焚

---

❾　郭沫若：《十批判書》
❿　同❶，P51。

之。』則但火其書耳，無礙人之事。在坊意在尊朱，故僞造此說，不足據也。」（V34）又如《宋遺民錄》提要云：「至謂虞集私侍文宗之妃，說殊妄誕，所引亦自相矛盾，……斥居靜江，好事者因造爲此言，其荒唐本不待辨。（程）敏政乃從而信之，乖謬甚矣。」（V61）這種有害證據，如果不加以認眞考辨，往往謬種流傳，貽患無窮。

㈢臆　證

梁啓超在概括盛清學者的學風時說：「凡立一義，必憑證據；無證據而以臆度者，在所必擯。」《總目》云：「以意推之耳，無確證也。」（V199《梅苑》提要）《總目》將臆證分爲臆造之說與臆斷之詞。

⑸臆造之說，不足為據

《四禮輯》提要云：「是書亦多以意爲之。考《儀禮·士冠禮》賈疏，古者天子、諸侯皆十二而冠，士、庶人二十而冠。故〈曲禮〉稱：『二十曰弱冠。』《後漢書·馬防傳》『年十六仍自稱未冠。』此書《冠禮目錄》謂男子年十六至二十皆可冠。如此之類，皆於古義未協，未可據爲確論也。」（V25）《四禮疑》提要云：「然好用臆說，未可據爲典要。」（V25）《伏羲圖贊》提要云：「是書上卷於奇耦之數，以黑白爲陰陽、兩儀、四象、八卦，皆規方而爲圖，於先儒所傳卦畫方位、先後天、方圓諸圖，一一辨其所失，下卷爲〈圖贊〉二十一，末附〈圖向〉一篇，大抵皆臆造之說，不足爲據。」（V8）

⑹臆斷之詞，不足與辨

《春秋公羊傳註疏》提要云：「至和端學《春秋本義》竟指（公羊）高爲漢初人，則講學家臆斷之詞，更不足與辨矣。」徐彥《疏》

引戴宏序曰：「子夏傳與公羊高，高傳于其子平，平傳與其子地，地傳與其子敢，敢傳與其子壽。」公羊壽爲漢景帝時人。《天問補注》提要云：「語本恍惚，事尤奇詭，終屬臆測之詞，不能一一確證也。」（《總目》V148）《字學元元》提要云：「所論六書，亦純以臆測，不考許、顧以來之舊義。」（《總目》V44）

（四）疑證

（7）小說家言，不足據

《總目》認爲「小說所記，眞僞相參，自古已然」，主張「博考而愼取之」（V140《明皇雜錄》提要）。同時，又認爲小說家言「中間誣謾失眞，妖妄熒聽者固爲不少」，故不足爲據。如《三國志補注》提要云：「至於神怪妖異，如嵇康見鬼，諸葛亮祭風之類，稗官小說，累牘不休，尤誕謾不足爲據。」（V45）《宋元資治通鑑》提要云：「至於引用說部以補正史之闕者，又不辨虛實，徒求新異。如載吳曦之誅云……其事雖見嶽珂《桯史》，小說家無稽之語，可入諸編年之史乎？」（V48）《總目》在小說與正史之間設置了一道高牆，認爲前者多係無稽之談，後者則信而有徵，二者不能混爲一談。《海涵萬象錄》提要云：「謂『蒙恬始造筆』，證非周公之作。不知蒙恬造筆，事出張華《博物志》。小說雜書，不足爲據。」（V127）《總目》反對援引小說雜書。《季漢五志》提要云：「至於《三國演義》，乃坊肆不經之書，何煩置辨。而諄不復休，適傷大雅，亦可已而不已矣。」（V50）《總目》將《三國演義》視爲「不經之書」，當然也就不能作爲證據。《筠郎偶筆》提要云：「然如『風風雨雨送春歸』一詩，向謂乃無名道士所作，此獨載爲鬼詩。劉延璣《在園雜誌》又考校字

句，辨其是非。實則明人所刊《醒世恆言》傳奇中詩，不知何以訛傳至是也，亦足徵小說之不足憑矣。」（V129）

《總目》儘管承認小說家言「寓勸戒、廣見聞、資考證者亦錯出其中」，可以「旁資參考」，又說：「稗官所述，半出傳聞，真偽互陳，其風自古。未可全以為據，亦未可全以為誣，在讀者考證其得失耳，不以是廢此一家也。」（V142《劇談錄》提要）但總的來說，《總目》對小說家言還是比較輕視的。這種傳統傾向有其流弊，為現代學者設置了一道路障，也為今人超越前賢提供了一大突破口。

(8)新說異論，不足為據

《總目》提倡嚴謹治學，反對輕於疑古，更反對務與前人相左，對一些新說異論，翻案文章，多有斥責。力求平穩，表現出濃厚的保守傾向。如《周禮問》提要云：「（是書）辨《周禮》出戰國之末，不出劉歆。……然以為戰國人作，則仍用何休六國陰謀之說，與指為劉歆所作者亦相去無幾。陽雖翼之，陰實攻之矣。與其（指毛奇齡）以《儀禮》為戰國之書，同一好為異論，不足據也。」（V23）《稽禮辨論》提要云：「（劉）凝是書於三禮之學頗勤，亦間能致力於漢魏諸書，而喜新好異，故持論往往不確焉。」（V25）《兩漢解疑》提要云：「大抵好為異論，務與前人相左，如以紀信之代死為不足訓，以漢高之斬丁公為悖恩欺世之類，皆乖平允，不足為訓也。」（V90）《楚辭集解》提要云：「《楚辭》一書，文重義隱，寄託遙深，自漢以來訓詁或有異同，而大旨不相違舛。（汪）瑗乃以臆測之見，務為新說，以排詆諸家。其尤舛者，以『何必懷故都』一語為《離騷》之綱領，謂實有去楚之志，而深辟洪興祖等謂原惓惓宗國之非。又謂原為聖人之徒，必不肯自沈於水，而痛斥司馬遷以下諸家言死于汨羅之

誣。」（V148）《總目》認為汪琬「疑所不當疑，信所不當信」。

翻案一要勇氣，二要鐵證。光有勇氣卻缺少鐵證，仍會造成新的冤假錯案。《總目》對待翻案之說，並不是一概排斥，對那些鐵證如山的翻案之說反而大加褒揚，如對胡渭考辨圖書等便是適例。

⑼稗販之說，不足為據

輾轉稗販是考據一弊。使用二手甚至三手材料，而不使用原始材料，《總目》對此大不以為然。如《禮記說義集訂》提要云：「凡此之類，不可勝數，蓋抄撮講章，非一一采自本書，故不能原原本本，折眾說之得失也。」（V24）強調採自本書。《四書通證》提要云：「而於歷代史事，每多置正史而引《通鑒》，亦非根本之學。」（V36）正史為原始材料，《通鑒》為二手材料，「置正史而引《通鑒》」便是不用原始材料，而稗販二手貨。《正韻箋》提要云：「所收逸字，不能究《廣韻》、《集韻》之源，僅據楊慎等之書，尤為疏略。所補箋亦皆轉輾稗販，如日在木中為東，此許慎所引官溥說明，載於《說文》，而乃引鄭樵《通志》，足知非根本之學矣。」（V44）《總目》以《說文》、《廣韻》、《集韻》為原始材料，而以鄭樵、楊慎之書為二手材料。《劉氏鴻書》提要云：「大抵轉引類書，不盡出於本文，則亦稗販之學也。」（V138）《總目》輕視類書，因為類書不是原始材料。

梁啓超指出盛清學者「選擇證據以古為尚」，可謂知言。《總目》反對稗販之說的做法，對現代學術大師陳垣影響最大，如陳氏極力倡導的「史源學」特別重視使用原始材料。重視「根本之學」，輕視稗販之學，這是《總目》一以貫之的為學宗旨。

⑽**標榜之詞，不足為據**

標榜之詞往往相互吹噓，不切實際，因而不足為憑。如《禮樂合編》提要云：「前有鄭鄤等九人序，皆明末人標榜之詞，不足據也。」（V25）明人之書，序文特別多，相互標榜，蔚然成風。館臣編輯《四庫全書》痛加刪削，亦非無因。又如《人模樣》提要云：「陳鼎《留溪外傳》乃稱一時學者俱奉此書為法則，因稱時泰為人模樣先生。蓋講學家標榜之談，不足據也。」（V96）實則此書牽強附會，不及劉宗周《人譜》遠矣。

⑾**未定之論，不足為據**

未定之論又可分為以下四種情況：第一，自相矛盾，未經改定。如《四書或問》提要云：「中間《大學或問》用力最久……《中庸或問》則朱子平日頗不自愜……至《論孟或問》則與《集注》及《語類》之說往往多所抵牾，後人或遂執《或問》以疑《集注》。不知《集注》屢經修改，至老未已，而《或問》則無暇重編。……其與《集注》合者，可曉然於折衷眾說之由；其與《集注》不合者，亦可知朱子當日原多未定之論。未可於《語錄》、《文集》偶摘數語，即據為不刊之典矣。」（V35）《四書管窺》提要亦云：「考朱子著述最多，……其間有偶然問答未及審核者，有後來考正未及追改者，亦有門人各自記錄潤色增減或失其本真者，故《文集》、《語錄》之內，異同矛盾，不一而足，即《四書章句集注》與《或問》亦時有抵牾。原書具在，可一一複按也。當時門人編次，既不敢有所別擇，後來讀朱子書者，遂一字一句奉為經典，不復究其傳述之真偽與年月之先後，但執所見一條，即據以詆排眾論，紛紜四出，而朱子之本旨轉為尊信者所淆矣。」（V36）朱子之書多未定之論，主要原因是未經改定。第二，時代太

近，未經論定。「蓋以當時之人記當時之事，耳目既有難周，是非尚未論定。」（V47《小興小曆》提要）《國朝畫徵錄》提要云：「是編記國朝畫家，每人各爲小傳，然時代太近，其人多未經論定，不盡足征。」（V114）第三，草創之書，未經寫定。《禮書綱目》提要云：「蓋《通解》朱子未成之書，不免小有出入。其間分合移易之處，亦尚未一一考證，使之融會貫通。（江）永引據諸書，釐正發明，實足終朱子未竟之緒。視胡文炳輩務博篤信朱子之名，不問其已定之說、未定之說，無不曲爲袒護者，識趣相去遠矣。」（V22）第四，少時所作，晚有更定。古人一般諱其少作，視若芻狗。因爲少作一般還不成熟，不能代表其成熟之後的學說或思想。《總目》將名人少作視爲未定之論，如《詩箚》提要云：「第二卷首有其門人所記云：『此西河少時所作，故其立說有暮年論辨所不合者。其間校韻數則，尤所矛盾。行世既久，不便更易』云云。據此，則其中多非定論，其門人亦不諱之。」（V16）總之，《總目》區分「已定之說」、「未定之說」，頗有積極意義。這與戴震區分「十分之見」與「未至十分之見」有異曲同工之妙。

⑿ **門人之詞，未足盡據**

門人之詞，如各種語錄、傳記等等，全都可信嗎？《總目》認爲不可不信，不可全信。如《朱文公易說》提要云：「（朱）鑒是書全采語錄之文，以補《本義》之闕。其中或闢人記述，未必盡合師說。」（V3）《毛襄懋集》提要云：「童承敘序稱：『正德間李、何首倡，《雅》、《頌》複振，嗣響有唐，伯溫亦其一。』乃自尊其師之詞，非公論也。」（V176）童承敘爲毛伯溫弟子，將乃師吹捧到無以復加的地步，實則其詩所造不深，詞多淺易。《桴庵集》提要云：「其門

人彭志古跋，稱其詩創辟似王建，蘊藉似張籍，豪縱似李白，悲壯似杜甫。蓋弟子尊師之詞也。」（V181）彭志古跋比擬過當，薛所蘊詩何至如此？《朱子晚年全論》提要云：「語錄出門人所記，不足爲據。」（V98）《四書辨疑》提要云：「蘇天爵〈安熙行狀〉云：『國初有傳朱子《四書集注》至北方者，滹南王公雅以辨博自負，爲說非之。趙郡陳氏獨喜其說，增多至若干言。』是書多引王若虛說，殆甯晉陳天祥也。……天爵又謂安熙爲書以辨之，其後天祥深悔而焚其書。今此書具存，或天爵欲張大其師說，所言未足據也。」（V36）

《總目》之所以輕視門人之詞，是因爲門人所記未必盡合師說。自孔子以後就有「爲尊者諱」的傳統，因而缺少「吾愛吾師吾尤愛眞理」的客觀公正態度，所作之行狀或所記之語錄，或多或少地會走些樣子。《總目》對此曾發表如下評論：「夫載寶而朝，論南宮者有故；越境乃免，惜趙盾者原誣。述孔子之言者尙不免於舛異，況於朱門弟子，斷不及七十二賢，又安能據其所傳，漫無釐正？」（V36《四書管窺》提要）即使是孔子門人之詞都不足爲據，安論其餘？

(13)子孫之詞，未可據爲徵信

子孫之詞，常常不免因誇飾而失實。錢大昕《十駕齋養新錄》卷十二中有「家譜不可信」條。梁啓超也說：「私家之行狀、家傳、墓文等類，舊史家認爲極重要之史料，吾儕亦未嘗不認之。雖然，其價值不宜誇張太過。」❶《總目》對此也有認識。如《胡梅林行實》提要云：「此書即紀（胡）宗憲行實。……宗憲平倭之功，載在史冊，不容湮沒。至其比附嚴嵩、趙文華，公論亦未可掩。此書出其後人之

---

❶　同❶。

手，固未可據爲徵信矣。」（V60）《傳信辨誣錄》提要云：「土木之變，（陳）循在內閣爲首揆，及景帝欲廢英宗之子，循依違不能匡正，以此爲當世所譏。陳建《通紀》載其事，虞嶽以爲誣衊其祖，乃作此書以辨之。首爲諸名公敘略節略，次爲傳信六條：一曰首定儲宮之策，一曰力沮南遷之議，一曰計退德勝之圍，……所引諸書，惟『力沮南遷』一條，《弇山堂別集》及《叢記》載有循名，其五事則皆無確證。次辯誣五條：一曰辨不諍易儲之誤，一曰辨徐有貞饋玉帶之誤，……其意與《孤兒籲天錄》同，亦孝子慈孫不得已之苦心也。」（V60）作者陳虞嶽爲陳循之孫。《夏忠靖遺事》提要云：「惟燕王篡立，（夏）元吉稱臣，此所謂范質生平惟欠周世宗一死者也。而此云或執之以獻燕王，是則子孫之詞矣。」（V60）作者夏崇文爲傳主夏元吉之孫。

孝子孝孫，爲長者諱，不惜篡改歷史，回護前人之短。如此子孫之詞，豈可盡憑？

⑭**恩怨之詞，不足爲據。**

語涉恩怨，是非無定。公說公有理，婆說婆有理，須審其情實，而後別其黑白。如《海涵萬象錄》提要云：「至所載羅銓賂交東楊，求升都禦史諸條，尤語涉恩怨，益不足徵信矣。」（V127）《西台漫記》提要云：「全書議論，每過於叫囂求快，似乎多恩怨之詞，不盡實錄也。」（V143）《管窺小識》提要云：「其書記當時門戶傾軋、專權亂政之事……然於高拱、張居正，詆諆頗甚，而獨推尊徐階，殆亦恩怨之詞，不盡直筆矣。」（V143）《貽清堂日抄》提要云：「蓋所謂發憤著書者，於諸事往往醜詆，不免有恩怨之詞矣。」（V143）《蹇齋瑣綴錄》提要云：「明尹直撰。……是書所載，多明代掌故，

於內閣尤詳。……而好惡之詞，或所不免。其醜詆吳與弼不遺餘力。案《明史·儒林傳》載：『與弼至京師，李賢推之上坐，以賓師禮事之。編修尹直至，令坐於側，直大慍，出即謗與弼……直複筆其事於《瑣綴錄》。』」（V143）尹直與吳與弼有隙，見於史傳。恩怨之詞之所以不足爲據，是因爲先有私心作祟。「不盡實錄」、「不盡直筆」，又何以經得起歷史檢驗呢？以此作文，謂之謗文；以此作史，謂之謗史。

(15)**傳聞失實之詞，不足爲據**

考據學家一般認爲，傳聞之詞，難免眞僞雜糅，可信度不高，不能算實證。劉知幾曾說：「故作者惡道聽途說之違理，街談巷尾之損實……異辭疑事，學者宜善思之。」❷《總目》主張對傳聞失實之詞嚴加鑒別，必須證之以國史：「蓋委巷相傳，語多失實，仁裕采摭於遺民之口，不能證以國史，是即其失。」（V140《開元天寶遺事》提要）《類雋》提要云：「《江南通志·文苑傳》謂若庸爲趙王著書，采掇古文奇字累千卷，名曰《類雋》。蓋未見其書。傳聞失實之詞，不足據也。」（V138）《總目》著錄《類雋》爲三十卷，「累千卷」之說蓋傳聞之詞。《筆記》提要云：「卷末附以『倭變紀略』九則，頗多傳聞失實之詞，不足據爲徵信也。」（V143）《聞見集》提要云：「是書皆紀明末雜事……然中亦有傳聞失實之說，如云天啓辛酉，諸名士觴雪縢王閣，賦詩得縢字。一漁人往來閣下，若有所思。諸名士戲曰：『爾能詩耶？』曰：『公等吟詠，某適憶縢王《蛺蝶圖》耳。』即朗吟其句『鴨鵝夜亂功收蔡，蛺蝶春深戲試縢』云云。是乃宋末呂

---

❷ 劉知幾：《史通》。

徽之事，載於陶宗儀《輟耕錄》中。但改易數位，即別撰一人，何其誣也！」（V143）考據學貴在實事求是，對一切傳聞失實之詞不但不能輕信，還要加以辯證，以明本眞。

⒃**不存疑案，失於誤信。**

《遜代陽秋》提要云：「自建文四年後，每歲具書帝在某處，帝幸某處。言之鑿鑿，不存疑案，未免失之於誤信也。」（V54）《總目》主張闕疑存疑，反對穿鑿附會。穿鑿附會是考據之一大流弊。許多人不明此理，極盡穿鑿附會之能事，結果越鑿障礙越多。至於苦於判斷，不能定準一是者，必須闕疑。這種闕疑存信的態度，在方法論上與西方現象學的「存而不論」極其相似。凡屬莫須有的關於外在實體的懸測，胡塞爾都主張統統置於括弧內，以終止其判斷⓭。

⒄**不標出典，茫無根據。**

注明出處，是考據學的基本要求。考據是一種積累性很強的研究，它每前進一步都是在前人研究成果的基礎上取得的。考據學重視證據，論證問題必須尊重已有學術成果。《總目》對引證規則有如下要求：

> 引經數典，字字必著所出。（V36《四書通證》提要）
> 引書必著其篇名，引詩文必著其原題，或一題而數首者，必著其爲第幾首。（V136《欽定駢字類編》提要）

《總目》的要求反映了時代的共識。如王鳴盛說：「予所著述不特注所出，並鑿指第幾卷某篇某條，且必睹原書。」⓮「引書注出

⓭　張新民：《論〈四庫全書總目〉的學術批評方法》。
⓮　王鳴盛：《十七史商榷》V98《十國春秋》。

處，並注卷數，謂可杜展轉販襲之弊。」❻可見，引文注明詳細出處，成爲清代考據學家著書立說時的基本要求。《總目》又指出：

> 古文罕見者，必著所自來，乃可傳信。而是書不注所出者十之四五，使考古者將何所據依乎？（V43《六書索隱》提要）
>
> 至注中援引事實，多不注出典，此又明代著述之通病。（V174《杜詩抄述注》提要）

並對不符合引證規則的著作多所批評，如《楚辭章句》提要云：「不注某字出某本，未足依據。」（V148）此處明確要求注明版本。《韻譜本義》提要云：「每韻後附以通葉，不標出典，亦茫無根據也。」（V44）《通鑒綱目釋地糾謬》提要云：「今既與之辨矣，則宜原原本本，詳引諸書，使沿革分合，言言有據。庶幾以有證之文，破無根之論。而所糾所補，乃皆不著出典，則終不能關其口也。」（V48）《北夢瑣言》每條多載某人所說，以示有徵（V140）。只有詳細注明證據來源，才能破除無稽之談。這正是考據學的殺手。

⒅殘缺之書，不足取證。

　　《總目》對殘本有一種莫名其妙的輕視，對其在考據上的價值不以爲重。如《聲音文字通》提要云：「《明史·藝文志》載是書爲一百卷。此本尚存三十二卷，蓋別本之流傳者。然卷首起自一之四，亦殘缺之書，不足取證，以敗楮視之可矣。」（V44）《太陽太明通軌》提要云：「此本篇帙殘缺，僅存推算數法，益不足據爲定準矣。」（V107）從現在看來，殘本並非毫無參考價值。出土文獻絕大部分都

是殘卷，但有的殘卷價值非常之高。《總目》對殘本的冷漠，反映了時代的局限。

⒆輿記誇飾之詞，不足為據。

　　輿記多誇飾，《總目》力斥此種陋習。《北海野人稿》提要云：「府志稱其（指黃禎）免官歸，日事吟詠。為文力追古作者，與李舜臣齊名，海內謂之李、黃。然明代他書，不甚著李、黃之名，疑輿記誇飾之詞，未必確也。」（V177）誇飾之詞，多有失真之處，不能令人起信。《總目·凡例》云：「至詩社之標榜聲名，地志之矜誇人物，浮辭塗飾，不盡可憑，亦並詳為考訂，務核其真。」

（五）誤　證

⒇前人已廢之說，不足為據

　　《雅樂發微》提要云：「然如論蕤賓生大呂，主《呂覽》、《淮南子》『上生』之說，不知律呂相生定法，上生與下生相間，而蕤賓又上生大呂，與上下相生之序極？錯迕，乃先儒已廢之論，殊不足據也。」（V39）《天心複要》提要云：「是書作於成化中，專言曆法，而於歲實朔策，漢以來所定小餘疏密，或增或損之故，茫然不解。徒主四分法，歲三百六十五日三時之整數，分二十四氣，每一氣得十五日二時五刻，參用奇門數五日，滿甲子六十為一候，三候為一氣，不及氣策二時五刻，每歲有一候三時之差。奇門於是設立超神接氣置閏，適二十年而閏二十一候。（鮑）泰乃名之為一致。四致凡八十年，名之為一序。三序凡二百四十年，名之為一限。三限凡七百二十年，名之為一合，十九合凡萬三千六百八十年，名之為一會。又以舊法十九年七閏月為一章之整數，八十章凡千五百二十年，名之為一乘。三乘

凡四千五百六十年，名之為一運。三運一萬三千六百年為一會。此最
疏之數，推步家自漢張衡以後，久棄不用。（鮑）泰粗涉乎此，遂矜
為獨得之秘。」（V107）鮑泰拾古人糟粕，矜為獨得之秘。這種淺陋
的作法，我們當引以為戒。《喬氏易俟》：「如《觀卦》六四象葍，
備引顧炎武『方音』之說，則非未見《音學五書》者，而〈象傳〉協
韻仍從吳棫之舊，則棄取有不可解者矣。」（V6）吳棫協韻之說，自
顧氏《音學五書》出後已成廢說，喬萊既見顧氏新論，似應放棄吳氏
已廢之說。

　　郭沫若曾指出：「目今有好些新史學家愛引用卜辭，而卻沒有
追蹤它的整個研究過程，故往往把錯誤了的仍然沿用，或甚至援引錯
誤的舊說以攻擊改正的新說，那是絕對得不到正確的結論的。」❶❻郭
氏的批評可與《總目》相參證。

(21)**排纂有訛，不足為據**

　　《春秋年考》提要云：「又瓦屋之盟列之於晉，則排纂有訛……
均不足以為據。」（V30）

(22)**事實或誤，不足為據**

　　《春秋年考》提要云：「晉獲秦諜增晉伐秦字，則事實或誤，
均不足為據。」（V30）

(23)**根據誤本，愈推愈謬**

　　考據學必須注意版本的選擇，應使用最佳版本。否則，可能得
出荒謬的結論。如《樂典》提要云：「其言律呂之數，以為每律虛三
分，吹口黃鍾之管其數七十八，半之為含少，以求合於《呂氏春秋》

─────────────────

❶❻　同❾。

『黃鍾之宮三寸九分』之說，又引《史記·律書》黃鍾、太蔟、姑洗、林鍾、南呂五律之數，以爲『虛三分』之證，不知《律書》中諸『七分』字，皆『十分』字之訛，司馬貞《索隱》已辨之。而三寸九分亦爲四寸五分之訛，近時江永《律呂闡微》辨之尤詳。（黃）佐據此誤本爲宗，故其說愈推愈謬。」（V39）版本之學，爲考據之先河。如果不選擇版本，只會象黃佐一樣留下笑柄。又如清杭世駿撰《三國志補注》，其中引《史通》一條云：「習鑿齒以劉爲僞國者，蓋定邪正之途，明順逆之理爾。而檀道鸞稱其當桓氏執政，故撰此書，欲以絕彼瞻烏，防茲逐鹿。」《總目》云：「審若所言，則鑿齒似未嘗尊蜀者。案此條見《史通·探賾》篇，核其上下文義，蓋傳寫《史通》者，誤於『以劉』二字之上脫一『不』字，其〈稱謂篇〉中自注有曰：『習氏《漢晉春秋》以蜀爲正統，其敘事皆謂蜀先主爲昭烈帝。』本書之內，證佐甚明。近時浦起龍刻《史通》以此句文義違背，改劉爲魏，猶無大害。世駿竟據誤本，遽發創論，殊失之不考。」（V45）

⒁諛妄之詞，不足爲據

諛妄之詞，與史不合。王世貞云：「國史人恣而善蔽眞，其敘典章述文獻不可廢也；野史人臆而善失眞，其徵是非削諱忌不可廢也；家史人庾而善諛眞，其贊宗閥表官績不可廢也。」❶如《回鑾事實》提要云：「紀事獻頌，稱爲千載一時之榮遇。蓋貢諛之詞，非其事實也。」（V52）《天洪玉牒》提要云：「其紀懿文太子爲諸妃所生，而高皇后所生者只成祖及周王二人，與史不合。蓋當時諛妄之詞，不足據爲實錄者也。」（V50）郭沫若有一句名言：「與其相信神道碑

---

❶　王世貞：《史乘考誤》。

上的諛詞，無寧相信黑幕小說上的暴露。」❶正可與此同參。

㉕傳寫失真，不足依據

《草韻彙編》提要云：「蓋本《辨疑》、《彙辨》諸書，稍加釐正，然傳刻失眞，恐未足據爲模範也。」（V14）《金石遺文》提要云：「此書雜采奇字，分韻編次……此本又傳寫失眞，蓋不足據矣。」（V43）《古器銘釋》提要云：「皆抄襲《博古圖》及薛尙功《鍾鼎款識》之文，前後失次，摹刻舛訛，殊不足依據。」（V43）《神應經》提要云：「傳寫訛謬，不甚可據。」（V105）

㉖自相矛盾，不可盡據典要。

《方山文錄》提要云：「〈漢文帝論〉中稱『賈生不死，文帝終必用之』，〈賈誼論〉中又稱『文帝終不能用之』。取快筆端，自相矛盾，亦不可盡據典要也。」（V177）

《總目》注重考察記事是否自相矛盾。如果自相矛盾，必有一僞，或二者皆僞。考據學家們非常重視從形式邏輯入手，「以子之矛攻子之盾」正是其拿手好戲。考據學與邏輯學的關係非常密切，著名邏輯學家汪奠基先生十分精闢地指出：

> 據章炳麟的分析説，「漢學」方法的內容有六大特徵：即一審名實，二重佐證，三戒妄牽，四守凡例，五斷情感，六汰華辭（《太炎文錄初編》，〈說林〉下）。這六點特徵，幾乎全與邏輯思想有密切的聯繫。❶

---

❶　同❾。

❶　汪奠基：《中國邏輯思想史》P392。

(27)多所污蔑，不可盡據為實錄

　　《雙溪雜記》提要云：「是編其雜記見聞之作也。所載朝廷故事……至正、嘉之間，則自任其私，多所污蔑，不可盡據為實錄。考《明史》本傳，瓊督邊之功，及薦王守仁以平宸濠，其功固不可沒，然平日與江彬、錢寧等相比，而與楊廷和、彭澤等不協，故記中廷和與澤，詆誣尤甚。至於『大禮』一事，曲徇世宗之意，❷悉歸其過於廷和，尤非定論矣。」（V143）有意污蔑，迹近作付偽，違反實事求是之精神，當然不足爲憑。

（六）明　證

(28)史有明證，烏得遽斷其無。

　　眾所周知，說有易，說無難。從考據的角度斷其無，需要竭澤而漁，作窮盡性的考察。否則，是要鬧笑話的。如《尚書質疑》提要云：「夏、商年遠文略，靡得而徵，乃謂夏、商不封建同姓，考《史記·夏本記》曰禹爲姒姓，其後分封，用國爲姓，故有夏后氏、有扈氏、有男氏、斟尋氏、彤城氏、褒氏、費氏、杞氏、繒氏、辛氏、冥氏、斟氏、戈氏云云，則夏代分封，史有明證，烏得遽斷其無？」（V14）《惺堂文集》提要云：「其謂周武王無封箕子事，說亦甚辯。然史傳炳然，古無異論，安可甚斷其誣也？」（V178）《郊社禘祫》提要云：「其中如南郊北郊以冬夏至分祀，見於《周禮》，本有明文。疑無北郊之祀者，本無庸置辨。奇齡性喜攻駁，反復詰辨，未免繁雜。」（V22）

　　令人萬分欣喜的是，《總目》說了一句非常好的話：

---

❷　柳詒徵：《中國文化史》（上冊）P311。

難以史所未載，斷其事之必無。（V148《蔡中郎集》提要）

可見《總目》非常明確地反對使用默證法。這種眞知灼見，至今仍然閃爍著智慧的光芒，竟然長期得不到足夠的重視。直到20世紀30年代以後才得到越來越多的認同。近人柳詒徵認爲：「凡漢人之著作，與其所研究者不盡傳於後，觀《漢書·藝文志》及錢大昭《補續漢書藝文志》，其書之亡逸者夥矣。以今所存，遽下定論，殊爲未安。」（20）今人謝維揚在批評疑古派時指出：

> 疑古派的結論從根本上說是依靠一種默證法得出的，「這種方法就是因某書或今存某時代之書無某史事之稱述，遂斷定某時代無此觀念」。對默證法的缺陷，張蔭麟、徐旭生都有明確評論，應該認爲是正確的。㉑

柳、謝二人或暗或明地對疑古派濫用默證法的批評，有助於我們深入理解《總目》在考據方法上的審愼與精密之處。考据學能夠在乾嘉之際走向輝煌，決非偶然，與乾嘉考据學家們在考證方法上的精密、完善密不可分。

（七）物　證

⑵⑼出土古器，不足爲據

《六書分類》提要云：「古文之學，漢魏後久已失傳。後人所釋鍾鼎之文，什九出於臆意，確然可信者無幾。況古器或出剝爛之餘，或出僞作，尤不足爲依據。謂之好古則可，謂有當於古義，則未然也。」

㉑　謝維揚：《中國早期國家》P96。

（V43）

　　《總目》對出土文物不甚重視，這與當時的考古學等學科的不發達有關。這也為現代學者提供了一個突破口。

　　考據學強調實事求是，無徵不信。它非常重視考據規範，重視證據的可信度。考據是一門講究證據的學問，如果選擇了不正確的證據，不但不能證明問題，反而影響考據的質量。《總目》在具體的評騭過程中，指明了考據工作中存在的種種誤區。除少數規則應該揚棄之外，絕大多數仍然行之有效，應該成為以學術為職業的學人共同遵的學術規範。

論清代樸學家解經的特色及其缺陷

吳有祥*

摘　要

本文概要分析了乾、嘉樸學家解釋儒家經典之特色，並著
重從現代語言學及西方解釋學的視角指出這一解經方法的
兩大不足。

關鍵詞　乾嘉樸學　訓詁考據　解釋　經典　本義

對於清代乾、嘉樸學（考據學）的評價，學術界向來毀譽不一。
當時的學者章學誠就曾指出其過於繁瑣和脫離現實的弊端（見《文史
通義・原道》等篇），而同時代的方東樹在《漢學商兌》一書中對考據
學的攻擊更是不遺餘力。與之相反，近代學者梁啓超、胡適卻對樸學
評價甚高，梁氏稱清代二百餘年爲「中國文藝之復興時代」，並推許

＊　　山東大學古籍所博士生

樸學家的治學方法「饒有科學的精神」，（見《清代學術概論》、《中國近三百年學術史》等論著）胡適也認爲清代是一個「古學昌明的時代」，「科學的時代」（見《戴東原的哲學》、《清代學者的治學方法》等）。很顯然，乾、嘉樸學既有其歷史貢獻又有自身缺陷，本文不擬對之作全面的評價，只想從現代語言學及西方解釋學的視角就樸學家在經學研究上的特色及其缺陷作一重新審視，以求教於方家。

一

　　自從漢武帝實行獨尊儒術的文化政策後，相傳爲古代聖人所作的六部先秦古籍——《詩》、《書》、《禮》、《樂》、《易》、《春秋》，逐漸獲得了神聖的經典地位，被推尊爲儒家「六經」；相應地，對六經的注解也成爲一專門的學問即「經學」，古人稱之爲「治經」或「解經」。在此後兩千年的學術史中，經學一直是傳統學術的主流，歷代學者都試圖通過對六經的注解詮釋去探究聖人作經的宗旨，闡發經文當中蘊含的微言大義，爲現實政治服務。這即是我國古代源遠流長的經典詮釋學（解釋學），其歷史足可與西方的《聖經》詮釋相媲美。從西漢末年起，經學就分化爲今、古文兩派，今文派主微言大義，古文派重名物訓詁，二者的分歧實由所用的詮釋方法不同而導致。由於歷代學者詮釋經典的方法不同，因而形成了歷史上各具特色的經學流派。《四庫提要·經部總敘》列舉了歷史上的六大經學流派，而「要其歸宿，則不過漢學、宋學兩家互爲勝負。」

　　乾、嘉樸學的中堅亦爲經學，又稱「漢學」，這主要是從學術

旨趣上說的。清人不滿意宋代以來束書不觀、空談義理的學風，因而標舉「復古」旗幟，意在復興東漢以許慎、鄭玄爲代表的古文經學派嚴謹篤實的學風，倡導「實事求是，無徵不信」的實證精神，對先秦兩漢時代的古籍進行全面的考訂注釋。顧名思義，「樸學」即是一門樸實無華的學問。

　　清代樸學承明末的空疏學風而興，是對宋明理學的反動，這一點梁啓超、胡適等學者論之已詳，此不贅述。儘管樸學與理學在學風上截然不同，但樸學家治經的宗旨，仍是爲闡發經典的義理（即明道）。戴震就說過：「經之至者道也。」（《戴東原集》卷九〈與是仲明論學書〉，下引該書只注篇名）王念孫也認爲：「說經者，期於得經意而已。」（《經義述聞·序》）只不過樸學家孜孜以求的，是通過考證而得到經典的原始意義，即阮元所說的「本義」，而非宋儒的憑空臆解。爲此，他們重新使用了漢儒發明的詮釋工具——小學，即古代的語言文字學，包括文字學、音韻學、訓詁學。他們治經從校勘、訓釋文字入手，推明一字一詞的古訓，考證名物典制的歷史原貌，極力剝去後儒塗飾在經典上的各種意義，恢復經典的本來面目，使經典的本義重新顯現。這種返本溯源的研究方法，胡適形象地比喻爲「剝皮」，並推許爲「科學的方法」。確實，從方法論的角度看，樸學家注重證據的研究方法含有近代科學的因素，但不可否認這一方法本身也存在著嚴重的缺陷，下面試分別論之。

二

　　胡適在《中國哲學史大綱》（卷上）論述清代樸學家的治學方法：「只是用古訓、古音、古本字等等客觀的根據，來求經典的原意。」

在《戴東原的哲學》裏他又說：「搜集古訓詁來作治古書的根據，這是清儒的一個基本方法。」他認爲「訓詁學是用科學的方法，物觀的證據，來解釋古書文字的意義。」（《清代學者的治學方法》）可以說，復古是樸學家解經的根本出發點，「古」是指先秦兩漢時代，因爲儒家經典大多產生於先秦時期，而漢儒對經典的註疏是樸學家最崇信的權威解釋。在相當程度上，「復古」即恢復漢代經師的古訓。清儒的復古，自然因爲漢語古今意義的沿革變遷造成的語言距離，但更主要的，是他們不滿意魏晉以來的註疏對經典原意的歪曲誤解，而欲通過對經文的重新訓詁考訂來澄明經典的本義。這一研究方法，導源於清初的顧炎武、閻若璩等人，至乾、嘉年間的戴震、王念孫等人而臻於完善，樸學家運用訓詁考據的研究方法對傳統文化進行了一次全面的整理和研究，其成就是巨大的。推尋他們成功的原因，無非是「用小學說經，用小學校經而已矣。」（王引之語）

「小學」即傳統的語言文字學，它的研究在我國有悠久的歷史。《漢書·藝文志》列「小學」十家四十五篇，表明從漢代起它就成爲一專門的學問。只不過古代的小學一直是經學的附庸，爲解經服務的，這種情況到顧炎武、戴震手裏才有所改變。戴震在〈古經解鉤沈序〉一文中闡明了小學與經學的關係：「經之至者，道也；所以明道者，其詞也；所以成詞者，未有能外小學文字者也。」並明確提出「由文字以通乎語言，由語言以通乎古聖賢之心志」的解經途徑。他在〈與是仲明論學書〉中也表達了相同的觀點，視小學爲解經的鈐鍵，這就是被樸學家視爲圭臬的訓詁考證法。它由考訂一字一詞的古訓入手，然後衍及一句一章。「一字之義，必本六書，貫群經以爲定詁，」（《戴東原先生年譜》）經過「以字考經，以經考字」的反覆推求後，確實做

到了「必徵之古而靡不條貫，合諸道而不留餘議，鉅細畢究，本末兼察」（〈與姚孝廉姬傳書〉），確實可信後才敢定爲「十分之見」。如戴震對《尚書·堯典》「光被四表」中「光」字的訓釋，就是一個典型的例子。其態度之嚴謹，論證之細密，證據之豐富，確實是前無古人的，無怪乎胡適對其推崇備至。

戴震等人確立的「由小學而通經學」的研究方法被乾、嘉時代的樸學家普遍接受，成爲解經的不二法門，阮元聲稱：「古今義理之學，必自訓詁始。」（《揅經室續集》卷一）就代表了那個時代的學風。當時的樸學家大多精通小學，甚至以小學名家，如段玉裁、王念孫父子等。樸學家不僅開創了經學研究的新局面，而且使小學本身獲得了獨立的發展，取得了一系列的研究成果，其中又以音韻學的成就最爲突出。顧炎武首倡「讀九經自考文始，考文自知音始」（《亭林文集》卷四〈答李子德書〉），並將古韻分爲10部；戴震認爲「故訓、音聲相爲表裏」（〈六書音韻表序〉），提出了「陰陽入相配」的古音「轉語說」（《聲韻考》）和「疑於義者，以聲求之；疑於聲音，以義正之」的聲義互求原則（〈轉語二十章·序〉）。經過顧、戴、段、王等學者的深入研究、樸學家發現了「字之聲同聲近者，其義往往相通相近」的漢語通假規律，因而確立了「就古音以求古義，以聲音通訓詁」的考據學原則，並運用於詮釋經典。對於他們在經學研究上的貢獻，阮元在爲《經義述聞》所寫序言中的評價極高：「凡古儒所誤解者，無不旁證曲喻而得其本義之所在，使古聖賢見之，必解頤曰：吾言固如是，數千年誤解之，今得明矣。」

三

　　然而，樸學家詮釋經典真有這樣摧陷廓清、撥雲睹日之功麼？恐怕阮元的稱讚有言過其實之處。

　　王念孫、王引之父子是繼戴震之後乾、嘉樸學的集大成者，他們精通文字、聲音、訓詁之學，並以此綜貫群經，糾正經文及前人註疏錯誤之處甚多。《經義述聞》雖屬讀書箚記，然亦可見王氏父子治經軌轍，試舉兩例：

　　《經義述聞》卷十五《禮記》中「愛之以敬」條：

> 是故聖人之記事也，慮之以大，愛之以敬，行之以禮，修之以孝養，紀之以義，終之以仁。鄭注「愛之以敬」曰：謂省其所以養老之具。《正義》曰：愛之以敬者，解適饌省醴，是愛而又敬之也。引之謹案：如孔說，則愛之謂愛所養之老矣。案上下五「之」字，皆指事言之，不應此一「之」字獨指人言之也。且愛敬義殊，不得合為一事。若謂愛而又敬，則經文當云「愛而敬之」，何得云「愛之以敬」乎？「愛」疑當作「受」，字相似而誤也。《管子·明法解》：「欲以受爵祿而避罰也。」今本「受」誤作「愛」。《魏策》：「且夫憎韓不愛安陵氏可也。」今本「愛」誤作「受」。是二字常相亂。受者，承也。（見〈喪服〉及《楚語》注）繼也。（見《廣雅》）謂已慮之以大，又繼之以敬也。

同卷「故聖人作則必以天地爲本」條:

> 《正義》曰:則,法也。人既是天地之心,故聖人作法必用
> 天地爲根本也。引之謹案:此用《家語》注也。《家語·禮
> 運篇》全襲此篇之文。王肅讀「聖人作則」爲句,注曰「作
> 爲法則」。是《正義》所本也。然上文曰「後聖有作,然後
> 修火之利」,則此亦當以「故聖人作」爲句。作,起也,興
> 也,起而在位也。《易·文言》曰:「聖人作而萬物睹。」
> 文義與此同。「則」字屬下讀,言有聖人起,則其爲政必以
> 天地爲本也。鄭注不解「則」字,「則」屬下讀可知。

可見,王氏父子爲辨明一字之古訓確實做到了「搜求事實不嫌
其博,比較參證不嫌其多,審察證據不嫌其嚴,歸納引申不嫌其大膽。」
(胡適《戴東原的哲學》)自然其結論也就令人信服。然而他們的訓詁
考證也僅僅到此爲止。片言隻語的本義弄清了,他們的目的也就達到
了,這就是樸學家堅信的「故訓明則古經明,古經明則賢人聖人之理
義明,而我心之所同然者乃因之而明。」(戴震〈題惠定宇先生授經圖〉)
然而戴震的意思只是把訓詁考據當作推求義理的手段,並未把二者等
同起來,而他的後繼者們卻片面理解了戴震的觀點,以手段取代了目
的,一味地訓詁考據,以求得一字一句的眞解古訓爲滿足,而置經典
的義理於不顧,甚至視談義理爲空疏不學,這就是段、王諸人不及戴
震之處,亦是王念孫「小學明而經學明」觀點的拘陋之處。其解經方
法的缺陷,可以從現代方法論的視角得到更好的觀照。

四

　　語境（context）是現代各語言學派普遍重視的一個理論視角，它是指言語行爲賴以表現的物質和社會環境。語境由兩大部分組成：一是語言符號內的各種因素，即文本語境；二是語言符號外的各種因素，包括情景語境（context of situation）和社會文化語境(context of culture)，前者指說話的時間、場合、物件，說話者的表情、體態等；後者指特定的社會價值觀念、文化習俗、歷史背景等。任何言語行爲只有在特定的語境中才能傳達其意義。而所有的文本語境都包容在更大的社會文化語境中，並且只有結合社會文化語境才能被理解。❶

　　從語境理論來看，清代樸學家運用訓詁考據的方法來考訂經典文字的「本義」，即胡適所說的「剝皮」，實際上是一種還原語境的努力，他們力圖將經典重新返回其爲生之時的語境當中，使後儒附加給經典的各種曲解不攻自破，渙然冰釋。這樣，經典的本義也就重新顯現了。然而，我們不得不指出，樸學家所還原的，僅僅是單個語言符號的本義，將其聯綴貫穿起來，也只是還原了文本的上下文語境，（例如王念孫父子著作中出現的「上下文」一般只是指文中的上下語句或語句中的上下字）至於文本以外的情景語境和文化語境，諸如作經者的創作心態和個性特徵，當時的社會思潮和歷史背景等，則樸學家根本未涉及或有意避而不談，而離開後者，經典的意義是無法顯現的，無論對

---

❶　朱永生主編《語言·語篇·語境》，清華大學出版社1993年版，第179—187頁。

單個字、詞的訓釋多麼準確，也無法構成一個完整的語境，這是樸學家治經的一大缺陷。

當然，要還原經典產生之時的社會文化語境，光靠訓詁考據是遠遠不夠的，這就要求治經者結合自己的知識經驗和所處的時代背景，「對於古人之學說，應具瞭解之同情」（陳寅恪語），大膽地推測或假設，再輔以嚴密的考據，才有可能理解經典整體的意義和作經者的意圖，這就需要現代解釋學的方法。

「二戰」以後興起於西方的解釋學是當代西方最重要的哲學思潮之一。該理論的創始人海德格爾認爲，存在本質上是歷史的，即任何存在都是一定時空條件下的存在，超越自己的歷史環境而存在是不可能的。存在的歷史性決定了理解的歷史性：我們理解任何東西，都不可能從中立的意識和心靈狀態出發，用空白的頭腦去被動地接受；而是用活動的意識去積極參與，即以「先有」（pre-possession）、「先見」(pre-view)、「先知」(pre-conception)爲基礎，主動地介入連結過去與現在的意義創造過程。這種意識的「先結構」（前理解）使得理解和解釋總帶有解釋者自己的歷史環境所決定的成分，因此不可避免地形成解釋的迴圈，認識過程永遠是一個迴圈過程，「具有決定意義的不是擺脫這種迴圈，而是以正確的方式參與這種迴圈。」❷

解釋學的另一代表人物伽達默爾有一句名言：「成見是理解的前提。」「成見」不一定表示錯誤的判斷，而是由社會歷史環境所決定的解釋者先在的立場、觀點、趣味和思維方式等主觀因素。成見不會成爲影響解釋的因素，相反，它是解釋得以可能的重要條件。成見

---

❷　海德格爾：《存在與時間》，三聯書店1987年版。

構成了解釋者認識事物的基礎即認識視界（horizon），而解釋在本質上就是一種對話(dialogue)。只有當解釋者的視界與文本的視界（即作品內容）融和時，作品的意義才會凸現。❸

總之，現代解釋學強調人的歷史存在對人的意識活動的決定作用，否認作品有恒常不變的絕對意義和唯一正確的理解，把解釋視爲解釋者與作品之間的對話，突出了解釋者對意義的創造作用。

我們可以把中國古代的經典注釋視爲廣義的解釋學，湯一介先生就持這種看法。而且他認爲，中國的「解釋問題」有比西方更長的歷史，只是還沒有一套成體系的解釋理論。❹如果我們借用西方現代解釋學的理論來觀照我國古代學術史，便會發現所謂的漢學、宋學之爭，無非是兩種解釋方法即考據派與義理派的論爭，或者說是我注六經與六經注我的論爭。

五

清代的樸學家之所以鄙視宋學，一則是宋儒於小學不精，訓詁考據每多錯謬；更主要的是指責宋儒的義理之學歪曲誤解了經典的「本義」，是一種先入爲主的鑿空臆斷。如戴震就認爲：「宋儒出入於老、釋，故雜乎老、釋之言以爲言。」（《孟子字義疏證》卷上）他在〈答

---

❸ 伽達默爾：《眞理與方法》，洪漢鼎譯，上海譯文出版社1999年版。

❹ 詳見湯一介：〈能否創建中國的解釋學？〉，《學人》第13期（1998年3月版）；〈再論創建中國解釋學問題〉，《中國社會科學》2000年第1期。

鄭用牧書〉中又說：「宋以來儒者，以己之見硬坐為古聖賢立言之意，而語言文字實未之知。其於天下之事也，以己所謂理強斷行之，而事情原委隱曲實未能得，是以大道失而行事乖。」同時代的樸學家淩廷堪也認為：「自宋以來，儒者多剿襲釋氏之言之精者，以說吾聖人之遺經。其所謂學，不求之於經，而但求之於理；不求之於故訓、典章、制度，而但求之於心。」（《校禮堂文集》卷三十五〈戴東原先生事略狀〉）正因為宋儒說經有以上不足，因而清代樸學家相信自己運用「實事求是，無徵不信」的訓詁考據方法來解釋經典，是對理學弊端的一個有力糾正，最能探索經典當中的原始義理，最符合聖人立言的「本義」。這就是漢、宋之爭的焦點所在。

勿庸諱言，宋儒從六經中創造性地闡釋出「理、欲、道、器、性、情」等一系列義理範疇，確實是援佛、老入儒的結果，但從現代解釋學的觀點來看，這一解經方法本身是無可指責的。宋代文化三教合一，文人們都不同程度地接受了佛、老學說的影響，這一切構成了宋代的社會文化語境（歷史傳統），也是宋儒解經的「先結構」或「認識視界」。自然，宋儒的義理不同於六經的「本義」或聖人的意圖，因為經典原本就不存在一成不變的「原義」，義理只是解釋者個人及其所處時代的思想，是一個歷史的發展過程。理解的客觀性同時也是其歷史局限性，從這個意義上說，任何理解都是誤解。宋儒創造性地把宋代的歷史傳統融入了經典的意義生成，也是解經者與經典文本之間「視界融和」的結果。換言之，宋儒既解釋了經典，同時也解釋了自己時代的歷史傳統，是一種創造性的解釋。

清代樸學家堅信訓詁考據是一種排除主觀存見的最客觀的解經方法，梁啟超也稱其為「科學的研究法」，並概括其要點有六。「第

二日虛己。……先空明其心，絕不許有一毫先入之見存，惟取客觀的資料，爲極忠實的研究。」❺從現代解釋學的觀點來看，解釋者要超越自己的歷史傳統而做到「虛己」幾乎是不可能的，也是沒有必要的，否則解釋就無法進行。例如清儒對「十三經」的尊崇就是歷史傳統所施加的「先入之見」。由於樸學家心存門戶之見，再加上對訓詁考據的過於迷信，使他們的解經走入了偏狹的誤區，他們爲了「虛己」而竭力疏離自己當下的歷史語境，試圖把經典重新置入上古時代的語境之中，其結果只是做到了語言學層面上的理解，所還原的也只是文本語境，而這離解經的眞正目的還相差很遠，樸學家也始終未能把握住經典的「本義」。

其實，就在乾、嘉考據學全盛之日，章學誠就指出了其弊端：「近日學者風氣，徵實太多，發揮太少，有如桑蠶食葉，而不能抽絲。」❻方東樹在《漢學商兌》中指出：「訓詁多有不得眞者，非義理何以審之？……今漢學者全舍義理而求之左驗，以專門訓詁爲盡得聖道之傳，所以蔽也。……主訓詁者實不能皆當於義理，何以明之？蓋義理有時實有在語言文字之外者。」方東樹的批評涉及到一個解釋學迴圈的問題，即整體與局部的迴圈。爲了理解整體，必須懂得局部；而爲了懂得局部又必須對整體有一定的領悟。具體到解經而言，一字一詞的訓釋是局部，而對經典義理的把握是整體。樸學家所缺乏的恰恰是整體意識，因而廣徵博引、煩瑣考證的結果只是得到片言隻語的眞解古訓，而這些零碎的意義並不能組成完整的義理。相反，由於離

---

❺ 梁啓超：《清代學術概論》，上海古籍出版社1998年版，第45頁。

❻ 《章氏遺書》卷九《與汪龍莊書》。

開了義理的統攝，其本身的正確性也受到了影響。「然訓詁不得義理之眞，致誤解古經，實多有之，若不以義理爲之主，則彼所謂訓詁者，安可恃以無差謬也。」因此「漢學考證，實不足以得聖人之義理。」（同上）如王氏父子對經典的考證就犯了樸學家「只見樹木，不見森林」的通病。所以今人陳寅恪先生認爲，清儒治經「止於解釋文句，而不能討論問題。」❼但也不可一概而論，例如戴震，他作爲清代樸學訓詁理論體系的奠基者，不甘心僅僅作一個考據家，而堅持認爲「義理即考核文章二者之源也」（段玉裁〈戴東原集序〉）。在那個缺乏哲學思想的時代，他對樸學家一味株守漢儒舊說、埋頭考據的學風深爲不滿。爲了扭轉風氣，他結合自己所處的歷史環境，對《孟子》作了極爲大膽的創造性的解釋，使經典獲得了全新的時代意義。所以說，戴震是具有近代啓蒙色彩的解釋學大師。

最後，我們不妨引用陳寅恪先生的一段話，來進一步說明本文的論點。陳先生在〈馮友蘭中國哲學史上冊審察報告〉中說：「對於古人之學說，應具瞭解之同情，方可下筆」；「蓋古人著書立說，皆有所爲而發，故其所處之環境，所受之背景，非完全明瞭，則其學說不易評論，而古代哲學家去今數千年，其時代之眞相，極難推知。吾人今日可依據之材料，僅爲當時所遺存最小之一部，欲借此殘餘斷片，以窺測其全部結構，必須備藝術家欣賞古代繪畫雕刻之眼光及精神，然後古人立說之用意與物件，始可以眞瞭解。所謂眞瞭解者，必神遊冥想，與立說之古人，處於同一境界，而對於其持論所以不得不如是

---

❼　陳寅恪：〈陳垣元西域人華化考序〉，《金明館叢稿二編》，上海古籍出版社1982年版，第239頁。

之苦心孤詣，表一種之同情，始能批評其學說之是非得失，而無隔閡膚廓之論。否則數千年之陳言舊說，與今日之情勢迥殊，何一不可以可笑可怪目之乎？」❽可見解釋經典也需要解釋者的主觀成見的。

---

❽　《金明館叢稿二編》，上海古籍出版社1980年版。

石印術對中國文獻傳播的影響

吳麗雯[*]

摘　要

石版印刷術在清道光初年，由西方傳教士帶進中國，直至
光緒初年，受到出版商的重視，並以之印製出版大量書籍、
報刊，蔚成一股風潮，這股風潮延續至民國以後才稍衰。
在這數十年間，石版印刷術卻使得中國傳統雕版印刷受到
極大衝擊，也連帶影響了近代中國出版業的發展，本論文
試著從石印出版品相關資料入手，整理歸納出石印術在中
國的發展概況，介紹重要出版社，並簡要說明各類型石印
出版品的出版概況。再分就橫切面——當代現象：文獻保
存及流傳、新知識思想的介紹傳播；縱切面——歷史的發
展：印刷技術的改進及知識載體的多元、對待知識及圖書
出版觀念的改變等層面，歸納分析石印術在中國發展的過

---

[*]　淡江大學中國文學系博士生

程中，可能產生的影響及其應有的定位。

關鍵詞　平版印刷　石印刷　石印出版品　文獻傳播

壹、前　言

　　石印術是一種以石版作爲製版材料的印刷技術，在清道光初年，由西方傳教士帶進中國，直至光緒初年，受到出版商的重視，並以之印製出版大量書籍、報刊，蔚成一股風潮，這股風潮延續至民國以後才稍衰。當時有數以百計的出版商利用石印術，印製了許多的書籍、報刊等出版品，不僅類型豐富，數量更是無法數計；但石印術在中國近代出版史及印刷史上，介於有千年歷史的傳統雕版和各種新式印刷術之間，似乎並沒有很明確的定位。一則因爲其被眞正廣泛運用的時間並不太長，只有數十年的時間，後來就被更方便的印刷術取代了；一則可能因爲它的特性，快速而簡便，所以印製出來的成品，偏向於以大眾需求爲主導，出版品並不是非常精審，價格也相對的便宜許多，所以一般認爲其實用性較強，而典藏價值則被視爲不高。因此，歷來學者對於石印相關的論說，顯得有些簡略。

　　在近代學者的論述中，有關印刷史或出版史的著作，大抵都會提到石印技術，但所引述的文字幾乎都一樣，多半是幾句話介紹石印術的發明、製作方法，有的會進一步說明石印術傳入中國的過程，以及出版的情形，但多數因襲成說，且都缺乏較完整的解說。

　　其中以賀聖鼐於民國二十年間發表的〈三十五年來中國之印刷

術〉❶一文中的說法最廣為人引用，後來張秀民曾對於石印術傳入中國的時間，為文修正賀氏的說法❷，此後，各家學者如吉少甫的《中國出版簡史》❸、史梅岑的《中國印刷發展史》❹、張煜明的《中國出版史》❺、張召奎《中國出版史概要》❻……等書，在談到相關問題時，便都不出這個範圍，只是稍作一些增減。

近代臺灣學者蘇精先生曾遠赴英國留學，得以看到有關清末英國倫敦傳道會傳教士在中國活動的第一手完整資料，因此寫成了〈中文石印（1825--1873）〉一文❼，全文對於早期石印技術傳入中國的時間及發展情形，有了一番說明，這是目前能看到關於石印初期的發展，較完整的一篇論文。

晚近大陸學者對於出版的問題有一些作品出現，其中像江蘇人民出版社便出版了一系列，由江蘇省出版史志編纂委員會編輯部編纂的，與江蘇出版有關的叢書，❽其中也有談及石印出版的問題，但仍只是一小章節的篇幅。此外，便是一些零散的對於石印術或石印出版

---

❶ 賀聖鼐〈三十五年來中國之印刷術〉收錄於《中國圖書論集》頁356北京商務，1994.8原文載於1931年商務印書館出版《最近三十五年之中國教育》。

❷ 詳見張秀民〈石印術道光時即已傳入我國說〉收錄於《張秀民印刷史論文集》頁261，北京印刷工業出版社，1988.11原文發表於1983年《文獻》第三期。

❸ 《中國出版簡史》，吉少甫主編，上海學林出版社，1991.11一版一刷。

❹ 《中國印刷發展史》，史梅岑著，臺灣商務印書館，民國75.2四版。

❺ 《中國出版史》，張煜明編著，武漢大學出版社，1994.5一版一刷。

❻ 《中國出版史概要》，張召奎著，山西人民出版社，1985.8.一版一刷。

❼ 蘇精先生〈中文石印（1825--1873）〉，收錄於《書目季刊》第廿九卷第三期，頁3－13，中國書目季刊社，民國84.12.16。

❽ 請參張憲文、穆緯銘編的《江蘇民國時期出版史》等書的前言　江蘇人民出版社，1993.12。

品的介紹文字了。

迄今爲止，尚缺乏對此議題單獨的討論。但從第一本石印中文書籍的產生，到石印技術正式傳入中國之後，於中國發展的期間不過數十年；石印術卻能以其特長——製版快、印書快、逼眞、價廉❾，而廣受重視，在這短短的數十年間，中國利用石印技術印製的書籍不計其數，含括的類型也非常廣泛，除去西書的翻譯作品外，還包括了古籍翻印、教科書、通俗文學、報紙、畫報……等，幾乎有取代傳統出版印刷業之勢，也爲更新式的出版技術打開新局。

當然與現代印刷技術相較，石印技術並不算簡便，但是介於當時傳統的雕版印刷技術仍存，鉛字排版印刷技術尚待改良的關口，石印術卻能以其自身的優勢，獲得許多出版單位的青睞，印製出爲數不少的出版品，在傳統與現代之間，石印技術應自有其時代的優越性及代表性。因此本文試著從石印出版品相關資料入手，整理歸納出石印術在中國的發展概況，並探究其對於中國文獻傳播可能產生的影響。

貳、正 文

一、重要石印書局

在道光年間即已傳入中國的石印術，歷經各教會傳教士的嘗試，卻始終沒有蔚成風潮，在此階段，利用手工石印術印製出版品的機構，大都屬於教會團體，與後來專門出版石印書籍的書局性質有別；另外，

---

❾　參熊月之《西學東漸與晚清社會》頁120。

由上海徐家匯天主教會在同治四年（1865）所設立的土山灣印書館，同治十三年（1874）成立了石印部及鉛印部，之後在光緒二年（1876）曾利用石印術印出一批宣傳天主教的書籍，在天主教徒中間流傳，但由於其出版品以及讀者群均限於教會之性質，所以，僅此作簡單說明，不另討論。

因此，談到石印的重要書局，我們必得從石印術被廣泛使用之後開始。光緒五年（1879）經點石齋印書局翻印古籍之後，石印術才引起了中國書商的注意，我們不得不以點石齋印書局作爲石印術在中國能夠發展的開端代表。

關於使用石印術出版書籍刊物的出版者，筆者根據國立中央圖書館特藏組就臺灣目前分存於國立中央圖書館、臺灣省立臺北圖書館、國立故宮博物院、中央研究院歷史語言研究所、國立臺灣大學、國立臺灣師範大學、私立東海大學、國防研究院等處圖書館現藏的石印本書籍，編輯而成的《臺灣公藏普通本線裝書目書名索引》❿，歸納整理出自光緒初年，點石齋石印書局開啓了石印術在中國的發展之後，直至民國以後，利用石印術出版書籍的出版者，計有二百二十餘家，其中上海一地有九十幾家，約佔總出版社的2/5；此外，北京約有十四家，其他則分布於蘇州、安徽、浙江、南京、廣州等原來傳統印刷出版業就發達的地方，還有四川、山東、江西、雲南、黑龍江……等處，涵括的地方非常廣闊。由此可知，石印術當時在中國非常風行，而以上海一地的發展最盛。⓫

---

❿　《臺灣公藏普通本線裝書目書名索引》，國立中央圖書館編，臺北國立中央圖書館 民國69.1。

⓫　筆者所整理的石印書目只以臺灣公藏書目爲對象，當然不足以代表全部的石

　　至於出版者的層級則包括有政府機構：如金陵江楚編譯官書局、學部圖書局、山東提學司署、黑龍江民政司署等；大學或學堂：如北平輔仁大學、北京大學等；舊式個人藏書齋：如陶氏涉園、劉氏愛聞簃等；舊式出版書肆：如上海掃葉山房、文瑞樓等；新式書局、出版社：如上海商務印書館、文明書局等；還有圖書館、研究單位、學會、個人……等。涵蓋的層級非常全面，看起來，好像只要你想要出版一本書，很容易的就可以利用石印技術來印製，大至政府機構、出版社，小至個人，都輕易可行。

　　若以光緒三十一年（1905）爲界，扣除未註明年代的記錄，則科舉廢除之前，約有六十家石印出版機構，以書局爲主，還有少數幾個私家出版，且集中在上海一地；科舉廢除之後，除了掃葉山房、文瑞樓、上海書局、校經山房、商務印書館、鴻文書局、鴻寶齋等幾個書局仍舊存在之外，其餘出版者幾乎都停止石印書籍的出版；但在此時，卻又有近百家新的出版者投入石印的行列，除了書局之外，還有各大學、圖書館、學會、政府單位、報館、私人等等，且除了上海之外，各地也幾乎都有出版者利用石印術出書，比起科舉廢除之前，似乎更爲蓬勃了。只是，若以其實際出版的情形而言，科舉廢除前，各家出版者的石印出版品都頗爲豐富，而科舉廢除之後，這許多的出版者，其中有不少都只有出版了一、二本石印書籍的記錄，而且除了掃葉山房、上海書局、鴻文書局等老字號的書局之外，很多書局其實都不只

　　印書籍，但是據此歸納出來的書局分佈，幾乎涵括全國各地，而上海一地與其他地方的差距之大，應該已足以說明石印術在中國最爲盛行的地方的確是在上海。

出版石印書籍，同時也出版排印或影印的書籍，所以，雖然石印術在民國以後，的確仍持續的發展著，卻不再是最主要的出版模式了。整體而言，科舉廢除之前，石印術是集中在上海一地發展，且各家均有極為豐富的出版品；科舉之後，則擴及全國各地，一直到民國以後，投入的出版者更多，整體的出版品也頗豐富，只是若以單一的出版者來看，則不及科舉廢除之前的盛況了。

另外，據張秀民《中國印刷史》的統計，在上海一地就有五十六家之多，⑫大陸學者曹之的《中國古籍版本學》中也提到從清末到民國，採用石印技術者全國超過百餘家，⑬筆者也曾據《中國通俗小說總目提要》⑭中著錄的石印通俗小說，整理出一百餘家的石印出版者；這樣的數量已經算很多了，但與實際的總數，恐怕還有一段差距。若據筆者對《臺灣公藏普通本線裝書目》整理所得的九十二家，再加上張秀民的統計，去其重覆，光上海一地出版石印的機構就有一百二十三家，而實際數量絕對遠超過此數。

筆者僅將所蒐集到上海一地的石印出版者資料，計有一百五十三家，依筆劃順序權列如下：

> 十萬卷樓、二林齋、上海書局、大東書局、大觀書局、大同書局、大通書局、大一統書局、大經綸書局、大同譯書局、大成書局、久敬齋、千頃堂、文瑞樓、文明書局、文瀾書局、

---

⑫　見張秀民《中國印刷史》頁590，上海人民出版社，1989.9。

⑬　見曹之《中國古籍版本學》頁396，武漢大學出版社，1993.10二刷。

⑭　《中國通俗小說總目提要》江蘇省社會科學院明清小說研究中心、文學研究所編　中國文聯出版公司，1991.9一版二刷。

文元書局、文宣書局、文宜書局、文盛書局、 文來書局、文
光書莊、文益書局、文元閣書莊、文海書局、文匯書局、文
選局、文賢閣、文元閣書莊、天寶書局、六藝書局、六一書
局、中華書局、中原書局、中西五彩書局、中西書局、中國
圖書公司、中華圖書館、五鳳樓、五洲同文書局、日新社、
元敬齋、天機書局、仁記書局、石竹山房、古香閣、古今圖
書局、世界書局、玉麟書局、同文書局、同人社、江左書林、
江南書局、江東茂記書局、全球書局、共和書局、存林書局、
自強書局、有正書局、改良小說社、沈鶴記書局、昌文書局、
佛學書局、秀文書局、味乾齋、珍藝書局、受古書店、拜石
山房、英商五彩公司、神州國光社、亞東圖書館、俟實齋、
烏程周氏、校經山房、袖海山房、耕石書局、晉記書莊、益
吾齋、泰東圖書局、泰東石務印局、脈望仙館、書業公司、
飛影閣、通文書局、崇實書局、掃葉山房、彪蒙書室、商務
印書館、梁谿丁氏、章福記書局、啟新書局、國學扶輪社、
紹文書局、萃英書局、朝記書莊、裕記書莊、華明書局、開
明書店、雲記書局、斐雲館、富文書局、富文閣、集古齋、
集成印書局、經香閣、會文堂、會文堂書局、源記書局、新
民書局、著易堂、瑞華書局、進步書局、順成書局、夢坡室、
慎記書莊、圖書集成印書局、圖書局、蜚英館、榮華書局、
熔經閣、算學書局、漱卞山莊、漱六山房、廣倉學宭、廣益
書局、廣文書局、廣雅書局、廣百宋齋、震東學社、醉六軒、
樂群圖書局、蔣春記書莊、賜書堂、積山書局、積石書局、
積學書局、錦章書局、錦文堂書局、寰球書局、璣衡堂、簡

青齋、點鐵齋、點石齋印書局、鴻文書局、鴻寶書局、鴻寶齋、蟬隱廬、雜記書局、醫學書局、寶善書局、寶文書局、藻文書局。

二、石印出版品類型概述

石印術傳入中國的初期，由於技術上的種種不便利，一直只停留在外國傳教士及商人的嘗試階段，加上當時的中國政府，並不歡迎傳教士及外商在國內傳教及貿易。⑮因此，儘管有一些石印出版品的產生，但大抵均爲基督教及天主教等傳教宣傳品，要想在中國境內有流傳的空間是一件很困難的事。

道光二十年（1840）鴉片戰爭，中國戰敗，被迫自1842年起陸續開放幾個沿海城市作爲通商的港埠，此後，積弱不振的清廷，又因屢屢的敗戰，與英美各國簽定了不平等條約，通商口岸不斷增加，且允許外國人在中國自由傳教及貿易，便再也擋不住覬覦中國許久的外國傳教士及商人進入中國從事傳教及貿易等事業，也因此，許多西方的科技文明、文化思潮等等的產物也挾此政治軍事上的優勢大量的湧進中國，至此，中國再也不能關起門來自外於世界，勢必要受此影響而有一些相應的轉變，而改良後的石印術也在此時重新被引進中國，得到了發展的機會。

光緒四年（1878）由英商美查在上海創辦的點石齋石印書局，先

---

⑮ 像英國倫敦會傳教士麥都思就因在中國遭到清廷的限制，而不得不轉往鄰近的國家進行傳教的工作，而在巴達維亞以石印印製出許多的宣教產品，再送到中國沿海城市來散發。

是利用石印術印製中國字畫、楹聯，接著又翻印出版了幾部中國古籍，**⑯**意外的在市場上獲得了極大的反響，收益甚豐，據姚公鶴《上海閒話》：

> 聞點石齋石印第一獲利之書爲《康熙字典》，第一批印四萬部，不數月而售罄，第二批印六萬部，適某科舉子北上會試，道出滬上，率購五六部，以作自用及贈友之需。故又不數月即罄。**⑰**

《康熙字典》並不是點石齋石印書局印的第一本石印書籍，但卻因緣際會的成爲暢銷書，十萬部的銷售量，獲利之豐，實在很難不令人心動，因此引起了其他中國書局經營者的注意及仿效，如緊接著在光緒七年（1881）成立於上海的同文書局便以十二部石印機，五百名職工的大手筆投入出版石印書籍的市場，並且印出了好幾部大部頭的古籍，如《康熙字典》、《子史精華》、《佩文齋書畫譜》、《易筋經》等書，而以翻印《古今圖書集成》一書工程最爲耗大**⑱**，遂造成了一股出版石印書籍的風潮。黃式權《淞南夢影錄》中有一段話：

> 石印書籍，英人所設點石齋，獨擅其利者已四五年，近則寧人拜石山房，粵人之同文書局與之鼎立而三，甚矣利之所在，

---

⑯ 其實點石齋書局在光緒四年（1878）年底就已經成立了，只是初期以印製楹聯爲主，出版石印書籍則是要到光緒五年（1879）以後才開始。

⑰ 見姚公鶴《上海閒話》頁12，上海古籍出版社，1989.5。

⑱ 同註**⑫**，頁592。

　　人爭趨之。❶⑲

則說明了當時受點石齋獲巨利之影響，起而出版石印書籍的重要書局有拜石山房與同文書局，也約略點出了人爭趨利的盛況。

　　如前所述，有這麼多的書局爭相出版石印書籍，必然也會有可觀的出版產品。在點石齋印書局出版的《康熙字典》受到應考舉子的捧場，有了非常好的銷售成績之後，隨後繼起的眾多書局，當然也以出版翻印的古籍作為主要的出版方向。因為古籍最大的閱讀群就是士子，不管應不應科考，讀書人一生的職志就是要從前人典籍文章中尋找生命中接物處世的依歸，如果要應考，當然更是非讀不可，所以直至科舉廢除前，古籍的出版都有其必然的銷售保證。因此，石印書籍中佔最重要的部份就是古籍的翻印出版，也因為這樣，石印術才能在中國有了如此大的發展空間。

　　除了古籍翻印之外，畫報的出版也受到石印術很大的影響。因為石印術對於圖像的印製具有其他印刷術所比不上的優越性，在初期石印的階段，英國倫敦傳道會教士合信便曾經以石印術印製了許多科學及醫學書中的圖像，發揮了石印術在繪像上的長處，後來有人以木刻翻製，卻比不上石印的線條生動。⑳所以當點石齋石印書局在光緒十年（1884）出版了《點石齋畫報》，就以其新穎生動的圖像吸引了廣大民眾的喜愛之後，又引起了一陣石印畫報的風潮，一直到清末，為數不少的石印畫報相繼產生，如《飛影閣畫冊》、《圖畫日報》、

---

⑲　引自黃式權《淞南夢影錄》卷二，收錄於《筆記小說大觀》第一編第七冊，頁4272。

⑳　同註❼，頁9。

《白話畫圖日報》、《當日畫報》、《新世界畫冊》、《小說畫報》……等。此外，報紙及期刊的出版，雖以鉛活字爲主，但也有不少石印報刊出版。

清末通俗文學盛行，當然也有非常多的石印通俗文學作品出版，尤以繪圖、繡像小說最爲風行，如上海書局、會文堂書局、積山書局等都以出版通俗小說爲業。㉑清末出版數量豐富的方志輿圖類圖書，也有不少借助了石印術在繪圖上的便利性；當然還有很多如新學的介紹……等各類書籍，在此階段中出版，涵攝範圍及書籍數量甚多，無法一一細說。

若以科舉考試廢止做爲一個分界點，來看石印出版品的出版情況，大抵而言，光緒三十一年（1905），科舉考試廢除以前，最豐富的石印出版品，當然是各種科考場屋用書，除此之外，涵括傳統經史子集圖書四部分類各類書籍均極爲豐富，但比較之下，要以經部的群經總義、小學類；史部的史書、詔令奏議、職官、政書、地理類；子部的類書類；叢部類編的醫家、算學類最多，集部和通俗文學部份的作品也極爲豐富，至於楹聯字帖、石印畫報和報刊，以及新學書籍方面，則多半集中在此階段。

光緒三十一年之後，以迄民國，各式應考所需的書籍，失去了市場的需求，暢銷書轉而成爲滯銷嚴重的廢紙，整個石印出版品的重心，也有了些微的轉移。少部份的石印畫報和西學書籍，在此時還可以看到，而傳統書籍方面，經部的小學類，史部的金石、目錄、地理類，子部的諸子、筆記小說類是較豐富的類別，而叢部類編部份的筆

㉑ 同註⑬，頁399，所引《小說書坊錄》的著錄。

記小說、總集類也很豐富，此外，集部和通俗小說的部份，在極盛期已經有不錯的成績，此階段則有更好的發展，出版的數量非常可觀，甚至超越前期。

只是這樣的一股石印風潮，在更進步的新式印刷術接續傳入中國之後，注定了將被逐漸取代的必然命運。不過，直到民國以後，還是有不少的石印書籍出版，只是在出版類型上無法與極盛時期相比。雖然在商言商，書商不免以營利作爲出版的導向，但這麼豐富的出版品，必然的要對於當時的中國社會民心起了一些影響，也爲後世留存了珍貴的圖書史料，這應是絕對毋庸置疑的。

三、石印術對中國文獻傳播的影響

從清光緒年間到民國，這短短的數十年間，石印術夾在傳統雕版印刷和新式排版印刷之間，由於其印製之方法與傳統雕版的過程很接近，而製版過程要更爲省事，在鉛字排版的各項技術尚在改良的過程中，它在製版上的快速，還有版面的清晰整潔，獲得了不少出版商的青睞，因此可以在清末大放異彩，所以竟然能出版如許豐富而類型多樣的成品，雖然限於資料不足等問題，無法全面的整理石印出版品，但饒是如此，所整理出來的石印出版品及書局的數量也已是非常可觀。而其出版品涵蓋的內容範圍，也必然的要造成某些影響。

如果只以石印術發生在中國的那段時空來論，石印出版品的豐富產量，以及形式的多樣化，的確對於當時知識的傳播流傳起了不小的作用，其中最主要的就是保存了許多珍貴的典籍，還有通俗文學作

品以及當代史料;對於清末民初引進新學及政治、民主改革思想……等等的風潮,當然也盡到了一些力量;至於其在報刊上的利用在近代報刊史上也必然的要造成了一些影響;可見石印術及石印出版品在中國近代文化史上,尤其是印刷史及出版史上的地位應是不容小覷的。

然而除此之外,若將石印技術納入一個歷史的發展過程來看,他便不應該僅僅只是一個印刷史中較進步的印刷術,可以快速印製出很多出版品而已,它對於傳統印刷出版方式的衝擊,也不會只是在一個工具性的實用層面而已,應該還有一些屬於深層、隱微的觀念上的改變,這樣的改變,可能直到現代,筆者所處的時代,還在不斷的發展之中。筆者嘗試從以下兩個方面來討論石印術在中國發展期間,所產生的豐富出版品,對於中國文獻傳播的可能影響。

(一)橫切面——當代現象

在所謂的橫切面——當代現象方面,主要是從石印出版品的豐富數量與內容、形式等所呈現出來的種種樣貌,來談其對於近代各類文獻的保存、流傳,以及新知識、思潮的提倡、傳播等方面,所產生的影響。

1、文獻的保存及流傳

但凡出版活動,其最首要而直接的價值,就在於對文本資料的保存及流傳上,當然石印術在此功用上,必然也盡到了很大的責任。石印出版品最豐富的類型就是傳統中國的書籍,其中有很多是古籍的翻印,涵括了經史子集各部,當然,若要比起千年來雕版印刷的出版,石印書籍其實是很微少的,可是如果以其僅有的數十年時間所出版的類型及數量,與千年來出版的情形相較,在比率上,恐怕就要呈現出

一種革命性的逆轉了。

　　由於石印書籍所涵括的類別以及數量上的豐富，相對的，就保留下了許多的文獻資料，其中，不乏珍貴的典籍及史料，就筆者整理所得，較重要的幾個文獻類別，分別是：古籍翻印以及大部頭的書籍，像叢書、類書等，還有唐宋詩文集等最為特出，此外通俗文學作品，以及近代史料兩方面也是頗為豐富。

　　叢書及類書的纂輯，對於文獻的保存本就具有非常大的功勞，而在石印書籍的出版中，對於此兩類書籍的翻印出版，又特別著力，據上海圖書館編輯的《中國叢書綜錄》中收錄的叢書而言，石印本叢書總計有149部，若再加上同一部叢書不同出版者或出版年的24種，則有174種。其中，彙編的有34部、經部有11部、史部有18部、子部有61部、集部有25部，子部中又以醫家、數學及小說最多；此外，像《十三經》、《二十四史》等大部書，還有幾部重要類書：《永樂大典》、《淵鑑類函》、《古今圖書集成》、《佩文韻府》等書的一再翻印，這對於學術文化成果的保存，在在都具有不可篾視的功勞。

　　唐宋詩文集部份，幾乎重要的集子都曾以石印出版過，且是各家書局爭相出版，像唐朝各派代表詩人，如李白、杜甫、李商隱、白居易、王維、岑參、孟郊……等人的集子，還有文學史上具重要地位的「唐宋八大家」的集子，如《昌黎先生集》、《柳河東文集》、《歐陽文忠公文集》、《蘇老全先生全集》、《蘇學士文集》……等也都是一再的被不同書局以石印技術翻印出版。

　　此外，通俗文學作品，尤其是通俗小說，以其為通俗文化之一環，著重的往往不是品質精良的講求，而是以能廣為招徠讀者閱讀為重心，因此，如能加上繡像插圖，增加小說的可讀性，吸引群眾，價

格又能非常便宜，那當然就更好了，而石印技術的運用，剛好就符合了這些需求。因此，清末民初石印通俗小說的出版量非常的龐大，在現有的資料整理中，至少可以見到數百種，而實際出版的量絕對遠超過此數，這樣龐大的通俗文學作品出版，在民間被廣爲流傳閱讀，這是不同於傳統文人階層的一種知識的推廣，對於廣大民眾所造成的影響深且遠，除了其具有的娛樂性質之外，其實也提供了不少對於了解當代一些民間風俗民情珍貴的資料。

至於近代史料部份，最爲特別的是地理書籍的編纂出版，前人編纂之作品不論，僅清末至民國，就有數量極夥的石印方志出版，以臺灣目前各圖書館公藏的一千餘筆石印書籍來看，約有八十餘筆志書的著錄，這樣豐富的各地志書，爲近代保存了極其珍貴的地理史料。此外，如僞滿州國庫籍整理處曾於民國二十幾年間石印出版了《史料叢刊》、《大庫史料目錄》、《大庫舊檔整理處史料彙目》等書，都是頗爲重要的近代史料的記錄。

雖然石印出版的品質不免良莠不齊，但是，即使是專爲科舉而服務的場屋用書，以其編選類型之豐富，出版量之大，對於中國科舉考試及教育史的研究，都必然具有很大的參考價值；更何況，仍有一些書局是以較爲精審的態度在面對石印書籍的出版，也檢選了許多重要的書籍作爲出版的對象，營利之外，也意圖盡到出版業在文化層面所負有的責任，以石印如此大量的出版而論，總還是會留下一些足資珍藏的文獻資料的。

2、新知識及思想的介紹傳播

石印新學書籍、報刊、畫報的出版，對於清末以迄民國新知識及思想的介紹傳播，起了很大的影響。以新學書籍而言，鴻文書局於

光緒二十二年出版的《西學富強叢書》及光緒二十三年出版的《西學時務總纂大成》，這二套書都是很重要的新學書籍；此外，還有各項介紹西方學術、思想的石印書籍，如經濟、政治、教育，還有醫學方面等等，這些書籍對於新知識的介紹及傳播有著重要的貢獻，提供了國人了解西方各項科學知識很大的幫助，也影響了近代中國的文明發展，例如在教育方面，就幾乎完全改變了傳統中國的教育模式，影響極爲深遠。

而對於新知識及思想的傳播起了最大作用的，還是以報刊及畫報最爲首要。近代報刊的形成，本就深受西方影響，不管形式上或內容上，初始都是國外產物的移植，之後，各式報刊在中國廣爲創設發行，在內容上，有很大的比例都還是對於西方新知識及思想的譯介及提倡。

以石印報刊而言，其中最重要的《時務報》，任主筆的梁啓超提倡變法改革甚力，《時務報》的主旨就是要變法圖存，報中的文章對於開通風氣的提倡，在當時的愛國知識份子中具有很大的感染力。再如由章炳麟任總編的《實學報》，內容以譯述英日報論著爲主，附刊中西人著述多種，其旨亦在以實學救中國。還有如注重童蒙教育的《蒙學報》、對於發展我國的農業技術起了重要的啓蒙和倡導作用的《農學報》、意圖通過對中外工商情況的分析比較，找出振興中國工商發展的方向的《工商學報》、意欲宣傳變法維新，提倡女學，爭取女權的《女學報》……等等，其出刊時間或長或短，但都是希望藉由報刊的發行，將某些理念推廣到社會各階層，這些理念的形成，其實都深受西方思潮的影響，當然在報刊問世之後，對於此新思想的傳播推廣也會起很大的作用。

　　而石印畫報的產生，對於新知識的大眾化及普及化，則盡到了更大的力量，石印畫報的通俗性，在以圖畫爲主，文字爲輔的形式上表露無遺，文字的可閱讀性受限於識字人口的多寡，然而圖畫的可閱讀性則幾乎人人皆可，這樣一種比文字更爲接近於口傳文學形式的出版品，幾乎人人皆能看懂，較能引起閱讀觀賞的興緻，也就更能達成某些事情或思想的宣傳及接受度了。誠如《申報》所載「第六號畫報出售」⑳：

> 書畫韻事也，果報天理也，本館印行畫報非徒以筆墨供人玩好，槪寓果報於書畫，借書畫爲勸懲，其事信而有徵，其文淺而易曉，故士夫可讀也，下而販夫牧豎亦可助科頭跣足之傾談；男子可觀也，而蠑首蛾眉自必添妝罷針餘之雅謔。可以陶情淑性，可以觸目驚心，事必新奇，意歸忠厚。而且外洋新出一器，乍創一物，凡有利於國計民生者，立即繪圖譯說以備官商采用，既擴見聞，亦資利益，故自開印以至今日，銷售日盛一日。

　　一般石印畫報，大抵都是以時事入畫，或屬於較通俗的文化層面的訴求，如通俗白話小說等，較不可能深入探究某些思想，所以一般也容易流於膚淺，而其娛樂性要高過嚴肅的說理性，但是也因爲這樣的特性，使得某些隱藏在畫報之中的意念，很容易的就可以爲各色讀者所接收到。以《點石齋畫報》而言，其對於當時發生的很多時事，

---

⑳　見光緒十年閏五月初四日（1884年6月26日）《申報》影印本，第一頁「第六號畫報出售」。

以及西方國家各式新奇事務等的描繪，藉由其廣大的發行網，迅速的將這些訊息傳送到讀者手中，在這樣的過程裡，有成千上萬的人很快的就接收到了新的資訊，也獲得了學習新的知識及接受新思想的可能，其影響可謂極廣且速。

（二）縱切面——歷史的發展

有關縱切面——歷史的發展，主要是將石印術及其相關的種種發展，置放在歷史之中，來探討其所處的定位及可能有的影響。分成外延及內緣兩方面，外延指的是技術及外在層面的探討，以印刷技術的改進及知識載體的多元爲題；內緣指的是內在觀念上的轉變，從石印本在傳統中國學術文化眼光中的定位談起，探究整個石印出版的過程，對於近代在知識的傳播、出版的觀念上，可能有著什麼樣的影響，進而希望能爲其找尋到一個較合宜的定位。

1.外延——印刷技術的改進及知識載體的多元

（1）印刷技術的改進

清末迄民初是中國印刷史上劇變的階段，西方新式印刷技術及機器的傳入，使得整個印刷業受到很大的衝擊，西洋新式印刷術中的鉛字排版，在清初即曾由傳教士傳入中國，但不受重視，十九世紀，再度傳入，經過幾十年的發展，鉛字字模的澆鑄技術慢慢穩定，排版方式也漸漸改進，在道光、咸豐年間才逐漸獲得較普遍的使用。❷

而石印技術則是在鉛字排版之後才傳入的新式印刷術，在道光

---

❷　詳參賀聖鼐、賴彥于合著《近代印刷術》頁2－3。

年間傳入中國，到了光緒初年，照相石印術傳入之後，有了長足的發展，之後，在石印術的基礎之下，發展出了更多的平版印刷的技術，如珂羅版、金屬版、影印版、傳真版等，這系列的發展便形成了與鉛字排版等凸版印刷術並行的兩種印刷類型，一直到現代，鉛字排版的印刷方式，幾乎主導了印刷業，但平版印刷也仍持續發展著。

　　就中國整個印刷技術的發展來看，石印術的傳入，其實是一種很特殊的轉變。鉛字排印的盛行，雖然是十九世紀西方人引進這項技術的結果，但是，對於中國人而言，這並不算是一項全新的技術，因爲中國的老祖宗們早就曾試用過各式活字印書，雖然並不如雕版印刷般擁有如此好的成績，但是，從宋代畢昇發明膠泥活字版之後，歷代都不斷有人嘗試以各種材料製成活字，歷來有泥活字、木活字、錫活字、銅活字⋯⋯等等，其中木活字的運用最廣，而金屬活字部份，則以銅活字最爲重要，明代以木活字印出的書，書名可考的即有百餘種，而著名的清代武英殿聚珍版也即是以木活字排印的；❷然而石版印刷的傳入，對於中國人而言，則是一種全新的嘗試，尤其是照相石印術，利用攝影照相技術，將原文攝製下來，然後可隨意縮小或放大的在石版上製版，不必經過雕版繁複的程序，就可以得到效果一樣甚或更好的印版，且印的速度又快，這對於印刷業翻製古籍或圖像而言，不啻是一項極其新奇而且方便的事物，也因此，在光緒初年到民初，這幾十年間，幾乎各地的出版業者都爭相競用石印印書。

　　在此同時，傳統雕版技術仍舊存在於官、私之間，有很多官書局以及書院都還以雕版方式出版書籍，很多藏書家也仍堅持以雕版印

---

❷　同註❷，頁623－728，談活字印刷術部分。

書，如盛宣懷在光緒二十年間，就曾延請同爲藏書家的繆荃孫爲其主
持《常州先哲遺書》的刊印事宜，此外，如江標、廬靖、梁鼎芬、葉
德輝、董康等清末著名的藏書家都曾刊印過書籍；㉕但是使用石印技
術印書，卻已造成一股強大風潮，因爲石印技術的簡便，遠超過雕版，
也超越鉛字排印所需的各式字模、排版架等機件，因此，深受出版業
的青睞，據張秀民《中國印刷史》一書所統計，在當時，石印書局爲
鉛印書局的一倍餘，足見其普及性便利性。

這樣的情況之下，在石印術基礎上發展出來的更新式的平版印
刷技術，理所當然會被漸次的引進，而且也會受到重視，當石版的厚
重成爲一種負擔之後，更輕巧的版材便順勢的取代了石版，而石版印
刷術也在這之後，功成身退。因此，在中國近代印刷技術的不斷改良
中，石印術實在是具有開啓之功，開啓了平版印刷術在中國運用發展
的機先。

（2）知識載體的多元化

由於石印術對於圖像的印製，具有木刻所無法比擬的便捷性，
在石印術傳入之後，複製楹聯、碑帖是石印術最先應用的對象，因爲
其宜於圖畫字樣的複製或直接繪製印刷的特性，使得它在字畫複印、
輿圖、繡像、年畫以至畫報、連環畫的發展上，都佔有重要的地位，
其中，石印年畫的印製還幾乎取代了傳統的木刻年畫。

知識的載體，從口傳到圖像到文字，在文字出現並形成通用之
後，幾乎便以文字作爲主體，中國幾千年來，文字的記錄傳播功能遠

㉕　詳參蘇精《近代藏書三十家》，傳記文學雜誌社，民國72.9初版。

遠大於圖像，因此，圖畫形成其特有的一種藝術性，不似文字具有著負擔說明的任務，雖然在六朝，已經出現專繪佛教故事的圖畫，但影響並不廣；年畫類的圖，也有著一種記錄說明事物的性質，但不甚明顯；明末盛行小說戲劇的繪像插圖，則讓圖畫有了與文字可以相輔的一種意義，但圖像終只是配角，文字仍舊是主要的，❷清末大量石印通俗文學的盛行，更加強了此一意義；而清末石印畫報甚或連環圖畫的產生，則讓文字的地位退居第二，畫報針對時事或風土民情，畫出可以適當傳達事件的圖畫，再旁注幾句文字說明，就可以非常傳神的將想表達的東西清楚呈現；而連環圖畫書則以連貫性的圖畫去說明或記述一個故事或事件，這樣的一種轉變，讓書籍的寫作方式及觀念起了很大的革命，也賦予了圖畫獨立作為知識載體最為有力的可能。

　　大量石印繡像通俗文學的出現，讓人們在閱讀的視覺上，起了一種很大的轉變，圖像伴隨著單純的文字閱讀，引起了讀者更大的興緻及反應，使得通俗文學作品的銷路更好；而石印畫報的產生，則讓圖畫成為閱讀的重點。一張畫報由一整幅繪有欲傳達給讀者的事物的圖畫，以及一段說明文字而組成，在此，圖像上蘊涵的意義再佐以文字的說明，可以很容易的讓讀者接收到。然此又與傳統在畫上題詩的情形是不同的，畫上題詩，往往詩與畫兩者是相融的，無分主從，其意蘊便在此相融的情境中，引起了觀者的欣賞及共鳴，而畫報中則是以圖畫為主角，文字已降為配角，圖像本身即具有事件原委傳遞說明的功能，代替文字的角色扮演，成為所要傳達的知識的主要載體。

　　之後，石印連環圖畫則讓此項功能展現的更為澈底，石印畫報

---

❷　詳參阿英著《中國連環圖畫史話》一書。

由於只是一幅單一的圖像，所能表達的也只能是較單一的訊息，然而連環圖畫，則有了較完整的聯貫性，可以藉由連續多幅的圖畫，很清楚的說明一整個故事，甚或如文字中所可以蘊含的思想，這對近代漫畫的形成及成熟，應有著創始之功。茅盾在〈連環圖畫小說〉一文中曾說：

> 至於那「說明」（意指圖畫上的說明），本身就是一部舊小說的
> 縮本，文字也就是舊小說的白話文。程度淺的讀者，看不懂
> 這「說明」，就可以看那些連環圖畫，反正圖畫上也有更簡
> 略的說明。所以這種「連環圖畫小說」，主要的是圖畫，而
> 文字部分不過是輔助，意在滿足那些識字較多的讀者。**㉗**

由石印畫報到石印連環畫，一直到現代漫畫的產生，這之間有著一種不可分的聯繫；石印對於畫像可以重新成為知識傳播的獨立載體，影響了近代知識傳播載體上的多元發展，有著非常明確而不可忽略的貢獻。

二、內緣——圖書出版及知識傳播觀念的改變

所謂內緣影響的討論，是本文所要探討最重要的層面，以觀念上的改變為主體，新式印刷技術的傳入，改變了整個傳統出版業的行為及結構，而這樣的改變又影響了出版的觀念，以及中國人對待書籍、知識的觀念。因此，本段分成㈠對待書籍、知識觀念的改變；㈡圖書

㉗ 茅盾〈連環圖畫小說〉　原載《文學月報》第一卷第五、六期合刊　轉引自
張靜蘆《中國出版史料補編》頁291。

出版觀念的改變兩個部份來討論。

（一）對待書籍、知識觀念的改變

　　中國的書籍從最古老的手寫進展到雕版，發展了幾千年，到唐代才有了雕版印刷，之間也有過活字的創造，但都不甚發達，千餘年來以雕版為最重要的方式，印刷術的發明公認是人類文明發展的功臣，因為印刷術的發明，才有了書籍的出版，人類文明藉此而有了發展的可能，人類的思想精華、風俗文化、政治、經濟、社會發展等各種知識，有了記錄保存的憑藉，也因此而流傳，歷代的思想相衝擊，遂促進了文明的進步發展。

　　中國對於用文字紀錄知識的方式，在印刷術發明之前，以手寫為唯一的可能，由石頭而竹簡而紙帛，每一位有能力讀書的人，想要好好讀一本書，或擁有一本書，都必須辛辛苦苦，一個字一個字仔仔細細的抄寫，所以對於書籍的態度是非常敬慎的，文字抄寫成書冊，重點不在於流傳，而在於研讀典藏，知識終只是存在於少數人的身上，平常人要讀書是很困難的。

　　在印刷術發明前，知識的傳播多半是藉由親口講述，聽的人用筆用心記錄，雖然這些記錄也有可能被傳抄，但終究應用不廣，很多人畢其一生的著作，可能就只有獨一無二的一冊抄本，連複抄本都沒有。所以如先秦時代百家爭鳴，但一次始皇焚書，有很多人的思想著作竟因此失傳，除指責始皇之暴虐外，也只能哀嘆於當時對於知識記錄的條件之不佳，連記錄保存都很困難，更遑論可以廣為流傳了。

　　後來印刷術發明，一次雕版可以印出許多冊書，書籍的出版讓知識的紀錄及流傳或收藏，趨向於穩定的發展，中國人在此之後，產生了許許多多的著作，刻出來的成品雖不免有良窳之分，但每一本書

的出版，也都提供了讀書人更完整的知識憑藉。因此不同時代的出版情形，包括出版者、出版品、讀者或藏書者，相應於當代的學術、社會文化等發展，就形成了不可分的全體，後來的人憑藉著完整而豐富的文化遺產——出版品的紀錄，回溯前人的一切，可以得到更清楚的輪廓。

而每一次雕印出版的成品，它可能不僅僅只是一本書，有時還會是具有藝術價值的收藏品，因為印刷術的發明，使得人們在手抄之外，可以有更快速便捷的方式得到一本書，但是雕版的印量終究還是會因為印版無法免除的磨損，而有一些限制，所以每一本精心寫、刻、校、印的書籍，除了閱讀之外，還有了典藏的價值。也因此歷代積累而成的有關書籍出版本身的研究及學問，恆久不衰，如版本、校讎等學，而歷代藏書家，對於書籍的蒐羅及珍藏態度，重視善本、精校刻本等等，也反映出中國在印刷術發明之後，對於書籍，也就是知識的態度仍然是很敬慎的。

在幾個世紀的長久時間洪流裡，書籍雖不免要因天災人禍而受到燬損，但是書籍的保存及流傳已經比印刷術發明前有了更大的可能，很多前人的思想精華著作，便在出版者的注重版本選擇、文字校對的態度之下，有了穩定而豐富的出版，再加上藏書之人的謹慎保藏，得以歷千百年而不滅。

在傳統的書籍出版概念中，書籍的典藏價值絕對要比流傳的功用大，因此書籍的印量一般都不多，一來因為傳統雕版或活字印刷的速度並不快，而且校勘的手續甚繁，加上注重版本的關係，要謹慎選擇底本，而每一次的重印或初印，書籍的初印本都要比後印本來得受人重視，以其清楚、完整，適合收藏。這樣的一種著重典藏價值的觀

念，也反應在藏書家對書籍的收藏態度上，直到明末，通俗小說出版的盛行，稍稍改變了出版的態度，以營利爲前提的出版概念出現了，雖說小說是小道，並不被文人重視，但小說中的故事情節對於人世的反應卻是最眞實的，因此明末通俗小說的出版風潮，已改變了一些觀念。而清朝石印小說的盛行當然更是延續了這樣的風潮。

近代印刷術的繼續發展，因爲有了西方新式印刷術的加入而有了更不同的面貌，在鉛活字仍受困於國內對於金屬活字鑄造的難以掌控之時，石版印刷的傳入提供了頗爲簡便的選擇，一者因爲價格較便宜，不限於資本雄厚的出版商，一般的小書肆也能負擔；一者因爲其製版方式極爲簡便，尤其在繪圖方面，更是比傳統木刻要方便許多。所以石印出版品中，有一大類是屬於楹聯及古書的翻印，而此類出版品，除了逼似原本之外，在價格上亦遠低於原本或其他雕印的書籍，如光緒五年二月一日（1879年2月21日）《申報》上刊載的「石印對聯出售」的本館告白及廣告所言：

> 本館在點石齋新印名人對聯，係將元稿用照相之法印於石上，再行搨入牋紙，故與當時書就者無毫釐之別。諸君如欲購各種眞蹟，非數十金或數金不辦，今點石齋一爲印出，價賤倍徙，而故物宛然，致足寶也，惜印法太費，故所成無多，諸君請即前來購取可也。❷⑧

可見石印出版品雖具有以假亂眞的本事，但終是價賤倍徙，這樣的產

---

❷⑧　見光緒五年二月一日（1879年2月21日）《申報》影印本，第一頁本館告白的「石印對聯出售」。

品，只能是讓有心購取眞本卻不可得的大眾，聊以自慰或附會而已，當然不可能如眞蹟一般具有値得珍藏的藝術上的價値。

　　再如所謂的「舟車場屋」用書，在光緒年間，其出版的類型及內容眞可謂五花八門，而數量則已無法數計，幾乎所有的出版商都有相關的書籍出版。這類書籍的出版，雖然在科舉存在的各朝代裡都有，而科舉廢除之後，也就走向衰頹之路，但是，清末以石印術出版的情況，其數量及速度之驚人，卻遠非歷朝可比。這類書籍的價値，反映在售價上，亦可見出其身價不高，因此，這樣的一股風潮，使得石印出版品，在傳統重視書籍的價値觀念下，被列爲一種較爲低劣的產品，始終難登大雅之堂。似乎，傳統的雕版印刷的書籍，是一種較高雅的出版品，値得好好典藏，而石印本則是可以隨意棄置的東西。

　　然而這樣價値低下的東西，卻以其快速且大量出版的優勢，凌駕於傳統雕版印刷之上，除古籍的翻印之外，通俗文學作品以及報刊的大量出版，則讓其深入到民間各階層的讀者身上，也整個的改變了傳統文人對於知識及書籍所主導的珍視的態度。

　　通俗小說的大量出版，引起了廣大民眾的閱讀興趣，有此廣大的讀者群做爲後盾，相對的也鼓勵了此類通俗作品的寫作；一般報刊的產生，不管是純報紙的形式，或是期刊、雜誌的形式，運用文字傳達訊息，提供新知的功能遠超過知識及學問的研讀，所要表達的是一種即時的、快速的、便捷的觀念，原來書籍的典藏價値，在這樣一種新的出版品形式的產生之後，受到了更大的衝擊，出版品的流通性增強，遠超過典藏性；而畫報及連環圖畫書的產生，則讓知識的傳播有了一種更爲普及的方式，讀不懂小說和報紙的人，可以輕鬆的從畫報上、連環圖畫上，看懂他們所想知道的事物，獲得他們想接收的訊息。

我們常說，二十世紀是知識爆炸的時代，各種出版品，文字、聲音、影像……，隨處可得；然而在清末，石印術及其他新式印刷術引發的風潮之下，不啻也是一種知識爆炸來臨的前兆，讓人們對於文字或其他知識載體的態度，在觀念上有了很大的不同，當一部書、一份報紙，隨便一印就有數千份，將有更多的人有機會讀到這部書，其影響的層面便有了相對擴大的可能。知識隨處可得，很多的知識很快的就成爲一種常識，人們利用出版的動作可以造成很多大而廣的風潮，但卻不一定可以長遠，書籍或其他的出版品，一時之間廣而快速的流傳便成爲最重要的訴求，至於是否具有長長久久典藏的價值，恐怕是次要的了。

（二）圖書出版觀念的改變

中國在唐代就已有印刷術的發明及運用，然而，在之後的千年之間，中國的印刷技術並未能有更長足的進步，始終停留在雕版的階段，並無更新更便捷的發展，雖也有活字的創造，但應用均不廣，而書籍出版的類型及內容，也一直沒有太大的改變。錢存訓在爲張秀民先生的《中國印刷史》一書所寫的序中曾說：

> 一般說來，從十六世紀初開始，西方的印刷技術逐漸改良，產量急劇增加，因此形成了一種龐大的出版工業，在思想和社會上發生了強烈而根本的變革。……至於中國和受中國文化影響的的東亞其他國家，印刷術的使用在社會和思想上都沒有引起太大的變化，反而促進了文字的統一和普遍性，成

爲維護傳統文化的一種重要工具。㉙

中國印刷術的發展，除了在文獻保存和知識普及的層面上發生了較大的影響之外，似乎並沒有使出版成爲高度發展的行業，儘管歷朝出版的書籍非常豐富，然而印刷技術及出版行爲，還有出版者，卻始終是傳統的，而出版品的類型也沒有太大的變動，主導整個出版活動的，還是在朝廷手上，難怪無法引起社會和思想上的大變化，且被認爲只是維護傳統文化的工具了。

近代西方新式印刷技術的傳入，卻改變了中國圖書出版業的整個架構，在此之前，雖然出版已是一種商業行爲，明末清初通俗小說的盛行，已經預示了書籍成爲商品的性質，但是在當時也只限於通俗作品而已，一般的書籍還是被賦予某種較合於傳統思考下的價值與定位，具有文化精神上的認可，也就是說，在中國，傳統的出版業，是一種配合著各時代的精神文明而存在的行爲，出版者雖然有權選擇出版的書籍類型，但卻往往被限定在某種先天的爲堂皇的理想性服務的思考邏輯裡，以鬻書而謀利的人亦有，但很多的出版者還是不免要以文化、知識的傳承作爲出書的指標。

可是到了清末民初，石印術的大量應用，各種出版品（尤其是場屋用書、投大眾口味的通俗文學作品、報刊等有利可圖的出版品）的快速出版，則無疑的是正式宣告了所有的出版行爲，都是絕對的商業交易行爲，而圖書這樣的出版品已是十足的商品了。因此新的印刷術傳入，同時也引進了新的生產和行銷結構，兩相配合之下，出版這樣的一個行爲，便具有它獨立而新的性質，出版成爲一件輕而易舉且是純粹自由的商

㉙　同註⓬，〈錢存訓博士序〉。

業角度的事，任何人只要有一些資本，都有可能自己辦出版，一本書或一份報紙，雖然出版的文化意義並不會因此而消失殆盡，但此時謀利的意味恐怕要更濃些。

近代西方文學社會學這一門學科的發展，嘗試從更寬廣多元的角度來討論已被視爲一種社會活動的文學，在法·埃斯卡皮（Robert Escarpit）的《文學社會學》❸⓿一書中，譯者葉淑燕在譯序中提到：

> 文學社會學這一門尚在發展中的學科，它的研究範圍與研究方法迄今也還未形成一致的看法。……他們應用各種不同的手法來詮釋文學（指廣義的文學活動），有人從語言學及結構主義著手，有人從傳播學角度來探索文學作品及研活動的社會意義，無非是企圖釐清社會型態與文學現象之間的複雜問題。

雖然這種種詮釋手法的運用，還在不斷的嘗試、修訂，但這整個過程的發展，使得對於文學這一活動的研究，有了超越傳統的可能，讓我們有了更多元的理解與文學相關的一切的途徑。

埃斯卡皮在書中也曾提到：

> 所有文學活動都是以作家、書籍及讀者三方面的參考爲前題。總括來說，就是作者、作品及大眾藉著一套兼有藝術、商業、工技各項特質而又極其繁複的傳播操作，將一些身份明確（至少總是掛了筆名、擁有知名度）的個人，和一些無從得知身份的

---

❸⓿ 《文學社會學》　法·埃斯卡皮著　葉淑燕譯　遠流　1995.2初版二刷。

特定集群串連起來，構成一個交流圈。❸

其中所說的作者—作品—讀者間相互影響的關係，或許可以借用來說明清末民初的石印出版行為：生產者（出版者和作者）—商品（出版品）—消費者（讀者），這三者構成了整個出版的活動，書籍既已被視為一項商品，便不免要面臨供需的問題，在出版有了快而大量生產的可能時，出版品的多樣，使得讀者有了更多的選擇，而讀者的喜好，也將成為出版者對產品出版取向選擇的依據，當然，出版者也可以利用出版，來挑戰讀者的閱讀取向，甚至於主導或改變此一取向。

　　這樣相應相生的情形，在現代的出版觀念下，是不難理解的，然而當代這樣一種充滿戰國時代狂亂氣息的出版現象，並不是突然發生的，必然也是經過一段長時期的層累演變而來，我們應該可以這樣說，清末民初新式印刷術的傳入，對於中國傳統印刷技術的改進及出版商業觀念的衝擊，應該是中國現代出版觀念最直接、最原初的取法所在。

　　當然，這樣的一種轉變，是由當時所有出版者的主觀選取、出版商業經濟行為（發行機制、行銷手法……）及出版工技（各項新式印刷技術）……等等的翻新，所共同引爆的點，而石印技術只不過是其中頗微不足道的一個小環節，但正巧它就處在這個點的一個開端，以它在中國存在的短短數十年的時間，勉力的為後來更開放寬廣的出版道路，盡了一點力量，也留下一小塊痕跡。

　　因為石印術的簡便特質，使它比其他的印刷技術更容易被利用，所以雖然它比鉛印技術更晚傳進中國，卻在很短的時間內，獲得了極

---

❸　同註❷，頁3。

豐富的成績，絲毫不顯遜色。當然，在品質上，石印出版品一直被視為是不登大雅之堂的作品，儘管其成品不乏字跡清晰、圖像細緻、版面整潔之作，但總好像缺少了眞實與深刻的價值，甚至於被認定只能是非正身的複製品，因此，不管在印刷史或出版史上，它始終都只是屈居在毫不起眼的段落裡。

然而，石印術卻以其傲人的印刷速度，製造出豐富的出版品數量，爲其取得了足以向世人宣告其價值的可能，它被蔑視的通俗性及複製的功能，竟使得清末民初的出版活動起了革命性的轉變，因爲通俗利便，所以更可以廣爲人用，此一特性，刺激了出版商更多元的出版行爲。如果說，傳統的圖書出版觀念是以知識文化的傳承爲主要課題，那麼，清末民初石印術的蓬勃發展，將是對此觀念的延伸及反撲。出版者選擇以石印技術印製出豐富多樣的出版品，並且在出版、發行、銷售的過程中，逐步形成完整的出版商業結構，多元的石印出版品，當然仍延承著對於知識文化的傳承作用，但也更明確的標示出其作爲一個商業行爲之下產物的鮮明特質，在供需之間，營利爲主的訴求，遂讓整個中國圖書出版觀念起了無法避免的扭轉。

參、結　語

本文試著從實際石印書籍的出版書目及相關資料中，先整理歸納石印出版者及出版品的資料，再分就橫切面——當代現象的影響與討論，及縱切面——歷史中的定位與影響等兩個方向，從石印出版品中歸納出現象及影響，又將石印技術及其出版活動放在歷史發展

的過程之中，析論其定位及影響。

　　石印技術雖是新式印刷術，但其所處之位置，其實是介於傳統和現代之間的過渡；其最重要的用途還是在傳統書籍的翻印上，在此之前，複製楹聯、碑帖是石印術最先應用的對象，因爲其宜於圖畫字樣的複製或直接繪製印刷的特性，使得它在字畫古籍的複印，輿圖、繡像、年畫的發展上，佔有重要的地位；然而它對於近代報刊、畫報、連環畫的發展，卻也有著不可磨滅的功勞，石印術便是以其特有的優越性，優遊於新和舊、傳統與現代之間，且展現了不錯的風采。

　　因爲石印這樣的特性，不僅在出版品的類型及數量上，有不錯的成績，保存並流傳了許多的文獻，對於新學的傳播也盡到了一份力量，並且也改變了傳統雕版印刷過程中對於書籍出版的態度。

　　傳統雕版的印製過程，所涵括的不僅僅只是印刷本身的動作，其實也算是一種藝術的創作過程，從寫工書寫、刻工刻版，一直到印刷，這一系列完整的動作，展現的是一種藝術性的創作活動，而經由這樣的過程產生的出版品，在某種意義上，是一種藝術品的呈現，所以對於版本的計較講求，形成了清代賞鑒一派的藏書觀念，然而這樣的一種觀念，在石印技術的傳入之後，遭到了很大的衝擊，且瀕臨瓦解。

　　因爲所有珍貴的古籍善本、墨法眞蹟，很輕易的就可以被複製，而且不論版式、字樣，與原本都可以達到毫髮無差，反映在價格上也是價賤倍徙，任何人只要花一點點錢就可以擁有與眞本幾乎一模一樣的複製品，這對於整個出版行業的觀念，以及傳統對書籍的態度，起了非常大的影響，幾乎是一種革命性的轉變，而對於傳統知識的看待及傳播的方式，也是一項難以抑遏的衝擊。

　　而隨著石印術及其他新式印刷術的傳入及發展，也影響了出版業界的生產、發行等行為及結構，將出版這個行業，推向一種完全的商業活動，出版商因應著廣大顧客的需求，出版印製銷路好的出版品，至於不懂得這個規則的出版商，就只能沉浮在這變化劇烈的流中，隨時都有遭到滅頂威脅的可能了。

　　論文撰寫之初，意圖較清楚呈現石印術在中國發展過程中的種種樣貌，並釐清相關問題，進而賦予其該有的意義。大體而言，在文中已盡力達成這個目標，但是若更深一層的追究，將會發現，這之間許多的說明及討論，其實都是不夠充份的，最大的問題就在於文本資料的掌握上，筆者面對著無法逃躲，卻又無力顧及的難題，這個難題恐怕也非短時間或憑一己之力所可能解決的，因此，筆者只能寄望於本篇論文的完成，可以引起更多人對於有關石印術種種問題的重視，讓散落各處的石印出版品及相關文獻資料，有可能獲得較合理的對待，並且得到全面整理的機會，俾讓這樣一篇不夠成熟完善的文字，在未來有被改寫或修正的可能。

李軌《法言注》的文體特色

李士彪*

摘　要

魏晉南北朝的注釋著作可分為兩類，一類是經師所作，一類是文人所爲。李軌《法言注》是文人註疏的代表。《法言注》以玄釋儒、講究駢儷、驅使語典、斟酌聲韻，顯然是把當時作文的一套方法帶到注文中了，從一個側面反映了當時文體的特點。這提醒我們在研究文體時必須注意各種形態的文本。

關鍵詞　李軌　法言注　文體

　　《經典釋文·序錄》云：「李軌字弘範，江夏人，東晉祠部郎中、都亭侯。」據《隋書·經籍志》、《法言音義》，李軌除《法言注》外，還著有《周易音》、《尚書音》、《春秋公羊音》、《小爾

＊　山東大學古籍所講師

雅音》各一卷，《齊都賦》一卷，《集》八卷，《晉泰始起居注》二
十卷，《晉咸寧起居注》十卷，《晉太康起居注》二十一卷，《晉咸
和起居注》十六卷。唯《法言注》流傳至今，其餘均佚。

劉師培《中國中古文學史·魏晉文學之變遷》曾談到《法言注》
的文體：

> 王、何注經，其文體亦與漢人迥異。……厥後郭象注《莊子》，
> 張湛注《列子》，李軌注《法言》，范甯注《穀梁》，其文
> 體並出於此，而漢人箋注文體無復存矣。

魏晉人的注釋文體與漢人異在何處，劉師培沒有明言，他只是
舉例說明：

> 如《易乾卦》三爻，王注云：「處下體之極，居上體之下，
> 在不中之位，履重剛之險。上不在天，未可以安其尊也；下
> 不在田，未可以寧其居也。純修下道，則居上之德廢；純修
> 上道，則處下之禮曠。故終日乾乾，至於夕惕，猶若屬也。」
> 雙《復卦》象傳注云：「復者，反本之謂也。天地以本爲心
> 者也。凡動息則靜，靜非對動者也；語息則默，默非對語者
> 也。然則天地雖大，富有萬物，雷動風行，運化萬變，寂然
> 至無，是其本矣。故動息地中，乃天地之心見也。若其以有
> 爲心，則異類未獲具存矣。」又何晏《論語集解·爲政篇》
> 「百世可知」注云：「物類相召，世數相生，其變有常，故
> 可預知。」又〈里仁篇·德不孤章〉注云：「方以類聚，同
> 志相求，故必有鄰，是以不孤。」又〈子罕篇·唐棣之華節〉

注云：「夫思者當思其反，反是不思，所以爲遠；能思其反，
何遠之有？言權可知，惟不知思耳。思之有次序，其可知矣。」
舉斯數則，足審大凡。

從以上數例中我們至少可以看出王弼之以玄釋儒，何晏之造句趨儷。
皮錫瑞《經學歷史·經學分立時代》評皇侃《論語義疏》云：「名物
制度，略而弗講，多以老、莊之旨，發爲駢儷之文，與漢人說經相去
絕遠。」這恐怕正是劉氏想要說的話。

魏晉時期，駢文正走向成熟，文士爲文追求駢語儷句，講究隸
事用典，加以玄學盛行，詩文多成爲道家思想之載體。李軌《法言注》
正是在這種風氣中產生的，它反映出時代風尚，同時又具有自己的特
色。

一

首先探尋《法言注》中以玄釋儒的情形。

清人秦復恩〈重刻治平監本揚子法言並音義序〉認爲「弘範所
學，右道左儒，每違子雲本旨」。東晉玄學盛行，李軌注《法言》右
道左儒，或以玄釋儒，本不足怪。只是李氏的「右道左儒」情緒表現
得特別突出。凡楊雄批評道家之處，李注總是曲爲解說，或視而不見，
不予作注。如〈修身第三〉：

或問：「人有倚孔子之牆，弦鄭、衛之聲，誦韓、莊之書，
則引諸門乎？」曰：「在夷貉則引之，倚門牆則麾之。惜乎

衣未成而轉為裳也。」〔注：「莊周與韓非同貫，不亦甚乎？惑者甚乎？敢問何謂也？」曰：「莊雖借喻以為通妙，而世多不解。韓誠觸情以言治，而險薄傷化。然則周之益也，其利迂緩；非之損也，其害交急。仁既失中，兩不與耳。亦不以齊其優劣，比量多少也。統斯以往，何嫌乎哉？」又問曰：「自此以下，凡論諸子，莫不連言乎莊生者，何也？」答曰：「妙指非見形而不及道者之言所能統，故每遺其妙寄，而去其粗迹。一以貫之，應近而已。」〕

注文用問答的方式，吞吞吐吐，大意謂道家「妙指」非常人所能知，揚子不過從俗而已。汪榮寶《法言義疏》云：「太康以來，天下共尚無為，學者以莊老為宗，而黜六經，故其言如此。秦〈序〉謂弘範所學右道左儒，每違子雲本旨者，謂此類也。」又如〈問道第四〉：

老子之言道德，吾有取焉耳。〔注：可以止奔競，訓饕冒之人。〕及搥提仁義，絕滅禮學，吾無取焉耳。〔注：老子之絕學，蓋言至理之極，以明無為之本。斯乃聖人所同，子雲豈其異哉？夫能統遠旨，然後可以論道，悠悠之徒，既非所逮，方崇經世之訓，是故無取焉耳。無取焉何者？不得以之為教也。〕

這裏又替揚雄辯解，竟說「無取」非揚雄之本意。汪榮寶《法言義疏》云：「此與前篇論《莊》注義相同，所謂右道左儒，乃晉人風尚然也。」〈君子第十二〉：

或曰：「人有齊死生，同貧富，等貴賤，何如？」〔注：齊死生者，莊生所謂齊物者，非好死惡生之謂也，而或者不諭，故問也。〕曰：「作此者其有懼乎？〔注：懼者，畏義也。此章有似駁莊子。

莊子之言，遠有其旨，不統其遠旨者，遂往而不反，所以辨之也。各統
其所言之旨，而兩忘其言，則得其意也。〕信死生齊、貧富同，貴
賤等，則吾以聖人爲囂囂。」

注文認爲莊子與揚雄之言，各有所當，應「兩忘其言，則得其意」，
表現出調合的立場。

有時對揚雄批評老莊的文字，則不加注。〈問道第四〉：

或曰：「莊周有取乎？」曰：「少欲。」〔注：有簡貴之益焉。〕
「鄒衍有取乎？」曰：「自持。」〔注：有凝跱之風焉。至周罔
君臣之義，衍無知於天地之間，雖鄰不覿焉。」〕

揚雄批評莊周「罔君臣之義」，是很嚴厲的。李軌於此處可能
覺得不好下筆，只好付諸闕如了。〈五百第八〉：

莊、楊蕩而不法，墨、晏儉而廢禮，申、韓險而無化，〔注：
儉克所以無德化。〕鄒衍迂而不信。〔注：迂迴不可承信。〕

這一章，只對後兩句作注，對前兩句，顯然是李氏不同意揚雄的觀點，
所以保持沈默。

借用老莊之言釋《法言》，在注中也是很突出的。如〈先知第
九〉注篇題云：「圖難於其易，求大於其細，爲之乎其未有，治之乎
其未亂，如斯而已矣。」按《老子》六十三章云：「圖難於其易，爲
大於其細；天下難事，必作於易，天下大事，必作於細。是以聖人終
不爲大，故能成其大。」注語顯然是隱括《老子》而成。

〈問神第五〉：

> 或問「人」。曰：「艱知也。」〔注：艱，難也。人之難知，久
> 矣。堯、舜之聖，而難任人。莊周亦云厚貌深情。〕

《莊子·列禦寇》引孔子曰：「凡人心險於山川，難於知天。天猶有
春、秋、冬、夏、旦、暮之期，人者，厚貌深情。」是亦謂人難知之
語，故引以爲證。

有時摹仿道家典籍的句式，並兼取其義。〈君子第十二〉：

> 昔乎，顏淵以退爲進。〔注：後名而名先也。〕

按《老子》七章：「是以聖人後其身而身先。」注文句式仿老子，一
望即知。

二

李軌《法言注》的一個重要特點，是其語體的駢儷化。駢語儷
句屢現注文之中，有些整章注文皆用駢語。駢句的類型也很齊全，單
句對、隔句對隨處可見，自不必說，長偶句亦可尋到，如〈修身第三〉：

> 千鈞之輕，烏獲力也；簞瓢之樂，顏氏德也。〔注：千鈞之重，
> 烏獲舉之而輕，多力耳；簞食瓢飲，顏氏處之而樂，德盛也。〕

〈寡見第七〉：

> 航人無楫，如航何？〔注：雖有舟航，而無楫櫂，不能濟難；雖有
> 民人，而無禮樂，不能熙化。〕

還有鼎足對。〈吾子第二〉：

> 黃鍾以生之，中正以平之，確乎鄭、衛不能入也。〔注：聲平
> 和，則鄭、衛不能入也；學業正，則雜說不能傾也；事得本，則邪佞不
> 能謬也。〕

以下幾種情形，尤其值得注意。

（1）聯類對舉。

《法言》是摹仿《論語》而成，注文很注意將《法言》和《論
語》有關內容相提並論，構成偶句，互為發明。如《法言·學行第一》：

> 或曰：「人羨久生，將以學也，可謂好學已乎？」曰：「未
> 之好也，學不羨。」〔注：仲尼志道，朝聞夕死；揚子好學，不羨
> 久生。〕

〈學行第一〉：

> 朋而不心，面朋也；友而不心，面友也。〔注：匿怨，仲尼之所
> 恥；面朋，揚子之所譏。〕

〈淵騫第十一〉：

> 或問「勇」。曰：「軻也。」曰：「何軻也？」曰：「軻也
> 者，謂孟軻也。若荊軻，君子盜諸。」請問孟軻之勇？曰：
> 「勇於義而果於德，不以貧富貴賤死生動其心，於勇也，其
> 庶乎！」〔注：或人問勇，猶衛靈公之問陳也。仲尼答以俎豆，子雲
> 應以德義。〕

楊子與孔子對舉,意在將《法言》與《論語》相比附。同時連類並舉,
亦與六朝為文之風尚相合。再如〈寡見第七〉:

> 或曰:「弘羊榷利而國用足,盍榷諸?」曰:「譬諸父子,
> 為其父而榷其子,縱利,如子何?」〔注:有若譏十二之稅,揚
> 子貶榷利之權。〕

〈問神第五〉:

> 育而不苗者,吾家之童烏乎!〔注:童烏,子雲之子也。仲尼悼顏
> 淵苗而不秀,子雲傷童烏育而不苗。〕九齡而與我《玄》文。〔注:
> 顏淵弱冠而與仲尼言《易》,童烏九齡而與揚子論《玄》。〕

有若譏稅,顏淵早逝,與揚子、童烏時代相遠,本無關聯,而李注抓
住其相似之點進行對比,構成偶句,頗有隸事的意味。其對偶句的字
數及句式亦隨文而定,不拘一格,變化多端。

　　(2) 注語分離,而隔句相對。

　　如〈學行第一〉:

> 賢人則異眾人矣,〔注:奉宣訓誨。〕聖人則異賢人矣。〔注:
> 制立禮教。〕

〈吾子第二〉:

> 君子言也無擇,〔注:非法不言,何所擇乎?〕聽也無淫。〔注:
> 非正不聽,何所淫乎?〕

〈五百第八〉:

周之士也貴，〔注：道泰業隆故尊貴。〕秦之士也賤。〔注：道否人卑故窮賤。〕

〈修身第三〉：

珍其貨而後市，〔注：貨珍，價必貴。〕修其身而後交。〔注：身修，交必固。〕

注語被原文隔開，這是注釋文體的宿命，注家亦無能爲力，然觀李氏注語，雖上下暌離，而句有靈犀，意脈相通，顯是極力跨越局限，利用對偶這一富有吸附力的形式，臻於整練、融合之境。

（3）喻體與本體對舉。

《法言》中的比喻句，往往只有喻體出現，不見本體。李注則喻體、本體並釋對舉，相儷爲句，多以喻體爲上句，本體爲下句。〈吾子第二〉：

或曰：「霧縠之組麗。」曰：「女工之蠹矣。」〔注：霧縠雖麗，蠹害女工；辭賦雖巧，惑亂聖典。〕

〈君子第十二〉：

吾於孫卿與？見同門而異戶也。〔注：同出一門而戶異，同述一聖而乖詭。〕

〈吾子第二〉：

羊質而虎皮，見草而說，見豺而戰，忘其皮之虎矣。〔注：羊假虎皮，見豺則戰；人假僞名，考實則窮。〕

〈問明第六〉：

　　能來能往者，朱鳥之謂與？〔注：不愆寒暑之宜，能知去就之分。〕

〈修身第三〉：

　　或問：「犁牛之鞹與玄騂之鞹有異乎？」曰：「同。」「然
　　則何以不犁也？」曰：「將致孝乎鬼神，不敢以其犁也。」
　　〔注：宗廟貴純色，君子貴純德。〕

喻體與本體相映，意在推見《法言》之弦外之音、文外之旨。

三

　　魏晉文章盛行類事，《法言注》亦深染此風。惟注文重在闡理，
故多用語典。魏晉雖盛行玄學，然當時士人多儒道雙修，對儒道兩家
典籍都很熟悉，作文則時加采擇，用爲典故。

　　李軌鑒於《法言》與《論語》的密切關係，在注中有意運用《論
語》之語以釋《法言》。如〈學行第一〉：「務學不如務求師。」注：
「求師者，就有道而正焉。」按《論語·學而》：「子曰：『君子食
無求飽，居無求安，敏於事而愼於言，就有道而正焉，可謂好學也已。』」

〈問神第五〉：

　　君子妄乎？不妄。〔注：言必有中。〕

按《論語·先進》：「子曰：『夫人不言，言必有中。』」

〈五百第八〉：

> 聖人矢口而成言，肆筆而成書，言可聞而不可殫，書可觀而
> 不可盡。〔注：性與天道。〕

按《論語・公冶長》：「子貢曰：『夫子之文章，可得而聞也；夫子
之言性與天道，不可得而聞也。』」李氏認爲此章乃揚雄釋《論語》
「夫子之文章」一章，故只拈出「性與天道」四字，以揭明之。

〈行知第九〉：

> 或問：「何以治國？」曰：「立政。」曰：「何以立政。」
> 曰：「政之本，身也。身立則政立矣。」〔注：子帥以正，孰敢
> 不正？〕

按《論語・顏淵》：「季康子問政於孔子。孔子對曰：『政者，正也。
子帥以正，孰敢不正？』」

〈重黎第十〉：

> 或問：「趙世多神，何也？」曰：「神怪茫茫，若存若亡，
> 聖人曼云。」〔注：子不語怪力亂神。〕

按語見《論語・述而》。

《孝至第十三》：

> 「子有含菽縕絮而致滋美其親，將以求孝也。人曰僞，如之
> 何？」曰：「假儒衣、書，服而讀之，三月不歸，孰曰非儒
> 也？」或曰：「何以處僞爲」曰：「有人則作，無人則輟，

> 之謂僞。觀人者審其作、輟而已矣。」〔注：視其所以，觀其所
> 由，人焉廋哉！〕

注文乃孔子之語，見《論語·爲政》。以上引用《論語》皆不標明出
處，具有十足的用典意味。

用語典貴在貼切自然，如同己出。〈學行第一〉：「人而不學，
雖無憂，如禽何？」注：「是以聖人作，爲禮以教人，使人以有禮，
知自別於禽獸。」按，注文全是借用《禮記·曲禮》文。用語典使人
不覺，誠見其巧構。雖爲注體，亦顯文思。

有時整章文字皆用語典釋之。如〈五百第八〉：

> 或問：「何如動而見畏？」曰：「畏人。」「何如動而見侮？」
> 曰：「侮人。」〔注：禍福無門，惟人所召。〕夫見畏與見侮，
> 無不由己。〔注：我欲仁，斯仁至。〕

前注出自《左傳》，後注則出自《論語》。點到即止，意不在語意之
顯豁，而追求含蓄之韻致。

李注用典中的集句手法，也值得重視。如〈君子第十二〉：

> 或問：「航不漿，沖不薺，有諸？」曰：「有之。」或曰：
> 「大器固不周於小乎？」曰：「斯械也，君子不械。」〔注：
> 械，器也。……君子不器，無所不施。〕

按《論語·爲政》：「君子不器。」包氏注：「器者，各周不用，至
於君子，無所不施也。」注語將《論語》原文與包氏注文相聯接，詞
順而義暢。又如〈孝至第十三〉：

> 或曰：「力有扛洪鼎，揭華旗。智、德亦有之乎？」曰：「百
> 人矣。德譖頑嚚，讓萬國；知情天地，〔注：與天地合其德，知
> 鬼神之情狀。〕形不測。百人乎？」

按此注兩句分別爲〈文言〉和〈繫辭〉文，有「集句」以釋的性質。
西晉傅咸有集經詩，東晉李氏則有「集經注」，可謂相映成趣。

李軌在注文中，喜歡用他人言語作注，下語追求有來歷，有意
含而不露，跟讀者捉迷藏，確有遊戲的意味。李注中有一處摹仿《論
語》的句式和文風，惟妙惟肖，也可以看作是一種巧妙的用典。如〈寡
見第七〉：

> 或曰：「焉用智？」曰：「用智于未奔沈。」〔注：言奔沈，
> 吾猶人也。必也，使無奔沈。〕

看到注文，讓人馬上想到《論語·顏淵》中孔子之語：「聽訟，吾猶
人也。必也，使無訟乎！」不禁莞爾。借用宋人的術語，這要算是「奪
胎」法。

李注受時文影響，還注意運用聲韻。如〈孝至第十三〉：

> 或曰：「君逸臣勞，何天之勞？」曰：「於事則逸，於道則
> 勞。」〔注：於事則逸，無功可名；於道則勞，運轉機衡。〕

四言韻語，體同銘贊。

《淵騫第十一》：

> 或問：「呂不韋其智矣乎，以人易貨？」〔注：呂不韋，陽翟賈
> 人也，出千金以助子楚，子楚既立，不韋相之。〕曰：「誰謂不韋

智者與？以國易宗。」〔注：雖開列封，先笑後愁；身既鴆死，宗
族竄流。〕

〈孝至第十三〉：

父母，子之天地與？〔注：天縣象，地載形；父受氣，母化成。〕

〈淵騫第十一〉：

美行：園公、綺裏季、夏黃公、角裏先生。〔注：避秦之亂，隱
居商山，不朝高祖，而從太子，帝客禮之。〕

以上數例皆句式整齊，音韻和諧，若非有意，詎能至此！

四

劉勰在《文心雕龍·附會》中認為文章的「體制」應該由四個
要素構成，「以情志為神明，事義為骨髓，辭采為肌膚，宮商為聲氣」，
劉勰的這一觀念代表了當時人們的普遍看法。李軌《法言注》以玄釋
儒、講究駢儷、驅使語典、斟酌聲韻，顯然是把當時作文的一套方法
帶到注文中了，從一個側面反映了當時文體的特點。這提醒我們在研
究文體時必須注意各種形態的文本。根據李軌所撰的四部「起居注」
看，他可能生活在東晉初年，與撰《列子注》的張湛同時，而去注《周
易》的王弼亦不甚遠，與張、王相比，李軌注文的駢儷程度要深一些，
而且注文清爽簡約，透出深重的文人情調。我以為魏晉南北朝的注釋

著作可分爲兩類，一類是經師所作，一類是文人所爲。前者如皇侃《論語義疏》，雖產生於梁代，而駢儷之風並不明顯，倒是他引用的孫、顏等人的注文帶有明顯的駢文風格，這是因爲孫綽、顏延之皆善屬文，溺於所長是難免的事。《法言注》是文人註疏的代表，注者不太遵守傳統注釋的規矩，爲《法言》作注可能主要是因爲他喜歡這本書，帶有自娛的性質。如〈重黎第十〉：

> 或問「黃帝終始」。曰：「託也。昔者姒氏治水土，而巫步多禹；扁鵲，盧人也，而醫多盧。夫欲儷僞者必假眞。禹乎？盧乎？終始乎？」〔注：言皆非也。於是舍書而歎曰：「深矣，揚子之談也。王莽置羲和之官，故上章寄微言以發重黎之問，而此句明言眞僞之分也。」〕

李軌注到此處，竟然「舍書而歎」，一副太史公的架式。將自己的感喟寫入注中，這在注釋文體中是很出格的。這裏體現出注家對古人（揚雄）的同情和理解，也體現出古今文人在精神上的共鳴。北齊司馬膺之「好讀《太玄經》，注揚雄〈蜀都賦〉。每云：『我欲與揚子雲周旋』」（《北齊書·司馬子如傳》）。李軌注《法言》恐怕也懷有同樣的心境吧。

山東省圖書館海源閣專藏搜集整理保存情況概述

李勇慧[*]

摘　要

有清末葉，聊城楊氏海源閣與常熟瞿氏鐵琴銅劍樓、錢塘丁氏八千卷樓、吳興陸氏皕宋樓並雄於海內。海源閣不僅庋藏豐富，而且「海源閣」藏書樓的出現，亦改變了我國的藏書格局，在藏書史上有重要的意義。「海源閣」藏書的聚散，在上世紀三四十年代舉世矚目。本文擬就對山東省圖書館搜集、整理海源閣藏書的經過及海源閣專藏現狀作一粗淺介紹，以答覆海內外關注吾國文化的同仁。

關鍵詞　海源閣　山東省圖書館　聊城

---

*　山東省圖書館古籍部主任

一、引 論

　　「海源閣」是晚清四大私人藏書樓之一。由聊城楊以增創建於清道光二十年（1840）。楊以增，清道光二年進士，官至江南河道總督，有兩漢循吏遺風。平生「無他好，一專於書」❶。其子楊紹和賡續父志，殫精竭慮，父子二人將汪閬源藝芸書舍之藏書和怡王府樂善堂藏書悉載而歸，打破了明清以降我國私家藏書多集中於江浙一帶的藏書格局。以藏宋本之富聞名天下，其明清刊本亦多初刻初印之佳者，與常熟瞿氏「鐵琴銅劍樓」並稱「南瞿北楊」。該閣最盛時，有藏書3680部22.46萬卷。然世間聚散無常，楊氏藏書歷經四世，綿延達九十載，至民國初期，因政局不定，以致海源閣藏書迭遭損失，前後計三、四次之多，歷數年之久，初爲匪劫，繼遭兵燹，據說土匪竟有以海源閣藏書煮飯或扯作手紙的，其損害之慘，就可想而知了。海源閣第四代書主楊承訓爲保護文獻或其他考慮，1927年攜26種宋版至天津出售；1928年冬擇宋元校鈔優者裝十餘大箱運至天津待售；1930年12月復將劫餘之明清版本裝五十餘大箱運抵濟南。海源閣藏書的慘痛遭遇得到世人的同情，其命運歸屬更引起海內外公私藏家的關注。幾位山東省圖書館前輩亦開始了不遺餘力的搶救工作。

---

❶　梅曾亮《柏梘山房集》卷十一。

二、搜　集

　　1929年8月王獻唐應省教育廳長何思源之邀，出任山東省立圖書館館長。王獻唐（1896-1960），初名家駒，後改名琯，號鳳笙，山東日照人。是我國現代著名考古學家、金石文字學家、版本目錄學家和圖書館學家。上任伊始，即於是年11月赴聊城，調查土匪王金發破壞海源閣情況。偕同聊城縣教育局、建設局、公安局等，組成海源閣藏書清查委員會，在楊氏家人的陪同下，先就海源閣所藏之善本書籍，逐部點查。時天寒地凍，獻唐親自登記，手足為僵，則呵凍記錄，並不略有疏忽。發現楊氏善本書籍部分已標題者每與實際不符，如原標宋本，實為明本，即於撰寫《現存善本書目》之際，就知見所及，分別粗定，並記其行款、印記、題識及收藏源流。對散之地上者，一一為之整理，庋排架上。楊氏家人深為感動，為日後商議「海源閣」善後事宜打下了良好的感情基礎。

　　次年2月，王獻唐寫成〈聊城楊氏海源閣藏書之過去、現在〉一文，並於當年作為《山東省立圖書館叢刊第一種》鉛印出版。該文分〈導言〉、〈海源閣藏書之來源〉、〈楊氏三世傳略〉、〈楊氏購書時期及其襄助者〉、〈楊氏藏書所在〉、〈藏書數目〉、〈海源閣藏書之損失及其現狀〉、〈此次調查情形〉、〈現存善本書目〉、〈楊氏所刻書籍及藏書印記〉、〈贅論〉等十一部分，是最早系統介紹楊氏「海源閣」藏書的文章，加之此文乃王氏親訪調查目驗，故所云頗具信服力，如陳登原撰《古今典籍聚散考》及王紹曾《山東藏書家史

略》等述及楊氏「海源閣」書藏源流及兵燹之禍,多引錄是編。

王獻唐對存放在濟南經二緯一路東興里楊氏私宅內的五十餘箱海源閣劫餘藏書提出三項協議草案與書主楊承訓商磋。這三條辦法是:一、楊氏委託山東省圖書館代爲保藏全部書籍;二、半捐半賣;三、平價收買。此三項辦法由楊氏自由選擇,如完全不同意而另提它項辦法,圖書館亦願酌量接收。如果拒絕,表示無商量餘地,圖書館亦不勉強。不過以財產論,雖係楊氏所私有,但就文化言,則屬全民族所公有。無論怎樣處理,應予山東省圖書館以優先權。如楊氏同意第一、第二任何一款,則由政府出資建海源閣書樓藏之。王獻唐將建海源閣專藏室列入當年山東省圖書館工作計劃裏,說:「本館近由民眾教育館,劃移一部分房舍,擬從中再劃出一部,預備將來建築海源閣。」❷並在第五條工作計劃單列「保藏海源閣藏書」一項,文中說:「此事關係全省文化甚鉅,當以全力辦理之。」❸鑒於當時國人對楊氏口誅筆伐的嚴峻形勢,素以善待人的王獻唐先生恐事態激化,使楊氏一怒之下做對吾國不當之舉,遂撰〈海源閣藏書之損失與善後處置〉一文,設身處地爲楊氏著想。文中說:「楊氏第一次將善本書籍,移存天津,係鑒於張宗昌時代地方混亂,其部下時思攫爲己有,爲保藏及安全起見,不得不如此辦理,並非運至天津變賣也。第二次之運存濟南,亦實近年匪亂,逼之使然,並無其他用意。從事實上平心論之:兩次運書,其行動皆甚爲正當;以百千萬冊之累贅物品,苟非萬不得

---

❷　王獻唐〈一年來本館工作之回顧〉,1931年3月,載《山東省立圖書館季刊》
　　第1集第1期。

❸　同註❷

已，誰肯故意移動？其逼而至此者，要宜歸罪環境，不能苟責楊氏。
蓋若無第一次之運書，則此次變亂，陶南善本種子，將從此斷絕矣。
楊敬夫之爲人，據余所知，確甚光明篤實，並不如報紙所傳之甚。至
其太夫人則苦心守書，以生命爲孤注，吾尤佩其果毅之精神。然今日
時勢，已非昔比，所希望於楊氏者，一再轉其從前固守之眼光，作利
己利人永遠保藏之處置。同時社會人士，果係愛護書籍，愛護文化，
亦當爲楊氏設身處地，代謀出路，不宜以不負責任之譏評，空言放論，
或逼使當事者於激憤之餘，因而打消其『善與人同』之初懷。」❹並
全文照發了前述三項協議草案。但這三項協議草案轉交楊氏後一直沒
有得到正式答復，只接到楊氏一函云：「頃奉大札，敬悉種種。屢蒙
關垂，早銘心版。至協議草案，容另函詳答，特先奉聞。」❺

　　王獻唐一方面積極與楊氏協商，一方面留意濟南市肆上散見之
海源閣藏書，肆力搜集，往往一月的修俸皆用於買書，家境不堪，落
得家眷埋怨，亦陶然自得。如無力購之，則借之過錄，「天熱揮汗如
雨，筆不停寫。……雖極苦，亦極樂也。」❻至海源閣藏書流散於濟
南市肆爲王獻唐所得者，有黃丕烈校跋明程榮刻《穆天子傳》，顧廣
圻校本《說文解字繫傳》，朱邦衡、何焯、何小山、黃丕烈批校雅雨
堂刻《封氏聞見記》，吳翌鳳鈔、黃丕烈校《江淮異人傳》，明本《武
夷新集》，明本《許白雲集》，黃丕烈校《林和靖集》，黃丕烈校鈔
本《紹興十八年同年小錄》，黃丕烈校鈔本《呂衡州文集》等9種。

---

❹　王獻唐〈海源閣藏書之損失與善後處置〉，1931年3月，載《山東省立圖書
　　館季刊》第1集第1期。

❺　同註❹

❻　王獻唐《雙行精舍序跋輯存》續編，1980年5月，齊魯書社，第175頁。

除前兩種爲王氏自購外，餘皆歸山東省圖書館。1934年，爲使世人一一睹海源閣珍藏風采，用朱墨套印將黃校《穆天子傳》影印出版。另外，王獻唐於1931年輾轉購得《海源閣宋元秘本書目》清鈔底本四卷，亦親加校訂，作爲《山東省立圖書館叢刊第二種》鉛印出版；同年8月，拓印《楊氏海源閣印硯拓本三卷》，並作題記。

　　王獻唐的努力得到社會各界的回應和支援。傅斯年、葉公綽、陶湘等許多學界文人紛紛寫信與王獻唐，他們或作道義支援，或通報資訊，或商議辦法，表現了對祖國優秀文化遺產的強烈愛護之情。我們在新近發現傅斯年寫給王獻唐的一封信中，見到下面一段話：「海源閣事想兄聞其涯略。先是北平書賈群集天津，楊故高其值，致久不就。因報載兄文，彼等疑省政府將收之，遂一面賣者落價，一面買者漲價，以四十萬現款押於天津一個銀行團體（筆者按：實以八萬銀元抵押於天津鹽業銀行）。此事內幕實是潘復，……蓋潘等意在賣給日本人也。」接著又說：「此事兄等何以策之？楊某實非善類，毫無知識，與之交涉，決無結果。省政府可自動處置耳。」❼《大公報》5月25日亦發表社評，支援王氏等人的義舉，呼籲政府能出面搶救這最後的國寶，社評中說：「海源閣藏書之散佚，爲中國文化上最新之痛事。魯人士近日之奔走呼號，尤爲沈痛而迫切。」「海源閣藏書之最珍本，今尚存在，此爲歷代先民藏書者無量心血累積所餘之最後的結晶，亦中國文化上必須保存及僅能保存之最後的國寶。此而再失，中國將永不能復得之。是以吾人敢以至誠喚起政府國民……共求守護之道。倘有欲乘間取利運動售與外人者，以賣國論罪。」若楊氏願售與國家，

---

❼　傅斯年1931年5月15日致王獻唐信。

則應「儲諸最大最妥之國立圖書館，昭示天下，以守護之。並應克日
下令，嘉獎楊氏。」❽

在王獻唐的努力下，已來濟居住的楊氏太夫人及其親屬，鑒於
近年世變，已有順從王氏提議之傾向。對王獻唐提出的三項協議草案，
均無成見。並爲表揚先祖之德，擬在全省文化方面作一番空前義舉。
只等書主楊氏來濟作最後之決定。王獻唐甚爲高興，即致函楊承訓，
希冀楊氏來濟，對協議草案作明確的答復。王氏在〈海源閣藏書之損
失與善後處置〉一文中以自己磊磊落落坦蕩之胸懷與之曉以利害，說：
「時已勢遷，今非昔比，……故善承先志者，必默察情勢，因時制
宜而爲之。一方面使利益同沾，祖德遠揚；一方面能永遠保藏，舊業
不墜。此眞仁人孝子之所爲。」「此事與私人權益無關，其所以辛苦
爲此者，全是爲公共文化設想。即使楊氏以其設想謬誤，唾而棄之，
然圖書館在文化上之職責盡矣！將來北方文化一線之書脈，懸於楊氏
自身，設有不虞，其責任由楊氏自負之！」❾

沒料想，楊氏爲保得在天津的「寓公」生活，竟斷然拒絕。但
由於王獻唐等許多仁人志士的奔走呼籲及社會輿論之壓力，也決不敢
有賣與日本人以獲高價之舉。這在我們新近發現的楊敬夫1931年5月20
日復王獻唐的信中即可得到明證。楊氏在信中說：「獻唐仁兄閣下：
十九日大函下頒，甚爲欣慰。協議草案實含有高壓及恐嚇意味，弟斷
不接受。……至四十萬歸日之說，並無其事。甘犯天下之大不韙，

---

❽ 　《大公報》社評，1931年5月25日。

❾ 　同註❹。

乃肉食者爲之，弟尙不佩有資格也。」❿

　　王獻唐接到是信，其淒苦之情是難以名狀的。但他沒有氣餒，決心呼籲全社會的力量來搶救這「北方文化一線之書脈」。是年7月，王獻唐在山東省立圖書館舉辦「秦漢磚瓦展覽會」和「善本圖書展覽會」，展品包括我館收購的海源閣舊藏等。並隨之散發他親自編印的《磚瓦圖書爲什麼要開會展覽？》、《到圖書館去！》等小冊子。文中揭露了帝國主義對我們中華民族文化侵略的種種劣行，發出「要明瞭現在自己文化的危機，和帝國主義者文化侵略的陰謀」的強烈呼聲，呼籲全社會要「共同努力，爲自己中華民族的文化，圖生存，謀發展」。❶「不要固步自封，還得接受世界的潮流，努力改進，自強不息」，⓬提高我們的「民族地位，民族精神」。並於1934年建奎虛書藏，爲珍藏海源閣文獻，作了周密的計劃。去歲冬季，我館更換奎虛書藏之取暖設備，發現海源閣專室牆壁竟厚達65釐米，比鄰室厚36釐米，可見王獻唐先生用心之良苦。

　　1937年11月，王獻唐爲保存山左文物珍品流寓重慶歌樂山。1939年9月18日辛葆鼎出任山東省圖書館館長。辛葆鼎，字鑄九，民族實業家，有氣節。1944年，楊氏意將明清本運津出手，消息傳回濟南，辛鑄九與歷下名士苗蘭亭、張蔚齋三人集資三百萬購妥，復運回濟南，存於道德總會。抗戰勝利後，何思源任山東省政府主席，羅復唐任山東省立圖書館代理館長，劉道元任省政務廳長。幾位先賢對山左文獻

---

❿　楊承訓1931年5月20日致王獻唐信。

❶　王獻唐：《磚瓦圖書爲什麼要開會展覽？》，1931年7月山東省立圖書館印。

⓬　同註❶

亦極為重視，經多方協商，1945年10月辛氏等人將所購海源閣藏書悉數捐與山東省立圖書館。

1957年6月，一屆四次人代會在北京召開，山東省地方志委員會利用會議間隙，召開一次「山東省地方志座談會」，邀請在京的山東籍科學、教育、文學、藝術界知名人士參加。應邀出席座談會的楊承訓先生為感謝政府頒佈的「保護中國四大藏書家之一海源閣圖書館」的三項命令，向大會捐獻37種85件有關文獻，意重建「海源閣藏書刻書紀念館」。後這批文物歸山東省圖書館保存，內包括海源閣原匾、藏書印記、楊保彝編《海源閣書目》等。

楊氏運津之92種宋元珍本在1931年為天津、北平人士組織的「存海書社」以8萬銀元購藏於天津鹽業銀行。抗戰勝利後，政府作價1500萬元收歸國有，1946年2月運至北圖，設立專室保存。至此，海源閣藏書絕大部分歸為公藏。

三、保存整理

海源閣遺書在我館備受重視，特闢專室，與善本書室一樣由專人保管，實行雙人雙鎖、出入庫登記制度。五十餘年來，數代同仁對館藏海源閣珍籍傾注心血，先後四次進行整理。現作一簡述。

（一）、《山東海源閣書籍目錄》

抗戰勝利後，因館舍挪作軍用，海源閣藏書於1946年5月末始搬運至我館。6月初開始點收。羅復唐館長為慎重起見，呈請省政府刊

發「山東省立圖書館點收海源閣書籍之章」一枚，並請派員監收。兩月點收完畢，編成《山東海源閣書籍目錄》，共7冊。

該目錄按書的版本及內容價值分為特、甲、乙、丙四等，另有各種混合1冊。其中特種書11種398冊，收元刊7種，黃丕烈校書3種，另有舊精鈔本《[咸淳]臨安志》一部；甲種160種4029冊，以明本、精鈔、名人校跋書為主；乙種372種8634冊，多為清本；丙種1223種14798冊。另有各種混合765種3321冊，全書共收2531種31180冊。

著錄款目包括：書名、版本、紙別、冊數，另有「備考」一欄，記藏書印記、校跋人姓名等。

該目錄按價值來分等級，區別善本與普通本，並將紙別單列著錄，通過著錄可以發現，特、甲種圖書的紙型以白棉紙為多，太史連紙、開化紙次之，而乙、丙則多竹紙。

（二）、《海源閣善本書目》五卷、《海源閣善本書選志》、《海源閣普通本書目》

海源閣藏書點收完畢，為使海內外關注這批珍籍的各界人士能早日一睹她的風貌，次日即召開館務會議，本著集思廣義的原則，討論海源閣藏書的整理辦法。經過長時間的協商，針對本館的情況，制定三項工作：一、先編海源閣善本書目；二、撰海源閣善本書選志；三、印海源閣善本書目專刊。

《海源閣善本書目》由邵養軒負責，對每一種書，「先檢查書之全缺，再辨認書之版本，繼考核書之著者，復尋視有無章記，終登

記各家題跋。根據以上手續，規定版本之善否。」❸此項工作進行半年，是年多編成。收書590種，9802冊。其中「元版書五種、明本書三百八十二種、清精刻本及聚珍本一百七十五種、精鈔本二十二種、叢書六種。」❹以四庫全書分類法爲依據，又加叢部。每部一卷，計五卷。王獻唐先生校訂了《善本書目》，提出了修改意見：「一，海源善本目內可剔除者甚多；二，海源普通目內可錄爲善本者並不少。擇其尤者加○○，其加○或△者可再斟酌，或須看原書。」❺

《海源閣善本書選志》由路大荒先生負責編纂，對《海源閣善本書目》所收善本的「板本之雕刻，善本之轉徙，字數之增刪，錯字之多寡，序跋之辨別，都審愼分析，而後歸納起來，舉其優者，歸入善本書選志。」❻善本書選志，共收書「六十八種，一千一百四十二冊，三千三百六十九卷。元本五種，明本書三十八種，評校本五種，清精刻本十二種，鈔本七種，底本一種。」❼

除此而外，對《海源閣善本書目》未著錄的海源遺書進行了分類整理，編成《海源閣普通本書目》，亦按四庫分類法排列，分經、史、子、集、叢五部，著錄款目有：書名、卷冊數、撰者、版本、紙別五項。共收書1920部，22168冊。

---

❸　邵養軒〈山東省立圖書館點收海源閣藏書善本書目序〉，《海源閣善本書目》，1946年，稿本。
❹　同註❸
❺　同《海源閣善本書目》，1946年，稿本。
❻　同註❸
❼　同註❸

（三）、《山東省圖書館特藏海源閣書目》

六十年代初，館藏海源閣書籍又重新分編，作書名卡片目錄一套，著錄書名、撰者、版本、冊數，按四庫法分類，做帳本活頁式目錄1冊，著錄書名、撰者、版本、裝訂形式、函冊數、複部數、分類以及標注善、殘等項。並據此對《海源閣普通本書目》作了補充。1963年統計，我館收藏海源閣書籍2312種2257部，複本冊數2467，共31756冊。

（四）、《山東省圖書館館藏海源閣書目》

1988年開始，我館對這批海源閣藏書又進行了詳細的分編。著錄款目包括書名、卷數、著者、版本、冊數、函數、版框尺寸（半頁）、裝訂形式、行款（半頁）、版框、版心、魚尾、牌記、題跋、序、刻工、避諱、藏書印記等。先編卡片目錄，後編制書本式目錄。書本目錄1999年由齊魯書社出版。此書目包括三部分：一為我館歷年零星收集，如清顧廣圻校、黃丕烈跋清影宋鈔本《戰國策》三十三卷4冊等；二為1945年山東省圖書館接收辛鑄九、苗蘭亭、張蔚齋等人捐獻海源閣藏書；三為1957年6月楊敬夫在全國一屆四次人代會期間捐獻的《海源閣珍藏尺牘》2冊、《先都御史公奏疏》21冊、楊保彝編《海源閣書目》六冊等。共計2198種2324部32410冊。其中元刻明遞修本2種、明刻本368種、鈔本78種、清刻本1740種、民國本2種。全書按經、史、子、集、叢五部分類，類目設置依照《中國古籍善本書目》（徵求意見稿），共分三級類目。內有經部270種，史部538種，子部327種，集部937種，叢部126種。各類所收諸書以著者時代先後順序排列。生

卒年無考者，以刻書年代先後順序排列。內容相同諸書以作者時代先後排列一處。

四、結　語

　　山東省圖書館館藏海源閣遺書多爲明清版本，「儘管這批書比不上宋元鈔校，但牙籤玉軸，均屬原裝，陶南一鱗片爪，即當視爲拱璧，何況此洋洋十餘萬卷精刊精印之書，皆楊氏三代人畢生精力所聚，其有功文獻及沾漑後生，未可等閒視之。」⑱這其中更有精鈔本《[咸淳]臨安志》、黃丕烈校影宋鈔本《戰國策》及林則徐、許瀚等許多名人手札，加之「海源閣」原匾、海源閣11枚藏書印章的入藏，使山東省圖書館海源閣專藏幾可見當年海源舊閣之雄姿。

---

⑱　王紹曾《山東藏書家史略》，1992年12月，山東大學出版社，第77頁。

讖緯文獻輯本研究

李梅訓*

摘　要

讖緯文獻自漢代形成以後，因歷遭焚禁而散佚。幸賴明、清輯佚諸家的努力，今日又能窺其大略。但諸家輯佚之作，時代有先後、質量有優劣、關係有疏密。有鑒於此，本文分別以《說郛》中的讖緯部分，孫瑴《古微書》、殷元正《緯書》、趙在翰《七緯》、馬國翰《玉函山房輯佚書‧經編緯書類》、黃奭《通緯逸書考》和喬松年《緯攟》這七種輯本為主線加以研究，兼及其他與之相關的輯本，並大略梳理了這些輯本之間的關係。

關鍵詞　讖緯文獻　文獻輯本

＊　山東大學古籍所博士生

讖緯文獻的形成，約始於哀、平之際，大成於光武時期，漢末鄭玄、宋均等爲之作注。六朝時期多次遭禁，至隋煬帝嚴屬焚禁，始大量散佚。宋末存者僅《易緯》大部，然學者漠然置之，及明季孫瑴輯《古微書》時，傳世者僅《乾鑿度》、《乾坤鑿度》而已。故今日所見，大都爲後人輯佚之作。

讖緯的輯佚書，今統計得40餘種，計70餘種印本。其最早者當推元末明初陶宗儀《說郛》本。明代有楊喬嶽《緯書》❶和祁承㸁《澹生堂餘苑》中所輯《禮含文嘉》❷等，而影響較大的是孫瑴《古微書》，凡清代讖緯輯佚者幾乎無不參用。

絕大多數輯佚之作也產生在清代，更嚴格地說是在乾隆以後。如《古微書》的廣爲流傳，趙在翰、馬國翰、黃奭、顧觀光、喬松年、王仁俊等人的輯佚都在此後。本文將其中主要輯本及其相關問題加以研究，大體以時代爲序，而視各本之間關係略作調整。

一、《說郛》中的讖緯部分

明陶宗儀編輯。據《四庫總目提要》，是書在歷史上數被改編，

---

❶ 《緯書》十卷，明楊喬嶽編，明杜士芬校，明刊，三冊，日本內閣文庫藏。鍾肇鵬《讖緯論略》有轉引自安居香山等著《緯書之基礎研究》的介紹，可參考。筆者未見原本。

❷ 祁氏《澹生堂藏書約·藏書訓略》記自己的輯佚活動說：「每至檢閱，凡正文之所引用，注解之所證據，有涉前代之書而今失其傳者，即另從其書各爲錄出。如《周易坤靈圖》、《禹時鈎命訣》、《春秋考異郵》、《感精符》之類，則於《太平御覽》間得之。」

原本面目不詳❸。今存100卷本和120卷本兩種。前者由民國張宗祥據涵芬樓藏明抄本校訂，民國十六年（西元1927年，下同）上海商務印書館排印出版，線裝。收讖緯14種，每種僅數條，即或爲陶氏所輯原貌，其參考價值也不大。後者爲清順治三年（1647年）李際期宛委山堂刊本，收讖緯35種（此據上海古籍出版社1994年版《緯書集成》所收影印本，下同）。二本相較，其目互有出入：100卷本中《孝經緯》、《春秋考異》、《春秋漢含》、《春秋符》四種爲宛委山堂本所無，二者之不同顯然。此後輯讖緯者也大都徵引宛委山堂本。

道光十五年（1835年），朝邑（今陝西大荔境內）劉際清《青照堂叢書》中所收的劉學寵《諸經緯遺》大略即從此出。劉氏在序言中明確說：「此皆取自陶九成《說郛》，凡四十目。所不載者，以見於他叢書故也。」今檢上海古籍影印本，行款一如宛委山堂本，皆半頁九行，行20字，文字基本一致。但影印本有三個問題：一是所收僅34目，不足序說之數；較宛委山堂本缺《乾鑿度》、《易稽覽圖》二目，而於《禮斗威儀》後多《大戴禮逸》一目；另《詩汜歷樞》一目，此本「樞」作「圖」。據《續修四庫全書總目提要》，《諸經緯遺》還有《遁甲開山圖》、《易飛候》、《易洞林》、《春秋後語》、《五經析疑》、《五經通義》六篇，如此則與序說數目相合。可見上海古籍出版社影印時未收此六篇。二是文字偶有訛誤。如《尚書帝命期》「有

---

❸ 《說郛》版本，《四庫總目提要》已述之頗詳，其中有楊維楨序百卷本，都印《三餘贅筆》所記之七十卷本，弘治丙辰（1496年）上海郁文博百二十卷本和宛委山堂本等。嚴佐之《古籍版本學概論》（華東師大出版社，1989年版，第153頁）指明宛委山堂本的主要部分來自明王道焜《雪堂韻史》，較原本多650餘種，與《說郛》本來面目大相違失。

人大口兩耳參漏足文履巳首戴」鈐胸懷玉斗」條，此本「斗」作「｜」，似屬漏校。三是此本尚刻印有眉批17條，應爲李元春評點文字。

二、孫瑴《古微書》

瑴字子雙，號薲居子，一號雙甫，南郡華容（今湖南華容）人，生活於明末清初。家富藏書，以好古爲事，輯周季迄漢魏間遺書箋疏，成《刪微》、《焚微》、《線微》、《闕微》四種，合爲《古微書》。今《刪微》僅存，故獨被《古微書》之名。據書首范景文序，是書明崇禎間有刻本行世（今存一部，藏北京圖書館，未見），然流傳頗少；明末清初又有抄本與坊刻本（參下引陳世望跋語）。自明刻而下，今存者大致可分爲單行本與叢書本兩大系統。

單行本以清嘉慶十七年（1812年）禹航陳世望對山問月樓刊本爲最早。是書未見完帙。光緒十四年（1888年）對山問月樓刊本已將陳世望自跋移至《古微書·目錄》之後。陳氏云：

> 乙巳秋於金陵書肆見有鈔本孫子緯書，名曰《古微》。翻閱數過，見其紕繆處甚夥，因重價攜歸，悉取家藏書剖判贋眞：其訛傳爲經者則正之，其烏焉爲馬者則改之，其殘缺零落者則補之，其顚倒字句、晦塞不可讀者則陶汰之，總計四千餘言。辛未春購得坊本，其紕繆一如金陵之鈔本者。諸同人以望此書讎校有年，請付諸梓。……嘉慶壬申孟春禹航後學陳世望謹跋。

此壬申即嘉慶十七年，則陳氏於嘉慶十四年始得抄本，十六年又得坊本，雠校而刻之。光緒十四年刊本即從此出；光緒二十一年（1895年）上海鴻文書局又石印此書。

　　叢書本系統以清張海鵬《墨海金壺》（下簡稱「墨本」本）本爲早。1921年上海博古齋影印《墨海金壺》首列劉承幹序云：「虞山張若雲先生凡刻叢書者三，一曰《學津討原》，一曰《借月山房彙鈔》，一即此《墨海金壺》也，是書之刻爲嘉慶十七年，旋毀於火。其殘版後歸金山錢氏，故傳本絕少。」據是書〈凡例〉，知「墨本」書多出於文瀾閣本。《古微書》即從文瀾閣抄出，由張氏校理後於嘉慶十七年刊印，民國十年上海博古齋又據張氏刊本影印。

　　嘉慶殘版歸金山（今上海金山）錢熙祚後，錢氏對《古微書》又加校訂，收入《守山閣叢書》（下簡稱「守本」）。道光辛丑（1841年）錢熙祚跋語云：「緯書文辭古奧，兼《古微書》傳寫脫誤，益詰屈不可通。今重爲博考，附注本條之下。其所不知，蓋闕如也。」即此書條目下的出處爲錢氏所增，《古微書》也以此本爲善。清光緒四年（1878年），上海鴻文書局有影印本；民國十一年，上海博古齋也影印此書。1956年，上海商務印書館又將「守本」《古微書》補入《叢書集成初編》，其前言云：「本館《叢書集成初編》所選《墨海金壺》及《守山閣叢書》皆收有此書。兩書實一版本，《墨海》在前，故據以影印。」實際上，「守本」雖出自「墨本」，但二本差異明顯，主要有如下五點：⑴如前所述，《古微書》正文下之出典注文，皆錢氏所增；「墨本」無。⑵卷首題款明顯不一：「守本」題有「守山閣叢書經部」、「金山錢熙祚錫之校」字樣；「墨本」僅題有「墨海金壺經部」字樣。另「守本」每卷之末皆題「古微書卷某終」，而「墨本」僅於卷三十

六之末有「終」字。(3)「墨本」多有「海鵬案」云云，「守本」悉刪去。(4)「守本」對「墨本」有改訂處。如卷一《尚書考靈耀》中「墨本」原作「日永景尺五寸日短一十三尺：作景尺三寸日正南千里而減一寸」，「守本」將加點六字悉改爲小字夾註。(5)「守本」末有錢熙祚道光辛丑跋語。總之，二本迥異，商務館似不應有此誤。另中華書局1985年新版《叢書集成初編》亦沿舊版之誤，前言中僅刪去「本館」二字而已。

三、殷元正《緯書》

是書一名《集緯》。上海古籍出版社影印本《緯書集成》收「觀我生齋抄本」（下簡稱「觀本」）卷端題「殷元正立卿甫輯，陸明睿文玉氏增訂」。《緯書集成·例言》引《緯攟》任道鎔序云殷元正爲「華亭老布衣。其書凡十二卷，舊惟寫本，兵燹後不可復得」。又從書中「引述《淵鑒類函》、《佩文韻府》及朱彝尊《經義考》來看，其纂成的上限不早於康熙後期」。鍾肇鵬先生《讖緯論略》（遼寧教育出版社1991年版，第254頁，下引此書只注頁碼）則逕云殷元正　「清乾隆時人」，「致力於讖緯輯佚。殷氏歿，他的弟子陸明睿（若璇）又加以增訂成《集緯》12卷。」

是書今存抄本六種，上海圖書館除藏有已影印出版的觀我生齋抄本外，還有題爲「清抄本」和「清清芬書屋抄本（存十一卷）」二種。中山大學圖書館藏清抄本。北京圖書館藏《緯讖候圖校輯（不分卷）》（下簡稱「緯本」），收入《北京圖書館古籍珍本叢刊》，書目

文獻出版社1988年影印出版。還有藏於日本京都大學圖書館的平江蘇氏抄本。今所見唯兩種影印本，簡要比較如下：

　　1.所列目錄異同：(1)《易緯》二本皆9種，「緯本」列《乾鑿度》虛目，無《易緯》一目，「觀本」反之。(2)《河圖》：「緯本」收31種；「觀本」30種，少《說徵》一種。(3)《春秋緯》：二本互有出入。「觀本」列目24種（實存《孔演圖》、《元命苞》二種）；較「緯本」少《聖洽符》、《春秋緯》、《撰命篇》三種。「緯本」實有21種，較「觀本」少《考異郵》、《保乾圖》、《漢含孳》、《佐助期》、《握誠圖》、《潛潭巴》6種。(4)二本《尚書緯》6種，《詩緯》5種，《禮緯》5種，《樂緯》4種俱同。(5)「觀本」缺《孝經緯》、《讖書》和《尚書中候》三類。(6)凡存者目錄順序基本一致。

　　2.二本內容比較，以《詩緯含神霧》為例。(1)文句出處：二本都注明出自《唐類函》、《淵鑒類函》、《說郛》、《經義考》之類，只是「緯本」中多注有《太平御覽》，「觀本」則幾乎不見。(2)正文條目有異文時各有所取。如「齊地」句，「觀本」正文作「齊地處孟春之位，海岱之間，饒於水土（原注：《唐類函》作『海岱之間土地污泥流之所歸』。）」；「緯本」正文與注文反是。(3)正文條目多少不同。如《含神霧》「緯本」比「觀本」多數條；而《詩緯》「觀本」又較「緯本」多一條。

　　由此可知，在傳抄過程中不僅二本所據本各有譌誤缺失；而且傳抄者也做了些補充修改的工作。這從其流傳記載中也可見出。「緯本」末有光緒戊寅（1878年）周星詒跋語云：

　　　　此書世無刻本。丁丑春，兒子紹寅於陳恭甫太史家中廢簏中

> 檢得。並太史與令子喬樅集錄經緯殘稿一捆，同爲所棄，因
> 從予乞六千錢買之。予方爲《三國文獻會最》，翻檢《書抄》、
> 《類聚》諸書，因並收集緯書，補正此與孫氏脫漏舛誤。凡
> 此書中朱、墨書增訂諸條，爲太史父子手筆。予曾見兩先生
> 書體，能別識也。故表著以示後來知實者焉。（此段文字承劉
> 心明先生幫助識讀，謹致謝忱。）

由於筆者所見係影印本，無朱、墨可辨，但此跋語則進一步證明了「緯本」經由陳壽祺、陳喬樅父子手訂之事，且可推知陳喬樅《詩緯集證》之作，亦曾參考殷氏《緯書》了。而以此觀之，「觀本」之有修訂補充亦在情理之中。

另一問題是殷氏輯佚的參考書。其一，書中凡引《說郛》處皆予注明，但與今見的宛委山堂本和商務印書館本俱有很大出入，其所據或爲另一已失傳的《說郛》本。其二，是書多引《經義考》而不及《古微書》，檢其內容詳略與《古微書》亦有不同，令人費解。其三，其「易緯」部分也未參考殿本《易緯八種》。「觀本」中清人張錫恭兩段校語足可證明：一是題《易緯稽覽圖》曰：

> 聚珍板書中已有之，比此爲數十倍，然亦有彼佚此存者，今
> 以墨△識，有刊此書者，止刊聚珍板本所佚者可矣。

一是題《易緯通卦驗》曰：

> 此篇以聚珍本校之，聚珍本所無者十之三。蓋此篇最雜，如
> 《通統圖》，《通卦驗元圖》、《通繫卦》等皆拉雜收之，
> 不盡爲彼佚此存也。今盡以墨△別之。竊謂如《通統圖》等

宜各自爲篇,然後取聚珍本所佚者爲《通卦驗》一篇,斯得
之矣。

既然此本與殿本無涉,則「緯本」所列《乾鑿度》即非殷氏原本所有
了,何況題下已注明「刻有全文,此不更錄」云云。據上所述,殷氏
輯佚參考了某種版本《說郛》和《經義考》、《佩文韻府》等書,可
能沒有利用現成的讖緯輯佚書。

四、趙在翰《七緯》

　　清代首先援據《易緯八種》和《古微書》、《說郛》而另行輯
佚的當推趙氏。在翰字鹿園,福建侯官人,嘉慶時諸生,《七緯》是
其著述中影響較大的一種,有嘉慶十四年（1809年）侯官小積石山房
刊本。

　　在翰承四庫館臣之說,以爲緯自緯、讖自讖,緯淳讖雜,二者
不可混淆,更反對前人以讖病緯,故專輯緯書。《易緯八種》已有殿
本行世,不可更易,故因之而輯其他六緯,嚴格限定範圍,篇目一依
《後漢書·樊英傳》所列35篇之目。其〈七緯自敘〉即曰:

> 謹刊《易緯》以布廣前文,復取《古微書》補其闕漏,正其踦駁,
> 本《隋書·藝文志》（按:當作經籍志）著錄以纂集,依《書》、
> 《詩》、《禮》、《樂》、《春秋》、《孝經》以爲次,纂
> 成二十有九卷,附於《易緯》之後,總題曰《七緯》。

即依《古微書》而去其讖類，純粹按緯書篇目加以重輯並注明出處，每種一卷。因增入《乾坤鑿度》和《乾元序制記》兩種，且末附〈敘錄〉一卷，故全書38卷。

是書初刻於嘉慶九年，刻成後，因其伯兄在田請序於阮元，阮元告知趙氏《開元占經》中尚有許多緯文沒有輯入，並令詁經精舍學生張監摘錄《開元占經》和從日本所得隋《五行大義》中緯文寄給在翰。因書已刻成，故每種列〈補遺〉於後，迄嘉慶十四年方告成功。

本書有三大特點：一是選擇精嚴。這既是優點，也是缺點。因爲選擇條目精當，注釋準確，其參考價值也大；但標準過嚴，將許多已見條目排斥在外，使本已少得可憐的讖緯之文重加過濾，未免影響其參考價值。二是文中多有按語，有「在翰按」和「楊應階曰」二種，對無注之文加以通釋或予以考辨，有較高的參考價值。三是仿照《古微書》體例，除《易緯》外，都有「敘錄」，以通貫全書及各緯；對於各個篇目名稱也有簡短的解釋文字，其參考意義尤大。

作爲讖緯輯佚活動中較早出現的一種刊本，《七緯》對此後的讖緯輯佚影響頗大，無論是討論補充其不足，還是承用其說而增輯之，俱屬此類。

較早承用其輯佚成果的是黃奭《通緯逸書考》的纂輯。筆者對校發現，黃氏基本上將《七緯》各篇移入自己輯本，這包括文字內容的相同和排列次序的一致，乃至引「楊應階曰」的完全一致。所不同者只是黃氏於注文中重新比勘了《古微書》和宛委山堂本《說郛》，偶而以《清河郡本》稍加校勘；另外，由於趙本收之過嚴，使包括《說郛》、《古微書》、《開元占經》、《五行大義》中部分讖緯內容沒有收入，至於爲黃氏所獨見的《清河郡本》更不必說，黃氏即將趙氏

失收者一律收入,排在《七緯》所列條目之後。如果說,上述內容中相同的部分爲黃氏經過自己研究之後的「合理採用」,那麼,他將趙氏書中所有的「在翰按」一律改爲「按」,而沒有在任何地方加以說明（以筆者所見爲限）,則不能不令人懷疑有掠美之嫌疑了。當然,究竟如何,尚須進一步深入研究。

另一類是因趙氏失收而增補輯證的,主要有陳喬樅《詩緯輯證》和顧觀光《武陵山人遺稿》中的《河洛緯》和《七緯拾遺》的撰作。陳喬樅精於《詩經》,其父陳壽祺曾輯三家詩,喬樅增補,撰成《三家詩遺說考》,於三家詩研究貢獻尤巨。陳氏認爲,《齊詩》明天人之際,然經義深奧,須緯書方能發明,而詩緯輯佚又不能令人滿意,是以有《詩緯集證》之作。這在其〈自敘〉中說得很清楚:

> 明孫瑴蒐輯佚緯爲《古微書》,謂《推度災》諸篇皆讖類,而不知〈隋志〉所錄又有《詩雜讖》,固區別而爲二也。近世陸明睿增訂殷元正《集緯》,於三篇外列《含文候》之目,而復不知《路史》注所引即爲《含神霧》之譌也。予同年生趙子在翰重纂《七緯》,仍〈隋志〉著錄之舊而詩緯佚文仍多遺漏,且以孔氏《詩正義》語闌入《汎厤樞》中,亦失之疏。喬樅不揆樗昧,網羅散佚,視各家本增十之三,揭所攄依,加以考訂,成《詩緯集證》三卷,其舊書所引,未詳篇目者別成一卷,都爲四卷。

是以《詩緯》輯本當以陳氏爲首善。有道光二十六年《左海續集》本。

顧觀光,字賓王,號尙之,一號武陵山人,金山（今上海金山）人,道光中曾與錢熙祚等校訂《守山閣叢書》。其《七緯拾遺》、《河

洛緯》，純爲補足《七緯》之不足而作。據書首之序，知成書於道光
十七年（1837年）。顧氏認爲，《乾鑿度》、《乾坤鑿度》世有傳本，
故從《永樂大典》中所得《易緯》只能算六種，故於《易緯》也只於
此六篇補有逸文。此外所列篇目皆《七緯》所無，計《易緯》4種，
《中候》18種，《春秋緯》7種，《論語讖》8種，《孝經緯》7種，
《河圖》、《洛書》並《孔子河洛讖》32種，共76種。據顧氏自序，
搜輯中除參考《古微書》和孔廣林所輯《尚書中候鄭注》以外，餘皆
獨力爲之，即此而言，其功亦偉。只是此書僅有稿本，存上海圖書館。
1994年上海古籍版《緯書集成》中影印收入。

五、馬國翰《玉函山房輯佚書·經編緯書類》

國翰字竹吾，號詞溪，山東歷城人，道光十二年（1832年）進士，
官至隴州知州。少家貧，性嗜書，以坐館爲業，而所得之半輒充書價；
又勤勉，聞異書，必往借而手自抄錄，時人以書癡視之。入仕後，廉
俸所得亦多以購書，由是家富藏書，達五萬八千餘卷。因歎古書亡佚
之多，發憤輯之，成五百八十餘種，爲卷六百有餘（從匡源序説），其
中以經編爲盛。「緯書類」一目，收《中候》19種，《書緯》5種，
《詩緯》3種，《禮緯》3種，《樂緯》3種，《春秋緯》15種，《孝
經緯》11種，《論語讖》8種（均計子目），合67種。不輯《易緯》、
《河圖》、《洛書》。馬氏書雖晚出，卻曾與趙氏《七緯》齊名，趙
書以精嚴稱，而馬書以博見長。

是編之內容體例略依《古微書》，而增輯條目頗多，大都考明其出處，亦時有校語。主要特點有三：

其一，凡孫轂解釋篇目名稱含義的文字皆錄入，並注明出自孫氏；另於《尚書中候》、《孝經章句》、《孝經雌雄圖》、《孝經古秘》、《論語讖》五篇之前各增序文一則，略述該篇的著錄情況及內容大旨。

其二，對於孫氏原有條目，作三種處理方式：(1)凡孫氏已輯入且馬氏考明出處者，逕注其原始出處，不注《古微書》；(2)凡未查明出處者，皆注孫轂《古微書》。(3)與孫氏之輯有異同者，直接注明，如《春秋緯元命苞》「天門山中有蔥」條下注曰：「《藝文類聚》卷八十二，《太平御覽》卷九百七十七。《古微書》誤收入《佐助期》，今移正。」（嫏嬛館補校本卷五十七，頁二十一下至頁二十二上）

其三，《古微書》失收，馬氏增補者，多作說明。如《春秋緯演孔圖》「地坼陰畔不靜」下注：「已下皆《古微書》失載，續補。」（卷五十六，頁二十七上）又如《春秋緯命歷序》「蒼頡龍顏」下注：「《古微書》不載。」（卷五十七，頁六十九）俱屬此類。

其新增條目，多依《開元占經》並其他類書，亦參《經義考·毖緯》等書。

有人以為馬氏本來是一個學問根底膚淺，文字也比較平庸的人，徒以此書之故而名噪一時，更有人認為此書是攘竊章宗源未完之稿，改序付雕者❹，但即《經編緯書類》而言，似無此事。如前所述，馬氏對於《古微書》已收或未收之文，大多說得頗為清楚；上述五則序

---

❹　二說皆見洪湛侯《中國文獻學要籍解題》，杭州大學出版社1997年版，第152頁。

文亦注明「歷城馬國翰竹吾甫」字樣。馬氏於孫氏如此，又何必對章氏加以攘竊？此待另文詳辯。

馬氏輯書，隨得隨刊，但直至逝時其事未畢。後板歸章丘李氏，已有散失，同治十三年（1874年）匡源序中說到此前僅印行有數十部（今不見），爾後丁保楨等爲之補遺整理。今見版本有清光緒九年（1883年）長沙娜嬛館補校本和光緒十年（1884年）章丘李氏據馬氏刊板重印本、湘南書局本三種版本。另外，光緒十五年（1889年）文選樓刊《玲瓏山館叢書》也予以收入。本文所據爲上海古籍出版社影印《緯書集成》中所收的娜嬛館本。

馬氏所輯較之前人雖博，而其所遺漏亦復不少，是故有王仁俊《玉函山房輯佚書續編》之作。是書體例一如馬氏，其《經編緯書類》輯讖緯39種，正文200餘條，古注30餘條。其中新增篇目7種。其中以《春秋緯》、《孝經緯》、《禮緯》佚文爲多，間有按語。王氏所輯，多采自《五行大義》、《稽瑞》等書，爲馬氏所未見。但王氏所輯，篇目名稱與馬氏所列有文字差異之處，王氏對此未作說明。是書原僅存稿本，藏上海圖書館。1987年上海古籍出版社出版影印本；今《緯書集成》也將其《經編緯集類》影印收入。

六、黃奭《通緯逸書考》

奭字右原，甘泉（今屬揚州）人，生活於嘉慶、咸豐間，卒於同治初年。世家鹽商，獨奭以讀書稽古爲事，曾師從江藩數年，得惠棟一派治學精髓。輯佚書280餘種，與同時之輯佚大家馬國翰可稱南北

並峙。

　　黃氏輯書，每成一種即付梓雕印，並印樣本一部以備校勘。雕
鐫甫成，適太平天國兵至，舉家避居鄉下，板藏蕭寺，印行之事遂浸。
當日亦有雕成未印樣本者，故初時僅有不完之樣本一部，黃奭手校。
今大部尚存，藏北京圖書館，題爲《漢學堂知足齋叢書》（下簡稱「知
本」），其中《通緯逸書考》收讖緯45種（計子目72種）。黃氏逝後十
餘年，其長子灝（字輝山）才將書板購回，其時已有散失。黃灝不久
謝世，其弟澧（字叔符）獨力難任整理印行事，光緒十九年（1883年）
因書商之請，擇其完好者印行，諱言其失，並沿張之洞《書目答問》
之誤題爲《漢學堂叢書》（下簡稱「漢本」）。其中讖緯56種（計子目88
種）。黃澧故後，書板輾轉歸於王鑒，王氏認爲書中有「漢學堂經解」，
「通緯逸書考」、「子史鈞沈逸書考」和「通德堂經解」四種，「漢
學堂叢書」一名不能總括全書，且缺失猶多，遂加以修補，於民國14
年（1925年）印行，正名爲《黃氏逸書考》（下簡稱「王本」），收書285
種，其中讖緯72種（計子目121種）。王氏修補之處刊刻風格與原版不
同，頗易識別。王鑒去世後，書板又因水災零落，後爲江都朱長圻所
聚。朱氏以爲王氏修補本校勘不精，缺版斷頁之處均未改正，故參校
所得黃氏手稿20餘冊，因王氏本校補印行。全書又增二種，讖緯數目
同。凡補刊處均於版心題「民國甲戌江都朱氏補刊」字樣。著錄者因
之題爲「民國甲戌江都朱氏補刊本」（下簡稱「朱本」）實則是書之補
自甲戌（1934年）始，丁丑（1937年）迄，歷時四年方完工。「朱本」
主體略同「王本」而多有補充、補正，且刻寫款式一仿原板，「王本」
於此則不甚嚴格。

　　即所收讖緯而言，以「朱本」爲完，但後三種版本都未見黃氏

手校本及校語，故亦有缺誤之處。如《樂動聲儀》，手校本有十九頁，後三本僅存十八頁，脫去一頁。《詩汎歷樞》手校本有十四頁之多，但因板缺，「漢本」不收，「朱本」因「王本」之舊，僅三頁，內容略同《古微書》而有雜湊痕迹，顯係據手稿本目錄收入而內容無從補足。《河圖讖》一條，「知本」已抹去，後三本俱因原板而存之。不過王、朱二本於注文中確有不少補刊之處，因各本所收具體篇目有不同，茲羅列如下，《黃氏逸書考》以「朱本」爲準。

《易緯》：「漢本」10種；「朱本」13種，多《稽覽圖》、《辨終備》、《通卦驗》三種；「知本」缺收。

《尚書緯》：「漢本」4種；「朱本」、「知本」同爲6種，多《考靈曜》、《洪範記》二種。

《尚書中候》：「漢本」、「知本」不收；「朱本」19種。

《詩緯》：「漢本」3種，缺《詩汎歷樞》；「朱本」4種，《詩泛歷樞》爲後來補入；「知本」4種，爲完本。

《禮緯》：「漢本」3種，無《禮斗威儀》；「朱本」4種，「知本」3種，無《禮緯》。

《樂緯》：「漢本」2種，無《動聲儀》、《稽耀嘉》二種；「朱本」4種；「知本」僅《動聲儀》一種。

《春秋緯》：「漢本」與「朱本」同爲16種；「知本」僅存《元命包》、《文耀鈎》、《命歷序》、《春秋內事》、《春秋》5種。

《孝經緯》：「漢本」、「朱本」俱12種，「知本」10種，多《援神契》、《孝經》二種。

《論語讖》：三本同爲9種。

《河圖》：「朱本」29種，「漢本」24種，「知本」29種，其中「知本」較二本少《河圖讖》一種而多《揆命篇》一種。「漢本」較「朱本」少《河圖》、《挺佐輔》、《握矩記》、《錄運法》、《河圖玉版》5種。

《洛書》：三本同爲5種。

綜上，「漢本」88種，「黃本」121種，「知本」72種。一般來說，凡「知本」所有者可以此爲準，次可依據「朱本」，以結合利用爲佳。

至於黃氏輯佚參用之書，「朱本」葉仲經序中有段敘述可以說明：

> 尤其引緯書有所謂《清河郡本》者，非僅孫毀《古微書》所未見，即趙在翰、林春溥、喬松年諸氏，號爲緯書專家，亦鮮稱道。計有《河圖》九種，《洛書》二種，《易緯》四種，《書緯》六種，《詩緯》二種，《禮緯》三種。率鄭玄注、宋均補，授受分明，決非僞託。……各條文義古奧，猶非晚周先秦人不辦。……餘若《開元占經》、《北堂書鈔》之類，必據舊抄本。此其謹嚴不苟，尚稱餘事耳。

《清河郡本緯書》的情況，鍾肇鵬先生《讖緯論略》（頁253）已有介紹，此不贅。同時從文中徵引情況看，黃氏明確參校過《說郛》、《古微書》、殿本《易緯八種》、錢叔寶本（即盧見曾雅雨堂本）、《范氏奇書》本，張惠言《易緯略義》等書，另外，手校語中還出現過錢熙祚守山閣本《古微書》，稱爲「錢本」，可見他對當時輯佚界的情

況是熟悉的，只於襲用《七緯》一節不可解。

七、喬松年《緯攟》

松年字鶴儕，謚勤恪，山西徐溝人，道光十五年（1835年）進士，官至安徽巡撫、河道總督，光緒元年（1875年）卒。有《緯攟》14卷，現存光緒三年（1877年）彊恕堂初刊《喬勤恪公全集》本和民國山西文獻委員會輯印《山右叢書初編》本，其中以彊恕堂本爲優。1994年上海古籍出版社《緯書集成》影印收入彊恕堂本。是書可稱清代讖緯輯佚諸作中的佼佼者。安居香山《緯書集成》的大部分即以此爲底本。

全書14卷，收《易緯》15種，《尙書緯》8種，《尙書中候》16種，《詩緯》4種，《春秋緯》17種（計子目24種），《禮緯》4種，《樂緯》4種，《孝經緯》8種（計子目10種），《論語緯》6種（計子目9種），《河圖緯》10種（計子目32種），《洛書》5種（計子目8種）。其中除《春秋緯》分爲兩卷外，餘各一卷，共12卷97種（計子目134種，以上統計均據彊恕堂本）。後附〈古微書訂誤〉、〈古微書存考〉二卷。清代諸家中，以喬氏所輯種數爲多。

喬氏於此書態度謹嚴，於考訂用力頗多。由書中按語即可見出，其類有三：一是說明自己參考之書。如卷一《易緯》首列「易緯八種」之目後自識曰：

> 以上八種皆經武英殿用聚珍版印行，收入四庫書中，不須再事編輯，遂不復列入此集。他書所引偶有爲殿本所未收者，

則亦臚列於後。

又曰:

> 天一閣《二十種奇書》內有《乾坤鑿度》,祁氏《澹生堂餘
> 苑》內有《禮含文嘉》三卷,張海鵬《學津討源》內有鄭注
> 《尚書中候》五卷,余皆未見。盧氏《雅雨堂叢書》內有《乾
> 鑿度》二卷,吳省蘭《藝海珠塵》內有《乾坤鑿度》二卷、
> 《是類謀》一卷、《稽覽圖》二卷,余皆見之。近聞馬氏《玉
> 函山館叢書》亦有緯書數種,尚未得見。

喬氏誤記馬氏書名,蓋由未見其原書所致。從喬氏引注情況看,其參
用之書還有宛委山堂本《說郛》,但略有出入。二是進行版本比勘和
內容疏證。如卷一《易通卦驗》「立春條風至」一條後按語曰:

> 此所引八節之風,較之殿本,多一雨水之猛風,遺卻夏至之
> 景風,秋分重出涼風。《疏》(筆者注:《周禮·保章氏疏》)
> 又自言猛風非八卦之風,其誤無疑。

三是每篇之末大都說明本篇條目數和自己新增條目數。

卷十三〈古微書訂誤〉對孫書中二百餘條訛誤之處一一考訂;
卷十四〈古微書存考〉則將孫書已有而喬氏不知出處者63條臚列於後,
喬氏自識曰:「以上各條,檢其出處未得,或是孫氏誤采,或是松年
寡學,搜討未遍,臚列卷末,以俟續考。並望博雅君子教之。」顯示
了其治學嚴謹與用力之勤。

《緯攟》雖因孫書而作,但喬氏將《古微書》原有條目與自己

新得320餘條（據喬氏自註統計）合在一起，按內容重爲編排，於閱讀較爲便利。而據書中任道鎔序，云「此書排纂體例頗與殷氏立卿《集緯》相類」，則書中編排也很可能是喬氏參考《集緯》的結果。

另外值得一提的是，輯佚諸家中唯喬氏列《論語緯》、《河圖緯》等目，無論讖、緯有別與否，都表明喬氏對這部分讖緯的重視和獨到眼光，較之趙氏《七緯》之棄而不取，自有天壤之別，在當時應該是有其意義的。當然這也可能與清末形勢有關。

從喬松年的輯佚活動，大致可以分析清代讖緯輯佚興盛的原因。一是清代開四庫館，廣收異書之流風所及，尤其是殿本《易緯八種》和乾隆御制詩的頒行，極大地鼓動了當時及此後學者輯錄讖緯的熱情。二是讖緯的作用不止如御制詩所說的「稽古堪資耳」，也不只如歷代相傳的「反復圍繞以成經」，還有清代學者面對道光以來的不利局面，試圖利用讖緯的「致用」之心。如本書李文敏序云：「古者緯學存而三古洪纖之度、五氣休咎之徵，皆能見微知著」，「經術吏治兩有神益」，此「豈弟微言，邃義賴以不墜爲可寶也」。任道鎔序也說不止是喬氏「抗心希古」見「汲古之勤」，且「徵公（指喬氏）行政大要之所在也」。三是《古微書》舛誤譌奪且無出處，故喬氏於公事之暇重爲輯錄。

如前所述，殿本《易緯八種》的印行，於清代的讖緯輯佚影響深遠，且有關「易緯」的版本頗多，本應立專類介紹，但安居香山等《緯書集成·解說》（河北人民出版社1994年版）中已說解頗詳，而且其中有相當版本爲筆者未見，故以爲勿庸「續貂」了。

清光緒十五年
《省城街巷全圖》考略

李曉光[*]

摘　要

1998年，山東省圖書館歷史文獻部的工作人員在整理舊書庫的過程中，偶然發現了一幅手繪《省城街巷全圖》，詳盡展現了百年前老濟南的街巷原貌，具有極高的歷史意義和現實價值。本文就地圖本身的內容，及其所表現出的鮮明特點，並結合濟南市城市建設的歷史變遷概況，簡要介紹了有關這幅地圖的基本情況，以饗讀者。

關鍵詞　省城街巷全圖　濟南　山東

＊　山東省圖書館歷史文獻部館員

　　濟南是一座歷史悠久的北方名城，早在三千五百年以前就有先民在這塊土地上生息繁衍。據考證，位於市東郊的大辛莊商代文化遺址，面積達三十萬平方米，是商代早期的一個重要居民點；此外，市區的劉家莊、西郊的田家莊等地，也都留存有商代文化的遺址。幾千年過去了，古老的濟南歷經滄桑，從一些零散的居民點逐漸發展成了一個繁華的現代都市。而近期所發現的清光緒十五年（1889）《省城街巷全圖》則從一個非常直觀的側面再一次將百年前老濟南的街巷原貌，真實地展現在世人面前，為我們更加深入地研究濟南的歷史變遷提供了寶貴的第一手資料。

　　這份珍貴的地圖是於1999年底由山東省圖書館歷史文獻部的工作人員在整理舊書庫的過程中發現的。究竟何時，通過何種途徑而被收藏在山東省圖書館，尚無可考證。但就地圖本身的價值而言，卻是有著非常深刻的歷史意義和現實價值。

　　此圖為一紙質卷軸。軸外有書云：清代戴世奇先生繪山東省城全圖，光緒己丑畫成，時為光緒十五年。並有朱文「馬傳夢」印一方。清楚地標明了此圖的繪製人及繪製時間，由馬傳夢收藏過並書此介紹。

　　整幅地圖長118.3釐米，高68.5釐米。由於歷經百年，全圖已呈暗黃色，但除個別地方稍有破損外，基本保存完好，字跡清晰，色澤鮮明。地圖的右上角有濟南人任熏以篆書所題「清代濟南實境一覽」，下賦詩一首「背山臨海誇齊魯，名士風流說古今。垂柳鳴泉灑落處，披圖猶作故人尋。」右下角則為地圖繪製者戴杰本人用工整小楷寫成的圖志，詳盡介紹了當時濟南城的基本情況。其志云：「查省城周圍共十二里有奇，凡四門，東曰齊川，西曰濼源，南曰歷山，皆重關。

北曰滙波，爲水門……」。據圖志所載，當時濟南城內共分八約，即：信、溫、孝、法、弟、柔美、忠、和禮八個部分，此八約分轄不同的街巷，其地界以不同顏色用線劃分，謂之內城。外城共東、西、南三關廂七圍門，分別稱爲：岱安門、永固門、永靖門、永綏門、永鎭門、濟安門、海晏門七門。通計石圍共十七里有奇，所分三關廂也分別用不同顏色標明。最後落款爲「光緒己丑秋九月，候補知府戴杰繪呈並志」。圖右上角爲淸宣統辛亥年人裕庭的題簽，極力盛讚此圖之珍。

綜觀此圖，具有以下幾個突出特點：

第一，此圖繪製年代較早。繪製時間爲淸光緒十五年，即1889年，距今已有110年之久。據筆者瞭解，此圖是迄今爲止所發現的濟南最早的以單幅地圖形式出現的平面圖。前幾年濟南市也曾有此類地圖發現，但比這一幅要晚十餘年。

第二，繪圖作者非一般人物，而是當時的濟南候補知府戴杰。此人祖籍江蘇丹徒，即今江蘇省丹徒鎭，一字世奇，又字子樹，生卒年不詳。淸同治八年 (1869) 補陵縣缺，始來山東爲官。治陵縣六年，爲官淸正，頗有政績，後曾輯《敬簡堂學治雜錄》一書，詳記陵縣爲官之事。光緒七年 (1881) 已調任濟南爲官，至光緒十五年繪圖之時，已在濟南生活了至少八個春秋。因濟南街巷頗多，而無圖查索，身爲地方官的戴杰早已留心於此，勤奮查訪，始繪成此圖。

第三，繪製方式特殊。全圖爲手繪而成，主要部分可以判定是用毛筆蘸墨繪成，同時使用了黃淺綠、深綠、杏黃、粉紅、紫、藍、紅等多種顏色，並用蠅頭小楷注明了街巷、建築、泉水、河道、城牆等，異常詳盡。此特點與後來所發現地圖比較，則更爲直觀明顯。

第四，從內容上看，此圖以街巷爲主，舉凡大街小巷，不論如何，均詳細記載其位置、名稱。如今日之馬市街，僅爲一長三十餘米的小巷，甚少爲人知，在這幅圖上卻早已注明，且位置絲毫不差。

最後一個特點，此圖佈局完整，內容詳盡。地圖顯示，一百一十年前的老濟南分內、外兩城，有兩重城牆。內城城牆範圍基本沿今日護城河內側一線，其內分佈有布政司署（今省府所在地）、巡撫院部署（今省人大常委會所在地）、濟南府署（今省政協所在地），按察司署位於內城偏東位置。此外，還有歷城縣署、貢院、府學等。可以看出，當時的主要機要部門都集中在內城，外城東城牆基本在今歷山路一線，南城牆則在今經十路、文化西路之間至杆石橋一線，西城牆從杆石橋至官驛街一線，東西兩廂的城牆最後分別在大明湖東北和西北同內城牆會合，結構非常嚴謹。之所以形成這樣的特點，是與老濟南的長期歷史發展過程中不斷地擴大、完善密不可分的。

歷史上濟南城市建設的發展主要經歷了四個比較明顯的劃分時期，即形成、發展、成熟、定型四個時期。一，西元前1112至西元313年爲形成時期。濟南的範圍僅限於今大明湖、趵突泉、黑虎泉之間的狹小地域（不含以上三地）。二，西元313至1368年，爲其發展時期，主要是以原地域爲中心向北、向東發展，向北發展至大明湖北岸一線，東至今歷山路一線。三，1368至1904年，爲其城市發展的成熟時期，這一時期老濟南的城市建設有了較大的發展。主要原因在於濟南此時已正式成爲山東的政治、經濟、文化中心，軍事地位也隨之日益重要起來。明洪武二年（1369）始建濟南府署；洪武四年，以磚石修濟南城垣，東開齊川門，西開濼源門，南開舜田門，北開滙波門，並沿城挖護城河。明洪武九年（1376），濟南成爲山東承宣布政使司、提刑

按察使司、都指揮使司駐地，始爲山東的政治中心和首府。清咸豐十年（1860）在原城的四面增建外部土圩，俗稱「圩子牆」。此牆「周四十里，北面包括柳行頭、何家莊、大楊家莊、劉家橋、三空橋、北坦和水屯以北。」這樣，濟南的面積擴大了一倍。清同治四年（1865）至六年（1867）廢除了北面的圩子牆，同時把東、西、南三面的圩子牆修成石圩，號稱「石頭城」，此城「長三千六百七十丈，高一丈二尺，基厚一丈五尺，頂寬一丈」，至此，濟南的城牆建設已頗具規模。這一時期，主要是向西、向南發展：西至普利門、順河街一線，南至經十路一線。趵突泉、珍珠泉、黑虎泉、五龍潭四大泉群和諸多散泉都被包括在內，始有「泉城」之美譽。四，1904年至1948年初主要向西呈條形發展，爲定型時期。1948年以後主要增加了郊區的面積，略去不談。

清光緒十五年所繪《省城街巷全圖》即繪成於第三個時期的末年。此時的濟南城已經形成了其封建政治、經濟、軍事中心的格局，城市建設也已趨於成熟，於此時繪製這樣一幅詳盡街巷全圖，其意義自然非同尋常。更爲重要的一點在於：「繪作年月恰在清季光緒十五年己丑秋天。甲午、戊戌、庚子、辛丑各次變亂前夕，齊魯山河尚未租割破碎之時，是以完整古代所建城池之形狀，城防、炮臺、街署、寺廟之坐落，城池今昔變遷之源流，展圖一閱，如在目前……。」（《省城街巷全圖》裕庭題簽）。未經戰亂炮火之災，租割破碎之難，由此看來，此圖的繪製即有了一層歷史分界線的意義，對研究濟南城建格局的變遷有著極爲重要的參考價值。

不僅如此，此圖的發現還有著極爲重要的現實意義。此圖所繪地形方向，一絲不苟。圖上內容，寫實眞切，注解詳明，大到城牆、

府署、廟宇，小到一街一巷、一泉一池，無不標明注之，全面、清晰而準確地反映了百年前老濟南的原貌。如昔日的大明湖，面積要比現在大得多，西南岸從今之西角門，一直延伸到今壽佛樓後街以西的位置，後來逐漸縮小，直至不復存在。時至今天，其原湖水的地方仍被稱作「小明湖」，僅僅百年的時間卻有了滄海桑田的變化。湖北岸所修建的藕神祠也非位於東北岸，而是位於西北岸，在鐵公祠以西的位置；當時的珍珠泉也非今日之珍珠泉，而是與琵琶泉、白石泉、瑪璃泉同位於今黑虎泉附近的位置。從圖上還能看出來，在王府池子以南，芙蓉街、金菊巷、水胡同之間亦有一泉池，謂之「雲彩眼」，今已無跡可尋。因此，此圖的發現，對於今天濟南的舊城改造、名泉保護、文物及景點的保護與修復等各項城建規劃、設計、施工工作，都有著非常重要的現實意義和參考價值。

《孟子》入經和《十三經》彙刊

杜澤遜[*]

摘　要

《孟子》是北宋神宗熙寧間進入儒家經書行列的。在石經系統，《十三經》成為一部配套的叢書，是在北宋末徽宗宣和年間。南宋彙刻經書大都包括《孟子》。在目錄學領域，南宋初尤袤《遂初堂書目》較早把《孟子》列入經部。木版整套雕印《十三經注》始於明嘉靖李元陽。

關鍵詞　孟子　經書　十三經　刊刻

　　本文主要談《孟子》入經的過程。《十三經》彙刊是相關問題，關於這個問題已有屈萬里先生〈十三經註疏版本述略〉一文，凡屈先生已談過的，本文就簡略地談，屈先生未談到的，則稍詳細些。關於

＊　山東大學古籍所教授

《孟子》入經，過去一般是籠統地說始于宋代，而具體過程則語焉未詳，甚至存在一些不確之處，所以本文略作考索。

唐代《開成石經》共有十二經，沒有《孟子》，因爲那時《孟子》還沒有經書的地位。在《開成石經》刊刻以前的唐代宗寶應二年，禮部侍郎楊綰曾疏請《論語》、《孝經》、《孟子》兼爲一經（見《唐會要》卷七十六）。在開成以後的唐懿宗咸通四年，進士皮日休曾請立《孟子》爲學科，取代當時列爲學科的《莊子》和《列子》，建議凡能精通《孟子》者視明經同（見《唐會要》卷七十七）。但都沒實現。

蔣伯潛《十三經概論·緒論一》說：「五代時蜀主孟昶石刻十一經，去《孝經》、《爾雅》而入《孟子》，此《孟子》入經部之始。」同書第八篇第一章《孟子解題》又說：「五代時，蜀主孟昶命毋昭裔楷書《易》、《書》、《詩》、《三禮》、《春秋三傳》、《論語》、《孟子》十一經刻石，是爲蜀石經。宋太宗翻刻之，是爲北宋石經。此十一經中，無《孝經》、《爾雅》二書，《孟子》獨列入焉。是朱子定《四書》以前，《孟子》已正式列入經部矣。」依此說，則五代孟蜀所刻石經有十一經，內有《孟子》，而無《孝經》、《爾雅》，《孟子》在五代孟蜀時已正式列入經部。

根據史料記載，蔣伯潛的說法並不確切。南宋孝宗乾道六年晁公武曾爲當時保存完好的蜀石經撰《石經考異》，並作序，共刻二十一碑，附于蜀石經。同時還補刻《古文尚書》。晁公武曾在四川做官，對蜀石經不但十分瞭解，而且有深入的研究。晁公武在《郡齋讀書志》中對蜀石經逐一作了記載：

「《石經周易》十卷《周易指略例》一卷。右爲蜀廣政辛亥

孫逢吉書。廣政，孟昶年號也。」

「《石經尚書》十三卷。右爲蜀周德貞書。經文有『祥』字皆闕其畫，而亦闕『民』字之類，蓋孟氏未叛唐時所刊也。」

「《石經毛詩》二十卷。右爲蜀張紹文書。與《禮記》同時刻石。」

「《石經周禮》十二卷。右爲蜀孫鵬吉書。」

「《石經禮記》二十卷。右爲蜀張紹文所書。不載年月。經文不闕唐諱，當是孟知祥僭位之後也。」

「《石經左氏傳》三十卷。右不題所書人姓氏，亦無年月。按文不闕唐諱及國朝諱，而闕‘祥’字，當是孟知祥僭位後刊石也。」

「《石經公羊傳》十二卷。右皇朝田況皇祐初知成都日刊石。」

「《石經穀梁傳》十二卷。右其後不載年月及所書人姓氏。案文不闕唐及僞蜀諱，可諱‘恒’字，以故知刊石當在眞宗以後，意者亦是田況也。」

「《石經論語》十卷。右僞蜀張德釗書。闕唐諱，立石當在孟知祥未叛之前。」

「《石經孟子》十四卷。右皇朝席旦宣和中知成都，刊石置於成都學宮，云『僞蜀時刻六經于石，而獨無《孟子》，經爲未備』。夫經大成于孔氏，豈有闕邪？其論既謬，又多誤字。」

以上《郡齋讀書志》所記十種，《易》、《書》、《詩》、《周禮》、《禮記》、《左傳》、《論語》七種刻于孟蜀。《公羊》、《穀

梁》刻于北宋仁宗皇祐間。《孟子》則刻于北宋末宣和年間。

這裡沒著錄《儀禮》、《孝經》、《爾雅》三種。按：晁公武《石經考異序》云：「按趙清獻公《成都記》：『偽蜀相毋昭裔捐俸取九經琢石于學宮，而或又云毋邱裔依大和舊本令張德釗書。國朝皇祐中，田元均補刻公羊高、穀梁赤二傳，然後十二經始全。至宣和間，席文獻又刻孟軻書參焉。』今考之，偽相實毋昭裔也。《孝經》、《論語》、《爾雅》，廣政甲辰歲張德釗書。《周易》，辛亥歲楊鈞、孫逢吉書。《尚書》，周德貞書。《周禮》，孫鵬吉書。《毛詩》、《禮記》、《儀禮》張紹文書。《左氏傳》，不志何人書，而『祥』字闕其畫，亦必爲蜀人所書。然則，蜀之立石蓋十經。」（此序見《全蜀藝文志》卷三十六范成大《石經始末記》引。此引自孫猛《郡齋讀書志校證》）可見，《儀禮》、《孝經》、《爾雅》三種亦刻石于孟蜀時期，孟蜀時刊成者實有十經。另外三種，《公》、《穀》刊成于宋仁宗皇祐，《孟子》補刊于徽宗宣和間。蔣伯潛《十三經概論》的說法與史實不符，《孟子》于五代孟蜀時入於經部的說法不能成立。

南宋理宗時趙希弁撰《讀書附志》又集中記載了蜀石經，凡十三種，統計各經字數、書寫人、鐫刻人。最後稱：「以上石室十三經。」在我所見到的史料中，「十三經」之稱以此爲最早。而事實上，以套書面貌而並存的全套《十三經》亦當以蜀石經爲最早。其最後形成在北宋末宣和年間。

不過，《孟子》入經仍在這之前。宣和中席旦補刻《孟子》是有背景的，晁公武對席旦補刻《孟子》表示不滿也是有背景的。

北宋眞宗曾命校刊《老》、《莊》、《列》、《孟》。王應麟《玉海》四十三有〈景德校諸子〉一條云：「咸平六年四月命杜鎬等

校《道德經》，六月畢。景德二年二月（甲辰）校定《莊子》，並以《釋文》三卷鏤板，後又命李宗諤等讎校《莊子序》。祥符四年三月校《列子》，五年四月上新印《列子》。十月校《孟子》，孫奭等言：『《孟子》有張鎰、丁公著二家撰錄，今采眾家之長爲《音義》二卷（是年四月以進）。』七年正月上新印《孟子》及《音義》。」顯然，這時的《孟子》還在子書之列。

在稍後的北宋仁宗景祐元年七月至慶曆元年十二月王堯臣、歐陽修等奉敕編撰的《崇文總目》中，《孟子》仍被列入子部儒家類。

在《崇文總目》修成的慶曆元年，仁宗還命國子監刻石經，史稱「北宋石經」。王應麟《玉海》卷四十三《嘉祐石經》條云：「仁宗命國子監取《易》、《詩》、《書》、《周禮》、《禮記》、《春秋》、《孝經》爲篆隸二體，刻石兩楹。至和二年三月五日判國子監王洙言：國子監刊立石經至今一十五年，止《孝經》刊畢，《尚書》、《論語》見書鐫未就，乞促近限畢工，餘經權罷。從之。」又同卷《宋朝石經》條云：「《書目》：石經七十五卷，楊南仲書。《周易》十、《書》十三、《詩》二十、《春秋》十二、《禮記》二十，皆具眞篆二體。」從王應麟的記載看，北宋石經包括：《易》、《詩》、《書》、《周禮》、《禮記》、《春秋》、《孝經》、《論語》八種。另據李燾《續通鑑長編》：「嘉祐六年三月，以篆國子監石經成，賜草澤章友直銀百兩、絹百匹。」知刊成於嘉祐六年三月，故世稱「嘉祐石經」。

嘉祐石經內有無《孟子》，未見歷史記載，但南宋末周密《癸辛雜識》有云：「汴學即昔時太學舊址，九經石板，堆積如山，一行篆字，一行眞字。」周密稱「九經石板」，卻未列出九經細目。但比王應麟的記載多出一種，不能忽視。

　　元李師聖〈修復汴學石經記〉云：「夫文之有六經也尚矣。或以五數之，蓋合《禮》與《樂》而撙其一也。或以九數之，蓋兼《周禮》、《論語》、《孝經》而附其三也。獨《大學》、《中庸》則混於《禮記》諸篇之中，《孟子》一書則雜于荀卿諸子之列。於是表裏經緯不相連屬，卒使學者不得其門而入于聖賢之域，亦獨何哉。惟汴梁舊有六經、《論語》、《孝經》石本，乃近代辟雍之所樹者，陵谷變遷，修而複毀，其殘缺漫剝者蓋不啻十之五六。前政巨寮之賢而有文者亦不遑恤,將七十餘年於茲矣。今參政公也先帖木兒一見而病之，慨然以完復爲己任。義聲所激，附和者眾，不數月而復還舊觀。奈何《孟子》七篇猶闕遺焉。公習讀《四書》而明于大義者也，亟欲增置，而期會拘迫。有司請爲後圖，公默然，蓋有待於後舉也。惟《四書》之著名于世，程子、朱子之前未之有也，無乃爲異議乎？噫，此正斯文之緒所以絕而復續也。」（轉引自《經義考》卷二百九十）李師聖在這篇修復汴梁石經記中，對於《孟子》雜于荀卿諸子之列表示不滿，羅列汴舊有石本時又僅及「六經、《論語》、《孝經》」，修復工作雖然不包括《孟子》，但仍稱「復還舊觀」，所以李師聖所見汴梁石經應與王應麟所記載的相同，即只有八經，不含《孟子》。在當時情況下，李師聖認爲沒有《孟子》是一大缺憾，所以說「《孟子》七篇猶闕遺焉」，又說也先帖木兒「亟欲增置」，所謂「增置」應指原本沒有，今予增加，與「修復」之義當有區別。所以李師聖對此還作了不少論證。

　　這裡就有了兩種可能，一是原有《孟子》，這時已片石不存。從其他八經修復工作「不數月而復還舊觀」來看，當時石經殘損還不十分嚴重，《孟子》全書片石不存的可能性不大。另一種可能則是在

也先帖木兒之後有人增刻了《孟子》。周密生活在南宋末年，恐怕沒到過汴梁，關於「九經石板」的記載當是據傳聞所得，不能肯定十分準確。

汴梁石經中確有《孟子》，雖史無明文，但清代吳玉搢在吳門薄自崑家曾得汴梁石經拓本四大冊，有《尚書》、《周禮》、《禮記》、《孟子》。清代丁晏在淮安書肆亦獲墨本一束，裱成四大冊，內有《周易》、《尚書》、《毛詩》、《春秋》、《禮記》、《周禮》、《孟子》。吳玉搢藏本不知下落。丁氏本在光緒庚子（1900年）後由其族人攜至上海售給劉世珩，傳聞後歸合肥李氏。丁氏本另有何紹基、葉名灃、丁晏等名人題跋，單裝一軸，此軸現存在上海圖書館，其拓本四冊不知現歸何處。（參馬衡《凡將齋金石叢稿》80至81頁。徐森玉〈蜀石經和北宋二體石經〉，載《文物》1962年1月號）

以上這兩個拓本雖然都看不到，但其存在恐是事實。不過，汴梁的二體石經當中，什麼時候有了《孟子》，仍是無法落實的問題。如果北宋仁宗慶曆元年命國子監刻石經時即包括《孟子》，則不應當其他八經均見記載，獨遺《孟子》。更不應當這年十二月官方修成的《崇文總目》中仍把《孟子》置於子部儒家類。所以我認為，汴梁二體石經中雖然有《孟子》，但很可能像蜀石經當中的《孟子》一樣，是後來補刻的。何時補刻，尚難確定。

從較可信的歷史記載看，《孟子》入經得益於王安石。《文獻通考》卷三十一：「神宗熙寧二年，議更貢舉法，罷詩賦、明經諸科，以經義、論、策試進士。」這次朝議結果是：「於是卒如安石議，罷明經及諸科進士，罷詩賦，各占治《詩》、《書》、《易》、《周禮》、《禮記》一經，兼以《論語》、《孟子》。每試四場：初大經，次兼

經，大義凡十道，次論一首，次策三道。」爲此，王安石撰寫了《三經新義》：「（熙寧）八年頒王安石《詩》、《書》、《周禮》義於學官，謂之《三經新義》。」至哲宗進一步改科場法：「哲宗元祐二年更科場法，進士分四場：第一場試本經義二道，《語》、《孟》義各一道；第二場賦及律詩各一首；第三場論一道；四場子史時務策二道。經義進士不兼詩賦，人許增治一經。詩賦人兼一經。以《詩》、《禮記》、《周禮》、《左氏春秋》爲大經，《書》、《易》、《公羊》、《穀梁》、《儀禮》爲中經。願習二大經者聽，不得偏占兩中經。」

從《文獻通考》的記載看，北宋神宗、哲宗時，《孟子》取得了與《論語》並列的地位，雖然只是「兼經」，還不是大經、中經，但畢竟成爲科場考試取士的科目。

王安石曾爲《孟子》作注解。《郡齋讀書志》：「《王安石解孟子》十四卷、《王雱解孟子》十四卷、《許允成解孟子》十四卷。右皇朝王安石介甫素喜《孟子》，自爲之解。其子雱與其門人許允成皆有注釋。崇、觀間，場屋舉子宗之。」王安石的注本在北宋徽宗崇寧、大觀時期是場屋舉子的標準讀本。

針對王安石提倡《孟子》，當時對立派司馬光撰有《疑孟》一卷，馮休撰《刪孟》二卷。晁公武《郡齋讀書志》載馮休書云：「休觀孟軻書有叛違經者，疑軻沒後，門人妄有附益，因刪去之。著書十七篇，以明其意。前乎休而非軻者荀卿，刺軻者王充，後乎休而疑軻者溫公，與軻辨者蘇東坡，然皆不及休之詳也。」其實，這些非難《孟子》的行爲，與政治分歧有著明顯的聯繫。

晁公武本人就不同意王安石抬高《孟子》，他的《郡齋讀書志》

把《孟子》仍舊列於子部，不承認《孟子》與《論語》並列的「兼經」地位。同時他在記載《王安石解孟子》時，用了「王安石介甫素喜《孟子》」的語氣，把王安石提倡《孟子》視爲王安石個人的喜好，這顯然是一種否定的態度。另外，晁公武不同意宣和年間席旦知成都時補刻《孟子》列入蜀石經。席旦認爲蜀石經無《孟子》是不完備的，加上《孟子》便形成了趙希弁所說的《石室十三經》。而晁公武則駁斥說：「夫經大成于孔氏，豈有闕邪？其論既謬，又多誤字。」認爲席旦的主張是荒謬的，不承認《孟子》爲經。

所以我在上面強調，席旦增刻《孟子》是有背景的，那就是朝廷按王安石的主張把《孟子》列爲科考內容。儘管王安石變法失敗，但《孟子》的地位似乎沒有受到根本動搖。晁公武不承認《孟子》的地位，與司馬光一樣，有其政治原因。成書于南宋高宗紹興三十一年的鄭樵《通志》，其〈藝文略〉亦列《孟子》於子部儒家。但是，客觀事實是《孟子》的地位在升高。

幾乎與王安石同時，程頤也提倡《論語》、《孟子》。《郡齋讀書志》著錄《伊川論語說》十卷、《伊川解孟子》十四卷。《文獻通考》卷三十二〈選舉五〉云：「自熙、豐間，程顥、程頤以道學倡於洛，海內皆師歸之。中興以來，始盛于東南。士子科舉之文稍祖頤說。先是，陳公輔上疏詆頤學，乞行禁絕。而胡寅辨其非。至紹興末年，正字葉謙亨上言：向者朝論專尚程頤之學，士有立說稍異者皆不在選。前日大臣則陰右王安石，稍涉頤學一切擯棄。程、王之學時有所長，皆有所短，取其合于孔孟者皆可以爲學也。上曰：趙鼎主程頤，秦檜主王安石，誠爲偏曲，詔有司自今毋拘一家之說，務求至當之論。」我們應當明白，這種爭論是以「合乎孔孟」爲標準的，王安石、程頤

雖學說不同，但對《孟子》卻都是尊崇的。這種朝議似乎已不再是要不要尊崇《孟子》的問題，而是尊崇哪一家《孟子》學說的問題。

南宋高宗紹興年間，曾刻高宗御書石經。《玉海》卷四十三〈紹興御書石經〉載其事，當時御書刊石者有《易》、《詩》、《書》、《春秋左傳》、《論語》、《孟子》以及《禮記》的《中庸》、《大學》、《學記》、《儒行》、《經解》五篇。《孟子》在南宋初被列入御書石經之列，已較明確地確立了《孟子》作爲儒家經書的地位。

稍後，宋孝宗時期尤袤（1127－1194）編輯自藏圖書目錄《遂初堂書目》❶，就把《孟子》列入經部，附於《論語》類。這部書目與晁公武《郡齋讀書志》（定稿于孝宗淳熙年間）大約同時成書。但對《孟子》在書目中的歸類採取了不同態度。從南宋高宗、孝宗時的情況看，尤袤的做法適應了當時的大趨勢，晁公武、鄭樵在這個問題上則顯得過於傳統。

再稍後，寧宗、理宗時的藏書家陳振孫在所著《直齋書錄解題》中，把《孟子》與《論語》合爲「語孟類」，置於經部「孝經類」之後。對這種做法他有特別說明：「前志《孟子》本列於儒家，然趙岐固嘗以爲則象《論語》矣。自韓文公稱孔子傳之孟軻，軻死不得其傳，天下學者咸曰孔孟。孟子之書固非荀、揚以降所可同日語也。今國家設科取士，《語》、《孟》並列爲經，而程氏諸儒訓解，二書常相表裏，故今合爲一類。」陳振孫之所以要特別說明一下，是因爲在他

---

❶ 《遂初堂書目》蓋初創於淳熙五年。孝宗淳熙五年楊萬里出守常州，尤袤曾訪之，告訴楊萬里：「吾所抄書今若干卷，將彙而目之。」當時尤袤請楊萬里作序，即今存楊萬里集中的《益齋書目序》。但尤袤的「遂初堂」是光宗御書區賜給他的，書目定稿又似在晚年。

之前書目一般把《孟子》列於子部儒家。其實尤袤已列《孟子》於經部，陳振孫《直齋書錄解題》中就著錄有《遂初堂書目》一卷，說明陳振孫收藏有這部書目，應當瞭解在《遂初堂書目》經部論語類附有《孝經》、《孟子》，著錄有《七家孟子講義》一書。所以陳振孫應當受到尤袤啓發。當然，明立「語孟類」仍是陳振孫的發明。其後，南宋末王應麟編撰《玉海》，其中〈藝文〉把《孟子》作單獨一類列入經部。元初馬端臨撰《文獻通考》，其中〈經籍考〉亦以《孟子》爲單獨一類列爲經部。馬端臨認爲「直齋陳氏《書錄解題》始以《語》、《孟》同入經類」，是不確切的，因爲其先還有尤袤《遂初堂書目》。

元初所修《宋史》，其中〈藝文志〉仍將《孟子》列入子部儒家。這大概是由於《宋史·藝文志》是根據北宋到南宋幾部官修書目彙編而成的，計有北宋的《崇文總目》、《三朝（太祖、太宗、眞宗）國史·藝文志》、《兩朝（仁宗、英宗）國史·藝文志》，南宋修的《四朝（神宗、哲宗、徽宗、欽宗）國史·藝文志》、《中興館閣書目》、《續中興館閣書目》、《中興四朝國史·藝文志》。所以《宋史·藝文志》雖修于元初，卻未必反映元初的分類思想，而保留著宋朝書目的舊軌。

在雕版印刷界，《孟子》作爲群經之一，在南宋已較爲常見。

南宋初年，在紹興的兩浙東路茶鹽司刻有八行本諸經，係經、注、疏合刻，現存有《易》、《書》、《詩》、《周禮》、《禮記》、《論語》、《孟子》。另有紹興府刻《春秋左傳正義》是依茶鹽司格式刊板印行的。其中《孟子註疏解經》十四卷，刊於南宋嘉泰間，半頁八行，行十六字，原藏故宮。

南宋魏了翁曾據《易》、《書》、《詩》、《周禮》、《儀禮》、

《禮記》、《春秋》、《論語》、《孟子》註疏，摘爲《九經要義》，淳祐十二年其子魏克愚知徽州時刊於郡齋，今存《易》、《詩》、《儀禮》、《禮記》宋刻本，《書》、《春秋》有舊抄本，《周禮》、《論》、《孟》三種亡佚。

南宋淳熙間撫州公使庫刻有六經三傳，至咸淳間增刻《論》、《孟》、《孝經》，以足十二經之數。今存《禮記注》、《周易注》、《春秋公羊經傳解詁》及《春秋左氏傳集解》殘帙（參《中國版刻圖錄》），爲諸經古注本。

在四川，有蜀大字本群經古注，半葉八行，行十六字，白口、左右雙邊。字大如錢，故稱蜀大字本。今存有《春秋經傳集解》、《周禮》秋官二卷、《禮記》殘卷、《孟子》（《續古逸叢書》影印）。

在福建，有南宋刊《八經》白文本，計《周易》、《尚書》、《毛詩》、《周禮》、《孝經》、《孟子》各一卷、《禮記》、《論語》各二卷。近人陶湘已影印。

福建書坊又刻十行本群經註疏，其中《附釋音禮記註疏》有乾隆六十年和珅影刻宋本，傅增湘藏有《附釋音春秋左傳註疏》，日本昌平學藏有《附釋音毛詩註疏》，均有建安劉叔剛刻書識語。元代曾有翻刻十行本諸經註疏，至明，版歸南京國子監，遞有修補，世稱宋刊宋元明遞修本，實爲元刊元明修補本（參傅增湘《藏園訂補郘亭知見傳本書目》），阮元重刻宋本《十三經註疏》即從元刊本出。這套元刊本因版存明南京國子監，故又稱「南監本」。《孟子註疏解經》即其中之一。但缺《儀禮註疏》，嘉靖間陳鳳梧刻於濟南，版送南監，《十三經註疏》始全。現有整套印本傳世，特罕見。單本則不稀見。南宋的這套十行本是否一家所刻，尚不清楚。唯刻于福建，版式相近，當

是有意爲之，故一向以一組刻本視之。

　　南宋末有廖瑩中世綵堂刻群經，稱《九經三傳》，其中《孟子注》傳世有元旴郡重刊廖本，《天祿琳琅叢書》已影印。廖氏原刻本不傳。

　　元初荊溪岳氏曾重刻廖氏《九經三傳》，世稱相臺岳氏本，現存《周易》、《春秋經傳集解》、《周禮》殘帙、《論語》、《孟子》、《孝經》。亦古注本。

　　以上群經合刻，既有白文本，又有古注本，又有經註疏合刻本，均包括《孟子》，但卻未見有「十三經」的稱呼。

　　在宋人文獻中，「十三經」這個名稱似乎很不常用。前面提到南宋趙希弁稱蜀石經爲「石室十三經」。王應麟《玉海》卷四十三《宋朝石經》條沿用了趙希弁這一稱呼。南宋末周密《癸辛雜識》記廖瑩中刻書事云：「《九經》本最佳，凡以數十種比校，百餘人校正而後成，以撫州萆抄紙、油煙墨印造，其裝褫至以泥金爲籤。然或者惜其刪落諸經注，爲可惜耳，反不若韓、柳文爲精妙。又有《三禮節》、《左傳節》、《諸史要略》及建寧所開《文選》。其後又欲開手節《十三經註疏》、《姚氏注戰國策》、《注坡詩》，皆未及入梓，而國事異矣。」前面提到廖刻《九經三傳》，有《孟子》，屬於古注系列。他又打算作《十三經註疏》的節略本，屬於註疏系列，未能實現。這裡採用了《十三經註疏》這一名稱，在宋人文獻中並不多見。南宋末還有一位魏了翁的門人史繩祖在《學齋佔畢》中言及《大戴禮記》時說：「先時，嘗並《大戴記》於《十三經》末，稱《十四經》。」（轉引自周予同《中國經學史講義》第四章）我所知道的宋人文獻中用「十三經」和「十三經註疏」名稱的僅此而已。

在宋元人著作中，關於經總義的著作，其書名未見有用「十三經」字樣的，他們一般用「五經」、「六經」、「七經」、「九經」、「十一經」等名稱。

真正以《十三經註疏》的名義一次性整套刻印十三經，大概是明嘉靖間李元陽在福建刻的《十三經註疏》，共三百三十五卷。李元陽根據的是南監的十行本，即前面說的元刊明修本。所以書名、卷數全同。但行款改爲半頁九行，行二十一字，注文雙行二十字，白口，四周單邊。世稱「閩本」。屈萬里〈十三經註疏板刻述略〉云：「彙刻《十三經註疏》之全部，實始於此。」

其後，萬曆十四年至二十一年北京國子監又據李元陽所刻閩本重刻，稱「北監本」。崇禎元年至十二年毛晉汲古閣又據北監本重刻，世稱「毛本」或「汲古閣本」。清乾隆四年武英殿刻《十三經註疏》亦從北監本出，但附有考證，行款改爲半頁十行，行二十一字，世稱「殿本」。清嘉慶二十年阮元在南昌府學刻《重栞宋本十三經註疏》四百十六卷，所據實爲元刊明修十行本，當時僅得十一經，無《儀禮》、《爾雅》，這兩種採用更早的宋刻單疏本。其先，阮元曾撰《十三經註疏校勘記》二百四十卷，嘉慶間刊行，至此亦由盧宣旬摘附刻於每卷之末。這是迄今校刻最精、流傳最廣的本子，後來有翻刻本和影印本數種行世。

《孟子》之入於經部以及與此直接相關的《十三經》的彙刻情況約略如上。近人論述經學史者，以及權威工具書的相關條目，對這個問題往往言之含混，甚至歧誤紛雜。有鑒於此，現就群籍中相關記載，略考源流，以備參考。所取史料涉及石經刊刻、科舉取士、目錄歸類、雕版印刷四個方面。至於朱子列《孟子》於《四書》，爲之集

注，其發揚之功甚偉，而與《孟子》入經已無直接關係，故文中不及
焉。本文蒙董治安師、劉曉東師審訂，特致謝忱。

鄉獻證史

——地方文獻與大文史研究

周　郢*

摘　要

王國維之「文物證史」與陳寅恪之「詩文證史」，皆開啟了
文史研究之新境界。在先哲學術理論的啟迪下，本文嘗試
提出「鄉獻證史」的治學思路。即從地方文獻的角度，切
入重大學術研究；憑藉地方文獻的獨特資料，詮解學術論
題中的疑點或難點，闡發他人所未發，從而實現對重要學
術研究的推進。文中並試用七個研究事例，對這一方法的
可行性作了論證與說明。

關鍵詞　大文史研究　地方文獻　治史方法

*　山東泰安師範專科學校圖書館館員

　　西哲羅素嘗謂：「歷史著作應以文獻為基礎，——要想反駁這種意見將會是荒謬的。因為惟有他們才包含著實際上發生過什麼事的證據；而且不真實的歷史顯然沒有什麼大價值的。」（《論歷史》）事實上，文史之研究須臾不能離却史料，即使理論的發明，也無不建立在充分實證資料的基礎上。然而一些傳統的學術領域，由於歷經數代學人的搜索，舊有範圍內的資料幾乎被翻檢殆盡，極難有新的發現。由於新史料的匱乏，致使許多學術課題陷入難以推進的困境。誠如美籍學者余英時先生之論紅學危機：「新材料的發現是具有高度偶然性的，而且不可避免地有其極限。一旦新材料不復出現，則整個研究工作勢必陷入停頓。」（《紅樓夢的兩個世界》）

　　於是，在傳統範圍的研究資料搜索已呈「極限」的情形下，一些學者另闢蹊徑，致力於新史源的搜尋。這其中，成就最大者當屬王國維先生的「文物證史」與陳寅恪先生的「詩文證史」。

　　王國維先生鑑於斯時地下文物的不斷出土，遂提出「二重證據」之治學新法。其在《古史新證》中謂：「吾輩生於今日，幸於紙上之材料外，更得地下之新材料，由此種材料，我輩因得據以補正紙上之材料，亦得證明古書之某部分全為實錄，……此二重證據法惟在今日始得為之。」王氏以為必須將紙上的材料（文獻典籍）與地下發現的新材料（文物）結合起來研究，方能獲得正確的認識。此「二重證據」（亦即「文物證史」）之論，是史學方法論上的一次革命。

　　繼王國維之後，陳寅恪先生又倡為「詩文證史」之法。在傳統學術觀念中，「史」與「文」本為兩途，雖清人黃宗羲有「以詩證史」之說（《南雷文定》前集卷一），卻未引起史家應有的重視。至寅恪先生始以其獨具之隻眼，從一些看似與史事毫無關涉的詩文中，發現其

中與史事的密切聯繫，從而據以推求，別作解讀，揭其底蘊，洞其精微，提出富有啓發性的獨特見解。其開闢的這一「詩文證史」、「詩史互證」的治學法門，使文史之學達到一種貫通交融的境界。（當代學者王利器先生更別倡「小說證史」說，其以《水滸傳》推考出宋史中湮沒之眾多人物，益覺精彩。）

正如詩家之論杜甫：「子美新開詩世界。」王、陳開創的治史新方法，對於學術研究之指導意義與啓示作用亦極其深遠。因受先哲治學思想的啓迪，後學不揣學識讚陋，今也嘗試提出一種研史方法——「鄉獻證史」。非敢妄自比擬先賢，實乃鄉農奉芹、野人獻曝之意也。

二

此處所謂「鄉獻」者，蓋泛指各類地方文獻，其形式包括方志、譜牒、金石刻辭、檔案文書以及鄉邦人物之詩文著述等等，其內容則主要反映某一區域自然和社會之歷史與現狀。地方文獻不僅數量巨大，而且內容龐雜，初看來似多無關宏旨，價值甚微，不過若披去沙礫，便會驚喜發現，其亦可稱是一座蘊含豐富的史料金礦。由於歷史本是一有機之整體，其起伏頓挫，雖小至一村一邑，亦無不受大勢之影響，而現滄桑之投影。此正如梁啓超先生所喻：「史之爲態，若激水然，一波才動萬波隨。舊金山金門之午潮，與上海吳淞口之夜汐，鱗鱗相銜，如環無端也。」（《中國歷史研究法·史跡之論次》）一些體現歷史變遷的重要細節，或出於隱諱，或出於失誤，在正史上未作登錄，而在地方文獻中卻間留筆墨，一些「千秋萬歲名，寂寞身後事」

的大科學家、大文學家，爲正史摒棄不錄，致事跡湮沒，而有時藉助鄉邦資料，卻能尋覓到若干線索；甚至域外世界的歷史變革，有時也能在某地文獻中發現其折射之跡，可補其本國史志之闕。此類事例，不勝枚舉。至補舊史之偶缺，校故籍之微誤，更是所在多有。用昔人「禮失於朝而求諸野」之語來論地方文獻，應是十分恰當的。

然而，地方文獻這座史料金礦並末能得到充分開發，這自然與地方史研究者自身的侷限有關。地方史本是以某一區域之歷史文化爲研究對象，其研究者往往窮其一生精力，心不旁鶩，專注於一地。如《四庫提要》評說《泰山道里記》云：「（作者聶鈫）蓋以土居之人，竭平生之力，以考一山之蹟，自與傳聞者異矣。」對聶氏的成就作了充分肯定。但從另一角度看，聶氏窮其畢生精神，而所考僅限於一山之蹟，成就也被侷於一域之中，其學術境界，較之其同時之乾嘉大師（錢大昕、姚鼐皆聶鈫摯友，故可作一比較），未免稍覺狹隘，其學術總成績也自遜一籌。這固然是受地方史研究拘泥一地、馳騁空間不大的客觀侷限，然也與地方史學者的自身學養相關。許多地方史研究者僻處一域，拘囿一志，對當世之學術動態與前沿既不敏感，也不了解，更缺乏新知新論，雖掌握較多的地方史料，但因胸無全局，且限於眼力與功力，不能豁然貫通、運用無間。今試拈二例：《泰山道里記》著錄泰山靈岩寺有〈大元國師法旨碑〉，其碑用異族文字書寫，《道里記》中未能辨識，故於價值難以評估。至近代法國學者列維方辨識碑文實爲藏文，且爲元代正式官文中使用藏文的僅見一例（參王堯先生〈山東長清大靈岩寺〈大元國師法旨碑〉考釋〕〔載《文物》1981年第11期〕）。其碑之重要價值方得論定。再如清咸豐年間在山東新泰境內出土銘刻有「杞白（伯）」字樣的古銅器多品，新泰士人多曾手捫目驗，卻不

能定其時代與價值,至光緒續修縣志,對此發現仍認爲無足輕重而摒却不載;而著名學者許瀚獲見後,即考定爲春秋時杞國建都新泰之遺物,方使湮沒三千年的古杞史事初露端倪（參許翰《攀古小廬雜著》卷八〈周杞白敦銘跋〉）。

緣於上述地方史學者的種種侷限,因此大多很難在較廣的領域或較高的層次上取得大的突破。故梁啓超先生雖有「分地研究,極爲重要」（《中國歷史研究法·補編》）之說,但地方史研究（特別是一些侷限於狹小區域──如州縣一級的地方史）仍長期被正統學界視爲不登大雅之堂之學,與此實有密切關係。

然若轉換視角,便會發現,文史學之重要領域、重要論題的研究──諸如中外政治史、文化史、文學史、宗教史、藝術史、思想史、經濟史、科學史等等,爲與地方史相區別,仿黃仁宇先生「大歷史」之例,姑稱之爲「大文史」研究──與地方史多可互補。舉凡大文史的研究論題,幾乎無一不存在史料危機,而地方史學者所掌握的鄉邦文獻正可補其學術罅隙,爲其提供新的史源。前輩學者中多人已有見於此,如魯迅先生於天啓《淮安府志》求證《西游記》作者吳承恩之經歷著述（參《中國小說史略》);文學史家孫楷第先生利用方志資料,博考元曲家生平（參孫楷第《元曲家考略》);紅學家馮其庸先生自康熙《江寧府志》與《上元縣志》中發掘出有關曹雪芹先世（曹璽）的珍貴資料,探明了曹族興衰的一些重要關目（參馮其庸《曹雪芹家世新考》)。凡此,皆是充分利用地方文獻（或聯繫地方史研究）取得學術突破的佳例。

然郅此所標舉的「鄉獻證史」,與上述學者之徵用地方文獻於大文史研究又有所不同。諸家之徵採一方鄉獻,皆是就個人所治學術

課題之需要，據已掌握之線索，順藤摸瓜而及於地方之籍。其法固佳，但由於大多學人極少有可能深入一地，沉潛於斯，故一些細微資料頗難盡獲。如其鄉有關涉某公之斷碑，某家藏先祖某氏之殘稿，非久居其土者，不能盡知；非熟稔其人者，難以覓窺。故外地學者之徵採本地文獻，極有可能出現遺漏，而難得其精要。此亦有例可證：近代金石學家葉昌熾於各地金石文獻，甚爲關切，輿車所經，無不博訪窮搜，然其《語石》之總論趙宋刻石，概言「南渡以後，神州疆索，淪入金源。長淮大河以北，無趙家片石」（見卷一《南宋》條）。河淮之北先不必言，就吾鄉泰安言之，南宋之刻已得見有兩方，一爲建炎元年（1127）八月泰山凌漢峰姜博士起寨題記摩崖，一爲同年肥城玉皇洞造像記刻石。因葉氏無緣一睹，而致其金石學體系立論失宜。又如當代明清史家顧誠先生《明末農民戰爭史》遍採域內方志，洋洋大觀，而論大順軍之據新泰，惟據故宮檔案之《東撫方大猷題本》，而不知乾隆《新泰縣志》中正有關於此役之載錄，致使這一大順軍在山東堅持最久的地方政權之結局，在其書中未能揭明，亦是缺憾。再如明清史家王春瑜先生《明清史散論》中之〈郭升史跡質疑〉，考證大順軍重要將領郭升之事跡，徵引檔案史籍亦稱博贍，而未知清初泰安人趙弘文所著之《蒙難紀略》（附入《泰安趙氏族譜》）中記有郭升自述身世之語。此類零星金石、瑣碎雜著，或僻處於空山，或深藏於故宅，學者名家，本難搜集，書存缺失，自可諒恕。然此一大家較難涉足之空隙地帶，「鄉獻證史」正可補苴彌縫。

郢擬議「鄉獻證史」之方法，蓋以地方文獻爲之「立足境」。與前述孫楷第先生諸家相比，兩者目標一致，即皆思利用地方文獻之獨有資料，實現學術上較大的突破。但治學路徑略有不同，「鄉獻證

史」要求研究者先從某一區域之鄉邦文獻入手，盡可能熟稔其地現存之全部史料，再根據本地資料之特點，確定目標，進擊學術界之重大論題研究熱點與學術前沿。憑藉自己掌握的獨特資料，加入學術討論，並詮釋破解以往研究中的疑點與難點，闡發他人所未發，從而實現對重要學術研究的推進。（附白：古史中一二處採及文物，用以印證，此早已有之，但立足於文物，據以構築歷史研究之體系，則自王國維先生始；古史中一二處採及詩文，用以印證，亦早已有之，但立足於詩文，以其爲闡解歷史運勢之主證，則自陳寅恪先生始。如前所述，文史名家徵用地方文獻從證己說者固然多有，但全然立足於一方文獻，以此爲大本營，長驅而入各大文史課題的，尚不多見。準之前例，「鄉獻證史」似應視爲一研史新法。）

三

正如自然科學之新理論須待科學實驗方能確立，「鄉獻證史」此一治學方法，其可行與否，亦有待具體學術研究證實之。以下便以我個人的研究工作，用作例證。因郅主要從事泰山（泰安）地方文獻之研習，故所舉隅，皆與泰山文獻多有關涉。

先舉中國歷史學方面的幾項研究：

1.有關武則天的研究：

武則天研究始終是唐史研究中的一大熱點。從史料上講，由於數經發掘，可以說幾無餘意。泰山有唐代所立雙束碑，記高宗以下六帝一后修醮史事，十分詳備，其中武后時期刻辭六條，久亦爲論武則

天事者所徵用。但此下景龍三年題記則尚未引起史家注意，其辭云：「大唐景龍三年歲次己酉三年戊午朔十九日景子，奉敕令虢州龍興觀主杜太素……等三人於此岱岳觀建金籙大齋，……夾紵像一舖十一事，……二聖本命鎮彩修造。」碑中之「二聖」，乃指中宗與韋后而言。然若考察唐史，便會發現，「二聖」之稱在李唐一代有著獨特的政治含義，《舊唐書·則天紀》云：「高宗稱天皇，武后亦稱天后。……百司表奏，皆委后詳決，自是內輔國政數十年，威勢與帝無異，當時稱爲『二聖』。」故當代史學家羅元貞先生在《武則天傳》中稱二聖之名，「是中國封建史上未曾有過的尊稱和歌頌」。而景龍之時道士亦以此名稱呼帝后，其事絕非偶然，它實反映了當時韋后攫取政柄後襲用「則天故事」，大唐再次出現帝后並治的政治格局。說明了武則天創立的「二聖」名稱和體制，一直沿襲到中宗韋后一朝。而正史與《通鑑》皆對此未加載錄，實爲重大的史實疏漏（參拙作〈武曌與泰山鴛鴦碑〉〔載《中國道教》1999年第1期〕、〈唐「鴛鴦碑」史事新箋〉〔載《周郢文史論文集》頁98－113〕）。

2.有關明萬曆史的研究：

美籍歷史學家黃仁宇先生在《萬曆十五年》中，論稱萬曆「國本案」是「本朝（明）一場極重的政治危機」。由於這場圍繞太子冊立而引發的政爭關涉宮闈，諸多內幕曖昧難明。筆者曾於泰山獲見與此史事有關的三方明代碑記——鄭貴妃修醮三碑、皇三子刊清靜經碑、王錫爵碧霞宮碑，爲「國本案」研究提供了新史證。在萬曆二十二年（1594）、二十四年（1596）兩方鄭貴妃三陽庵修醮碑中，均有「太子納千祥之吉慶」的詞句。而考諸史籍，明神宗之立太子，乃在萬曆

二十九年 (1601) 十月。當時神宗迫於群臣壓力，始立皇長子朱常洛
爲東宮。而此前之泰山碑中竟已有「太子」之稱，豈非一大異事！復
次，兩碑中之「太子」，顯然不是指皇長子朱常洛，而是指鄭妃之子
皇三子朱常洵 (同地立有皇三子刊經碑，可證)。然則，鄭貴妃何以膽敢
在冊立東宮前擅將常洵稱爲「太子」呢？這顯是得到神宗同意或授意
的。否則鄭貴妃即使再擅寵，也斷不會如此出格行事。《明史》於卷
二三二後論曰：「野史載神宗金盒之誓，都人子之說，雖未知信否，
然恭妃之位久居鄭氏下，固有以滋天下之疑矣。」今鄭妃修醮三碑之
發現，可證神宗爲立常洵，謀之神冥，其事鑿鑿。特別是碑記中出現
的「太子」之稱 (現存史籍無一記載萬曆二十九年前有實指太子之說)，更
是發覆百載揭示眞相的絕佳史材 (參拙作〈明代萬曆國本案的新史證〉〔載
《歷史文獻研究》第四輯、《周郢文史論文集》頁200—204〕)。

3.有關陳寅恪《柳如是別傳》的研究：

陳寅恪先生在《柳如是別傳》第五章〈復明運動〉中，對與錢
謙益晚年有密切交往的蔡士英及其家族作了詳細考察，指出「蔡氏一
門，雖源出明代遼東降將，然漢化甚高，牧齋與魁吾 (蔡士英) 之往
來頗密，實有理由。故錢蔡之關係，與錢佟 (國器) 之關係，約略相
似。而與錢馬 (進寶) 之關係大不同也。」惟陳氏關於蔡士英家族的
認識與評說，主要依據蔡毓榮 (士英子) 及蔡琬 (士英女孫) 的生平史
料而得出，但關涉蔡士英本身之資料，特別是能反映士英之政治思想
與施政主張者，則由於史簡有缺，《別傳》中舉證不多。故陳氏提出
蔡士英本人因與錢謙益政治立場相近，而成爲錢氏聯絡與策反對象這
一推測，證據尚稍嫌薄弱。1998年冬，在山東新泰青雲山整修工程中，

發現了湮沒多年的有關蔡士英之碑記多方。這些石刻對探究蔡士英之政治思想、宗教信仰及其家族人物，特別是補證《柳如是別傳》中關於蔡士英之考論，均有很高的參考價值。在蔡士英所撰〈古敖山今改青雲山新修三元殿〉碑中，藉重修青雲山而對順治末年的嚴酷海禁政策提出強烈批評。此點足說明蔡氏於漢族民眾實抱同情之態度，並於其利益力加維護。所以錢謙益將蔡士英引為相知，暗中作為復明活動之藉助力量，是完全有此可能的。陳寅恪先生認為「牧齋以老耄之年，奔走道途，遠游淮甸，其非尋常應酬之舉動，抑又可知」。今敖山蔡碑的發現，有力佐證了《柳如是別傳》中之上述推論（參拙作〈陳寅恪《柳如是別傳》中蔡士英事新證〉〔載《碑林集刊》2000年第6輯〕）。

以上屬於史學方面的研究例證。以下再列舉幾則文學史方面的研究。中國古代文學研究的最大熱點當屬「唐詩」與「紅學」，下面便以此兩大顯學為例：

4.有關李白的研究：

李白自開元末移家山東，居停甚久，其詩中自敘有「我來竟何事，高臥沙丘城」、「我家寄在沙丘旁」之句。至其寓家之所「沙丘」究在何地，一直是李白研究者極欲探明的問題。學界於此先後有「任城」、「肥城」、「臨清」、「寧陽」、「曲阜」及「瑕丘」諸說，雖各有一定依據，但聯繫李白詩中同時提到的「汶水」、「汶陽」、「龜陰」之語，卻處處鑿枘不合。1993年在新泰羊流鎮出土了隋〈羊烈墓志〉，志石中載羊烈「開皇六年（586）二月壬午朔十六日丁酉薨於沙丘里舍」。按羊烈為泰山梁父人，其里舍自當建於梁父城中。北朝梁父故城在今新泰天寶鎮之古城村，至今仍留有「羊舍」地名，當

即羊氏里舍之所在。古城村之東、南兩方，自古有沙丘突兀，今尚依稀可見，「沙丘」或即得名於此。羊烈之生活時代，與李白極爲接近，其墓誌中之「沙丘」，與李白之所咏，應是一地。且梁父城傍汶水，在古汶陽龜陰田之域，皆與李詩暗合。「沙丘」之在梁父，或可初定（參拙作〈新發現的羊氏家族墓志考略〉〔載《周郢文史論文集》頁46－80〕）。或謂羊烈之里舍當在兗州州治，故「沙丘」應指兗州城而言。蓋不知北方士族雖刺守州郡，然退官之後，皆居於本鄉。此「北方士族與土地不分」之特點，可詳參陳寅恪先生之《唐代政治史述論稿》。

李白東魯詩中寫及的一些人名與地名，亦間可從泰山文獻中得以印證：李白有〈贈瑕丘王少府〉詩，其人名字未詳，僅知曾任瑕丘縣尉（少府爲縣尉之尊稱）。岱廟今存天寶十一載（752）〈修岳官題名碑〉，文內有「專知官宣義郎行瑕丘縣尉王子輿」之名。此人與李白詩中之「王少府」姓氏、官職、年代均合，應係一人。又，李白有《贈別王山人歸布山》詩，詹鍈先生《李白全集校注匯釋集評》卷十三釋此詩之「布山」云：「安（旗）注：『布山，漢縣名，屬郁林郡，唐爲桂平縣，屬潯州，即今廣西桂平縣。』按詩云：『還歸布山隱』，布山似爲山名。布山縣名，唐已不存，此處不應再用作縣名。惟布山究不知在何處耳。」檢光緒《肥城縣志》卷一〈方域〉下有瀑布山，云：「在城南四十里，上有天井峪，旁有嶺蜿蜒高聳，謂之橫嶺。」此下即錄有李白《送王山人歸布山》及元好問《送天倪子歸布山》兩詩，而元好問詩啓篇即云：「太白詩筆布山頭。」元詩係贈布山人張志純（號天倪子）之作，他將李白詩中之「布山」指爲肥城瀑布山，自是可從。

5.有關孟浩然的研究：

孟浩然集中有〈傷峴山雲表觀主〉詩：「少小學書劍，秦吳多歲年。歸來一登眺，陵谷尚依然。豈意餐霞客，忽隨朝露先。因之問閭里，把臂幾人全。」劉文剛先生《孟浩然年譜》繫此詩於開元二十年(732)，至於雲表觀主之名氏、生平，《年譜》及今見諸種孟詩注本皆未能詳之。今考唐泰山雙束碑之「長安四年題記」，中云：「大周長安四年(704)歲次甲辰玖月甲申朔捌日辛卯，敕使內供奉襄州神武縣雲表觀主大洞叁景弟子中岳先生周玄度……於名山大川投龍璧。」雙碑中之雲表觀主周玄度，與孟詩所詠時地並合，當即一人。可據此獲知雲表觀主之名氏、經歷（按其人爲武周時著名道士），爲探究孟浩然交游補充了稀見史料（參見拙作〈唐「鴛鴦碑」史事新箋〉〔載《周郢文史論文集》頁98-113〕）。

6.有關曹雪芹家世的研究：

曹雪芹家族敗落的原因，是紅學家們長期論爭的一大焦點。在清代乾隆所刊泰安府縣志上，均記有雍正時運送龍衣人員騷擾驛站事件。《泰安府志》卷十五載：「解運龍衣，所過地方藉端騷擾，（泰安知州王）一夔詳請巡撫，奏準裁革。」又《泰安縣志》卷十亦載：「時舊例解運御服，凡所經過，俱苦需索。雍正六年，一夔白於撫軍塞楞額，奏請裁革。」此事向無人注意之，至二十世紀八十年代公布清代檔案，披露雪芹家族是因織造曹頫運送龍衣途中騷擾驛站而獲罪，而事發地點乃在「長清、泰安等驛」。以檔案佐證：泰安方志上所說的龍衣事件，正是指曹頫等人「不遵定例，多取驛馬、銀兩」一

事。對於曹雪芹家族獲罪之由，紅學界素有「政治罪」與「經濟罪」
的爭議，泰安方志史料的發現，有力佐證了曹氏取罪確導源於經濟原
因（參見拙作〈從泰安方志看曹頫騷擾驛站眞相〉〔載《紅樓夢學刊》1989年
第3輯、《周郢文史論文集》頁205－214〕）。

郁賢皓先生在〈論「二重證據法」在唐代文學研究中的運用〉
一文中指出，唐代文學研究中「二證法」主要用於三個方面：即作家
生平、家世、交游。而「鄉獻證（文學）史」之重點並不僅限於此，
有時地方文獻中的獨特資料，對作品之成書源流、本事主旨亦間能提
供部分佐證。拙作〈《西游記》與泰山文化〉（載《山東礦業學院學報·
社科版》1999年第4期）、〈趙國麟與《儒林外史》〉（載《明清小說研究》
1999年第2期）等文對此已有涉及。可見「鄉獻證史」之應用範圍是十
分廣闊的。

以上皆以地方文獻證中國古代史、文學史之例。有時在外國史
研究方面，地方文獻也有用武之地。今亦舉示一例：

7.有關韓國佛教史的研究：

李氏朝鮮之初，曾對佛教進行排斥與打擊，導致僧侶投奔明朝
的事件時有發生。日本學者忽滑谷快天《韓國禪教史》中曾對此加以
論說。根據《李朝實錄》的記載，永樂十九年（1421）曾發生僧適休
偷渡奔投明廷事件。實錄載：五月庚辰，「僧適休與其徒信乃等九人，
往平安道香山，乘桴渡鴨綠江，逃入遼東。」八月己亥，「通事宣存
義回自京師，言：『本國逃僧洪惠等，欽奉聖旨，前往南京，住天界
寺。』」李朝曾遣使索還逃僧，被明廷拒絕。但這批逃僧的下落，從
此中韓史籍再無記錄。惟泰山普照寺〈重開山記〉碑，記載其中一僧

之最終結局。其文有云：「永樂間，粵高麗僧雲公滿空禪師等數僧，航海而來，達於京師，欽奉聖旨，敕賜金襴架裟，及送光祿寺筵宴，遣官送赴南京天界寺住坐。宣德三年(1428)，亦欽奉聖恩，著禮部各給度牒壹道，敕令天下參方禮祖。禪師因登泰山訪古刹……。」〈重開山記〉碑所云滿空「航海而來」當指《李朝實錄》中之「逃僧」事件，滿空即當日偷渡來華的九僧之一。此一鄉獻不僅可補《李朝實錄》與《韓國禪教史》之缺簡，更可為歷史上中韓文化交流提供一具體例證（參見拙作〈泰山與中韓文化交流〉〔載《走向世界》1996年第4期〕）。

四

　　上文分類列舉了運用地方文獻進行大文史研究之七項事例。最後附說一下「鄉獻證史」之法所具特點及其與大文史研究、地方史研究的關係。

　　「鄉獻證史」主要用於微觀實證研究領域，因此要求運用其法者要盡可能掌握多個學術領域的知識，了解各項研究的進展，綜合運用已有的背景資料。如此，方能於地方文獻的細微字句，發現問題；關鍵之處，產生別解，從而取得新的突破，獲取重要的成果。仍以上舉鄉獻為例：如「二聖」一辭，本在泰山刻石中屢見不鮮，岱頂有宋〈登泰山謝天書述二聖功德銘〉（此二聖指宋太祖、太宗二帝），徂徠有元〈二聖宮田園記〉（此二聖指老子、孔子）。在唐雙束碑亦出此語，初看似不足為異，然若知唐史惟載高宗武后並稱「二聖」，而雙碑以此稱呼中宗韋后，則事關重大，不可不予關注。又若祝「太子」吉慶

本為宮廷醮祭碑習見之陳詞，鄭貴妃碑有此字樣，似亦平常，但如曉此際明廷並未冊立太子，東宮本屬空缺，便會感到此二字深含宮闈隱情。再如泰安方志中「解運龍衣，所過騷擾」之記載，若不知是時曹雪芹之父曹頫正司掌江寧織造，本年龍衣亦由其運送入京，便不會發覺這是雪芹家世之珍貴史料。由於地方文獻中極少有正面而詳細的材料，這便要求研究者必須從細微處看出問題所在，有時還須作曲折委蛇的辨析與解釋，以達到「證史」的效果。當然亦須避免刻意求奇求深，把一些與證史無關的資料，加以曲解，附會論題。

再說「鄉獻證史」與大文史、地方史研究各自的關係。「鄉獻證史」意在證史，其目標與大文史研究一致，皆係尋求對一些學術重要課題的推進，其取證方法亦與「文物證史」、「詩文證史」部分重合──蓋地方文獻之中，正以金石與鄉人詩文為其大宗。但緣於「鄉獻證史」之法基於對一域一區之文獻作全面掌握，在取證上較之外地學者當更為細密周全，得心應手，大可彌補大文史研究的遺珠之憾。可以說，「鄉獻證史」法是對傳統文史研究的一個重要補充。同時，大文史研究又時時在引導著地方文獻的方向與重點，使其與當代學術密切關合。

在與地方史研究的關係上，「鄉獻證史」可謂與之同源而異趨。即兩者在取材上基本相同。都是以地方文獻為其基礎史源，亦都離不開對地方文獻本身的搜集、整理、考訂。但地方史以研究本區域之歷史文化為其職率，範圍上一般無須向外延伸；而「鄉獻證史」則係以此資料用證歷史、文化史上的一些重大關目，並不著眼於一城一域之事。然而地方史的研究，不徒為「鄉獻證史」提供一些頗為重要的史據，也打下一些論證的基石（如地方史學者對地方文獻的校勘、注疏、論說，

皆可爲「證史」者提供莫大的便利）。反過來，「鄉獻證史」也能從另一個側面推動地方史的研究。如泰安方志上曹頫騷擾驛站史料的發現，不僅於曹雪芹研究意義甚巨，對於泰安地方史研究也有一定作用，它說明了「擾驛」一直是長期困擾泰安的一個嚴重社會問題；其產生與禁戢，對泰安經濟、交通等均有影響。且由於「鄉獻證史」多涉及傳統地方史研究所未觸及的一些領域，故大文史研究中的有些資料，也可以證「鄉史」，破解地方史中的疑案與難題。如元代泰山岱廟大殿，碑志記其名爲「仁安」，後世學者多所質疑。今檢元雜劇《看錢奴》與《獨角牛》，劇中均稱岳廟大殿爲仁安殿，從而坐實此說（參見拙作〈嘉寧殿、仁安殿與岱廟壁畫〉〔載《泰安師專學報》2001年第1期〕）。可見「鄉獻證史」與地方史研究亦具有相互促進、相得益彰的互動關係。正如陳寅恪先生從「詩文證史」進而發展到「詩史互證」，「鄉獻證史」亦可發展成「正史鄉獻互證」。使大文史與地方史研究宏微結合，貫通無礙。

任何研究方法均有其不足，「鄉獻證史」亦不可避免有其自身侷限。由於地方文獻本身的限制，即中古以前的資料存世不多，「鄉獻證史」之研究主要集中在漢魏以後，特別是唐宋以後。治先秦史則用武之地不大。另外地方文獻不僅內容繁蕪，且眞僞雜糅，遠不及正史純淨可靠，利用時自須愼之又愼，以防有失。

正如恩格斯所云：「科學在兩門學科的交界處，是最有前途的。」「鄉獻證史」正是大文史研究與地方史研究的一個極佳結合點。設若各地之文史研究者能對這一方法予以注意，試加採用，以所據地方文獻之優勢，出擊各大學術之前沿，可以預見將會取得巨大的成績。依愚之妄測，「鄉獻證史」之治學方法，在本世紀的學術研究中，將具有廣闊的前景。

張舜徽先生之纂輯觀及其實踐

周國林[*]

摘　要

張舜徽先生深入研究歷代纂輯之作，用力之勤、成果之夥，在當代學者中頗爲少見。張先生推究纂輯體之產生原因，本爲讀書之便利，約在戰國時，開始出現各種「守約」之書。此類書大量出現，對諸家學術思想之傳播、經典著作之結撰，意義不可低估。魏晉以降，引起學術界關注，並從理論上加以探討。雕版印刷術使用後，纂輯之作更多，其中不乏名篇佳構，由撮鈔而成著述，以至昔人有「著書不如鈔書」之論。對歷代纂輯之作，張先生主張在編目時，類書中設「書鈔」一目，廣爲收載，禅學者可由考見先儒治學之規。在治學歷程中，張先生善用纂輯之法，爲博治四部打下根基。在其系列學術論著中，有《聲論集要》、《鄭雅》等編，合鈔書與

[*]　華中師範大學歷史文獻研究所所長

著述爲一體，成爲學者交口稱譽之佳作；所輯敦行勸學之篇，顯現出關注社會之人文情懷。張先生諸種研究成果，文獻學理論研究者可從中得到不少啓迪。

關鍵詞　張舜徽　纂輯　輯錄體

古代文獻編述之業中，有「纂輯」一體。當代學人對之加以論列者，較爲少見。余之業師張舜徽先生，畢生博治四部，各有所述，致力簿錄之學，述造亦廣。其於纂輯之事，述其源流本末，論其體用功效，甚有理致，且有一系列纂輯之作。將先生此類研究心得加以總結，引起學界同仁重視，對當今文獻學方法之探討，自會有所裨益。於是收集先生著述中有關纂輯之論述，略作整理與歸納，並對先生纂輯之作擇其要者予以介紹，以供文獻學理論研究者參考。

一、有關纂輯之論述

（一）纂輯之產生

纂輯之作，是指對已有著作扼要鈔錄，並按一定體例重新加以編排之讀物。從事纂輯，有時亦可稱作纂錄、錄要、撮鈔、裒輯等等。推究纂輯產生之原因，本是爲著讀書之便利。張先生論及《漢書·藝文志·諸子略》中有關記載時有云：

古人讀書，恒喜摘錄要義名言，都爲一集。所以省汰繁辭，

用爲守約之道，法至善也。諸子百家書中，語尤繁穰，宜簡編以綜括之。《漢志·諸子略》中，儒家有《儒家言》十八篇，道家有《道家言》二篇，陰陽家有《雜陰陽》三十八篇，法家有《法家言》二篇，雜家有《雜家言》一篇，小說家有《百家》百三十九卷。《兵書略·技巧》有《雜家兵法》五十七篇。皆古人讀諸子書時撮鈔群言之作也。《漢志》各附載本類之末，其例至善。班氏自注皆云：「不知作者。」蓋以書出節鈔，非撰述之比，故纂錄者不自署名，後人亦莫由知之耳。自《漢志》著錄此類書既廣，從知漢以上已有此讀書法，所以啓示後世者，至爲深遠。❶

文中提及「撮鈔群言」之作，可視爲諸子思想資料之類編，皆爲讀書「守約」而纂輯。今檢《漢志》，此類讀物頗多，蓋因其乃「備遺忘者也」，「與高文典冊、精意著述不同，故劉向以小書俗簿目之。」❷

　　在儒家學說傳播中，亦有纂輯之作。《漢志·六藝略》春秋類載有《左氏微》二篇、《鐸氏微》三篇、《張氏微》十篇、《虞氏微傳》二篇，張先生通釋《漢志》，爲之辨析《左傳》撮鈔與釋義之別：

　　王應麟《考證》引劉向《別錄》云：「鐸椒作《鈔撮》八卷，授虞卿；虞卿作《鈔撮》九卷，授荀卿，荀卿授張蒼。」……

---

❶　張舜徽《學林脞錄》卷一「漢書藝文志」條，載《愛晚廬隨筆》，湖南教育出版社1991年7月出版。

❷　張舜徽《漢書藝文志通釋》諸子略道家「《周訓》十四篇」條，湖北教育出版社1990年3月出版。

> 鐸椒爲左丘明四傳弟子，則所習《春秋》爲《左氏傳》。
> 《左傳》文繁事富，楚王不能盡觀，故鐸椒先爲節刪之本，
> 後又爲釋其微旨以授之，此本兩事也。鈔撮者必取之原書，
> 不能多割棄；解說者但申明己意，取辭達而止。故鐸氏《鈔
> 撮》八卷，《微》止三篇；虞氏《鈔撮》九卷，《微》止
> 二篇。❸

按《別錄》所言，鐸椒、虞卿爲戰國中後期學者，皆有「鈔撮」之作，
「然則撮鈔之法，由來已舊矣。」❹其後，儒家一派續有纂輯之篇。
《漢志·諸子略》儒家列有《周政》六篇、《周法》九篇、《河間周
制》十八篇，張先生對前二書考釋如下：

> 古之以周名書者，本有二義：一指朝代；一謂周備。故凡包
> 羅甚廣而寓周備、周遍之意，如後世叢鈔、雜纂之屬，皆可
> 以周名之。在《六藝略》中，若官制彙編之名《周官》，其
> 尤顯著者也。遠古文獻，散在四方。自官制彙編之外，遺言
> 逸制未經收錄者猶多。儒生各取所見，分類輯比以存之。儒
> 家之《周政》、《周法》，蓋所載乃布政立法之餘論。以其
> 同出儒生之手，故列之儒家。若道之《周訓》，小說家之
> 《周考》、《周紀》、《周說》，猶後世雜鈔、叢考、說林
> 之類耳。

---

❸ 《漢書藝文志通釋》六藝略「《虞氏微傳》二篇」條。
❹ 張舜徽《養怡堂答問》之九十二，載《訒庵學術講論集》，岳麓書社1992年
　 5月出版。

對後一書考釋有云：

> 河間獻王修學好古，搜求遺書。既取古代經傳獻之朝廷，又
> 輯錄與經傳相表裏之逸文遺典，裒纂爲書。此編殆即其一，
> 大抵分屬儒生爲之，而非出自己手。❺

此類讀物，西漢儒生爲「守約」之需，遍及各領域。直至劉向
父子校理群籍，亦有親手纂輯之事。《漢志·六藝略》禮類有「《明
堂陰陽說》五篇」，張先生以爲：「此乃漢人說《明堂陰陽記》之文
也。既不知作者爲誰，書又早亡。蓋劉氏父子校書時裒錄眾家之作而
成，初必卷帙甚豐，僅僅存此五篇耳。」❻

以上所述諸種讀物，或自一書中撮鈔，或自數書中撮鈔，或自
某學派書中撮鈔，在纂輯之作中爲典型形式。此類讀物大量出現，作
用不可小視。張先生論述歷代典籍之分類，有著作、編述、鈔纂之區
分：「載籍極博，無逾三門：蓋有著作，有編述，有鈔纂，三者體制
不同，而爲用亦異。名世間出，智察幽隱，記彼先知，以誘後覺，此
之謂著作；前有所因，自爲體例，鎔鑄眾說，歸一家言，此之謂編述；
若夫鈔纂之役，則惟比敘舊事，綜錄異聞，或訂其訛，或匡其失，校
之二科，又其次也。」❼據此分類，纂輯僅可歸諸「鈔纂」類。然其
價值，並不因此而降低。除爲學者讀書「守約」之用外，其對著作、

---

❺ 《漢書藝文志通釋》諸子略儒家「《周政》六篇、《周法》九篇」條、「《河
間周制》十八篇」條。

❻ 《漢書藝文志通釋》六藝略禮類「《明堂陰陽說》五篇」條。

❼ 張舜徽《廣校讎略》卷一〈著述體例論〉之四「著作編述鈔纂三者之別」，
中華書局1963年4月出版。

編述類典籍實有催生之作用。戰國秦漢若干不朽之作,以纂輯爲始基,乃確然無疑之事。如《爾雅》一書,後世奉爲經典,「此書薈萃訓詁名物,實漢初經生袞錄眾家傳注而成。」❸又如《說文解字》之作,亦前有所承,「無周秦西漢諸家纂錄於前,則許氏亦莫由稽撰於後。前人搜羅累積之功,信不可沒。」❾此外,經傳諸子中若干綜錄之作,其間纂輯痕迹亦頗爲明顯。張先生論及類書、叢書之體用異同時有云:

> 經傳中之《禮記》,百家中之《管子》,皆叢書之濫觴也。古人通用簡帛寫書,每取多篇不同文字,袞爲冊卷。故《管子》書中有道家言,有法家言,有儒家言,有農家言,有舊時之文,有後來之作;《禮記》中有古文家言,有今文家義,有七十子所記,有漢人所爲,凡百不同,綜錄成編,此非叢書而何?然大輅權輿,其例未顯;降及後世,體用始明耳。❿

據此而言,纂輯在先秦兩漢時期,對諸家學說之傳播、各類經典之結撰,實有不可低估之價值。

(二)纂輯之發展

在紙張普遍使用後,纂輯工作更爲便利,成果亦更豐富。張先生曾以簡略之言,勾勒魏晉迄宋纂輯活動之盛況:

---

❸ 《漢書藝文志通釋》六藝略孝經「《爾雅》三卷二十篇」條。
❾ 《漢書藝文志通釋》六藝略小學類。
❿ 《學林脞錄》卷十「類書、叢書之體用異同」條。

《文心雕龍·諸子篇》云：「洽聞之士，宜撮綱要。覽華而食實，棄邪而采正。」韓愈〈進學解〉亦謂「紀事者必提其要，纂言者必鈎其玄。」由是讀書錄要之法，爲學者所同遵矣。證之《隋書·經籍志》、《唐書·藝文志》，梁庾仲容、沈約皆有《子鈔》。下迄兩宋學者，尤好動筆。《直齋書錄解題》有司馬溫公《微言》，乃溫公讀諸子書時手鈔成冊者也。洪邁於群書皆有節本，自經、子至前漢皆曰《法語》，自後漢至唐皆曰《精語》。其錄要之功，更爲繁富。要之此等工夫，自漢以來已然，固承先儒之矩矱而行之者。❶

在宋代學者纂輯之作中，張先生對朱熹確定義例、組織人力所編《小學》極爲推崇。以爲朱熹遵成周學制舊例，裒集經傳子史雅言美行，都爲一書，不僅僅以文辭字冊教人，能存餼羊之遺，收古爲今用之效。其言曰：

> 世傳朱熹嘗編錄《小學》一書，以爲訓蒙之用。凡內篇四：曰立教，曰明倫，曰敬身，曰稽古。外篇二：曰嘉言，曰善行。蓋朱子承二程之後，表章《大學》，以爲古之大學所以教人之法，具在於是。復采〈曲禮〉、〈少儀〉、〈內則〉、〈弟子職〉諸篇，以及其他經傳子史之言，纂爲《小學》，以存古之小學所以訓蒙之法。庶乎小學大學，前後相承，而有以收育才之效也……觀其博採群書，旁及《荀子》、《法言》亦無所遺，可謂擇精取要，實大有補於幼學。朱子目其

---

❶ 《學林脞錄》卷一「漢書藝文志」條。

書爲「做人底樣子」，不虛也。朱子且題其首曰：「古者小學，教人以灑掃應對進退之節，愛親敬長隆師親友之道，皆所以爲修身齊家治國平天下之本。而必使其講而習之于幼稚之時，欲其習與智長，化與心成，而無扞格不勝之患也。今其全書雖不可見，而雜出於傳記者亦多。讀者往往直以古今異宜而莫之行，殊不知其無古今之異者，固未始不可行也。今頗蒐輯以爲此書， 授之童蒙，資其講習，庶幾有補于風化之萬一云爾。」此處所云「其無古今之異者，固未始不可行」二語，最有理致。❷

　　宋人所編史學名著中，亦有由纂輯而成者。如袁樞喜讀司馬光《資治通鑑》，而苦其浩博，乃區別門目，以類排纂，每事各詳起訖，自爲標題，每篇各編年月，自爲首尾，成四十二卷之《通鑑紀事本末》，使數千年事迹經緯明晰，節目詳具，前後始末，一覽了然。書成之後，譽之者衆。張先生贊同梁啓超《中國歷史研究法》之評論，以爲袁樞起初不過深感翻檢之苦痛，爲自己研究此書謀一方便耳。其言曰：

大抵宋人治學，好勤動筆，每遇繁雜之書，難記之事，輒手鈔存之，以備觀省。其于群經諸子，莫不皆然。袁氏之鈔《通鑑》，初無意於著述，及其書成法立，遂爲史學闢一新徑，亦盛業也。❸

　　無意著述，卻爲史界闢一蹊徑，直可謂「不著一字，盡得風流。」

---

❷　《學林脞錄》卷五「朱熹主編小學書」條。
❸　《廣校讎略》卷三〈部類分合論〉之三「紀事本末」。

此類事例漸增，以致昔人有「著書不如鈔書」之說。或問曰：「著書不如鈔書，豈善鈔書者即可成著述耶？」張先生明確作答如下：

> 此清初顧亭林在〈鈔書自序〉中述其祖訓之言也。顧氏在篇中自云：「遊四方，未嘗干人。有賢主人以書相示者，則留。或手鈔，或募人鈔之。」可知其一生盡心力於鈔書，至爲勤篤，而受益亦最大。其遺書如《日知錄》、《肇域志》、《天下郡國利病書》之類，皆其一生鈔錄群書、取精撮要之大著作。苟非勤於動筆，亦絕不能有此成就。天地間書籍太多，包納甚廣，苟不摘錄精要，奚能記憶靡遺……鈔書之事，南宋學者爲之最勤。蓋有鈔全書而改編爲新體者，如袁樞改《通鑒》爲《紀事本末》是也；有摘錄歷代大事者，如黃震之《古今紀要》是也。此皆由勤於鈔書而自成著作之實例矣。清代學者中勤于動手者，前有顧亭林，後有陳蘭甫。顧氏鈔書之功效，已爲世所周知矣；而陳氏肆力於斯，世或未之知也。余往來南北，從各大圖書館中，見其手書摘鈔之稿本不少。遠至昆明，猶有其袖珍小冊甚多，而皆《漢儒通義》、《東塾讀書記》之底本也。從知昔賢致力於學，皆有厚積多蓄之功力，寫定成書，固傳世之作也。證以陳氏所云：「鈔書著書合而爲一，蓋鈔書之極功矣」（見〈東塾集·顧亭林手鈔兩序跋〉）。斯亦夫子自道之辭耳。❹

鈔書著書合而爲一，自是鈔書之至境，後人當珍之惜之。即如

---

❹　《養怡堂答問》之七十六，載《訒庵學術講論集》。

尋常鈔錄之書，後人亦當愛之重之。對諸種撮鈔之書如何著錄，以吸引學人關注，張先生亦有其獨到見解：

> 自《宋志》創立史鈔一門，後之編書目者因之。章學誠則謂鈔撮之工，仍世益盛，或儒或墨，初不限於史部，宜別立書鈔一目，附史鈔後，以統攝之，論者服其卓識。舜徽以爲別立書鈔是也，謂宜附史鈔之後則非也。蓋昔人治學縝密，於群書莫不提要鈎玄，從事鈔撮，而以宋人爲最勤。若魏了翁鈔撮群經注疏以成《九經要義》，洪邁以群書皆有節本，自經、子至前漢曰《法語》，自後漢至唐曰《精語》，此其舉舉大者，其他小書短冊，更不可勝數（若呂祖謙《讀詩記》之類，皆由鈔撮而成）。雖著錄之家各歸本類，而門目遙隔，不相關涉，非所以辨章學術，考正得失也。竊意宜立書鈔一門，附於類書之末，以統錄古今鈔撮之編，裨學者可由此考見先儒治學之規，裨益於後世實大。且史之爲體，原以撰集舊事，與經子立言垂訓者異趣，論者徒知荀悅《漢紀》、袁樞《紀事本末》鈔撮《漢書》、《通鑒》而成，不知班氏《漢書》本於司馬遷、劉歆諸家之書爲多，司馬《通鑒》亦采輯十七史以及雜記小書而無所遺，亦何往而非鈔襲，以其錯綜排比，整煉而有翦裁，故能自成一家言耳。爰據斯義以尚論古史，則非特《漢書》爲鈔，《史記》亦鈔，《春秋》、《尚書》亦鈔。下觀宋世諸儒所爲書，則非特《通鑒》爲鈔，即《通志》亦鈔，《文獻通考》亦鈔。他若歷朝正史，無不根據實錄整齊排比而後成書，亦猶之鈔輯也。然則總史部之書，鈔

撮者居其強半，將安用別立史鈔一目乎？**⑮**

本段議論，有所爲而發，亦可見張先生對纂輯之推重矣。

二、有關纂輯之實踐

張舜徽先生爲纂輯體之研究者，亦爲纂輯體之受益者。茲所謂受益，一則立身處世，得古人纂輯讀物之裨益；二則求學著述，得纂輯方法之裨益。前述朱熹主編小學書之事，朱熹論前代嘉言懿行，有「其無古今之異者，固未始不可行」二語，張先生認爲此言最有理致，並聲言一生得此書之益甚大：

> 大抵立身行己之道，無間古今，理無不同。即以「愛親敬長隆師親友」而言，古之所行，固有可爲今用者矣。做人底道理，與科學發明不同。彼則力求日新月異，此則貴在能取於人以爲善，無分於古今也。余始在幼學，先君子即授以是書，喜其篇章短簡，讀之成誦，一生受益甚大。逮乎晚暮，猶時時溫繹之。以爲如能去其制度禮儀之非今所有者，易之以今之所宜講求者，而重新編輯之，雖用爲小學教材，亦無不可。**⑯**

此爲立身行己，得古人纂輯讀物裨益之一例。至於治學中受古人纂輯

---

⑮ 《廣校讎略》卷三〈部類分合論〉之四「史鈔」。

⑯ 《學林脞錄》卷五「朱熹主編小學書」條。

讀物之助益,自不待言。針對清人馮班「讀書當讀全書,節鈔者不可讀」之說,張先生謂:「節鈔不足病,但問其義例何如耳。況古人節鈔之書,傳之今日,亦有足資考證者,如《群書治要》之類是也,又不容一概摒棄矣。」**⑰**有此見識,治學過程中自會靈活採用纂輯之法。或問曰:「有志治學之人,而勤於摘鈔群書,得不見譏於俗,目爲兔園冊乎?」張先生之答語爲:

> 《中庸》有云:「凡事豫則立,不豫則廢。」豫者,謂先事有所備也。凡事,有備易成,否則易敗……爲學亦然,秦淮海嘗自言年長記性稍拙,集古書古語之精華爲一冊,曰《精騎集》,以備採用。既助記憶,又益見聞。此與世俗兔園冊子無相似處,不必疑也。**⑱**

爲此,張先生畢生勤于撮鈔,爲博治四部打下根基。如早年治禮學,合兩戴《禮記》理董之。「嘗選輯其言人治之大者,從《大戴記》中錄出二十四篇,《小戴記》中錄出十六篇,都四十篇,區爲三編,顏曰《兩戴禮記合鈔》。取精用宏,亦守約之道也。」**⑲**書經撮鈔,易於記誦,且有經由整理而成著述者。以下,就張先生纂輯之作中擇其要者,述其緣起與內容概要。

(一)《聲論集要》

張先生自少即好治文字、聲韻、訓詁之學,讀劉熙《釋名》,

---

⑰ 張舜徽《清人筆記條辨》卷一「鈍吟雜錄條辨」。

⑱ 《養怡堂答問》之七十七,載《訒庵學術講論集》。

⑲ 《學林脞錄》卷五「兩戴禮記」條。

恍然有悟於聲訓之理，至確至精。年二十四，嘗以古韻部居爲經，聲紐爲緯，繫錄許書，成《說文聲韻譜》，益悟由韻部以推字義，不如由聲類以求字義之尤可依據，而雙聲之理，爲用至弘。涉覽三百年來先儒著述，因撮錄其精語，成《聲論集要》一卷，亦間述己意附於其後，以見昔賢所論，固無二致也。

《集要》自序作於一九四一年五月十日。卷末曰：「以上集錄二十家之言，皆甚精要；其論聲之爲用，亦約略具於是矣。學者能循聲以求義，亦簡約易由之術也。如欲研治小學，以達於語言文字之原，則雙聲之理，不可不講。」

後收載於《舊學輯存》中冊，齊魯書社一九八八年十月出版。

（二）《鄭雅》

張先生年十九，治毛鄭《詩》。讀陳澧《毛詩傳疏》，病其膠固；而獨喜其所爲《毛傳義類》，隱括有條例，與《爾雅》相表裏。效其體，成《鄭箋義類》。後治《三禮》，鑽研鄭《注》，仍斯例爲《三禮鄭注義類》。復博采鄭氏群經佚注之可考者，裒錄爲《鄭氏佚注義類》。於是北海精詣，粲然大備。思合此數種，纂爲《鄭雅》十九篇。以爲陳澧《毛傳義類》、朱駿聲《說雅》之後，不可無此書。自顧年尚少，見書不廣，輕言述造，深恐貽譏大雅，撰集而寫定之，俟諸異日。一擱四十餘年，六十六歲時重理舊業。爰溫尋《三禮》、《毛詩》註疏，逐篇校讀。凡昔時輯錄之偶遺者補之，誤者正之，分類未當者改之，一類中名物過繁者，又分立細目以區處之。爬梳紛錯，頗費苦思，自春徂秋，終成定本。

《鄭雅》仿《爾雅》之例爲十九篇，前有〈纂輯略例〉，共約

十萬言。自序作於一九七七年八月二十五日。張先生在序中對素志克酬，喜不自禁，稱「此編訓詁名物之繁賾，倍蓰于《毛傳》、《爾雅》、《說文》。苟能貫通鄭學，則群經莫不迎刃而解。斯一編也，不第六藝之鈐鍵，抑亦考古之淵藪也。」

後收載於《鄭學叢著》，齊魯書社一九八四年六月出版。

（三）《周秦諸子政論類要》

張先生早年博考前史，深服歷代大政治家之所施爲，以其雄偉之氣魄，毅然任天下之重，堅于自信，不以世俗毀譽動其心；剛斷果毅，卓然有以自見於當時而永傳於後世。若霍光、諸葛亮、王猛、魏徵、王安石、張居正之儔，治國處事，莫不具有法家精神。觀其有膽有識，勇於任事，皆自周秦法家書中取得政治理論以自敦厲者也。法家職志，以富強國家爲己任，管、商其中之尤魁傑者耳。周秦諸子書中言富強之術者多矣，有以功業自白於世者，有以言論垂之久遠者，皆坐言而可起行，宜其爲後世政治家兢兢服膺而不欲斯須離之也。遂仿效前代錄要之法，成《周秦諸子政論類要》三編。上編爲〈周秦諸子政論之總精神〉，中編爲〈周秦諸子論法〉，下編爲〈周秦諸子論政〉。每編之下，又各立八至十小題以統括之。於是周秦諸子之言治道者，精義名言，多在是矣。

《類要》自序作於一九四六年除夕。一九八二年八月二十五日補識謂：「此書爲余三十六年前所輯。初但節錄周秦諸子白文，分類而比次之，置諸案頭，用備省覽。友人見而好之，謂雖周秦遺言，猶可古爲今用。慫恿刊行，以公諸世；並請爲簡注以曉讀者。因趁暑假餘暇，就字句之難明者，略加箋釋，而重寫定之，仍爲三編。」

後收載於《舊學輯存》下冊，齊魯書社一九八八年十月出版。

（四）《道論足徵記》

先秦諸子之所謂道，千載下儒生爭論不休。張先生早年博考群書，窮日夜之力以思之，恍然始悟先秦諸子之所謂「道」，皆所以闡明「主術」，而「危微精一」之義，實為臨民馭下之方，初無涉乎心性。遂撰《危微論》，以明古者君道之要。書既成，復思經傳子史，下逮唐以前先儒之論，足以發明斯旨而未錄入《危微論》者猶多。因以暇日稍加綜治，擇取其尤為切要者，表而出之。亦附已意，為商定焉。

張先生於一九四五年四月十五日之〈前記〉中稱此編：「分條甄述，不殊劄記之體，顏曰《道論足徵記》。聊以綴輯遺義，補《危微論》之所未備云。」

後合編入《周秦道論發微》，中華書局一九八二年十一月出版。

（五）《經傳諸子語選》

張先生早歲讀諸子百家之書，分立二簿撮鈔精語。一為內篇，凡有關修己飭躬之道悉入焉；一為外篇，凡有關治人立國之道悉入焉。後又推廣至於六藝經傳，經傳初無侷限。有見之《十三經》而棄置不錄者，如《儀禮》、《周禮》、《公羊》、《穀梁》、《孝經》、《爾雅》是也；有不見於《十三經》而採錄及之者，如《逸周書》、《國語》、《大戴禮記》是也。所採諸子之書，下訖于隋。以為古人立言垂世，不外修己、治人二者。修己，身內之事也；治人，身外之事也。致力於身內者，則尚志、敦品、篤學、立事皆屬焉；致力於身外者，

則治國、安民、建功、成業皆屬焉。

《語選》共約十萬言，張先生自序稱：「纂錄既竟，置之案頭以備觀省。或拈出一言以檢束身心，或綜合群語以會通理道，悠然有得，益我良多。蓋古人立言，不爲一時，今人讀之，亦有可資借鑒，取古語以爲今用者，比比是也。《易》曰：『君子以多識前言往行以畜其德。』如能奉是編爲守約之書而常常摩挲玩繹之，固進德修業之助矣。顧以後人讀古人書，貴在體會其意，而不可拘泥其辭。善學善用，斯爲得之耳。晚年衰頹日甚，猶強起寫定是書，亦欲用此爲溫故之簡本，聊以自課云爾。」

是書經余注譯，嶽麓書社一九九七年七月出版。

（六）《文獻學論著輯要》

張先生晚年創建中國歷史文獻研究會，組織編纂研究會叢書。一九八一年暑假期間，親自選錄有關文獻學之專著、論文、筆記、書箚七十一目，編爲《文獻學論著輯要》，爲叢書之一，排印二千部，以供取用。未幾而風聞函求此書者紛至，乃至無以應之。適逢國家大興文教，以整理古籍相倡導，陝西人民出版社來函相商，欲爲出版以廣流布。張先生既許其所請，又從而擴充之。旁搜博求，廣之爲一百二十目，有長篇，有短箚；有全錄，有節鈔。其中如《通志校讎略》、《諸子辨》、《考信錄釋例》、《四庫全書總目提要敘》，包羅弘富，一目之下，實統括若干篇。故其目雖止一百二十，乃不啻收文數百篇矣。

張先生〈序〉中有云：「竊嘗以爲整理文獻，必先于群經傳注之得失，諸史記載之異同，子集之支分派別，辨其原流，明其體統，

然後能識古書之眞僞，審版本之先後，旁及校勘、目錄、輯佚、避諱諸端，皆當洞達其理，庶幾有著力處。若於此類全無所知，遽談古籍整理，將見其昏昏冥冥，不解何從下手也。」選錄斯編，意在用爲學者養識之助。「覽是書者，苟能由此發越志趣，增長識見，以從事於文獻整理之業，必可致精造微，取得碩果。」

《輯要》由陝西人民出版社一九八五年三月出版。

（七）《學林脞錄》中纂輯之篇

《學林脞錄》十六卷，乃張先生《愛晚廬隨筆》之一，湖南教育出版社一九九一年二月出版。《脞錄》仿洪邁《容齋隨筆》之例，分條記錄，縱論學術，一歸於敦行勸學之意。今檢《脞錄》，以下十三篇屬纂輯之作：

1. 《周易》中理論之可取者尙多；
2. 《尙書》二十八篇中之精語；
3. 僞《古文尙書》可降低時代去讀；
4. 《詩》三百篇中可取之語；
5. 孔子言論之精華；
6. 孟子言論之精華；
7. 皮錫瑞論學語；
8. 譚獻友朋書札；
9. 詩詞佳句；
10. 朱子語類錄要；
11. 朱子文集錄要；
12. 諸子書中有裨治學修身之精言；

13.諸史所記有裨飭躬治人之精言。

（八）《清儒論學語錄》、《清儒論學文選》

二編爲張先生壯歲時研讀清人文集時所輯，尚待整理出版。《文選》分三編：上編，凡言及尙志、辨學、考信、宗教之文皆在其中；中編，凡言及考訂、漢宋、術業、學校之文皆在其中；下編，凡言及經訓、小學、鈔書、校勘之文皆在其中。張先生一九九二年十月一日在稿本卷首題辭曰：「余昔在壯歲，好讀清人文集。每遇識議卓然足以啓迪後學者，輒規識其上，或別鈔存之。所選既多，非一手所能遍寫，或自鈔之，或分屬及門鈔之，故字迹大小工拙不一，未暇計也。初爲活葉，後乃分裝爲三大冊，藏之篋衍，亦既多年，而三百年間諸儒論學之篇，其可存者，多在其中。余初擬編目分類，付書局刊行，顏曰《清儒論學文選》。言其實用，似在《湖海文傳》之上。雖欲取此以公諸世，而精力衰頹，不暇及此矣。姑存其寫本於此，亦聊以志早年治學功力之一端耳。」

《語錄》之纂輯，張先生費力更巨，數次謄寫，仍未定稿。一九九二年十月四日在稿本卷首題辭曰：「清代學者，有開國時之大師，有乾嘉時之通儒，言論可垂教後世。大之可以開拓心胸，次之可以端正蹊徑，固百世之師模也。余每讀其遺書，輒撮鈔其粹語。初取顧亭林、黃南雷、邵念魯、李恕谷、王崑繩、劉繼莊，以及錢竹汀、戴東原、段懋堂、翁覃溪、姚姬傳、汪孟慈等十二家之言，裒爲一冊，題爲《清儒粹語前編》。後又甄錄錢牧齋、李二曲、陸桴亭、張楊園，以及章實齋、紀曉嵐諸家之言，成爲《清儒粹語後編》。其言論尤多者，則各爲類鈔以條理之，若張、章二家之書是也。余原欲合此二編，

成爲《清儒論學語錄》，以與《清儒論學文選》相輔而行，重加理董，即可刊之以公諸世。歲月蹉跎，近數十年來，述造紛繁，乃無餘力及此矣。尚念此數寫本，悉余壯歲時所書，力求工整，幸免草率，不忍捐棄，聊復存之。」

同年十月五日張先生又作補記曰：「所謂前編、後編，非謂諸家時世之早晚，乃隨纂錄之先後以標目耳。此稿本如欲寫定，可重新次第之，合而爲一，總名爲《清儒論學語錄》，可與《清儒論學文選》相輔而行，不必再題前後編之目也。」數日後又有遺墨謂：「顧亭林、黃南雷、錢牧齋、李二曲、邵念魯、李恕谷、王崑繩、劉繼莊、陸桴亭、張楊園，以上十家俱清初大師；錢竹汀、戴東原、段懋堂、焦理堂、紀曉嵐、姚姬傳、章實齋、翁覃溪、阮伯元、汪孟慈，以上十家俱乾嘉通儒。」可見張先生已將原稿中十八位學者擴展爲二十位，著手結撰。

然而，旻天不吊，不慭遺一老。先生當月二十七日奄焉辭世，《語錄》未爲定本已成永久之缺憾！

綜上所述，張舜徽先生畢生讀書著述，與纂輯結下不解之緣。其對歷代纂輯成就之重視，對纂輯方法之活用，在當代學林實不多見。在其系列學術著述中，纂錄與述造相配合，不可或缺。尤其《鄭雅》等編，合鈔書與著書爲一體，早成學者交口稱譽之佳作。敦行勸學之文，更見先生關注社會人生之人文情懷。事實表明，纂輯在今日仍有其存在之價值，文獻學理論研究者當由此得到不少啓迪。「善學善用，斯爲得之耳。」[20]

---

[20] 張舜徽《經傳諸子語選·自序》，岳麓書社1997年7月出版。

歷代文人與山東方志

唐桂豔*

摘　要

章學誠曾針對明代王鏊纂修的《正德姑蘇志》提出「文人不可與修志」的結論，實際上，文人以其特有的才、學、識，以通曉流暢的語言，使文人修志形成了意在民生、長於考據、擅於文辭等特色。特別是修志世家的出現，更使中國方志浸潤著濃郁的文化氣息。本文就以所見山東方志為例，從文人與山東方志的聯繫、文人修志特色、文化世家與修志世家三方面加以論述，揭示文人們對方志所做的貢獻。

關鍵詞　文人　地方志　山東

清代著名方志學家章學誠曾在〈書姑蘇志後〉明確提出：「文

＊　山東省圖書館古籍部館員

人不可與修志也。」章氏此論是針對明人王鏊纂修的《正德姑蘇志》而言。他認爲此志中的「郡邑沿革表」體例不當,「古今守令表」毫無義例,而「科第表」的內容又倒置混亂。雖然王鏊以博學知名於時,但他大抵闇於史裁,又浸漬於文人習氣,致使《姑蘇志》浮華不實,義例不嚴。誠然,史筆與文辭不同,修志確應嚴守事實,切忌浮誇,但僅以王鏊之例得出「文人不可與修志」的結論,不免有以偏概全之嫌,抹殺了歷代文人對方志的貢獻。其實,絕大多數文人以其特有的才、學、識,以嚴謹的治學態度,以通曉流暢的語言,使中國方志浸潤著濃郁的文化氣息。本文就以所見山東方志爲例,歷檢文人修志的特色,以期窺斑見豹。

一、文人與山東方志的聯繫

方志是記載一定地區自然和社會各個方面的歷史與現狀的綜合性著述,是一地的「百科全書」。張謙益在〈州志別本序〉中指出:「作志之人必多讀書」。近代著名學者何思源認爲,「志書之修,有關學者治學方法之不同」,修志要有「淹貫新舊學識之人材」。❶清初詩人施閏章則認爲,修志要「擇人善任」,要選「有道而能文」之人。著名方志學家顧炎武更是將修志之人必要有一定的學識作爲其修志旨要之一。由此可見,纂修者的素養決定著志書的質量,方志的編

---

❶ 何思源〈長清縣續修縣志序〉。《民國長清縣志》十六卷首一卷末一卷,李起元修,王連儒纂,民國二十四年(1935)長清縣政府鉛印本。

纂者必須是有學識、知識廣博的人材，而生於斯、長於斯、官於斯的文人們無疑是修志的最佳人選。

　　于慎行，東阿人，明隆慶進士。他學貫百家，博古通今，對於經學、史學、地學、考古學、音韻學皆有精深的造詣。他編纂的《萬曆兗州府志》「詳而不厭，覈而不俚，協而不屈。馳騁古今，囊括百氏。」❷是明代方志中的傑作。邢侗，臨邑人，萬曆進士，在《臨邑縣志·論贊》「風俗志」中，先引應劭的「風者，天氣有寒暖，地形有險易，水泉有美惡，草木有剛柔也；俗者……」，繼引《傳》中「百里不同風，千里不同俗」，又引曾鞏語、程元遴語來解釋「風俗」，使讀者對「風俗」有了全面而確切的認識。田雯，清初詩人，德州人，康熙三年進士，負詩名，自成一家，與王士禛、施閏章同具盛名，他纂的《長河志籍考》多援引名人詩句，如「古迹」中關於「東壁樓」：「虞山錢謙益過此，有詩所云：『苦憶東樓上，盧家送酒來』。又『幕燕愁相語，簷花笑不開』是也。」關於「瓜隱園」，田氏又引絕句十首。而寓居山東、以詩聞名、與萊陽宋琬有「南施北宋」之稱的施閏章，也在《順治登州府志》中引杜甫詩「雲帆轉遼海，粳稻來東吳」印證唐時的山東海運狀況。這種廣徵博引無不顯示了文人們淵博的學識，從而使山東方志浸潤著濃郁的文化底蘊。

　　志書的編纂需要文人，而文人們也慨然以修志為己任。「不修（志）則司土者之過也。」❸「抱殘守缺，援據綜覈，先哲之功也；補遺繼

---

❷ 張允濟〈萬曆兗州府志序〉。《萬曆兗州府志》五十二卷，明易登瀛、盧學禮修，于慎行纂，明萬曆二十四年（1596）刻本。

❸ 胡德琳〈乾隆濟陽縣志序〉。《乾隆濟陽縣志》十四卷首一卷，清胡德琳修，何明禮、章承茂纂，清乾隆三十年（1765）刻本。

續，斟酌通變，後人之職也。」❹正是基於此，爲官山東的通州人徐宗幹「自辛丑冬攝兗郡，壬寅春適濟南，夏中入都，秋復東旋。其間返濟上者四，屢往志館，與許印林同年、楊漱芸孝廉諸君，時參論之……至癸卯春而全稿粗具。」後「奉簡任四川，置之行篋，由魯而齊，而衛，而秦，而蜀，未嘗離左右。及抵保甯郡任，公餘隨時編次，集諸吏於庭，繕校無虛日。甫逾月，復奉恩命分巡閩中，梯之千山，又將航之萬水，凡四年，行二萬餘里，五易稿而後成書。」❺其艱辛可想而知！孫葆田，榮成人，同治進士。光緒十六年，山東巡撫張曜設局修通志，聘其爲總纂。開局不久，張卒于任所，孫氏被迫主講大梁書院。此事擱置近二十年。至光緒三十三年，山東巡撫楊士驤籌款續修，仍聘其爲總纂。他勇擔重任，於宣統三年終於完成了卷帙浩繁、六百餘萬言的《山東通志》。稿成，他因積勞成疾而去世，將這部山東通志中最詳盡的志書留給了後人。可以說，是山東通志耗盡了他的心血。甲骨文之父——福山人王懿榮，《光緒福山縣志》總纂之一，僅成「選舉表」二卷，便於甲午殉難，使《光緒福山縣志》成爲永遠的遺憾。

在修志實踐中，有些文人因參加了實際的志書編纂工作而使自己的修志思想得以貫徹，另外一些人則通過題寫序跋而彰顯自己的方志理論。如明代著名文人李開先在《嘉靖萊蕪縣志》序中，表明自己「素喜堪輿之學」，高度評價萊志「無一字之虛文，爲千載之實錄。」

---

❹　徐宗幹〈道光濟寧直隸州志序〉。《道光濟寧直隸州志》十卷首一卷，清徐宗幹修，許瀚等纂，稿本，現藏山東省圖書館。

❺　徐宗幹〈道光濟寧直隸州志跋〉，同上。

明代「後七子」之一的歷城人李攀龍在《嘉靖青州府志》序中指出：
「方志也者……作者之志也。」強調方志應圖、表、志、傳並用，
以求志書的完備美善。清初學者王士禎在《康熙新城縣志》序中說：
「志者，志一方、一郡、一邑之故而已，然其體實昉於經史。」極力
推崇「文簡事敷、訓詞爾雅」的康海《武功志》，對「簡敷雅潔」的
《新城縣志》予以肯定。

　　文人與山東方志有著不解之緣，許多人執著於此，終成一代修
志名家。胡德琳，廣西臨桂人，性喜讀書，自號「書巢」，長期在山
東為官，每蒞一地，即聘集名流，先後主修《乾隆濟陽縣志》、《乾
隆歷城縣志》、《乾隆濟寧直隸州志》、《乾隆東昌府志》，在任登
州知府時，又重刻了元代于欽的《齊乘》，為山東方志做出了重要貢
獻；李圖，掖縣人，工詩文，尤精輿地之學，先後編纂《道光博興縣
志》、《道光重修膠州志》、《道光陵縣志》、《道光重修平度州志》、
《咸豐青州府志》等多種志書，是道光咸豐時的修志名家。徐宗幹，
先後主修《道光高唐州志》、《道光泰安縣志》、《道光濟寧直隸州
志》；周永年，與李文藻合纂《乾隆歷城縣志》，與盛百二合纂《乾
隆濟寧直隸州志》，又主纂《乾隆東昌府志》；李文藻，除與周永年
合纂《乾隆歷城縣志》外，又主纂《乾隆諸城縣志》；邢侗，纂《萬
曆武定府州志》、《萬曆臨邑縣志》；唐夢賚，纂《康熙淄川縣志》、
《康熙濟南府志》；成瓘，纂《道光鄒平縣志》、《道光濟南府志》；
莊陔蘭，纂《民國重修莒志》、《民國續修臨沂縣志》；于清泮，纂
《民國牟平縣志》、《民國齊東縣志》、《民國沾化縣志》；孔廣海，
纂《光緒莘縣志》、《民國陽穀縣志》，等等。

　　綜上可見，歷代文人與山東方志有著千絲萬縷的聯繫，他們或

修、或纂、或序、或跋、或刻印，成爲修志中堅，而山東方志也因了他們的參予而更加豐富多彩，燦然可觀。

二、文人修志特色

1.意在民生

歷代文人大多能深入民間，瞭解人民生活疾苦，在志書中，他們尤其著意於國計民生。顧炎武就是抱著經世致用的目的而成《天下郡國利病書》，希望政府當局留心民間疾苦，賑救災害，肅清宿弊，使國富民強。他的《山東肇域志》也以大量篇幅記載了作爲朝廷漕運咽喉的山東運河，將沿線水堡、水櫃等敘述得十分清楚。

其實，早在顧炎武之前，于慎行也以經世致用爲目的，歷覽並摘錄了兗郡州縣各地有關國計民生的資料，在水利志中，不僅詳細輯錄了歷代河流演變之頻繁和人民遭受水災之悲慘境地的有關資料，而且間抒己見，指出重視河渠治理對解決人民疾苦、發展生產、保障人民生活都有重要意義。張謙益在《州志別本》「大事部」序中指出：「有繫乎小民之生死綱常倫理之變逆，斯爲大事。」在「戶口」序中認爲：「戶口之多寡，關乎吏治。官良而政善，人歸樂土；賦重而差繁，民離故國。」施閏章在《順治登州府志》「賦役志」中強調：「登之地與民貧瘠極矣，議蠲貸則病國，議督責則病民，惟有緩之，緩之……」愛民惜民之情溢於言表。唐夢賚，清初詩人，淄川人，順治六年進士，罷官歸籍後，絕意仕進，專意著述。治學講求經世致用，

「至於事關民生，語及經國，津津乎有味其言之矣。」❻這種思想也貫穿於他編纂的《康熙濟南府志》、《康熙淄川縣志》中。胡德琳、周永年纂的《乾隆濟寧直隸州志》在輿地門內記城市街衢、風俗物產、漕運設置、戶口地畝、徭役賦稅等有關民生者，尤為詳備，近人瞿宣穎稱此書「甚合撰志之法」。同樣，《續修四庫全書提要》稱徐宗幹修、許瀚纂的《道光濟寧直隸州志》「尤注意於水利、賦役、兵事、農林等有關民生之事，洵為卓識。」梁啓超因此在《中國近三百年學術史》中稱其為清代名志。孔尚任纂的《康熙萊州府志》，對土田、戶口、稅糧、海運、鹽課等記載十分詳盡，突出了經濟內容，並獨列「兵防」一綱，「詳載防訊，可知捍禦之方矣。」至於占全志三分之一的藝文志，「實有關於民之利弊，有資於士之興感者，乃選而錄之；不然，舊志雖載，亦在必刪。」在一定程度上反映了勞動人民的疾苦。

近代方志更是注重民生疾苦。「今日修志必注重在國計民生」。❼因此，何思源在〈民國惠民縣新志序〉中提出「縣志似宜有經濟志」，「經濟為社會命脈……縣志應就地方生產狀況，主佃分配狀況，主僕契約狀況，以及地價、物價、食糧價、貨幣價之變遷，與夫生活程度之升降等，詳為說明……。」民國十七年趙琪在修《膠澳志》時就定下一個原則，「事有關於國故民生者，縱屬胥吏戶版之籍，市井泉貨之薄，悉皆所當存；若其否也，雖有鴻文巨制，亦當摒而不錄。」根據這個原則，此志特設「民社志」，記載了不少關於生活、工資、物價等內容的材料。

---

❻　田雯〈志壑堂集跋〉。《志壑堂集》，清唐夢賚著，清刻本。
❼　同註❶。

2.長於考據

中國文人向來以謹嚴的學風著稱，因而，經文人之手而成的山東方志，無不體現求實、精審的特色。

元代益都人于欽所纂《齊乘》是山東現存最早的方志，在全國久負盛名。梁啓超評此志「援據經史，考證見聞，較他志之但據輿圖，憑空言論斷者爲勝。」如其對歷城廟山的記載，僅二十八字，就把此山的方向、距離、名由及其出處，都簡括地記述下來，並糾正了前人的錯誤，爲後世研究山東名山的變遷、名由沿革，提供了較爲豐富的史料。明代著名文士、臨朐人馮惟敏所纂《嘉靖臨朐縣志》是臨朐現存最早的方志，志中對於「南洋水」的考證，爲後之方志提供了準確的資料。施閏章在《順治登州府志》凡例中指出「凡引古必載出某書以見考據」，足見其審慎態度。清初淄川文人畢際友，於纂修邑志之餘，又輯《淄乘徵》一卷三十三則，可以說是專門考證之志書。孫蕙稱其「辨駁精嚴，考覈典奧。正其訛誤，尋其源流。」「邑志所載前賢總誤，於『淄川國』一語，經茲釐正，疑案頓釋，……直令人耳目一新也。」❽唐夢賚稱此志「有增邑志所不及者，有正其訛謬者……從引據之精，破沿昔之陋，直是般陽薈最矣。」❾

清乾嘉時期，考據之學最盛。方志纂修中，形成了以戴震爲代表的考據學派，山東則以李文藻、周永年纂的《乾隆歷城縣志》和李文藻纂的《乾隆諸城縣志》最爲有名。李文藻，乾隆二十六年進士，益都人，著名藏書家，著述頗豐。在方志編纂中，他主張纂輯舊文，

---

❽　孫蕙〈康熙淄乘徵序〉。《康熙淄乘徵》不分卷，清畢際友撰，清康熙刻本。
❾　唐夢賚〈康熙淄乘徵序〉，同上。

羅列各家之說，不著一字，不加論述，以示徵信。至於引用資料，均
需一一注明出處。「衛正叔作《禮記集說》曰：他人著書，唯恐不出
於己，予此編唯恐不出於人。朱竹垞輯《日下舊聞》仿之，故所鈔群
書皆分注於下。今亦竊取此義，或略加隱括者則曰『見』或曰『據』，
其未見原書而抄自他書者，亦曰『見』，至後來人物爲前人之書所未
及者，則書採訪諸君之名氏，既與古人之書相配，且以見取捨之出於
公論也。」❿章學誠雖對一代宗師戴震的地方志多有指責，但對《乾
隆歷城縣志》卻很推崇，他在《報廣濟黃大尹論修志書》中，稱此書
無一字不著來歷。作爲纂輯體的另一代表，《乾隆諸城縣志》亦「一
事之錄，必究其原本；一人之登，必參之公論。非荷也，務以訂誤正
僞而期其可以傳信也。」⓫故「考」在此志中佔據了全書四分之一的
篇幅，其中「金石考」因李文藻搜羅金石甚富而收錄了大量的摹石、
塔銘、碑刻、牌坊等。在「古迹考」中，李文藻對歷來有爭議的齊長
城問題，越王勾踐徙都琅琊問題皆有考證。

　　治學謹嚴，考證有據，歷代文人通過詳實的資料，進行精當的
考證，確實糾正了舊志中的許多舛誤，提高了志書的質量，使山東方
志具有一定的學術價值。但需指出的是，乾嘉學派在修志中的重視舊
材料，輕視現實資料，僅僅侷限於考據的做法大大削弱了志書的實用
價值，這不能不說是一個遺憾。

---

❿　《乾隆歷城縣志・凡例》。《乾隆歷城縣志》五十卷首一卷，清胡德琳修，
　　李文藻、周永年等纂，清乾隆三十八年（1773）刻本。

⓫　宮懋讓〈乾隆諸城縣志序〉。《乾隆諸城縣志》四十六卷，清宮懋讓修，李
　　文藻等纂，清乾隆二十九年（1764）刻本。

3.擅于文辭

文人皆是能文之人，日以吟詩屬詞爲能事，文字精煉、言簡意賅自不必說，而行文流暢、文采斐然又比常人高出一籌，這便成爲文人修志的又一特色。

施閏章這樣評價《順治鄒平縣志》：「向所附會及詞不雅馴者，皆辨正芟去，其載在編者皆可信而可觀也。」⑫「可觀」一詞，道出了纂者馬驌的語言特色。而他自己的《順治登州府志》中也不乏這種文辭，如「流寓」一目：「論曰：自昔范蠡居陶，梁鴻適吳，以至西蜀之堂猶傳杜子，黃州之壁尙憶蘇公，是皆身違桑梓之邦，名寄蓬蘆之域。郡雖僻阻而山海奧區，往往爲高賢棲處，亦足以助地靈而標往迹也。」駢驪相間，舒緩如行雲流水。

《同治臨邑縣志》序例稱：「邢志論贊，訓辭爾雅」。邢志，即邢侗所纂《萬曆臨邑縣志》，志分十六目，每目皆有論贊，「肇造區宇，和治萬民。堂皇室霤，相亞相續。維營誰居，南面聽治。高臺深池，成城域眾。齊舍櫛比，弦歌洋洋。」⑬「幹霄之材，必鄧林之產；瑞世之羽，乃鳳穴之奇」⑭排比鋪陳，節奏鏗鏘，大有樂府詩的形致。

在現存山東方志中，筆力奇偉者，莫過於田雯之《長河志籍考》。

---

⑫ 施閏章〈順治鄒平縣志序〉。《道光鄒平縣志》十八卷首一卷，清羅宗瀛修，成瓘纂，清道光十六年（1836）刻本。

⑬ 邢侗《萬曆臨邑縣志·建置志論贊》。《同治臨邑縣志》十六卷首一卷末一卷，清陳鴻翿修，趙敏功纂。清同治十三年（1874）刻本。

⑭ 邢侗《萬曆臨邑縣志·侯王大夫世表論贊》。同上。

該志十卷，著意於對德州疆域沿革、河渠、州鎮、古迹、祠廟、官廨、戶口、風俗、墓塚、異人異事的考證，但行文中無不透出其詩人特色。且看其〈題辭〉：「情結牢落，累入崦嶬。惓言鄉國，俛卬興懷。披閱殘志，但成悵恨。錯舉則紛遝無倫，雜述亦踳駮鮮要。方鑿圓枘，鉏鋙難從。翔鳥遊魚，蹉跎不狎。」「語有背馳，取其長而委其短；事多疊肆，筆其一以削其餘。摭英略穢，彙聚類分，飭以藻采，學彼駢麗。敢雲嘔飫膏液，咀嚼英華。」「離寒歷暑，銷燭研露」，「柴桑有情，秋鱸堪憶。」……僅僅一篇序言，內容與他志無異，但詞藻華麗，極盡渲染之能事，豈是常人所能及？而在「古迹」中，關於程氏南園的描寫：「蒼松古槐，干雲蔽日……所謂百花酣而白晝眩，青蘋動而林蔭合。水靜而跳魚鳴，木落而群峰出。」仿佛一幅美妙的圖畫，讀來令人賞心悅目，恍如身臨其境。周中孚在〈鄭堂讀書記補逸〉中評價此志：「間又行以駢麗，文采斐然」。

顧炎武主張方志語言貴在樸實，力求傳信。而適當的修飾文采確實令人耳目一新，尤其是在闡發自己的觀點時，蘊藉的語言更易於思想感情的表現。

三、文化世家與修志世家

在山東方志中，我們不得不注意這樣一個現象，那就是出現了諸多修志世家。修志世家的出現來源於文化世家的存在。文化有其傳承性，「家學淵源」之謂也，這就爲文人修志提供了良好的文化基礎與家庭背景，而修志亦有其延續性，於是一代又一代文人在祖父輩的

激勵、感召與影響下，慨然以修志爲己任，繼續著這種文化的傳承，使山東修志事業綿延不絕。

新城王氏：明朝以來，新城王氏爲山左名門望族，隆慶、萬曆年間，「科第之盛，甲於海內」。自王之垣始，即以詩文馳聲藝苑。明天啓年間，王士禎之祖父王象晉即纂《天啓新城縣志》，叔祖父王象春繼纂《崇禎新城縣續志》。清初的王士禎爲一代詩壇領袖，雖未直接參予纂修方志，但曾爲《康熙新城縣志》作序，闡發了自己的方志理論。

臨朐馮氏：又稱「北海世家」。自馮裕始，馮氏開始影響明末清初的文壇。王士禎在〈佳山堂詩集序〉中說：「二百年來，海岱間推學者，必首臨朐馮氏。」馮惟敏，馮裕之四子，應知縣王家士之邀，纂臨朐縣第一部縣志《嘉靖臨朐縣志》，又參訂《嘉靖青州府志》；馮惟訥，馮裕之五子，纂《嘉靖青州府志》；馮琦，馮裕次子惟健之孫，曾以「一篇迴文退蠻兵」，爲于愼行之《萬曆兗州序志》作序。

曲阜孔氏：孔子後人世居曲阜，因此曲阜縣志多由孔氏主持修纂。從明嘉靖至清初，曲阜縣志凡四修。孔宏幹修《嘉靖曲阜縣志》，孔宏毅、孔宏復修《崇禎曲阜縣志》，孔胤淳續修《康熙曲阜縣志》，又有孔毓琚修《康熙曲阜縣志》，惜未刻。孔子第六十四代孫孔尚任，除纂有《闕里新志》外，又纂《康熙萊州府志》。

鄒平成氏：成兆豐，乾隆二十八年進士，與周永年合纂《乾隆東昌府志》；成啓洸，兆豐之侄，參纂《嘉慶鄒平縣志》；成瓘，兆豐之孫，主纂《道光鄒平縣志》，與弟成琅及冷烜合纂《濟南府志》。

福山王氏：王騭，王懿榮之九世祖，長於古文，明於公牘，內外奏疏爲一時之冠，與鹿兆甲合纂《康熙福山縣志》；王懿榮，光緒

進士，著名金石文字專家，《光緒福山縣志》主纂之一，惜僅成選舉表二卷。

栖霞牟氏：牟國須、牟國玠纂《康熙栖霞縣志》，后牟國瓏又纂《康熙栖霞縣志》；牟應震纂《嘉慶栖霞縣志》、《嘉慶禹城縣志》。

壽光安氏：安致遠，康熙三十七年與次子安箕主纂《壽光縣志》，康熙四十八年，與張貞合纂《青州府志》。

父子同名，兄弟並轡，祖孫相繼，家學相承，同文化世家一樣，這種獨具風采的修志世家更直接地揭示了歷代文人對山東方志所做的貢獻。

勿庸諱言，文人們在方志體例、表現方法等方面還因循守舊，沒有大的創新與突破，但瑕不掩瑜，他們將其「意在民生、長於考據、擅於文辭」的文人特色注入到山東方志中，給山東方志帶來了清新的氣息。他們對山東方志的貢獻將永遠彪炳史冊。

王獻唐對山東地方文獻保管
與整理的貢獻

徐　泳[＊]

摘　要

　　王獻唐先生自一九二九年任山東省立圖書館館長起，即致
力於齊魯鄉邦文獻的搜集與整理。在社會動蕩、戰亂頻仍
的情況下，先生來往于大小書肆之間，為求先賢遺書，典
衣縮食，不以為苦；為搶救聊城楊氏海源閣散出圖書，四
處奔走，不遺餘力；抗戰期間，為避免珍籍毀於戰火，輾
轉萬里，載書南遷。搜集、保護而外，還刊印先賢遺作，
使之化身百千，流播後世。先生筆耕不輟，著述等身，獎
掖後學，勇開風氣，為齊魯文化的發展做出了傑出的貢獻。

關鍵詞　王獻唐　地方文獻　山東省圖書館

＊　山東省圖書館古籍部館員

　　山東素有「文獻之邦」的美稱，歷代學者文人輩出，爲我們留下了豐富的歷史典籍。❶這些文獻多賴私家收藏得以流傳。然私家藏書往往不能世守，散失損毀在所難免，又歷經水火兵燹之厄，一方文獻之劫餘多沈寂民間，極不便於學者利用。二十世紀初，山東省圖書館創立，始以政府之力，廣泛蒐集整理文獻資料，妥善保藏，並使之服務於全社會。經幾代人不懈努力，時至今日，山東省圖書館已發展成爲藏書400餘萬冊的大型現代化圖書館，其中，具有濃郁鄉土氣息的山東地方文獻藏量豐富，特色鮮明，成爲齊魯文化遺產中的珍寶。山東地方文獻得以妥善保管與整理，王獻唐先生功不可沒。

　　王獻唐（1896-1960），名琯，號鳳笙，以字行。現代著名學者，在文獻學、圖書館學、考古學諸領域頗多建樹。先生山東日照人，十一歲時到青島求學，後曾在報社、政府部門供職。1929年秋，應省政府教育廳廳長何思源之邀，任山東省立圖書館館長，從此即致力於齊魯文化建設，爲吾山東圖書館事業、文博事業的發展鞠躬盡瘁，貢獻頗多。❷本文僅據現有資料，略述其對山東地方文獻保管與整理之貢獻，以誌紀念。

---

❶　王紹曾先生主編《山東文獻書目》著錄現存山東先賢著作共計5,208部，28,012卷，内不分卷者987部。實際存世者，當不止於此。

❷　有關王獻唐先生的生平介紹，可參考屈萬里〈王獻唐先生事略〉（載《屈萬里文存》第5冊，臺灣聯經出版事業公司，1982年5月版）、王紹曾〈日照王獻唐先生事略〉（載《山東圖書館季刊》1994年第1期）、李勇慧〈王獻唐先生年譜〉（載《山東圖書館季刊》1994年第2期）等文章。

一、搜集先賢著作

山東省圖書館（以下簡稱「省館」）自創辦以來，雖歷任館長不乏學者名流，但因文教事業未能引起當局者充分重視，經費難有保障，加之張宗昌之禍魯、五三慘案之巨創，先生接手圖書館時，一片慘像，百廢待舉。先生甫上任，即謀求增加經費，率全館同仁修葺牆屋，釐訂館章，制訂規劃，各項工作得以迅速有效地開展。❸在採集文獻方面，不僅制訂購藏新書計劃，且採取措施，鼓勵社會各界捐獻圖書文物，使得圖書館藏書迅速增加。短短一年時間，即購置中外圖書一萬餘冊，其中山東人著述約七百餘種。「此外如金石拓本，足供參考者，亦收得三千餘份，以山東方面之出土者，占居多數。字畫偶有精品，亦可酌量收之……其爲山東人而學行素著者，即非精品，仍喜購藏。蓋欲藉此略存一省文獻」❹。

王獻唐先生篤于鄉邦文獻，尤嗜金石，蓋源于他的家學傳承。其父王廷霖受學于鄉前輩許瀚。許氏博綜經史，深於訓詁，嗜好金石文字，校刊宋元明本書尤爲精審，龔自珍推爲北方學者第一❺，其攀

---

❸ 1930年5月，蔣馮閻戰事起，省政府移至青島，晉軍入駐濟南，派趙正印接管館務。除此交接期內占去數月時間外，直到抗戰爆發，先生主持館務工作大體順利。然時局動盪，其艱難困苦，可以想見。詳先生所撰〈一年來本館工作之回顧〉（載《山東省立圖書館季刊》第1集第1期，1931年）。

❹ 王獻唐〈一年來本館工作之回顧〉，載《山東省立圖書館季刊》第1集第1期，1931年。

❺ 楊鐸〈許印林先生傳〉，《續碑傳集》卷八十。

古小廬頗富藏書。獻唐先生思有統系，學有宗基，且自幼喜聚書，他在青島求學以及在北京、上海、南京旅居期間，遇有喜讀之書，輒傾囊購至，典衣縮食，不以爲苦❻，其中即有不少山東先賢著作。先生所讀之書，遍及四部，到濟南出任省館館長之前，即以學行蜚聲海內。大凡學者藏書，深諳先哲著書、刻書、抄書以及流傳之道，故於前人故物更是寶愛有加，繼其學、傳其書，雖知其難而愈癡迷矣。

先生任圖書館館長一職，自然爲他廣泛搜羅鄉邦文獻提供了極爲有利的條件。在他寫給傅斯年的信中表示「擬就鄉賢已往之破碎工作，整理之、補苴之」，其步驟爲：「先求鄉賢遺著，無論已刻未刻，使俾藏館中。」其後，即「仿提要式合輯一山東藝文志。再擇其未刻而確有價值者，賡續印行之，擬名爲《齊魯先哲遺書》。」❼

先生按此計劃搜集鄉邦文獻，可謂不遺餘力，濟南大小書肆時可見到先生身影。先生最爲關注清乾嘉時期山東兩位著名學者李文藻和周永年的藏書。《雙行精舍序跋輯存·九經古義》跋文曰：「吾東藏書，有清乾嘉之際，以林汲、南澗爲最。去秋忝長圖書館，頗欲收羅齊魯文獻，尤注意周、李二家藏書。」❽先生於二位前輩學者著書、藏書之精神感佩至深，爲求其藏書，「拼卻芒鞋三十緉，冷攤僻市幾

---

❻ 先生〈藏書十詠〉（載《山東省立圖書館季刊》第1集第1期，1931年版）敘曰：「幼喜聚書，壯而彌竺。頻年四方，隨在搜集。裒其所藏，約五萬卷。家有老屋，庋架儲之。橫幾攤卷，昏曉流連。」則知先生自幼喜藏書，任館長前，旅居北平、上海、金陵等地，日常典衣購書，先生遺書《雙行精舍書跋輯存》（齊魯出版社1983年8月版）中屢有提及。

❼ 王獻唐〈復傅斯年書〉，載《山東圖書館季刊》1982年第1期。此信寫於于1930年王獻唐回家省親之時。

❽ 王獻唐《雙行精舍序跋輯存》，齊魯書社1983年8月。

回過。」❾李文藻之書,先生家藏「舊有《南澗文集》手稿二種,及批校《杜詩》殘本一種,擬自抄留副本,以原書贈存本館。又得南澗抄本惠定宇《古文尚書考》,並經戴東原、邵二雲、錢辛楣及南澗親筆批校,朱墨爛然,連同查初白手批趙注《杜詩》,以百二十元之重價,為本館購得之。又從敬古齋得南澗書數種。」❿自後先生求書之心愈熾,意有所念,欲求之書則隨念而至。周永年、桂馥、孔繼涵等山左舊藏,輒連翩得之。先生尤「注意蒐集各家著述底稿。一年以還,約得百種:已刻行者,計占十分之二,未刻行者十之八。其為一家著述,收藏最多,較有系統者,又得二家:曰濰縣宋晉之先生,曰海昌周樂泉先生。宋書盡為說經手稿,周則詩文雜著。」⓫遇有無法購藏者,先生則倩人或親自抄錄原書,使之不致幽埋荒野,散佚殆盡。現省館藏書中,即有牟庭、安箕、郭麐、馮琦、馬星翼、孔繼涵、李廷棨等人著作的抄本。從《雙行精舍書跋輯存》可知現省博物館也存有不少當時的抄本。同時,獻唐先生還依靠其社會影響及友朋關係,呼籲社會各界捐贈圖籍文物,收效亦相當可觀。⓬到抗戰爆發時,館藏文獻經先生努力經營,已蔚為大觀,驟增至二十一萬八千餘冊,金石、

---

❾ 王獻唐〈藏書十詠·訪書〉,載《山東省立圖書館季刊》第1集第1期,1931年。

❿ 王獻唐〈李南澗之藏書及其他〉,載《山東省立圖書館季刊》第1集第1期,1931年。

⓫ 王獻唐〈新收陳房伯曆算書稿述記〉,載《山東省立圖書館季刊》第1集第1期,1931年。

⓬ 《山東省立圖書館季刊》(第1集第1期)有〈本館計劃規程·山東省立圖書館捐贈圖書規則〉凡九條,另有〈各界捐贈書版古物圖書一覽表〉,其中有不少地方文獻資料。

書畫文物一萬七千餘種，「凡唐人寫卷、宋元舊槧、明清精刻及鈔校稿本，都千七百四十六種，三萬五千四百冊。除內閣大庫，若益都李氏大雲山房、曲阜孔氏微波榭、聊城楊氏海源閣收貯較多，新城王氏池北書屋、德州田氏古歡堂、歷城馬氏玉函山房、諸城劉氏嘉蔭簃、日照許氏攀古小廬、濰縣陳氏十鍾山房、高氏辨蟫居、海豐吳氏雙虞壺齋，並明清南北各家，亦多有資取。要之，十九爲齊魯故物也。」❸

二、搶救齊魯故物

山東藏書之風，淵源有自，代不乏人，有清一代，更是蔚成風氣❹。最著名者，當推晚清四大藏書樓之一的聊城楊氏海源閣。海源閣由楊以增創建於清道光二十年（1840），以藏宋本之富聞名天下，所藏明清刊本亦多初刻、初印的佳品，時與常熟瞿氏「鐵琴銅劍樓」並稱「南瞿北楊」，閣藏最富時，有藏書3680部，22.46萬卷。楊氏藏書歷經四代人搜集典守，至民國初期，因政局不定，屢遭匪劫，陸續散出。王獻唐先生以「此事關係全省文化甚巨，

---

❸ 見王獻唐1936年9月爲屈萬里等編《山東省立圖書館善本書目初編（清本）》所作序文，此目錄係稿本，現存山東省圖書館善本庫。

❹ 王紹曾、沙嘉孫編著《山東藏書家史略》（山東大學出版社1992年12月版）收錄歷代山東藏書家559人，其中清代349人，稱藏書數量與質量皆不亞于江浙諸省。

當以全力辦理之」，**⑮**親赴聊城調查始末，先後撰〈聊城楊氏海源閣藏書之過去現在〉、〈海源閣藏書之損失與善後處置〉**⑯**等文，將海源閣藏書遭受損失情況公之於眾，並極力向楊氏呼籲，妥善保存藏書，勿使其流失海外。同時，商得海源閣第四代主人楊承訓的同意，草具〈楊氏海源書籍協定大綱草案〉，提出三項詳細具體的處理措施：一，楊氏委託山東省立圖書館保存；二，半捐半賣；三，平價收購。先生曉之以大義，陳之以利害，希望楊氏以愛國愛家之情，為山東文化作義舉，然卒未為楊氏所動。但由於先生和其他仁人志士的奔走呼籲和社會輿論的壓力，楊氏也不敢冒然將其藏書賣與日本人以獲取高價。王獻唐先生一方面積極與楊氏協商，一方面留意其藏書流散於濟南市肆者，典質告貸，百計求之，先後得珍本數十種，並於1934年在省館影印出版黃丕烈校《穆天子傳》、顧廣圻校《說文解字繫傳》兩種。另海源閣散出之印硯，先生亦收集拓印，成《楊氏海源閣印硯拓本》三卷，公之於同好。抗戰勝利後，海源閣劫後存餘得各方面努力歸藏省館，雖先生時在四川，未能親自接收，然其功不可沒也。**⑰**

先生於海源閣藏書之搶救，於齊魯文獻之癡迷，除其濃厚的學術興趣外，最根本的，還在於他強烈的愛國熱忱。皕宋樓藏書流失東瀛，深深刺痛了每一位炎黃赤子之心。然生逢亂世，民不聊生，日人趁機以高價收購中華珍籍文物，民間每有貪圖眼前利益，傾家藏古物

---

⑮ 同注**❹**

⑯ 〈聊城楊氏海源閣藏書之過去現在〉於1930年3月由山東省立圖書館鉛印出版，後者載《山東省立圖書館季刊》第1集第1期，出版於1931年。

⑰ 關於先生搶救海源閣藏書始末，論述文章較多，茲不贅述。

而兜售者。海源閣珍本散出時，即曾傳有售於日人者，雖未經最後證實，卻足使每一位愛國學人爲之震撼。除搶救海源閣劫餘藏書外，另有兩事，足以體現先生珍視民族文化的愛國精神。1931年4月，日人大田且捆載濰縣高氏上陶室所藏秦漢磚瓦至青島車站。先生聞訊，以事關民族文化，不能坐視，而又迫在眉睫，乃急電青島火車站截留，復由教育廳電請教育部轉飭青島車站予以扣留。此五百餘件秦漢磚瓦終於全部沒收，運回省館妥善保存。1932年8月，濰縣陳氏萬印樓，欲將所藏錢幣、磚瓦、石刻以九萬元售與日人，先生據報，立即呈請教育廳，親至濰縣陳宅洽談，改歸公家保存。結果陳氏後人願以三千元歸公。計歷代錢幣、石刻、磚瓦、陶器、陶片石礨、雜品等，共計三千八百二十六件。一代稀世珍品，終於未落日人手中。**⓲**

先生事蹟最爲感人者，當爲抗戰爆發後載書播遷事。「七七」事變後，日軍侵華戰火漸燃至濟南。先生恐館藏盡毀於兵燹，乃擇善本書暨文物書畫精品，委編藏部主任屈萬里、工友李義貴運至曲阜。待戰事愈緊，旋親率屈、李二人載館藏珍籍，由曲阜南下，「過銅山，經汴鄭，出武勝關，凡八日行程，三遇空襲，而抵漢口。」**⓳**爾後輾轉移至樂山，「旋僦居於城內天后宮中。自載書離稷下，流徙至此，計程凡七千餘里，爾後館中文物，當不至再播遷矣。」**⓴**入蜀後，因無經費來源，屈萬里不得不另謀工作，先生遂以講課之微薄收入，與李義貴常年羈棲岩窟佛寺，守護館藏珍品，雖衣食不繼而不以爲苦。

⓲　事見王紹曾〈日照王獻唐先生事略〉，載《山東圖書館季刊》1994年第1期。

⓳　屈萬里〈載書播遷記〉，載《山東文獻》第2卷第3、4期，民國六十五年（1976）出版。又見《屈萬里文存》第3冊，臺灣聯經出版事業公司1985年版。

⓴　同注**⓳**。

耳聞室外敵機轟鳴，筆墨丹鉛仍不去手，守護文物其志彌篤，且坦然笑謂：「這些東西是我的生命，一個人不能捨了自己的生命。」㉑至日寇投降，先生遽攖腦疾，赴北平協和醫院就醫，未癒，乃返濟南養痾。1950年底，運川文獻安然返回齊魯大地，為山東文化史這段可歌可泣的篇章寫就圓滿的結尾。

三、整理先賢遺書

　　整理先哲遺書方面，先生在〈復傅斯年書〉中就擬印行之《齊魯先哲遺書》作了詳細的描述：「內容略分數門，尤偏重金石小學。以此事在山東方面，為陳簠齋、劉燕庭之金石，王菉友、桂未谷、許印林之於小學，丁以此之於古韻，皆卓絕一世，尤應及先表揚。獻唐所最注意者，為牟陌人、許印林兩家。陌人學派，頗近東璧，已刻者只有文集一種，他皆散佚各處，率難收拾，其《同文尚書》，原稿聞在張溥泉先生處，獻唐渴望已久，未識先生能設法使敝館得借抄之機會乎？印林遺著，皆斷簡殘編，多未成書，尚須別為蒐輯。現在獻唐所存者，除刻本數種外，皆其手稿，約計全書，可得六、七十萬言。擬先成一文，名〈許印林之治學方法及其著述〉，錄列遺書內容，分送各處，藉以徵求國內所無之書。」㉒一個月之後，先生作〈一年來

㉑　王國華〈王獻唐生平事略〉，載《中國當代社會科學家》第三集，書目文獻出版社，1983年版。作者係先生之子。

㉒　王獻唐〈復傅斯年書〉，載《山東圖書館季刊》1982年第1期。

本館工作之回顧〉，稱「擬編印三種叢刊：一爲《圖書館學叢刊》，一爲《考古學叢刊》，一爲《山東先正遺書》。第三類蒐集稿件最多，一二兩類，亦積有數種，擬以力之所及，陸續刊行之。」（按·《齊魯先哲遺書》、《山東先正遺書》，即後來所印之《山左先哲遺書》）雖最終因資金短缺及長年戰亂，先生計劃未能全部實施，但仍在條件極爲艱苦的情況下，陸續編成《山左先哲遺書》甲乙丙丁四編，包括牟庭《同文尚書》、《詩切》、許瀚《古今字詁疏證》、成瓘《篛園日札》、宋書升《古韻微》等十七種，委託江西瑞安陳繩夫仿古書局印行。嗣因抗戰爆發，僅出版許瀚《古今字詁疏證》、牟庭《雪泥書屋遺書目》、牟房《佛金山館秦漢石跋》、李文藻《南澗先生易簀記》四種。儘管先生刻印計劃未能全部得以實施，但得後人踵事增華，先生未刻之書，1980年後，齊魯書社陸續據以影印出版。

先生博極群書，綜核百家，尤精於文字、音韻、訓詁、金石、考古、目錄、版本、校勘之學。治學謹嚴，勤於述作，學術成果涉及諸多學科，遠非舊日四部之學所能範圍。其有關齊魯文獻者，〈奎虛書藏營建始末記〉詳述省館藏書樓建設經過㉓、〈聊城楊氏海源閣藏書之過去現在〉、〈海源閣藏書之損失與善後處置〉備述海源閣藏書散失損毀情況及先生搶救珍寶之苦心，〈李南澗藏書及其他〉記乾嘉學者李文藻著書、刻書、藏書故實，並決意先以此篇爲發動，爲諸家藏書考略（按：所謂「諸家藏書考略」，先生另有〈山東之抄書家盧德水先生〉一文，其他則未及撰述）。《顧黃書寮雜錄》以名人書札爲主，輯錄一

㉓ 山東省圖書館海源閣專藏等珍本古籍現仍存放於該樓，不久將遷往新館，奎虛書藏亦行將結束其典藏山左文獻的職能。

批地方文獻資料，收有翁方綱、周永年、丁傑、王筠、陳介祺、楊以增、章炳麟各家函札七十餘通，另有鄭燮、王懿榮、丁惟汾諸家題跋、考釋、音訓、雜著等四十餘篇。《山左先賢遺書提要》將先生於先哲著作浸淫所得略作介紹，是先生目錄學的力作。另有〈齊魯陶文〉、〈鄒滕古陶文字〉、〈炎黃氏族文化考〉、〈那羅延室稽古文字〉、〈山東古國考〉、〈春秋邾分三國考〉、〈三邾疆邑圖考〉、〈雙行精舍金石文〉、〈簠齋磚瓦文字〉、〈臨淄封泥文字〉等，可謂洋洋大觀，著作等身。研究論述而外，先生詩書畫印亦自成一家，造詣頗深。屈萬里先生曾評價說：「先生著書之暇，偶為七言絕句，清逸雋永；善丹青，法唐宋，喜為花卉，尤喜作風荷，信筆點染，儼若弗弗飄風，驟出腕下；書擅隸籀。隸書清婉，如其詩；籀書則遒勁森嚴，妙得彝器款識刻鑄神韻。」❷❹於印硯有〈五鐙精舍印話〉、〈山左近出五官印考〉，並輯有《楊氏海源閣印硯拓本》，於書畫有〈書畫過目考〉、〈芝廬養痾排悶之作〉等。先生嘗作《齊魯藏書紀事詩》，惜已散佚，❷❺所幸留有〈藏書十詠〉並散見於《雙行精舍書跋輯存》及《續編》中詩作若干首，可況其嗜書之癡，並從中領略一代學者之風雅。

　　先生之於齊魯文獻，除自己發幽闡古，著書立說外，每每鼓勵館中同仁從事學術研究，並為他們積極創造條件。屈萬里、董井、鄭時、车祥農等受其影響，皆目耕不輟。一時間，館內學術氣氛空前濃

❷❹ 屈萬里《王獻唐先生事略》，《屈萬里文存》第5冊，臺灣聯經出版事業公司，1982年5月版。

❷❺ 張景栻《山東藏書家史略·序》，載王紹曾、沙嘉孫編著《山東藏家史略》（山東大學出版社1992年12月版）

厚。《山東省立圖書館季刊》❷內有董井〈山東省立圖書館金石志初稿〉，车祥農〈桑梓之遺與海岱人文〉、輯錄王筠遺著〈列女傳補注校錄〉、輯錄許印林遺著〈楊刻蔡中郎集校勘記〉，鄭時〈王菉友先生著述考〉等，於齊魯文獻研究卓然有成。屈萬里深受先生學風影響，邃於考據之學，赴臺後更成一代學術宗師。抗戰勝利後入館的路大荒經先生推薦入館工作，時與先生以學問相切磋，致力於鄉邦文獻的整理，於蒲松齡研究成就斐然。先生與知交好友傅斯年、欒調甫、邢藍田、丁錫田等人書簡往還，亦無不言及藏書讀書並搜羅刻印鄉邦文獻之事。在其影響下，山左大地整理先賢遺作、收藏齊魯珍籍之風日熾。時至今日，篤志地方文獻研究者，承先生之志，開拓學術之區宇，補前修之所未逮，爲之孜孜矻矻，忘我奉獻，使長年沈埋鄴架之先賢著作，陸續整理出版，展現在廣大讀者面前。《山東文獻書目》、《山東省圖書館藏館海源閣書目》等書目，《孔子文化大全》、《齊文化叢書》等大型叢書，以及一大批地方文獻研究成果相繼問世，更多的整理課題正在進行中。先生未竟之事業，後繼有人，先生可含笑九泉矣。

---

❷ 該季刊共出版兩期，即第一輯第一期和第二期，分別於1931年、1936年出版。1970年臺灣學生書局印有合訂本。

校勘學史上的一座豐碑

——讀《百衲本二十四史校勘記》

徐有富*

摘　要

本文總結並論述了《百衲本二十四史校勘記》五點主要成就：有組織地進行古籍整理工作；集宋元明金史善本之大成；綜合運用各種校勘方法；慎校改而又不曲徇宋元本之誤；校勘與出版相結合。

關鍵詞　二十四史校勘記　校勘學　校勘學史　張元濟

鄭振鐸《縮印百衲本二十四史序》稱：「商務印書館在張元濟先生的主持下，於一九三〇到一九三七年，完成了百衲本二十四史的

---

*　南京大學中文系古籍所教授

重印工作，用最早、最好的各史版本來發清代殿本《二十四史》的任意篡改之覆。這是一個很重要的事業，對於科學工作者們有很大的幫助。」而張元濟校勘《二十四史》的工作早就開始了。他在1930年5月6日致傅增湘的信中說：「衲本二十四史經營二十年，全賴友朋之贊助，幸得觀成。」（《張元濟傅增湘論書尺牘》227頁）所以胡適會在1930年3月27日致張元濟的信中建議「以每種校勘記附于每一史之後」，並且還詳細地談了理由：

> 廿四史百衲本樣本，今早細看，歡喜讚歎，不能自己。此書之出，嘉惠學史者，真不可計量。惟先生的校勘記功力最勤、功用最大，千萬不可不早日發刊。若能以每種校勘記附于每一史之後，則此書之功用可以增加不止百倍。（《張元濟友朋書箚》119頁）

遺憾的是終因校勘記卷帙浩繁，整理需時，以及1937年爆發抗日戰爭等種種原因，這部校勘記一直未能出版。張先生在〈校史隨筆自序〉中提到過這件事：

> 商務印書館既複印舊本行世，先後八載，中經兵燹，幸觀厥成。余始終其事，與同仁共成《校勘記》百數十冊，文字繁冗，亟待整理。際茲事變，異日能續引否，殊未敢言。

可以告慰張先生的是，經過半個多世紀的期待，《百衲本二十四史校勘記》終於由商務印書館委託王紹曾整理，顧廷龍審定，於1997年陸續出版了。這實在是史學、文獻學，特別是校勘學，以及出版史上的一件值得關注的大事。《百衲本二十四史》是集宋元明善本校勘的結

果,而《百衲本二十四史校勘記》則反映了集宋元明善本校勘的過程,記錄了宋元明清善本二十四史之原貌,對於科學研究者來說,兩書互參,其功用當然會成百倍地增加。就古籍整理而言,《百衲本二十四史校勘記》的出版,無疑在校勘學史上樹立了一座豐碑,同時也給以我們許多啓發。

一、有組織地進行古籍整理工作

有組織地進行古籍整理工作是我國的優良傳統,劉向父子校讎群籍,乾隆皇帝辦理《四庫全書》都是突出例子。而近代由出版社組織專家卓有成效地進行古籍整理工作,當以由商務印書館的主要領導人張元濟所主持的校史處校勘《百衲本二十四史》爲範例。究其成功原因,除借助商務印書館的雄厚財力外,與張元濟個人的威望、學識、組織才能、實幹精神有直接關係。張先生除了購借善本,組織專家開展工作外,他本人也切切實實做了大量具體而又十分重要的校勘工作。顧廷龍在四十年代初曾借閱過《百衲本二十四史校勘記》的稿本,他在《百衲本二十四史校勘記·序》中談到:

> 時《百衲本二十四史校勘記》稿本,由商務丁英桂君保存,龍以工作之便,幸得假觀,其中《史記》、《漢書》、《宋書》三種均爲先生手稿,彌足珍貴。其他二十一種(《明史》原無校勘記,故實有二十三種),均出自校史處同仁移錄經先生審定者。眉端行間,率多先生校語,蠅頭細書,朱墨爛然,亦間有錢塘汪仲谷、吳縣蔣仲茀兩先生所加按語,而爲先生

　　所認可者。

張先生除自己從事校勘外，還對校史處的同仁作了大量的指導工作。據《史記校勘記》記載，〈書〉卷2頁38後2行，宋本作「在曾州離狐縣界」，殿本「曾」作「曹」。究竟是曾州還是曹州？有朱批：「先查明離狐縣在何處。」顯然出自張先生的手筆。後注曰：「《一統志》曹州府單縣注：宋孝武僑置離狐縣。」張先生覆批曰：「修」。此外，張先生還要對校史處的校勘工作進行覆校與考核。王紹曾先生談到：「我在校史處工作期間，親自見到張先生校閱的毛樣，總是蠅頭細楷，丹黃滿紙。凡是校史處校過的本子，或是描潤過的毛樣，張先生都要親自覆校，既是對工作的認真負責，也是對工作人員的考核。」（《近代出版家張元濟》122頁）當然，張先生最重要的工作要算是對校史處同仁的校勘結果進行審核並決定修改與否。王紹曾繼續談到：

> 校勘記欄外所批修字，均為先生所手批，如遇校史處同仁於欄外擅批「修」字，即遭先生批評。蓋先生批修與否，須經反復推敲，務必參校其異同，斟酌其是非，未可鹵莽行事也。校勘記欄外，除批有「修」字外，尚有批「補」、「削」者，均係根據具體情況，採取不同處理方法。（〈百衲本二十四史校勘緣起〉）

　　如《史記校勘記·世家》卷10頁189後1行注，宋本作「自莒此入」。殿本、劉喜海本、汲古閣本，「此」作「先」，王延喆本作「北」。有眉批曰：「《左傳》，『自莒先入』，對納子糾而言，意謂納之已遲也。」校史處先批「修北」。張元濟批：「北字不通。」又批：「並

未批修北字，何得擅自主張？」又在下欄批曰：「修先」。查裴駰《史記集解》引賈逵語曰：「齊桓出奔莒，自莒先入，衛人助之。」顯然，王延喆本作「北」，既無版本依據，又無旁證材料，是不可靠的；而張元濟批「修先」，既有版本依據，又有旁證材料，當然是相當可靠的。

　　王紹曾先生領導山東大學古籍所的同志從事《百衲本二十四史校勘記》的整理工作，也是有組織地進行重大古籍整理專案的範例。王先生1930 年畢業于無錫國學專修學校，由校長唐文治推薦入商務印書館校史處從事百衲本《二十四史》的校勘工作，親炙于張氏之門。以後又長期在山東大學圖書館從事古籍整理與編目工作；1978年恢復研究生招生制度以後，又一直爲文史兩系研究生講授目錄、版本、校勘學。1983年調任古籍整理研究所教授，除爲研究生講授目錄、版本、校勘學外，並擔任中國古典文獻學專業碩士研究生導師。在古籍整理方面，王先生既有豐富的實踐經驗，又有豐富的理論知識。此外，王先生還寫了〈二十四史版本沿革考〉、〈胡適校勘學方法論的再評價〉、《近代出版家張元濟》、〈張元濟校史十五例〉等相關論著，爲整理《百衲本二十四史校勘記》做了充分的準備工作。尤爲重要的是，王先生係30年代參與《百衲本二十四史》校勘工作惟一的倖存者，瞭解當年的實際情況，所以王先生是承擔這項艱巨任務的最恰當人選。然而，王先生鑒於自己年事已高，且做過腫瘤切除手術，獨立承擔這項任務有可能延誤時機。因此，他「商諸古文獻整理小組杜澤遜、王承略、劉心明諸君，俱願爲此分勞，並先後得到程遠芬、趙統、李士彪、邵玉江諸同志回應，由紹曾總其成，並徵得顧起潛先生同意，最後請顧老審定。」（王紹曾〈百衲本二十四史校勘記整理緣起〉）顯然，這一組

合有力地保證了整理《百衲本二十四史校勘記》的工作得以迅速、高質量地完成。

二、集宋元明全史善本之大成

章學誠《校讎通義》卷一〈校讎條理〉第七云：「校書宜廣儲副本。」孫德謙《劉向校讎學纂微·備善本》云：「校書之事，必備有眾本乃可以抉擇去取。」汪辟疆也認爲：「故校理之業，必廣征眾本，參證互勘，乃可籍手。」（〈水經注與水經註疏〉，載《中國文學》第1卷第4期）備眾本是從事校勘工作的先決條件，這已成了校勘工作者的共識。然而並不是所有人都能做到這一點。一方面是缺乏條件，客觀上做不到這一點，例如錢大昕是清代第一流的學者，對版本學也素有研究，所撰《廿二史考異》，歷來受到學術界的重視。但是由於個人力量有限，見到的善本還不夠多，也就限制了他所取得的成就。傅增湘在〈校史隨筆序言〉中批評道：「第舊本難得，自昔已然。錢氏曉徵，博極群書，然觀其《舊唐書考異》，言關內道地理，於今本多所致疑，似于聞人銓本，未全寓目。明刻如此，遑論宋元。」另一方面是雖然具備條件，但是主觀上不願這樣做。如張元濟在〈影印百衲本二十四史序〉中批評清武英殿本《二十四史》說：「殿本校刻，號稱精審，而天祿琳琅之珍秘，內閣大庫之叢殘，史部美不勝收，當日均未搜討，僅僅兩《漢》、《三國》、《晉》、《隋》五史，依據宋、元舊刻，餘則惟有明兩監是賴。」張元濟影印《百衲本二十四史》的緣起就是爲了彌補殿本《二十四史》之缺憾。其〈影印百衲本二十

四史序〉復稱：「長沙葉煥彬吏部語余，有清一代，提倡樸學，未能
彙集善本，重刻《十三經》、《二十四史》，實爲一大憾事！余感其
言，慨然有輯印舊本正史之意。求之坊肆，丐之藏家，近走兩京，遠
馳域外。每有所覯，輒影存之。後有善者，前即舍去，積年累月，均
得有較勝之本。雖尒錯疏遺，仍所難免，而書貴初刻，洵足以補殿本
之譌漏。」張元濟在談到影印古籍時，還對顧廷龍說過：「能于文化
消沈之際得網羅僅存之本，爲古人續命，這是多麼幸運啊！」（〈回
憶張菊生先生二三事〉）顯然，保存祖國的優秀文化遺產，是張元濟輯
印古籍善本的更深層原因。

從事古籍整理者都懂得善本的重要，張元濟的過人之處在於他
能夠不遺餘力地搜求善本。首先，出於工作需要，商務印書館先後辦
起了涵芬樓和東方圖書館，張元濟在〈涵芬樓燼餘書錄序〉中談到了
商務印書館辦圖書館的緣起：「余既受商務印書館編譯之職，同時高
夢旦、蔡子民、蔣竹莊諸子咸來相助。每削稿，輒思有所檢閱，苦無
書。求諸市中，多坊肆所刊，未敢信。乃思訪求善本暨收藏有自者。」
其次，他也千方百計地利用公共圖書館和私家所藏善本。其《百衲本
二十四史·後序》云：「國立中央研究院、北平圖書館、江蘇省立國
學圖書館網羅珍籍，不吝通假；常熟瞿君良士、江安傅君沅叔、南海
潘君明訓、吳潘君博山、海甯蔣君藻新、吳興劉君翰怡，復各出所儲，
以相匡助。亦有海外儒林，素富藏，同時發篋，遠道置郵，使此九仞
之山，未虧一簣。」無論是購是買，每一種善本書都來之不易。王紹
曾曾介紹過黃善夫本《史記》湊足配齊的艱苦過程：「張先生念念不
忘的是如何才能配足黃本。張先生知道涵芬樓的六十九卷是由鄂人田
伏侯從日本帶回來的，是妙覺寺舊藏。後來瞭解這個殘帙不止六十九

卷，書估將原書析而爲二，以三卷歸袁克文。袁以其中〈河渠書〉一卷貽傅沅叔。袁書散出時，其中〈平准書〉、〈刺客列傳〉各一卷，爲南海潘氏寶禮堂所得。傅氏藏北宋本《史記集解》中，另有配補的黃本五卷，合共六卷。《衲史》中的黃善夫本《史記》就是從涵芬樓、傅氏雙鑒樓、潘氏寶禮堂三家拼湊起來的。其餘缺卷，直到1931年1月才從日本上杉侯爵家全部借影補足，排除了震澤王氏的明覆本。1月22日，傅沅叔致張先生書中說：『《史記》得全宋本，眞可慶慰。所謂精誠之至金石爲開也。』這是《衲史》輯印過程中的一段佳話。張先生不但做到宋刊宋配，而且原刊原配。這不是一件容易的事。從這裏可以看出張先生對校史事業的執著。」（《近代出版家張元濟》159頁）

正是在張元濟的不懈努力下，「這部《百衲本二十四史》的原本，不僅選取了最早的本子，同時也注意到選擇最好的最可靠的本子。」（鄭振鐸〈影印百衲本二十四史序〉）其參校各本也做到了集宋元明善本之大成。胡適在談到《百衲本二十四史校勘記》時說：「蓋普通學者很少能得殿本者，即有之亦很少能細細用此百衲本互校。校勘之學是專門事業，非人人所能爲。專家以其所得嘉惠學者，則一人之功力可供無窮人之用，然後可望後來學者能超過校史之工作而作進一步的事業。」（《張元濟友朋書劄》119頁）隨著《百衲本二十四史校勘記》的出版，胡適的宿願也終於實現了。那些歷經天災人禍被深藏於公私善本書室的珍本書，不僅生命得到了延續，而且還能充分地發揮了自己的作用。

三、綜合運用各種校勘方法

張元濟在〈校史隨筆自序〉中說：「余讀王光祿《十七史商榷》，錢宮詹《廿二史考異》，頗疑今本正史之不可信，會禁網漸弛，異書時出，因發重校正史之願。」張元濟在校勘正史的過程中，綜合運用了各種校勘方法。正如顧廷龍《百衲本二十四史校勘記·序》云：「先生校史，不獨定異文是非，且援據善本，擇善而從，融死校、活校於一爐，自盧（文弨）、孫（星衍）、黃（丕烈）、顧（廣圻）以來未嘗有也。」

張元濟的校史工作立足於對校。《百衲本二十四史校勘記》通過異本對勘，詳細記錄各本的異文，這正是它的主要價值所在。如《三國志校勘記·魏書》卷五頁八前五行，南宋紹熙建本作「諸人頌之曰」，「諸」字大字宋本、元本、南監本、北監本、汲古閣本、清汪氏校本、清孔繼涵校本、武英殿本均作「詩」。眉批：「下記〈生民〉章，此當是詩。」張元濟複批曰：「修」。據王紹曾統計，「總計前《四史》，出校一萬八千八百六十八條，已修者爲三千五百二十四條。」（〈百衲本二十四史校勘記整理緣起〉）無論修與不修，如此豐富的記錄版本異文的資料，對研讀全史者都具有極高的參考價值。

張元濟校史也充分利用本書的前後文字來做校勘工作。如《史記校勘記·律書》卷三頁四後一行注，南宋黃善夫本曰：「離宮閱道」，清武英殿本「閱」字作「閣」。宋本欄內批：「〈天官書〉是『閣』。」張元濟複批：「修」。再如《三國志校勘記·魏書》卷十一頁六十七

後三行，南宋紹熙建本、大字宋本、元本、汲古閣本、孔繼涵校本，均作「舉州皆叛」；而南監本、北監本、清汪氏校本作「舉州背叛」。校勘記按：「與上文諸城皆應合，背字疑誤。」

張元濟校史還注意利用它書有關資料作爲依據。如《三國志校勘記・吳書》卷七頁二百七十一前二行，南宋紹熙建本、元本、南監本作「雖實驅驅欲盡心於明德。」而北監本、汲古閣本、清汪氏校本、清孔繼涵校本、清武英殿本「驅驅」均作「區區」。眉批：「李密〈陳情表〉亦用『驅驅』二字。」再如《三國志校勘記・吳書》卷九頁十九前一行，南宋紹熙建本、汲古閣本、孔繼涵校本，均作「不如一鶚」。而南監本、北監本、清武英殿本『鶚』均作『鶚』。《校勘記》曰：「鶚字疑誤，見《後漢・彌衡傳》」。

張元濟校史往往在對校的基礎上，綜合運用各種知識，採用理校的方法判定是非。如《後漢書校勘記・紀》卷九頁十四後四行，宋紹興監本、明正統本、汲古閣本均作「乙巳黃巾賊」；而元大德本、北監本、明汪文盛本，「乙」均作「己」。《校勘記》曰：「乙巳是」。蔣仲茀按：「上文十月辛卯，下文始言十一月，則此爲十月事，當是乙巳，不得有己巳。」《三國志校勘記・蜀書》卷五頁四前八行注，南宋紹熙本、元本均作「逮太和中」；而南監本、北監本、汲古閣本、清汪氏校本、清孔繼涵校本均作「大」。《校勘記》按：「太和，魏明帝年號。大字疑有誤。」這是運用年代學知識進行理校例。《三國志校勘記・魏書》卷十七頁十前七行，南宋紹熙本、大字宋本作「河間鄭人也。」元本、南監本、北監本、汲古閣本、清汪氏校本、清孔繼涵校本「鄭」均作「鄭」。眉批：「鄭屬涿州。云河間，則鄭是。後文封鄭侯，亦是一證。」張元濟批：「修」。《三國志校勘記・吳

書》卷十三頁二後二行，南宋紹熙本、北監本、元本作「下見至尊」。南監本、汲古閣本作「不見至尊」。清汪氏校本批云：「不，宋本作下」。清孔繼涵校本改下，批云：「宋本作下。」清武英殿本作「若見至尊」。《校勘記》按：「建業在荊州下游，故云。汲作不，正是下之訛。」這是運用地理學知識進行理校例。《三國志校勘記·魏書》卷十二葉十一前五行注，南宋紹熙本、大字宋本、南監本、汲古閣本、清孔繼涵校本均作「父兄皆禁固」。北監本、清汪氏校本、清武英殿本「固」均作「錮」。殿本欄內批：「錮乃後起字。」《三國志校勘記·魏書》卷二十五頁九後三行注，南宋紹熙本、大字宋本均作「西施蒙不絜之服」。南監本、汲古閣本、清汪氏校本、清孔繼涵校本均作潔。《校勘記》按：「絜潔通，絜字最古。」這是運用語言學知識進行理校例。《三國志校勘記·蜀書》卷十二頁二十三後六行注，南宋紹熙本作「楚將民發」而元本、南監本、北監本、汲古閣本、清汪氏校本、清孔繼涵校本「民」均作「子」。眉批：「子，上子友、子玉、子允。楚人無以民名者，亦一證也。」下邊欄批：「按：本、注，子發凡七見，此獨作民，誤也。《淮南子》亦作子。」張元濟批：「修」。這是運用社會學知識進行理校例。《三國志校勘記·魏書》卷六頁五後一行注，南宋紹熙本作「糜沸蟻聚爲亂。」後九行作糜。另宋本、元本、南監本、北監本、汲古閣本、清汪氏校本、清孔繼涵校本「糜」均作「麋」。眉批：「麋」後九行從米，麋性驚喜聚散，故以形容。字書無從木之字。」張元濟複批「修」。這是運用生物學知識進行理校例。上述例子表明張元濟所主持的校史處在校勘的過程中，不僅注明宋元明各善本之異同，而且綜合運用各種知識、各種校勘方法來判定是非，因此獲得了巨大的成就。

四、慎校改而又不曲徇宋元本之誤

　　《百衲本二十四史》採用了影印的方法，底本雖然選擇最早、最好、最可靠的本子，但是訛脫衍倒處需要改正；模糊不清處需要描潤；版式差異處需要統一。所有這些工作都會改變底本的原貌，張元濟爲了減少錯誤，始終堅持了慎校改的原則。

　　1.重闕疑，不知者不改。張元濟嘗云：「史有缺文，聖人所重，郭公夏五，著於《春秋》，雖操筆削之權，而不臆爲增益，此修史之極則也。」（《校史隨筆·宋書·闕文不當臆補》）這條原則不僅適用于增補缺文，而且也適用改正文字。如《史記校勘記·世家》卷十一頁十二前八行，南宋黃善夫本作「置褐器中」，汲古閣本、清武英殿本作「置褐器中」。宋本欄內朱批：「不知何解，不動爲是。」再如《史記校勘記·世家》卷十三前五行注，南宋黃善夫本作「平陸古城與即古厥國」。清武英殿本作「平陸古城即古厥國也」。宋本欄內批：「與字疑不能明」。殿本欄內批：「《一統志》：『平陸故城』本古厥國。《考異》無」。眉批：「疑與字因下『與燕會阿』之第一字衍入。」下邊欄批：「查明再定」。後朱批「不修」。

　　2.意可通者不改。如《史記校勘記·書》卷六葉十九後十行注，南宋黃善夫本作「按《成紀》云秦州縣也。」清武英殿本「云」字作「今」。宋本欄內朱批：「可通」。《三國志校勘記·魏書》卷十二頁二十三前三行，南宋紹熙本作「國家之事」。大字宋本、南監本、北監本、汲古閣本、清汪氏校本、清孔繼涵校本均作「國家之要」。

宋本欄內批曰：「尚可通」。再如《三國志校勘記・蜀書》卷七頁四前二行注：南宋紹熙本作：「備酣宴失時」。而南監本、北監本、汲古閣本、清汪氏校本、清孔繼涵校本、清武英殿本均作「備宴酣失時」。《校勘記》云：「宋本於義爲長」。

　　3.通假字不改。《後漢書校勘記・傳》卷七十四頁十前四行，宋紹興監本、元大德本、明正統本均作「號曰行義桓釐」。而汲古閣本、清汪氏校本「釐」字均作「嫠」。北監本作「嫠」。《校勘記》曰：「二字古通」。《三國志校勘記・魏書》卷十五頁十九後九行注，南宋紹熙本、大字宋本、南監本、汲古閣本、清孔繼涵校本均作「於是軍中搔動」。而元本、北監本、清汪氏校本，「搔」均作「騷」。《校勘記》按：「搔騷通，見《吳志・陸凱傳》。」

　　4.別有依據不改。《三國志校勘記・魏書》卷十頁五後六行，南宋紹熙本、大字宋本均作「陸議見兵勢。」而南監本、北監本、汲古閣本、清汪氏校本、清孔繼涵本「議」均作「遜」。殿本闌內批：「按遜本名議，見《吳志》傳十三。」再如《三國志校勘記・魏書》卷十三頁十二前四行注，南宋紹熙本、大字宋本、元本均作「閹官用事。」而南監本、北監本、汲古閣本、清汪氏校本、清孔繼涵校本「閹」均作「宦」。《校勘記》：「按〈賈詡傳〉亦有閹官。」

　　但是，如前所說，張元濟對被選爲影印底本中的錯字，在確有依據的情況下，也謹慎地做了校改工作。這可以說是張元濟的一大創舉，確立了古籍影印本校改之先例。其主要目的在於既恢復全史之本來面貌，又便於讀者，使讀者不至引用錯誤史料。校勘成果本來是可以採用定本，或定本加校勘的形式出版的。如前所說，由於《百衲本二十四史校勘記》卷帙浩繁，整理需時，再加上戰爭頻仍，一時難以

印出，所以《百衲本二十四史》不得不採用定本的形式出版。既然如此，《百衲本二十四史》的校勘工作，不僅要臚列眾本異文，而且還要定眾本的是非。正如段玉裁〈與諸同志論校書之難〉所說：「校書之難，非照本改字，不訛不漏之難也；定其是非之難。」只有對異文的是非作出判斷，才能對底本的錯誤作出校改。關於《百衲本二十四史》校改底本錯誤的情況，王紹曾先生〈張元濟校史始末及其在史學上的貢獻〉一文的第五部分〈一個需要重新認識的問題〉（載《近代出版家張元濟》）已經舉例作了詳細的論述。可見《百衲本二十四史》實際上是採用了影印的形式出版的一種《二十四史》的新版本。這種版本基本上保留了用作校勘與影印底本的最早、最好、最可靠的本子的原貌，因爲同全文相比，校改的地方畢竟是很少的。而它又吸收了參校各本的長處及已有的校勘成果，所以它是一個優於宋元舊本的新的本子。就以晚出的中華書局點校本《二十四史》爲例，其中11種用百衲本作爲底本，10種用百衲本作爲校本。即以點校本《三國志》爲例，其《出版說明》稱其用百衲本《三國志》等「四種通行本互相勘對，擇善而從。」我們將百衲本《三國志校勘記》目錄部分與點校本《三國志》目錄部分相對照，發現百衲本《三國志》的校勘成果，無論已修、未修，幾乎全部爲點校本所吸收。正如程千帆1996年1月7日致王紹曾信中所說：「中華本固有功，然《百衲》不出書，則中華諸底本，則亦無以植其基也。」《百衲本二十四史校勘記》出版後，《百衲本二十四史》之功用「可以增加不止百倍」（胡適1930年3月27日致張元濟信）

五、校勘與出版相結合

　　張元濟被張舜徽譽爲「近代學者整理文獻最有貢獻的人」，稱他「從年輕時起，一直到老死，摒除人世間一切其他愛好，專心一致地整理古代文獻，以訪書、校書、輯書、印書爲終身之事，並在親自動手、不辭勞瘁、苦心經營的基礎上，做了大量的工作。……不獨爲國家保存了一大批珍貴的文化遺產；而且極大的豐富了世界文化的寶藏；這種功績是應該大書特書的。」（《中國文獻學》303-304頁）張舜徽還說自己「曾經仔細地用《百衲本二十四史》和殿版《二十四史》校對了一遍，發現殿本訛、衍、缺、脫的最嚴重之處，有下列十種情況」：一、複葉；二、脫葉；三、缺行；四、文字前後錯亂；五、篇章前後錯亂；六、小注誤入正文；七、注文缺脫；八、校語缺脫；九、任意改易原文；十、任意竄補原書。「以上所舉，不過就殿本《二十四史》中最突出的例子，抽出來談談。至於比較次要的訛、衍、缺、脫的現象，那就不勝枚舉了。由此可以認識到《百衲本二十四史》在今天的所以可貴。我們稱它爲全史中最標準的本子，道理便在這裏。」（《中國古代史籍校讀法》95-97頁）將經過精心校勘的本子加以出版，也是張元濟高於王鳴盛、錢大昕之處。

　　張元濟不僅從宏觀到微觀主持了《百衲本二十四史》的校勘工作，而且也從宏觀到微觀主持了《百衲本二十四史》的出版工作。首先，他採用了最先進的出版技術。正如王紹曾所說：張先生「利用近代出版技術，校勘影印群書，做了乾嘉以來校勘學家想做而做不到的

事情。他的最大優點，就是爲我國大批古籍保存了原貌，爲我們提供了閱讀和校勘比較可以依據的本子，使我們的古典文獻工作建立在穩固、可靠的基礎上。」（《近代出版家張元濟》70頁）

爲了便於插架，張元濟還對影印的版式做了整齊劃一的工作，他在《百衲本二十四史·前序》中說：「誦校初畢，因付商務印書館用攝影法複印行世。縮摜版式，冀便巾箱，眞面未失，無慮塵葉，或爲有志乙部者之一助歟？」他在1933年10月20日致丁英桂的信中要求統一每一頁的尺寸：「承批示《梁書》明補各卷有照得太闊大者，此時應用何法補救，乞速派人將未印各頁逐頁細量（無論何史，以後此書永遠如此），記明于全批每頁簽字之上。如有過於大或小者，只可重照。再，敝處發印之件，於發照之前亦先量准，于發照時告以伸縮。」1933年10月23日，他又致信丁英桂，要求先做試驗：「送去《宋書》石印二十七頁。此中有甚不易做者，請選出最難之一二頁交最好手段之工友試做。做成打樣，交弟閱看。如有不合，可及時修正。如果合宜，即以此試做之頁作爲標準。附去製版須知（請發打印多分，交下二分），請詳細解說。如工友有未明處，可請攜帶原樣及製版須知到敝處當面說明。」張元濟針對各史的具體情況，爲各史擬定了專門的〈製版須知〉。僅以1934年3月31日致丁英桂信所附〈《晉書》「紀」、「傳」製版須知〉爲例：

　　一、原書筆畫甚細，修時切勿加粗。

　　二、凡應改之字，均用朱筆寫明，應照改。

　　三、凡應修之字，均用朱筆描潤加△爲記，應照修。

　　四、凡有墨污損及各字筆畫者，亦加△爲記，應仔細照修。

　　五、上下欄中段如有斷缺或污損者，應修好。

六、書中有墨暈污點，均應修淨。

七、每卷首尾兩頁中縫不記書名，應將本卷他頁移補。

　　請照打多分，交下兩分。第七條請決定後即照打。

　　　　　　　　　　　　張元濟　二十三年三月三十一日

張元濟甚至對行線如何修也做了明確的規定。如他在1936年8月11日致丁英桂的信中專門擬訂了〈《新唐書》修行線要則〉：

一、要有古意，務要與左右之線相稱。

二、不可成算盤珠式。

三、不可成樹枝式。

四、中間如有斷處，其斷頭務要有古意。

五、與原有之線相接處，不可露出相接之痕。

六、版子如有斷痕，其斷處務與左右之線齊一，勿稍高低。

　　工友修行線甚不得法。擬數條如右，請察核。如尙有應指出者，請補入。多打印若干分，分交各工友，並交下二分。

　　張元濟對如何修潤，也是一絲不苟，其〈記百衲本二十四史影印描潤始末〉及所附〈修潤古書程式〉、〈修潤要則〉、〈添粉程式〉清楚地說明了這一點。他甚至連一個字也不放過。如《史記校勘記·紀》卷十二後三行注，南宋黃善夫本、明王延喆本均作「言挺笏於紳帶之間」。清武英殿本「紳」作「紳」。張元濟批「修」，並注曰：「但先須將曰移上，勿僅加｜便了。」此類例子甚多，就不一一列舉了。張元濟還談到：「描潤之事畢，更取以攝影；攝既，修片；修既，製版；製版清樣成，再精校；有誤，仍記所疑，畀總校；總校覆勘之，如上例。精校少則二遍，多乃之五六遍，定爲完善可印。總校於每葉署名，記年月日，送工廠付印。」（〈記百衲本二十四史影印描潤始末〉）

　　所有這些工作都是十分繁難的。張元濟1933年12月14日致傅增湘信談到：「弟近爲校印《衲史》，幾至廢寢忘食。今歲只出南朝四史，宋梁兩朝均有邋遢本補配，即宋元舊刻，亦多爛版。《陳書》照自日本，尤爲模糊。工程之難，爲從前竟未想見。附上〈影印描潤始末記〉，乞公試閱之，可知其艱苦矣。」（《張元濟傅增湘論書尺牘》311頁）事無巨細，張元濟都親自過問，主要是出於高度的責任感。他在1933年8月7日寫給丁英桂的信中說：「如此炎熱天氣，弟復看補修，未嘗稍停，無非欲保全公司信用，想兄必能鑒及也。」當然更重要的原因，還是如顧廷龍所說：「先生生當中華文化存亡絕續之交，以搶救、弘揚傳統文化爲己任。」（《百衲本二十四史校勘記·序》）

　　王紹曾先生爲《百衲本二十四史校勘記》的出版也做了大量工作，否則這部校勘巨著將淹沒不聞，直至亡逸，當然談不上得到充分利用了。顧廷龍記其事曰：先生所撰校勘記百數十巨冊，以世變方殷，董理需時，至今五十餘年，迄未付梓。惟令人遺憾者，先生校勘記二十三種，中華書局於一九六〇年點校《二十四史》久假不歸，逮一九八七年商務建館九十周年舉行先生誕生一百二十周年學術研討會，經龍及王紹曾先生多方呼籲，中華始於一九九〇年、一九九二年清還十六種，尚有《晉書》、《周書》、《北齊書》、《北史》、《舊五代史》、《遼史》、《元史》等七種迄無消息。（《百衲本二十四史校勘記·序》）王紹曾等在承擔了整理《百衲本二十四史校勘記》的任務後，做了大量工作。主要有以下幾點：一是按照統一的規定對校勘記原稿進行了過錄，過錄時以校勘記定本爲主，參以留備參考之本。二是對校勘記做了訂誤工作，誠如王紹曾所說，「校勘記出於眾手，先生當日亦未一一復核，有摘句文字訛奪，或間有底本與殿本互倒者，

有頁數行數不符者，有漏標校勘符號者，注文有未標出注字者，有批修而漏修者，有未批『修』而實已修者，類似情況，屢見不鮮。」（〈百衲本二十四史校勘記整理緣起〉）三是「過錄時如發現衲本、殿本確有異文但校勘記漏未出校，均需用另紙抄錄，作爲校勘記補遺，附於校勘記之後。」（〈整理凡例〉）間有影印本已修訂，而校勘記原稿未出校者，也輯爲〈補遺〉附刊卷尾，如〈史記校勘記補遺〉。四是注明漏修、誤修，以便更好地利用《百衲本二十四史》。王紹曾談到「此次整理，發現校勘記欄下有批『修』而實『漏修』者，有當年既已發現而加批『漏修』者。漏修之外，間有加批『誤修』者。所謂『漏修』，即應修而未修之字；所謂『誤修』，即宋元本不誤而據殿本及諸本改字者。」（〈百衲本二十四史校勘記整理緣起〉）校勘記中關於「修」、「漏修」、「誤修」的記錄，30年代影印出版的《百衲本二十四史》線裝本和1958年出版的精裝縮印《百衲本二十四史》中，均未得到反映。因此《百衲本二十四史校勘記》的出版有很高的參考價值。正如顧廷龍《序》所說，「俾世之治史者人手一編，受惠無窮，而先生之校史巨著終得傳諸天下後世，豈能不額手稱慶哉！」

　　張元濟校勘、整理、出版的《百衲本二十四史》，爲我們提供了一個最可靠、最標準的全史版本；《百衲本二十四史校勘記》集宋元明善本之大成，也爲我們提供了豐富的校勘資料。此外，他從事古籍整理與出版的豐富經驗，廢寢忘食的獻身精神，以搶救、弘揚中國傳統文化爲己任的高度責任感，也是值得我們學習的。我們期待著《百衲本二十四史校勘記》早日出齊。

關於古天文曆法文獻的整理和研究

徐傳武*

摘　要

本文首先用生動的事例說明了關於古天文曆法文獻整理、
研究和應用的重要性，這些文獻為人類認識宇宙、認識自
然已經做出並且還將繼續做出重大的貢獻。接着又從影響
較大的有關專著，二十四史中的有關資料以及甲骨文、金
文、竹簡、帛書和有關文籍中的零星記述等各個方面，說
明在我國古代此類文獻資料是非常豐富的，彌足珍貴的。
而後又分階段論述了二十世紀古天文曆法文獻的整理、研
究的概況，前五十年在1926年前，未取得什麼像樣的成績，
1926年至四十年代末天文事業取得了初步發展；後五十年
代至今特別是近二十幾年來，天文事業取了飛躍性的發展，
出版了大批值得稱道的研究成果。最後則從應加強這方面

---

*　山東大學教授、博士生導師

的人才培養，要和現代科學相結合，要和社會科學及自然
科學的其他學科相結合，要善於總結規律、有所發現、有
所創造，要注重現在和將來的應用等幾個方面提出了自己
的看法，以期今後在這個領域裡取得更大的進展，為人類
做出更大的貢獻。

關鍵詞　古天文學文獻　整理　研究　應用

一、關於這個問題的重要性

我先舉兩個例子加以說明。在這次舉世矚目的夏商周斷代工程
中,古天文曆法的有關文獻起了舉足輕重的作用。在這一工程進展中，
使用了自然科學與人文科學相結合的方法，而其中所涉及的領域主要
有歷史學、考古學、古文字學、天文學、測年技術等幾個重要方面，
而天文學即是其中的一個極為重要的方面。李學勤先生在《夏商周年
代學札記》一書（李學勤《夏商周年代學札記》，遼寧大學出版社，1999年
版）中，收錄了44篇論文，僅從題目上看，與古天文曆法有關的就有
27篇，如算上從題目上看不知是否與古天文曆法有關而實際上有所涉
及的就更多了。在夏商周斷代工程中，有「武王伐紂年代研究」這一
子課題。關於這一事件，古文獻中有不少有關的記載，如〈利簋銘文〉
「武王征商，佳甲子朝」，《漢書‧律曆志下》引〈武成〉「粵若來
三（當作「二」）月，既死霸，粵五日甲子，咸劉商王紂」，《國語‧
周語下》「昔武王伐殷，歲在鶉火，月在天駟，日在析木之津，辰在

斗柄，星在天黿，星與日辰之位皆在北維」，《淮南子·兵略訓》「武王伐紂，東面而迎歲，……彗星出而授殷人其柄」，嚴可均輯《新論》「甲子，日月若合璧，五星若連珠，昧爽，武王朝至於商郊牧野，從天以討紂，故兵不血刃而定天下」，《今本竹書紀年》卷上「（帝辛）三十二年，五星聚於房，有赤烏集於周社。……三十三年，王錫命西伯，得專征伐」，《舊唐書·禮儀志一》引《六韜》「武王伐紂，雪深丈餘」，等等。對於這些記述，由於理解不一，對武王克商的年代以致產生了有44種不同的說法，最早者認爲當爲西元前1127年，最遲者認爲當爲西元前1018年前後，相差竟有109年之久。而夏商周斷代工程組的同志們，綜合考察了各種有關記述，進行了去僞存眞，去粗存精，由此及彼，由表及裡的反覆探究，終於將武王在牧野之戰中擊潰殷紂大軍的時間具體確定爲西元前1044年1月9日。（詳參江曉原、鈕衛星著《回天：武王伐紂與天文歷史年代學》，上海人民出版社2000年版）竟然能將發生在三千多年前的這一事件精確到某月某日，不能不讓人拍案稱奇！主持這一方面研究工作的江曉原先生等還因此而創立了「天文歷史年代學」。

　　第二個例子是北宋時期有關一顆超新星的記錄。《宋史·天文志九·客星》載宋仁宗「至和元年（1054年）五月己丑（7月4日）（客星）出天關（屬畢宿）東南，可數寸，歲餘稍沒」。《宋史·仁宗紀四》載宋仁宗嘉祐元年（1056年）三月辛未（4月6日）：「司天監言：自至和元年五月，客星晨出東方守天關，至是沒。」《宋會要輯稿》載嘉祐元年三月：「司天監言：客星沒，客去之兆也。初，至和元年五月晨出東方，守天關。晝見如太白，芒角四出，色赤白。」（《宋會要輯稿》第52冊第2086頁）因爲它靠近天關星，所以被稱爲「天關客星」，

它在天空持續了643天之久方消失。至1731年，有人在這個位置上發現了一個彌漫星雲，因其形如螃蟹，而稱其爲「蟹狀星雲」。1921年，又有人發現這個「蟹狀星雲」仍在不斷向外膨脹。經過一系列觀測研究，人們認爲這個蟹狀星雲就是天關客星的「遺骸」。這一記載以生動的事實說明恒星在一定的條件下可以轉化爲星雲。如科學家所言：「其意義是很重大的。」（中國天文學史整理研究小組《天文史話》編寫組：《天文史話》，第125、第128頁，上海科學技術出版社1989年版）後來人們還發現，超新星的爆發還會產生快速自轉的中子星，而中子星的發現在科學史上又是具有重大意義的事件，這就使中子星可能在超新星爆發中形成的預言得到實證，如人所說，從中子星的發現中「再次體現了中國古代天象記錄的重要作用」。（同上，第128頁）

中國科學院院長郭沫若曾說：「我們的自然科學是有無限輝煌的遠景的，但同時我們還要整理幾千年來的我們中國科學活動的豐富的遺產。這樣做，一方面是在紀念我們的過往，而更重要的一方面是策進我們的將來。」（郭沫若《中國近代科學論著叢刊·序》（1953年））整理和研究我們數千年以來的有關古天文曆法的文獻資料，也像郭沫若所說的，既是「紀念我們的過往」，更是「策進我們的將來」，因爲這些雖然「過往」的文獻，仍然對「策進我們的將來」有著不可忽視的、不可替代的重要作用。在前面所舉二例中，如果我們沒有有關天文、曆法的各種有關記載，要想把武王伐紂的年代確定得那樣具體幾乎是不可能的，要想證明恒星能轉化爲星雲說、要想證明中子星產生於超新星爆發說不知要多花費多少力氣。

我再舉幾個例子加以闡發。一是關於日月食的，我們有世界上關於日月食的最早的和最多的記錄，而且保持了記錄的連續性。如在

編年史《春秋》一書，就記載了西元前770年到西元前476年的294年間的37次日食，據今人研究，其中的33次都是可靠的，這是世界上最完整的日食記錄。據陳遵媯先生統計，從漢代到辛亥革命前的日食記錄就有1042次之多（陳遵媯《中國天文學史》第三冊第847頁）。有的記載還對日月食的成因做了比較科學的解釋。後來，又發現了日月食的周期，並能準確地預報日月食。再如關於太陽黑子的記錄，甲骨文「日」字中有一黑點，有人認爲指的就是太陽黑子；如果對此還有懷疑的話，而《漢書·五行志》中所載的西漢成帝河平元年（前28年）「日出黃，有黑氣，大如錢，居日中」，則爲公認的關於太陽黑子的最早記述了。從漢代起，僅二十四史中就有100多次關於太陽黑子的記錄，這些記錄有日期、有位置、有變化情況等，非常精細。歐洲最早看到太陽上有影影綽綽的暗影存在，已是西元807年，比我國已晚了800多年。法國著名天文學家開普勒在1607年看到太陽黑子時，還認爲是水星走進了太陽圓面。1610年，意大利大科學家伽利略用望遠鏡看到太陽黑子，起初也認爲是行星，後來才認識到這是太陽本身的現象——太陽黑子出現了。我國天文工作者從古代記錄的太陽黑子出現的情況，計算出其出現的周期約11.33年，得到與現代統計十分相近的結論。這些珍貴的有關太陽黑子的記錄，對於研究太陽物理以及日地關係、氣候變遷等都有重要的參考價值。

明朝末葉，法國著名天文學家開普勒收到當時在中國的法國耶穌會教士鄧玉函寄去的大量有關中國古代的天象記錄後，結合第谷的天象記錄，從而研究出了著名的行星運動三定律，爲後來牛頓萬有引力定律的偉大發現，奠定了堅實的基礎。清朝初年，法國著名的天文學兼數學家拉普拉斯，見到當時在中國的法國耶穌會教士宋君榮說到

的中國古代天文觀測的兩件事，對於我們祖先天文觀測的精確程度，拉普拉斯十分驚異，並用這些天文觀測的資料，作爲他論證天體力學理論的證據。這兩則都是外國人把中國古代的天象記錄用於現代天文研究的早期事例。直到今天，利用中國古代的天象記錄進行研究，仍然是天文學的一個重要方面，並未因爲這些記錄是古人的而過時。陳遵嬀先生說，天體的不少特徵和演化在短時期內是無法察覺的，往往需要經過數百年、數千年，乃至更長時間的觀測、研究，才能找出其中的規律，因此，天文學比其他自然科學更需要連續性，或者說歷史性。「在一定意義上，古代觀測記錄的價值，不亞於新的觀測記錄，甚至超過新的觀測記錄」（陳遵嬀《中國天文學史》第一冊第16頁）。

可以說，我們的祖先幾千年來給我們留下了豐富而又寶貴的有關天文曆法的各種文獻，這些文獻爲人類認識宇宙、認識世界、認識自然，已經做出了並且還將繼續做出重大的貢獻。

二、我國有關古天文曆法的文獻非常豐富

我們常常用「汗牛充棟」、「浩如烟海」來形容我們古代的典籍之富，其實，單就其中有關古天文曆法的文獻資料來說，用這樣的詞來形容似乎也不爲過。

我們的祖先對天象的觀測、記錄、研究非常精勤，因而留下了非常豐富、彌足珍貴的文獻資料。這些有關記載的連續性、完整性和準確性在世界上是頗爲罕見的。研究中國科技發展史的英國專家李約瑟稱讚中國人「是全世界最堅毅、最精確的天文觀測者」（（英）李

約瑟《中國科學技術史》第四卷《天學》，科學出版社1975年版）。比如我們用干支來記年記日，幾千年來從未間斷過，曆法相對來說也是較爲準確的。而有的外國的曆法則相差甚多，有人取笑羅馬帝國曆法太不精密時曾戲言，說羅馬人好打勝仗，但卻不知道是在哪一天打勝的。再比如現在被用爲公曆的儒略曆在1582年10月4日以後，緊接著就是10月15日，形成了歷史上從來沒有過的十天，曆日的設置顯得如此隨便，而我們中國人則是通過大月、小月、閏月等來逐步予以調適的。在我們數千年的文明史上，絕對找不到用這樣簡單辦法來處置時間的記載。

我國古代有關天文曆法的文獻，按內容分，有關於各種天象觀測、記錄和研究的，有關於宇宙結構、天體形成的測研和設想的，有關於各種曆法的推算和探究的，有關於各種天文儀器的製造和運用的，還有關於古代天文學家和天文工作者的生平事略及其在天文曆法方面的成就和貢獻的等等，涉及到古天文曆法的各個方面。在我國，有許多關於古天文曆法的專著，二十四史中也有記載古天文曆法的專門篇章；在甲骨文、金文、竹簡以及各種文籍中，也有許多有關古天文曆法的記述。

我國古代關於天文曆法的專著，較著名的、在天文學史上有較高地位、較大影響的還不少。

《大戴禮記》中的《夏小正》，相傳記載了夏代的曆法，按月份記載中星、斗柄指向、物候的變化和與之相應的農事活動，提供了從以觀測物候定農時的自然曆階段向以觀測天象確定農時的觀象授時階段的過渡情況。戰國時楚人甘德著《天文星占》八卷，魏人石申著《天文》八卷，其中《天文》八卷載有二十八宿距星的距度、去極度

和其他150顆恒星的入宿度和去極度，被後人稱爲「石氏星表」，這成爲後世天體測量的基礎。西漢時期撰成的《淮南子》中的〈天文訓〉，書中第一次出現了對我國農事活動影響頗大的二十四節氣的全部名稱，又將每天分爲十五小段，反映了漢初的時間劃分情況。西漢或更早時期編撰的《周髀算經》，將蓋天說數量化，總結了當時人們對天體結構的看法；其中還有認爲月光乃日光照射而成的觀點。鄭樵《通志》中所載隋人丹元子（一說爲唐人王希明）所作〈步天歌〉，以詩歌的形式，編爲通俗易記的認星指南，爲普及天文知識發揮了頗大作用。北宋蘇頌所著《新儀象法要》一書，記載水運儀象台的設計製造，有60多幅機械設計圖；又有星圖5幅，在星圖學史上也有重要地位。十四世紀藏族學者布賴、仁坎珠所撰《賢者能喜》一書，專門論述天象觀測，這在少數民族中，還是很值得注意的。明代的邢雲路著有《戊申立春考證》，得出回歸年長度爲365.242190日，已準確到十萬分之一日。邢氏還著有《古今律曆考》一書，提出了行星運行受太陽牽引的思想，是很有價值的。明代崇禎年間編纂的《崇禎曆書》，在中國第一次傳播了丹麥天文學家第谷建立的宇宙體系；且以本輪、均輪體系解釋天體運動的速度變化，使傳統的中國天文學從代數學系統開始向幾何學系統轉變；該書還引入了明確的地球概念，引進了經、緯度及其有關的測定，使日、月食計算和其他天文計算比起傳統的中國方法進了一大步；該書首次採用了360°制，一天96刻制，經度以十二次爲系統，緯度從赤道起算至90°。這都比中國傳統的計算方法簡便得多。清初頒行《時憲曆》，改平氣爲定氣，是曆法的又一次改革，這種據《崇禎曆書》推算出來的日用曆書，一直施行到清末。清人王錫闡著有《曉庵新法》等十三種天文著作，吸取中、西天文學方法各

自的優點，並有所創新。他提出了正確計算日月食初虧、複圓方位角的方法，計算金星、水星凌日的方法，計算月掩行星和水星、金星凌日的初、終時刻法，都比過去有所進步。與王錫闡齊名的同時代人薛鳳祚著《曆學會通》一書，系統而詳盡地介紹歐洲的天體運動計算法，其中首次運用對數，把西方的60進位制改成10進位制，這些都是有著積極意義的。清康熙年間，皇帝曾命南懷仁督造多種新式天文儀器，南懷仁因著《靈台儀象志》以介紹這些儀器的製作原理和使用方法，書後還附有一份新測的全天星表。乾隆年間，新製作機衡撫辰儀，後編成《儀象考成》一書，介紹新製儀器，訂正《靈台儀象志》星表的不足。道光年間，又編成《儀象考成續編》一書，公佈了全天恒星觀測的最新成果，共列3240星。清朝編撰的《疇人傳》，是關於天文學家和數學家傳記的集大成之作。共有四編，第一編由阮元於1799年編成，第二編由羅士琳於1840年編成，第三編由諸可寶於1884年編成，第四編由黃鍾駿於1898年編成。這是研究天文學史、數學史的重要文獻資料。1885年，康有爲撰成《諸天講》一書，肯定了哥白尼、伽利略、牛頓等在這一時期內天文學發展中所起的重要作用，首次向中國介紹了康德—拉普拉斯星雲說，科學地討論天體起源演化問題。對中國古天文學向現代天文學體系的轉化起了促進作用（康有爲1885年著《諸天講》，晚年又加修改，該書在康氏去世以後於1930年出版，中華書局於1990年再版）。

　　二十四史中，有不少有關天文曆法的文獻資料。有〈天文志〉的史書就有《史記》（名爲〈天官書〉）、《漢書》、《後漢書》、《晉書》、《宋書》、《南齊書》、《魏書》（名爲〈天象志〉）、《隋書》、《舊唐書》、《新唐書》、《舊五代史》、《新五代史》（名曰〈司

天考〉，爲之二）、《宋史》、《金史》、《元史》、《明史》等；有〈律曆志〉的史書就有《史記》（名曰〈律書〉、〈曆書〉）、《漢書》、《後漢書》、《晉書》、《宋書》、《魏書》、《隋書》、《舊唐書》（名曰〈曆志〉）、《新唐書》（名曰〈曆志〉）、《舊五代史》（名曰〈曆志〉）、《新五代史》（亦名〈司天考〉，爲之一），《宋史》、《遼史》（名曰〈曆象志〉）、《金史》（名曰〈曆志〉）、元史（亦名〈曆志〉）、《明史》（亦名〈曆志〉）。另外，如《漢書》、《後漢書》、《宋書》之〈五行志〉中，也保存了有關天文的某些資料；史傳中有關天文學家的某些記述，同樣保存有關於天文曆法的不少有價值的文獻。

　　西漢時司馬遷所作《史記》，內有〈天官書〉，記有恒星500多顆，是最早的天象觀測著作；又有〈律書〉、〈曆書〉，也是最早的關於律曆方面頗系統的著作。《史記》所作三「書」，成爲後代史書〈天文志〉、〈律曆志〉的範例。《史記·曆書》中所記載的「黃帝考定星曆，建立五行，起消息，正閏餘」，「黃帝使羲和占日，常儀占月，與區占星氣，伶倫造律曆，大撓作甲子，隸首作算數，容成綜此六術而著調曆也」云云，這些傳說雖多係後人附會，但也說明星象、占卜、律呂、曆法的產生在我國是很早的。《漢書·天文志》所載漢武帝元光元年六月「客星見於房」，是世界上第一個確切的新星記錄。此新星伊巴谷也有記錄，但無月份和位置。《漢書·天文志》所載西元前32年10月24日的一次極光，也是世界上較早的確切的極光記錄。《漢書·律曆志》所載太初元年詔公孫卿、壺遂、司馬遷等製定《太初曆》，是我國保留下來的第一部完整的曆法，具備了後世曆法的規模。《後漢書·天文志》及《後漢書·張衡傳》記述了著名天文學家張衡在天文學方面的傑出貢獻：張衡曾作《靈憲》和《渾天儀圖注》

二書，宣揚「渾天說」思想，製造水運渾象等。《後漢書·天文志》所載「中平二年（185年）十月癸亥，客星出南門中」云云，為世界上最早的超新星記錄。《後漢書·律曆志》記述了賈逵創製黃道銅儀，發現月行有遲疾，發現冬至點比太初曆定的位置有差（此為後代發現歲差規律的先聲）等重要成就。《晉書·天文志》記述了東漢郗萌記先師所言「宣夜說」認為宇宙是無限的觀點。《晉書·律曆志》記述了劉洪製《乾象曆》顧及月亮運行不均的現象、三國魏時楊偉製《景初曆》首次提出了食限概念。《隋書·天文志》記述晉太史令陳卓總結甘德、石申、巫咸三家星經，著於圖錄，共283官、1464星，此說一直沿用了千年之久。《宋書·天文志》載劉宋人錢樂之鑄渾象，上標陳卓所言1464星，此乃一小型天球儀。《舊唐書·曆志》載，晉人虞喜通過比較古今中星的觀測資料發現了冬至點退移的現象，名之為「歲差」，提出了五十歲西移一度的歲差值。《宋書·律曆志》記何承天創《元嘉曆》，首次提出了用定朔的意見。《宋書·律曆志》又載祖沖之創《大明曆》，在曆法編算中首次考慮到歲差現象。《魏書·術藝傳》載北魏鮮卑族天文學家斛蘭造鐵質渾儀，架上設十字水槽，以校準儀器水平，此為後世儀器水準發明器的先聲。《北齊書·方技傳》載北齊張子信在海島上用渾儀觀測天體運行，發現太陽視運動不同時間快慢不同，這個發現引發了後代曆法上平氣改定氣的改革，對日月食預報的準確性有很大改進。據《隋書》之〈律曆志〉和〈儒林傳〉載，隋人劉焯造《皇極曆》，提出了改平朔為定朔的方法，提出了歲差值為七十五年退一度，比虞喜、何承天的歲差值更為接近真實。《舊唐書·方技傳》記述李淳風撰《晉書·天文志》、《隋書·天文志》、《乙巳占》的情況，三書皆為天文學史上的重要文獻資料。《舊唐書·

曆志》記述了一行第一次天文大測量的情況，實際上推翻了「千里差一寸」的舊說。《新唐書·曆志》記述一行創《大衍曆》，著《大衍曆議》、《大衍曆術》二書的情形。《五代史·司天考》記唐代天文曆算家曹士蒍製《符天曆》，首次廢除繁瑣的上元積年，採用萬分曆日法，使計算大爲簡便。《宋史·天文志》記述宋代巴人張思訓以水銀代替漏水製成渾儀，因使渾儀轉動不受寒暑影響的成就。《宋史·天文志》還記載了沈括、蘇頌、韓公廉等人在天文儀器製造方面的一些突出貢獻。《元史·天文志》、《元史·郭守敬傳》記述了著名天文學家郭守敬在天文儀器製造、領導全國天文大地測量、編撰《授時曆》等方面的傑出成就。二十四史中有關天文、律曆的資料之豐富，何可盡言！

　　甲骨文中有六十干支表，說明殷時已用干支記日。甲骨文中有不少「十三月」的卜辭，說明殷時已用閏月來調整太陽年和太陰月的關係。殷時稱白天爲日，夜晚爲夕，白晝又分成「明」、「大采」、「大食」、「中日」、「昃」、「小食」、「小采」七段，說明殷時已有了較細的時間劃分。甲骨文中還有許多關於日月食、新星及恒星的記載，反映出殷代對天象的觀測已經比較精細。西周金文中有大量關於月相如「初吉」、「既生霸」、「既望」、「既死霸」的記載，反映出對月相的觀測十分重視。馬王堆西漢墓葬帛書中有彗星圖一卷，畫出了29種不同的彗頭和彗尾形狀，這是世界上最早的彗星繪圖。馬王堆漢墓出土的帛書中還有《五星占》一部，記述木星、土星、金星三大行星在西元前246年至西元前177年七十年間的位置，運行周期頗爲準確。這說明在此之前已有了成爲後世渾儀前身的測角儀器。1973年在山東臨沂銀雀山出土了《元光曆譜》竹簡一套，漢初沿用秦制，

仍用《顓頊曆》不改，出土的竹簡爲研究《顓頊曆》提供了實物證據。唐代敦煌卷子中有《全天星圖》一卷，按十二月分畫十二圖，另有北極區圓圖一幅，爲初唐所繪製。星圖色彩，以三色區分三家星官。是我國星圖史上的重要作品，也是世界上所見最早的科學星圖之一。南宋人黃裳據北宋元豐年間的全天恒星觀測結果，繪製了蘇州天文圖的底圖，後由王致遠主持刻石，這就是現存著名的蘇州石刻天文圖，是天文史上價值連城的天文文物，在星圖研究史上具有重要的地位。明洪武十七年（1384年）在南京雞鳴山設立觀象臺，有渾儀、簡儀、天體儀等，正統二年（1437年）按南京的渾儀、簡儀複製一套置於京城齊化門，這就是現今陳列於南京紫金山天文臺的兩件重要的古代天文儀器，對研究古代天文儀器有著十分重大的價值。

古代典籍中有關天文曆法的零星記述也很多。《尚書·堯典》「日中星鳥，以殷仲春」、「日永星火，以正仲夏」、「宵中星虛，以殷仲秋」、「日短星昴，以正仲冬」的記載，說明早在三、四千年前我們的祖先就能以「中星」來確定季節。《尚書·堯典》又曰：「期三百有六旬有六日，以閏月定四時成歲。」曆法的基本要素「歲（年）」、「月」、「日」、「旬」、「四時（四季）」、「閏月」等的概念都很明確，說明我國古代的曆法產生的確是很早的事。《左傳·襄公九年》載「陶唐氏（堯）之火正閼伯居商丘，祀大火」云云，說明堯時已有專門的天文官員「火正」，負責觀察大火星（心宿二）來指示時節的變化。《鶡冠子》卷上「斗柄東指，天下皆春；斗柄南指，天下皆夏；斗柄西指，天下皆秋；斗柄北指，天下皆冬」的記述，說明我們的祖先早在三、四千年前已能利用北斗柄指示季節。《周禮·春官》中有「告朔」的記載，能預告朔日，表明天象觀測方法已有了很大進

步。又有「馮相氏掌十有二歲，十有二月，十有二辰，十日，二十有八星之位，辨其敘事，以會天位」的記述，說明對恒星的觀測及周年周日以十二分法的起源也是頗早的。

《春秋・魯莊公七年》記該年夏四月辛卯夜，「星隕如雨」，據考證，這是天琴座流星雨最早的記錄。《春秋・僖公十六年》和《左傳・僖公十六年》都有「春，隕石於宋，五，隕星也」的最早的隕石記錄。《左傳・魯文公十四年》謂該年秋七月「有星孛入於北斗」，這是哈雷彗星在我國最早的記載。《詩經》有關於金星及不少恒星的記載（見〈小雅・大東〉等）；《詩經・鄘風・定之方中》「定之方中，作於楚宮；揆之於日，作於楚室」云云，說明當時曾以星象決定季節，以日影來測定方向。戰國時屈原所寫〈天問〉，一口氣提出了170多個疑問，對宇宙形成和構造等大膽地進行了發問，是我國古代天文思想的寶貴資料。戰國時人尸佼在《尸子・君治》中說：「天左舒而起牽牛，地右辟而起畢昂」，「上下四方曰宇，往古來今曰宙」，有樸素的地動思想和頗久遠的時空觀念。唐代柳宗元針對屈原的〈天問〉而著〈天對〉，其中發揮了宇宙無限的思想，也是很有價值的。北宋科學家沈括在其所著《夢溪筆談》中，設計了一套純陽曆曆法，當時雖未能實行，但仍給後人以啟迪，其在天文學史上的價值也是永遠不會泯滅的。北宋末時朱彧在其所著《萍洲可談》中，說：「舟師識地理，夜則觀星，晝則觀日，陰晦則觀指南針……。」明茅元儀在其所撰的《試備志》中記載了「過洋牽星圖」四幅，是鄭和七次下西洋時所繪航海圖。這二則都是我國航海天文學的寶貴資料。元代鄧牧著有《伯牙琴》一書，其中說到天地與宇宙的關係，指出天地之外還有天地，是一種宇宙為無限階梯式的思想。明人董穀著有《豢龍子》一

書，其中講到宇宙起源演化時，認爲宇宙是沒有開端的，而某一具體的天體則是有生有滅的。以上兩則都表現了樸素唯物主義的宇宙觀。

古代文獻中有關天文、律曆的資料非常豐富，這裏不過是擇其在天文學史上較有影響的極少數人物、事件以及所體現的思想等等，略略而言之罷了。但一葉知秋，由這吉光片羽，我們就可窺見那耀眼的、似乎是深廣無垠的古天文學文獻寶山的無限風光。

三、二十世紀古天文曆法文獻的整理和研究

有關古天文曆法文獻的整理和研究在二十世紀中的情況，可以分爲前五十年和後五十年兩大階段。

對於前五十年，參照陳遵嬀先生的劃分法（陳遵嬀在《中國天文學史》第四冊第十編第九章中把從辛亥革命到四十年代末，分爲兩個階段，「即北洋軍閥政府時期（西元1912—1926年）與國民黨統治時期（西元1927—1948年）」，並說：「前期談不上什麼科學事業，而後期天文事業才有初步發展。」（見該書第2100頁）），可以分爲前25年和後25年。陳遵嬀先生認爲1926年以前，「談不上什麼科學事業」，但他同時認爲，不少天文學家和天文愛好者，還是做了不少工作的，他把1926年以前的一段時間，稱之爲中國近代天文學進展的「倡導時期」。（陳遵嬀《中國天文學史》第四冊第1871頁）這一時期，設立了中央觀象臺，編撰了《氣象月刊》，後又擴充爲《觀象叢報》，後又改爲《觀象彙刊》，成立了中國天文學會，那時任中央觀象臺臺長的高魯等人撰寫了不少論文，也出版了幾

種天文學著作，如高魯撰寫的〈曉窗隨筆〉、〈二十八宿考〉，胡文耀撰寫的〈中國歷代流星隕石表〉，朱文鑫撰寫的〈中國日斑史〉、〈中國日全食史〉、〈中國史之哈雷彗〉等，商務印書館1916年出版的王華隆撰寫的《天文學》，文明書局1917年出版的吳敬恒編撰的《上下古今談》，商務印書館1923年出版的林炳撰著的《曆法》等（以上所引著作，皆指明出版社及出版時間；所引論文皆刊於《觀象叢報》、《科學》等報刊者。詳參陳遵嬀《中國天文學史》第四冊〈附錄：近代（西元1911—1948年）書刊所載論文題目索引〉），借用陳遵嬀先生評論高魯此時著述的話「對當時普及氣象和天文知識起到了啓蒙和推動作用」（陳遵嬀《中國天文學史》第四冊第1876頁），來評述這一時期的有關著述，大概說來，也是有道理的。這時期從事天文學工作和研究的人很少，做的也是些較爲零星的、影響也不是太大的工作，但這些學者的敬業精神還是很可貴的，他們所做的工作也爲下一步的發展打下了較好的基礎，是後人們不能忘懷的。

　　從1926年到四十年代末這一階段，陳遵嬀先生說，這一時期的天文事業「才有初步發展」（陳遵嬀《中國天文學史》第四冊第2100頁）。這一時期建立了中央研究院天文研究所，高魯、余青松、張鈺哲相繼任所長。以天文研究所爲中心，還是做了不少工作的；建立了南京紫金山天文臺和昆明鳳凰山天文臺，在中山大學設立了數天系，在青島建立了青島觀象臺，等等。這個時期在古天文曆法文獻整理和研究方面還是做出了一些成績，發表和出版了一些很可觀的研究成果的（以下所引著作，皆注明出版社及出版時間；所引論文除標明發表刊物、時間者外，其他皆刊於《宇宙》及《科學》、《燕京學報》等。詳參陳遵嬀《中國天文學史》第四冊〈附錄：近代（西元1911—1948年）書刊所載論文題目索引〉）：

㈠一些學者對各種天象記錄做了許多鈎輯匯總或考辨的工作，像高均的〈兩漢日食考〉、陳遵嬀的〈前漢流彗紀事〉、謝家榮的〈中國隕石之研究〉、朱文鑫所著的《歷代日食考》（商務印書館，1934.6）、馮徵所著的《春秋日食集證》（商務印書館，1929.3）、陳遵嬀《流星論》（天文研究所，1930.6），等等，都還是有影響的著述。

㈡隨著甲骨文的發現和研究的深入，一些學者從中發現了有關天象、曆法的資料，並進行了較爲深入的研究。此類成果如胡厚宣〈甲骨文中之天象記錄〉（《責善半月刊》第2卷17期，1941.11）、劉朝陽的〈甲骨文之日珥觀測記錄〉、董作賓〈殷文丁時卜辭中一旬間之氣象記錄〉（《氣象學報》第17卷1—4期合刊，1943.12）、〈再談殷代氣候〉（《中國文化研究所集刊》第5卷，1946），胡厚宣〈氣候變遷與殷代氣候之檢討〉（《中國文化研究彙刊》第4卷，1944）、〈論殷卜辭中關於雨雪之記載〉（《學術與建設》第1期，1945.8）、董作賓〈殷曆譜〉（中央研究院《歷史語言研究所專刊》，1945.4）、董作賓的〈卜辭中所見之殷曆〉（《安陽發掘報告》第3期，1931.6）、董作賓〈殷曆中的幾個重要問題〉（中央研究院《歷史語言研究所集刊》第四本第3分冊，1934）、〈殷商疑年〉（中央研究院《歷史語言研究所集刊》第7本第1分冊，1936）、郭沫若著《甲骨文字研究》（大東書局，1931.5）、高均〈與董作賓論殷商曆數書〉、劉朝陽〈殷曆質疑〉、〈再論殷曆〉、〈三論殷曆〉、〈晚殷長曆〉、胡光煒〈干支與古曆法〉（金陵大學《咫聞》，1929.12）、孫海波〈說十三月〉（《學文》第1卷5期，1932.5）、孫海波〈卜辭曆法小記〉（《燕京學報》第17期，1935.6）、莫非是〈春秋周殷曆法考〉（《燕京學報》第20期，1936.12）、商承祚〈殷商無四時考〉（《清華周刊》第37卷第90期《文史專號》，1934.4），等等，這方面的研究，可以說是成績斐然的。

㈢對古書記載中的日、月及恒星、行星的研究。如陳展雲的〈日斑概論〉、錢寶琮的〈漢人月行研究〉、沈璿的〈二十八宿之起源〉、竺可楨的〈二十八宿起源之時代與地點〉、高魯編著的《星象統箋》（天文研究所，1933）、陳遵嬀的〈變星研究漫談〉，等等，可以說是這方面的代表性著述。

㈣關於古代曆法研討的著述，除去前文所言有關甲骨文中的論述之外，其他又如劉朝陽的〈三正說之來源〉、高魯的〈中國歷代治曆考略〉和〈春秋時曆考略〉、陳振先的〈秦末漢初之正朔閏法及其意義〉、佚名的〈春秋以來冬至考〉、謝興堯的〈太平天國曆法考〉、朱文鑫著《曆法通志》（商務印書館1934.10），等等。

㈤關於古代各種天文儀器的考論，如高平子（即高均）的〈論圭表測景〉、署名為「湛」的〈寢儀臆語〉、王丙爔〈談漏壺〉、高均的〈明制簡儀上之日晷盤考〉等等。

㈥關於古代宇宙理論、天體結構的研討。如姚國珣的〈宇宙開闢論〉、佚名的〈古人理想中的宇宙形〉、崔朝慶編著的《中國人之宇宙觀》（商務印書館1934.1）、周昌壽編著的《宇宙論》（商務印書館1929.10）、朱文鑫編著的《近世宇宙論》（商務印書館出版1934）。

㈦編纂了數種古代天文學簡史，如陳遵嬀〈中國天文學史初論〉、張鈺哲〈中國古代天文鳥瞰〉、陳嘯仙的〈東漢以前中國天文學史大綱〉、向達的〈中國古代天文學考〉、裴鐵忱的〈中國古代社會之天文學〉、王石安的〈中國古代天文學考略〉、朱文鑫編著的《天文學小史》（商務印書館1535.9）、朱文鑫編著的《天文考古錄》（商務印書館1933.1）、沈璿編譯的《中國上古天文》（中華學藝社1936.1）等，為後來編纂更為精密的古代天文學史打下了良好的基礎。

㈧關於古代和近現代天文學家的論評。如陳遵嬀的〈女天文家傳略〉，蔡元培、余青松、高魯、竺可楨、陳展雲等均在《宇宙》第4卷第8期（1934年）發表過紀念明代天文學家徐光啓的文章，同期還發表了署名「湛」的紀念清代著名曆算家梅文鼎的文章，《宇宙》第10卷第11期、第10卷第12期（1940年）、第18卷7－12期（1948年）還出版了紀念近代著名天文學家朱文鑫、常福元、高魯的專號。還有關於古代天文學著作的考論，如李鑒澄的〈論《周髀算經》〉，朱文鑫的〈《史記·天官書》恒星圖考〉、〈十七史天文諸志之研究〉等等。

那個時代撰寫的著述，不少當時並未能發表，如現代著名天文學家朱文鑫除去前面提到的幾種著作外，至今還未出版的尚有《中國曆法史》、《史志月食考》、《織女傳》、〈《淮南·天文訓》補注〉、〈《明史·天文志》考證〉等。（據《中國大百科全書·〈朱文鑫〉條目》）

從五十年代初到現在，可以稱之爲「中國現代天文學史的新階段」。陳遵嬀先生認爲，這個時期「我國的天文事業，才得到重大發展」，特別是十年動亂結束後，「我國的天文事業向前邁進的步伐更大了」（陳遵嬀《中國天文學史》第2110、2112頁）。這個時期在天文研究機構的整建、天文教育機構的設置、天文普及陣地的建設、天文學術團體的建立等方面，均做出了較大的成績，特別是改革開放二十幾年來，中國的古天文曆法的整理和研究，更是取得了飛躍性的發展，出版了大批影響深遠的研究成果：

㈠古代天文學史的編纂出版。這個時期出版了多種古天文學史的專著，如《中國天文學簡史》（天津科學技術出版社1979年10月出版《中國天文學簡史》，由該書編寫組編寫）、《中國天文學史》（科學出版社1981年5月出版《中國天文學史》，由中國天文學史整理研究小組編著）、陳久金

編著的《天文學簡史》（陳久金編著《天文學簡史》，科學出版社1985年3月出版）等。特別值得一提的是陳遵嬀編著的《中國天文學史》（陳遵嬀編著《中國天文學史》，上海人民出版社出版，出版時間分別是第1冊爲1980年8月，第2冊爲1982年6月，第3冊爲1984年11月，第4冊爲1989年11月），共四冊，170餘萬言，資料非常豐富，有從古至今的通史性的框架，又有關於重點問題的詳盡闡述；特別是近現代以來的有關資料，微乎此，可能就散佚無存了。

　　（二）古天文曆法的資料彙編。如《歷代天文律曆等志彙編》（共10冊，由中華書局於1975年9月至1976年8月出版，據中華書局標點本《二十四史》彙輯，但進行了一些校勘工作。前4冊爲「天文志」部分，後6冊爲「律曆志」部分，第10冊後面附錄有《漢書》、《後漢書》及《宋書》之〈五行志〉的內容），把二十四史中的〈天文志〉、〈律曆志〉（還附錄了〈五行志〉中的有關部分）彙編在一起，甚便查閱。再如《中國古代天象記錄總集》（北京天文臺莊威風、王立興主編《中國古代天象記錄總集》，江蘇科學技術出版社1988年7月出版。內容包括「太陽黑子」、「極光」、「隕石」、「日食」、「月食、月掩行星」、「新星和超新星」、「彗星」、「流星雨」、「流星」、「附錄」等），動員了全國各方面的力量，查找了各種典籍特別是像地方志等有關記述，山東方面如山東大學、山東師大、山東省圖書館等都有人參加了這項工作，該書可以說是這方面的集大成者。又如《中國古代天文史料彙編》，是根據十多萬張卡片中的有關資料彙編而成的，內容包括「與天文有關的歷史人物」、「天文著作書目及提要」、「天文儀器、天文臺站、天文古迹及其他」、「天文學說」、「曆法、晝夜漏刻」、「天文大地測量」、「天文事件」、「星圖、星表、中星表、日月行星圖表、步天歌、日月五星、彗孛流氣、傳說、神話及有

關論辯」及「各類補遺」。（本人未見該書，據陳遵媯《中國天文學史》第
3冊第843—844頁介紹）

　　㈢對古天文曆法研究影響較大的論著。如鄭文光撰寫的《中國
天文學源流》（鄭文光《中國天文學源流》，科學出版社1979年12月出版），
這是一本研究中國天文學起源和早期發展的專著，論述得頗為深入。
陳美東撰著的《古曆新探》（陳美東《古曆新探》，遼寧教育出版社1995年
12月出版），專門探索了古代曆法及與之有關的各種問題，多有新見。
張汝舟著的《二毋室古代天文曆法論叢》（張汝舟《二毋室古代天文曆法
論叢》，浙江古籍出版社1987年2月出版），該書認為《史記·曆書·曆術
甲子篇》是我國第一部曆法寶典（四分曆），《漢書·律曆志·次度》
為製定這部曆法的天象根據，張氏按照這一理論，順利解決了文史典
籍中一系列有關古代天文曆法的問題，從而使中國古代天文曆法重放
異彩。科學出版社出版的《中國天文學史文集》（科學出版社《中國天
文學史文集》，1—6集，1978年4月至1994年12月出版），共出了六集，內容
涉及我國古天文曆法發生發展的過程、取得的巨大成就、天文儀器、
天文著作、天文機構、宇宙理論、天體測量以及少數民族的天文曆法
等各個方面，有新見，也有新的罕見資料，都是學術價值很高的論文。
李志超編著的《天人古義》（李志超《天人古義》，大象出版社1998年8月
出版），是一部關於中國科學史的專著，其中以相當多的篇幅論述了
與古天文曆法有關的問題，頗有精深獨到的見解。江曉原著《天學眞
原》一書（江曉原《天學眞原》，遼寧教育出版社1991年11月出版），著眼
於中國天學的性質和功能本源的探討，哲理性頗為強烈。

　　㈣古天文曆法方面工具書的編纂，這類工具書有《天文學詞典》、
《簡明天文學詞典》（葉叔華主編《簡明天文學詞典》，上海辭書出版社1986

年12月出版）《中國大百科全書·天文卷》（中國大百科全書出版社1980
年12月出版《中國大百科全書·天文學卷》，本卷編委會主任爲張鈺哲）等，
都有以詞目的形式介紹古天文曆法的內容。再一種如《中國史日曆和
中西曆日對照表》（方詩銘、方小芬編著《中國史曆日和中西曆日對照表》，
上海辭書出版社1987年12月出版），從殷商時代直至2000年的某一天中西
對照各爲何日都可查，甚便應用。還有一種如張培瑜編纂的《三千五
百年曆日》（張培瑜編纂《三千五百年曆日》，大象出版社1997年7月出版），
有天文年曆的性質。

　　㈤古天文曆法的通俗性讀物。如上海科學技術出版社出版的《天
文史話》（上海科學技術出版社《天文史話》，本書編寫組編寫，1981年7月
出版），寫得生動有趣，通俗易懂，是初學者的好讀物，參加編寫的
鄭文光、鄧文寬、王寶娟、何妙福、陳久金等都是古天文大家，大學
者來寫通俗讀物，其功莫大焉；臺灣省曾以《中國天文史話》再版。
這本小書很受人們喜愛。杜升雲、陳久金編著的《天文曆數》（杜升
雲、陳久金《天文曆數》，山東科學技術出版社1992年9月出版），把深奧的
理論闡述得通俗有趣，引人入勝，起到了很好地普及天文知識的作用。
這類通俗性的讀物還不少，《中國文化史知識叢書》中有《中國古代
的天文與曆法》（陳久金、楊怡《中國古代的天文與曆法》，山東教育出版
社1991年10月出版）一書，本人也寫過一本《中國古代天文曆法》的小
冊子（徐傳武《中國古代天文曆法》，山東教育出版社1991年1月初版，1997年
5月再版），等等，對於初學者或者還有點作用。其他如《古代漢語》、
《中國古代文化史講座》、《中國古代科技成就》、《中國文化史稿》
（如王力主編《古代漢語》、郭錫良主編《古代漢語》、王力等著《中國古代文
化史講座》（中央廣播電視大學出版社1984年6月出版）、中國科學院自然科學

史研究所主編《中國古代科技成就》（中國青年出版社1978年3月出版），劉蕙
孫《中國文化史稿》（文化藝術出版社1990年12月出版））等，都對古代的
天文曆法知識予以介紹，對於普及天文曆法知識還是會有些作用的。

　　㈥有關我國少數民族天文曆法史的調查報告和研究論著。前面
提到的《中國天文學史文集》第二集就是研究我國鄂倫春族、赫哲族、
傣族、彝族、黎族、納西族等少數民族天文曆法史的專集，這對於填
補我國天文學史研究中的空白，加強薄弱環節和研究天文學史發展中
的許多重大問題，都是很有意義的。特別是對於彝族天文學史的研究，
更是取得了突破性的進展。陳久金等人所著《彝族天文學史》（陳久
金等著《彝族天文學史》，雲南人民出版社1984年4月出版）一書，發現了古
老的彝族人民曾使用過十月太陽曆，並進而論證〈夏小正〉、《詩·
豳風·七月》、《管子·幼官圖》中的論述，也都與「十月太陽曆」
暗合，這對於研究古天文曆法史、研究中國古代文化史，都是很有意
義的。

　　㈦近年有關夏商周斷代工程的論著，如《夏商周斷代工程1996—
2000年階段成果報告》（簡本）（該書由夏商周斷代工程專家組編著，世界
圖書出版公司2000年出版），以及本文開頭提到的李學勤《夏商周年代
學札記》、江曉原與鈕衛星合著的《回天：武王伐紂與天文歷史年代
學》、北京師大國學研究所編輯的《武王克商之年研究》（北京師範
大學出版社1997年11月出版，從彙輯的100多篇論文中精選了有代表性的57篇）
等等，代表了古天文學應用的最新成果，值得引起我們的關注。

四、關於這個問題的幾點思考

㈠明末大學者顧炎武曾說：「三代以上，人人皆知天文」，但「後世文人學士，有問之而茫然不知者矣」（顧炎武《日知錄》卷三十）。陳遵嬀先生早在二十世紀三、四十年代，就曾大聲疾呼：「我國天文界，誠有絕代之虞!」因大學缺天文系教授，也就缺天文系，「而使我國天文界，遂陷絕代之危期」!（陳遵嬀《中國天文學史》第四冊第2105頁）二十世紀後五十年這種狀況雖有所改變，但研治古天文曆法的人才仍然太少，仍面臨著「絕學眞將絕」的局面，仍需大力加強這方面人才的培養，勿使後繼乏人。觀《辭源》、《漢語大詞典》及一些古書的注釋中，有關古天文曆法方面的錯謬還不少（徐傳武曾有〈《辭源》天文詞目獻疑〉、〈《漢語大詞典》天象詞目獻疑〉、〈古籍中天文用語辨析〉等，詳參徐傳武著《古代文學與古代文化》中冊第四輯〈古代天文曆法散論〉），似乎也就折射出了這方面人才短缺、人才危機的情狀的確是存在的。有了人才，我們的古天文曆法的整理、應用和研究才會更上一層樓。

㈡整理和彙輯現代著名天文學家的論著出版。如前文所言，朱文鑫未出版的天文學著述還不少；既便已發表出版過的，有的也已很難找到，組織人才整理出版，是一件很有意義的工作。其他又如高魯、張雲、常福元、余青松、李珩、陳遵嬀、張鈺哲、竺可楨、戴文賽、席澤宗等現代天文學家的有關著述，都應當組織專人予以整理出版。他們中的有些人還健在，或者他們的親友學生還健在，這一工作做起來能得到他們很好的指導和幫助，如不及時整理出版，將來或者難免

會有難以彌補的損失，則悔之晚矣！

㈢有關古天文曆法文獻的整理和研究，一定要和現代科學相結合，一定要有現代科學、現代天文學的眼光，要充分利用電腦等先進工具。這次夏商周斷代工程要回復幾千年前的天象，就是使用了電腦這個時代的「驕子」，如果靠人腦、靠手工，既使多花費上萬倍、上億倍的力氣，也未必能達此效果！有人戲言：「如果有人能將天體力學公式和奔騰電腦送給劉歆，劉歆也能很好地解決武王伐紂的年代問題。」（江曉原、鈕衛星《回天：武王伐紂與天文歷史年代學·後記》）足見使用先進手段之重要。

⑷古天文學文獻的整理和研究，一定要和社會科學或自然科學的其他學科相結合。現任中國社科院院長的李鐵映先生說：「社會科學和自然科學的結合，是未來科學發展的趨勢。」（轉引自李學勤《夏商周年代學札記》第274頁）彝族天文學史的研究所以取得重大的突破，其中一條寶貴經驗就是多學科的聯合攻關。如中國天文學會理事長張鈺哲所說：「這種綜合性的互相配合的協作研究的方法，值得贊許和提倡。」（張鈺哲為《彝族天文學史》（雲南人民出版社1984年4月出版）所寫的序言）對古天文曆法頗有獨到見解的張汝舟先生認為搞古天文曆法者可分四派，一是從歷史學角度研究的，二是從考古學角度研究的，三是從現代天文學角度研究的，四是從考據學角度研究的。張先生認為，應該把「紙上材料（文獻記錄）、地下材料（出土文物）、天上材料（實際天象）對證，做到三證合一，才算可靠」。（張汝舟《二毋室古代天文曆法論叢》附錄其弟子張聞玉〈古代天文曆法淺釋〉，轉述張先生的觀點。見該書615—616頁）我們應該吸取四個流派的各自長處，充分利用「紙上」、「地下」、「天上」的各種材料，才能夠解決前人無法解決的

問題，在古天文學文獻的整理和研究方面取得較大的成就。《竹書紀年》中有「懿王元年天再旦於鄭」的記載，爲了印證「天再旦」這一天象，專家曾親赴新疆塔城觀測1997年3月9日淩晨發生的一次日食，親眼看到了「天再旦」的實景。通過推算，認爲西元前899年曾發生過在鄭地能看到的日食，出現了「天再旦」的景象，從而使中國有確切記年（周共和元年，即西元前841年）的歷史向前推進了58年，這是利用「天上的材料」來印證「紙上的材料」的絕好的例證。（詳參〈塔城出現「天再旦」現象〉，見1997年3月27日《文匯報》）

㈤在有關古天文曆法文獻的整理和研究中，要注意有所發現，有所創造，要能總結出規律性的東西來。比如關於哈雷彗星，在我們的古籍中的記載是很豐富的（據說西元前武王伐紂時的彗星、《春秋·魯文公十四》）記載的彗星，皆當爲哈雷彗星，「自秦始皇七年至清末宣統，有連續不斷的記載，共32次回歸的文字記錄」（見《簡明天文學詞典》第406—407頁「哈雷彗星」條）），但找出76年多爲一回歸周期規律的，卻是英國人哈雷，這不能不令我們爲之汗顔。

㈥投入較多的人力、物力、財力，集中搞些影響深遠的大項目，是很有意義的。如編纂大型的天文學史，陳遵嬀先生主要靠一人之力，取得這樣大的成就，是可敬的，也是可賀的，但陳先生累得雙目失明，幾乎難以竟其業；而如果有個較爲齊整、相對完備的寫作班子，做出的效果或許還能更好一些。如前面談到的《中國古代天象記錄總集》由於集中了大批人力、物力，收集的有關古代天象記錄就比許多僅僅依靠個人之力所做的這方面的工作要詳盡得多（當然後人也是站在了前人的肩上）。

（七）整理和研究古天文曆法文獻，重要目的之一就是爲了現

在和將來的應用，雖然古代天文學和現代天文學是有重大差異的兩個
區域，但古天文曆法文獻的價值並未泯滅盡淨，如在本文第一部分談
及「天關客星」時就涉及到這個方面的內容。夏商周斷代工程在應用
古天文曆法文獻方面可以說做出了一個範例。我個人也曾利用杜甫〈牽
牛織女〉詩中所寫「牽牛」、「織女」星的方位與唐代及現今不合，
參照《荊楚歲時記》等有關記載，來推斷牛郎織女神話起源的時代，
認爲應當在西元前2400年左右的母系氏族時期，比普通認爲的產生於
西漢說要早二千多年之久（徐傳武〈漫話牛女神話的起源和演變〉，載《文
學遺產》1989年第6期）。這篇文章最初發表在《文學遺產》上，十幾年
來還未見有反駁者。我這也是試圖將古天文文獻應用於古代文學研究
方面的一個例子吧。

　　宋代人柴望曾作《丙丁龜鑒》，歷舉戰國到五代之間的變亂，
發生在丙午、丁未年的有21次之多，古人因以「丙午」、「丁未」爲
國家發生災禍的年份。按五行配合律，丙丁爲火，色紅；按十二屬相，
未屬羊，午屬馬，以羊概馬，故又稱丙午、丁未二年爲「紅羊劫」。
1966年、1967年恰逢丙午、丁未年，眞是「紅羊大劫年」，是十年動
亂開始的頭兩年，實乃國家動亂、危難之秋。過去我以此乃歷史的巧
合來解釋之。（徐傳武〈干支漫話〉，收入徐傳武《古代文學與古代文化》中
冊（引文見第772頁），天津古籍出版社1997年版）今天再看，是否也有某
些規律性的東西在其中？前此再推，1906、1907，1846、1847，1786，
1787，1726、1727，1666、1667，1606、1607，1546、1547，1486、
1487，1426、1427，1366、1367……，似亦多爲國家危難之時。依
此推論，下一個丙午、丁未年將是2026、2027年，是否也將爲國家多
難之時？但願我不能不幸而言中。安不忘危，至少應該使各級領導及

廣大人民提高警惕。我在「海峽兩岸第二屆中國文獻學學術研討會」上發表此言時，恰爲4月1日愚人節，我說，我姑妄言之，大家姑妄聽之，此言如若荒誕不經，大家權當著愚人節裏的一句戲言好了。

論版畫畫譜在畫史上的應用

馬銘浩*

一、緒　論

　　雕版印刷術的發明，使得文字及圖像紀錄不僅具有記憶及理解事務的功能，同時還加速擴充文獻傳播的質量，強化文獻運用的有效性。因此而延伸的相關論題，更牽動著文化發展的軌跡。其中木刻版畫的興起，不僅使得文獻中的文字與圖像可以共存，以增加對文獻的理解及其可信度，同時其圖像的保存，也具有實用及藝術上的價值與意義。

　　目前在文獻學上所建立的研究範疇，多是以文字典籍爲主要研究對象，圖像部份只是附屬於文字的領域之中，鮮有獨立研究的空間。誠如鄭樵所云：

　　　　漢初典籍無紀，劉氏創意總括群書，分爲七略，只收書不收

＊　淡江大學中國文學系副教授

圖，藝文之目遞相因襲，故天祿、蘭臺、三館、四庫內外之藏，但聞有書而已，後人之慕劉、班之不暇，故圖消而書日盛。❶

圖像既不易保存則遑論學術研究，必有待於版刻興起後，圖像的解說性質始受到重視，而依圖像開展而來的學術命題多以技術與藝術問題為主，不同於儒學以經典為主的學術命題，所以木刻版畫在藝術史上，也就扮演了文獻保留及傳播的重要角色。其中「畫譜」是相當特殊的類型，因為在木刻版畫中大部份都是以宗教民俗、插圖說明為主要用途，或是闡釋教義、或是作為文字的註解，並沒有太多以圖像為主的表現意識。而版畫畫譜雖然佐以文字解說，但大部份的創作意識卻是以圖像為主，文字為輔，充份展現出版畫繪、刻、印的特色。

二、版畫畫譜的藝術特性

據《釋名·釋典藝》說：「譜，布也，布列見其事也。」所以，所謂的畫譜也就是將繪畫的相關資料，經過收集、整理之後，依特定順序排列得來的文獻。甚至是依收集者或編繪者的特殊目的，有系統的編整有關繪畫相關資料的文獻匯編。而所謂的繪畫資料，大體而言可以包含文字、圖像兩部份。以文字記錄方式呈現的如《古畫品錄》、《歷代名畫記》、《圖畫見聞志》等，或是表述畫史，或是闡釋畫論，

---

❶ 鄭樵《通志·圖譜略·索象篇》。

並沒有圖像的閱讀功能；另外以圖像爲主的畫譜，即是本文所說的版畫畫譜，文字部份則居於解說的地位。也就因爲後者版刻圖像具有繪、刻、印的特性，再配合以適當的文字解說，使編繪者所欲呈現的畫事內涵，更容易爲人所理解，所以在繪畫上的運用比前者更加寬廣。

以中國第一部版畫畫譜《梅花喜神譜》而論：其創作目的本來只是宋伯仁個人的梅癖❷，進而用梅之特性以抒發情懷❸，並藉以引發對家國的感念❹，其刊行的目的也只是「與好梅之士共之」，即如清・黃丕烈爲該書題跋所說：「（宋伯仁）舉宏詞科歷監淮揚鹽課，器之銳意功名，有擊楫之慨，而祿位不顯，事已難爲，而語多慷慨。」，所以該譜的用意是嚴肅的，雖然宋伯仁自謂是「以閑工夫作閑事業」。卻因爲該譜繪、刻、印精美，及對梅花姿態的詳盡描摹，意外的使該譜產生藝術上的價值。《梅花喜神譜》全書共分上、下兩卷，記梅花從蓓蕾、小蕊、大蕊、欲開、大開、爛漫、欲謝、就實的各個程序，共一百幅不同的花態，版刻作品左邊附詩一則以加強其詩韻，上方則題以雅緻的標題。其版刻圖像的部份正提供給習畫者描摹的對象，遂使得版畫畫譜在藝術史上產生積極性的作用。

---

❷ 該譜序文自謂：「余有梅癖，闢圃以栽，築亭以對，刊清臞集以詠，每於梅有未能盡花之趣」。

❸ 同上引「（梅花）何異孤竹二子、商山四皓、竹溪六逸、飲中八仙、洛陽九老、瀛洲十八學士，放浪形骸之外，如不食人間煙火。」

❹ 同上引「是花藏白收香，黃數（原本傳字疑爲訛）紅綻，可以止三軍渴，可以調金鼎羹。此書之作，豈不能動愛軍憂國之士，出欲將，入欲相，垂紳笏正，措天下於泰山之安。」

三、版畫畫譜的繪畫教育功能

《梅花喜神譜》並不是依繪畫目的而作，然而其體製卻提供給後世畫者繼踵的步履。在畫史上真正以繪畫為訴求的畫譜應是元·李衎的《竹譜》，全書分〈畫竹譜〉、〈墨竹譜〉、〈竹態譜〉、〈墨竹態譜〉及〈竹品譜〉。其創作目的自己說道是「悉取李頗、文湖州兩家成法，寫予疇昔用力而得之者，與夫命意、位置、落筆、避忌之類，一一詳載卷端，無所隱秘，庶幾後之君子，一覽靡遺憾焉。」❺很明顯地使初學者有法度可循是李衎的目的，在創作體製上，《竹譜》與《梅花喜神譜》幾無二致，不同的是文字的運用上，已將襯托畫面的詩句轉化成為解釋繪畫技法的解說。如在〈畫竹譜〉中就舉出了畫竹在經營位置上的「十病」，〈墨竹譜〉也在論及畫竹態時提到畫竹態之「五忌」謂：

> 法有五忌，學者當知，粗忌似桃，細忌似柳，一忌孤。二忌並立。三忌如又。四忌如井。五忌如手指及似蜻蜓。❻

〈墨竹譜〉談到墨色用法時則強調：

> 若只畫一、二竿，則墨且得便從，若三竿之上，前者色濃，後者色淡，若一色則不能分辨前後矣。❼

---

❺　元·李衎《竹譜詳錄·序》，卷七，文淵閣四庫全書本。
❻　同上引，卷五。
❼　同上引。

可知《竹譜》已不再只是怡情養性，李衎希望透過對自然的描摹，傳達出繪畫技巧，使後學者有資可習，該譜有三大成就，第一、對自然描寫的生動。第二、要求對自然之描寫而求得精神上的抽象意義。第三、對構圖和造型法則上的講究。雖然不脫《梅花喜神譜》的意念與架構，但提供習畫者寫生的依據，卻特別突顯出版畫畫譜在繪畫教育上的價值。自後以繪畫教育為主要目的的版畫畫譜如雨後春筍般出現，成為畫史上不可或缺的重要材料，元代以來如吳鎮《墨竹譜》、柯九思《竹譜》等，明代繼之而起，以自然為素材的版畫畫譜仍是主流，如高松《竹譜》、汪虞卿《梅史》、程大憲《程氏竹譜》等。然而繪畫的素材並不只限於自然景物，習畫者描摹的對象也擴及前人名作，所以畫譜的內容就得到迅速的擴充，跳脫以自然景物為主的描摹，擴及人物、建築、古畫等，其中明·周履靖繪編的《夷門廣牘·畫藪》最具有代表性，據其自序說：

> 宋元君之史，以盤礴見珍，而族工不能師其遺意，題門而百萬頓失，覽圖而三都如掌，不有師承，其安及此，輯畫藪牘。❽

體製上〈畫藪〉分七種，除了「畫評繪海」是畫論、「繪林識題」收題識外，共收五種不同型態的畫譜，分別為：「天形遺貌」（人物畫法）、「淇園肖影」（畫竹法）、「九畹遺容」（畫蘭法）、「春谷嚶翔」（鳥蟲畫法）、「羅浮幻質」（畫梅法）。如此整合型畫譜的出現，為習畫者提供了更全面的學習管道，也奠定繼起者的基本規模，以後

---

❽ 明·周履靖《夷門廣牘·畫藪·序》，臺灣商務印書館，影印明萬曆刻本。

如黃鳳池等編製的《集雅齋畫譜》、楊爾曾輯的《繪圖宗彝》、朱壽
鏞撰的《泰興王府畫法大成》、胡正言編的《十竹齋書畫譜》甚至清
代王概等輯的《芥子園畫傳》也不脫離此規模，所不同者也只是製作
的精美與否，或是繪畫型式上的多樣化，如《芥子園畫傳》在「摹仿
各家畫譜〉的部份就另外列出「橫長各式」、「宮紈式」、「摺扇式」
等三種明代以來文人畫常用的規格，使習畫者儘快掌握摹仿的前作。
至此版畫畫譜在繪畫史上的教育功能以經不是任何文獻所能取代，也
充份發揮了圖像的藝術功能。

四、版畫畫譜對古畫蹟的保存

　　文物保存一直是文化史上的重要命題，因著保存對象質材的不
同，也衍生出不同的專業課題，而書畫的質材係以布、紙為主，更易
受外來的影響產生變質、毀壞，甚至湮沒無存的現象，所以保存難度
更高。然而畫蹟不容易保存原樣，則適當的複製使其流傳，就成為另
一重要的課題。於此，則版畫提供了最適切的方法，可以複製古畫蹟，
並流傳於後世。

　　版畫畫譜對古畫蹟的保存首推《顧氏畫譜》(又名《歷代名公畫譜》)，
此譜所描繪鏤刻的作品自晉代顧愷之開始，經六朝、唐、五代、宋、
元到明代萬曆初年的王廷策為止，共一百零六位名畫家的一百零幅畫
作，在每件作品之後都附有當時士林名流的題跋。即如全玄洲為該譜
作序時所謂：

畫之出也較晚，而其藏與傳最難，自宣和集古極盛，已僅識秦、漢姓名，罕睹眞蹟，其存遺蹟者，才盻顧陸諸人耳。宣和到今及數百年，中經華夷改革政經之故，不可勝紀，無論付祝融、淪異域，化烏者什五焉；而殘縑劣楮，煙毀滂滅之餘，能快人間之展翫者有幾本？其出於傳不敵金石之力甚遠。……畫之遠止於唐，書之傳乃上溯秦、漢，非假臨摹鐫揚，豈誠盡見古人手澤哉？今天下恕求書於刻，而獨繩畫之眞，是必有神物呵嘆，以堅畫之質，而超於金石之上。❾

正由於繪畫作品的流傳、保存比金石更困難，所以木版拓印就成了存留畫蹟重要的方法，或許木版拓印並不等同於原件，但卻可以給習畫者摹擬的空間，就算顧炳說明其製作該譜是以「減小元樣」、「彷彿筆意」的理念進行修整，也無法達到與原件同觀的價值。其實版印本來就有名物實證的功能，《宣和博古圖》、《天工開物》…等版印資料的流傳，就提供給予比對、了解原件的機會，而對古畫蹟的臨仿，其重點並不在考古文物上的原件考證，而是補足畫史上空缺，也多藉拓印流傳的方式，讓更多的人可以臨習、鑒賞古畫蹟，實具有推廣及畫史意識的功能。所以顧炳在選材及下評語時，也就一再的表現了他對繪畫的見解及史觀。

其實《歷代名公畫譜》還只是單色墨印，無法眞的表現古畫蹟豐富的色彩，要眞能表現繪圖的彩色概念，就必須以多色套印的方式，所以在版畫畫譜中就以明·胡正言編製的《十竹齋書畫譜》最接近原件。該譜運用「餖版」、「拱花」的技巧，高妙的將繪畫的色彩保下

---

❾　《顧氏畫譜·全玄洲序》，文物出版社影印北京大學藏本。

來，雖然胡正言編製該譜的目的並不是以保存古蹟為主，內容也多為當代名家畫稿，但其製作的精美卻也給後代更多了解明代繪畫現象的機會。而該譜的體製近於〈畫藪〉，只是多了當代名家的題跋和詩句，所以《十竹齋書畫譜》的價值不只限於保古畫蹟，同時也兼具雅賞收藏、臨畫習摹的意義。至於如清代的《芥子園畫傳》體製上已不出前述諸作，只是另立〈摹仿各家畫譜〉，而其摹仿的目的是為了讓後代習畫者學習繪畫的技巧，所以在臨刻時並不以忠於原作為主要思考，側重在筆法的運用和構圖的傳達，古畫蹟只是以象徵性的手法表現。即如該譜在〈摹仿各家畫譜〉的部份提到：

> 李北海曰：學我者拙……，正恐不善學者百年鍼砭耳，余閒窗偶筆，意若溪上桃花，不能禁無流書人世，自茲以往，不善學我滋懼，即善學我，我益滋懼，何以故？不善學我因以拙還，善學我必遭竊巧。

五、版畫畫譜對文人畫的價值

文人畫是中國繪畫的主流價值，自董其昌〈畫禪室隨筆〉提出畫壇南北二宗說法，並為代表南宗的文人畫譜系傳承之後，自王維以來的潑墨山水就一直是文人畫系的主要象徵。然而，其中蘇軾畫論的提出卻是文人畫繼承莊學系統，加以山水墨染以形成文人山水的主要

推者。蘇軾與文同的論竹一直是文人畫論的主要意見❿，其中大部份都後世版畫畫譜所消融、抄用，如元·李衎《竹譜詳錄》就引東坡與文同論竹之說，謂：

> 文湖州授東坡訣云：「竹之始生，一寸之萌耳，而節葉具焉，自蜩蝮蛇蚹，至於劍拔十尋者，生而有之也，今畫竹者乃節節而爲之，葉葉而累之，豈復有竹乎，故畫竹先得成竹於胸，執筆熟視，乃見其所欲畫者，急起從之，振筆直遂，以追其所見，如兔起鶻落，少縱近矣！」坡云：「與可之教予如此，予不能然也，夫既心識所以然而不能然者，内外不一，心手不相應，不學之過也。」且坡公尚以爲不能然者，不學之過，況後之乎。…故學者必自法度中來始得。

可知文人畫要求的是「技進於道」，然而有部份如鄧椿之人卻主張「其爲人也多文，雖有不曉畫者寡矣；其爲人也無文，雖有曉畫者寡矣」❶，明顯只單求道的呈現，而乎視了技的學習。其實文人畫家莫不談技進於道的過程，蘇軾以下凡黃山谷、米芾、米友仁、董其昌等均強調此一過程，而版畫畫譜的出現與運用,正彌補畫壇上技法論的不足，由於版畫畫譜已成爲後世習畫的重要依據，所以文人畫家多樂意參與版畫的製作，並以版畫畫譜作爲傳達技法的實用工具。李衎《竹譜》特別分出〈墨竹譜〉，是文人樸素的概念，後代畫譜也都循此模式，在畫譜中特別立有〈墨華譜〉、〈墨竹態譜〉等已證明畫譜爲文人畫

---

❿　主要論畫竹之見解錄於東坡〈文與可畫篔簹谷偃竹記〉。

❶　宋·鄧椿《畫繼雜說》。

所習用，而文徵明、唐寅、陳洪綬等文人畫家大量參與版畫畫譜的繪
稿工作，也正表現出版畫畫譜對文人畫的重要性。

六、結　語

　　版畫畫譜的編製係融合了繪、刻、印三種不同的創作行為，其
主事者的身份也常不只是一般以營利為目的的書商，如李衎、高松、
顧炳、胡正言等人都是當時著名的畫家；參與製作的更含蓋了文人、
官吏、刻工、商賈等不同社會階層的人，所代表的也就是中古以來特
定的文化表徵。尤其江南的金陵、蘇杭、徽浙等地域活躍的文化活動，
其中又以繪畫為主要表現對象。版畫此一非書文獻，不同於以文字為
主要的傳播媒介，而是以圖像為主要的閱讀對象，正可以和繪畫相互
結合，畫家積極的參與版畫的製作以提升版畫的精美，版畫亦回饋予
畫家豐厚的學習媒介，間接促使畫藝活動範圍的擴充，成為中國畫史
上必要的一環。

中國文獻學方法的實用性與哲學性

高柏園*

摘　要

面對21世紀，中國文獻學之發展顯然已經到了一個關鍵的時刻。一方面中國文獻學已有一定之發展及成果，而另一方面，新時代卻要求中國文獻學給與新的回應。本文首先釐清「文獻」一辭之意義，其應為描述的而非規定的，亦即是開放的而非封閉的。也因此，文獻學及文獻學之方法亦會因為「文獻」意義之開放，而呈現開放及多元之發展可能。筆者以為，文獻學之方法乃是含實用性與哲學性，並且是由實用性發展出哲學性。既然發展出哲學性，因此，文獻學之方法及詮譯亦必然成為目錄、版本、校讎之後的發展，亦即成為筆者所謂的「文獻文化學」。值得注意的是，由於新經驗的產生，尤其新經驗與以往經驗間之異質性，

＊　淡江大學中國文學系教授

將迫使文獻學一方面要照顧以往之成果，同時也要有新方
法排除老化的文獻，並且開放新的文獻內容及方法。

關鍵詞　文獻學　實用性　哲學性　文獻文化學　新經驗主義
文獻的老化

一、前　言

文獻是人類文明的重要象徵，它通過文字、圖畫及其它形式，
保留了人類文明之成果，達到承先啓後，綿延不絕的文化發展之目的。
即就人類文明和發展而言，由於受到自然環境及人文條件之影響，產
生了不同的文明內容，而不同的文明也都有其保存、整理、研究之方
式，此中或有相似之處，然而亦有顯著之不同。是以不同之文明其文
獻學之方法亦因此而產生種種異同，我們正可由此異同而發現不同文
明之獨到的見解及其可能之限制。例如，在文獻學中的分類方式及分
類範疇的提出，便是十分有趣而重要的線索。經、史、子、集的分類
是中國獨有的方式，而史傳中對人文及自然對象之分類，如表、本紀、
列傳、經籍志、地方志等，也都有其特殊之用心。值得注意的是，這
種內容並非憑空而發，而是針對當時之文獻及發展而設計，這種設計
原初之目的並非爲表現某種哲學或世界觀，而僅僅是爲實用。然而，
這種內容之安排及其方法卻也同時預設了某些觀念或主張，此則可以
有種種哲學性之後設分析。易言之，文獻學方法之提出，其初只是爲
達實用之目的而開始，此爲其實用性。其後，則此實用之可能乃是根
據某種假設而展開，由是而有其哲學性。本文主要目的，即在初步展

示中國文獻學方法的幾種面向，以及其隱含之實用性與哲學性，進而說明中國文獻學方法在面對廿一世紀時，所可能面對之挑戰及其回應之道。爲求簡易，本文其後有關「中國文獻學」迤以「文獻學」稱之。

二、文獻學與文獻學方法

　　文獻學方法是針對文獻學而發，而文獻學又必須預設文獻之意義，因此，首先界定「文獻」，似乎也就成爲必要的工作了。然而，「文獻」一辭正如同其他許多概念一般，乃是充滿著含混與多義性。例如，周彥文教授在《中國文獻學》書中便對「文獻」一辭，做了十分詳細的說明。其中，包含著「文獻」一辭的發生、歷史意義、現代解釋甚至大陸官方的標準定義。❶此外，大陸學者洪湛侯教授在其《中國文獻學新探》一書中，也對「文獻」一辭及其引申之種種發展，做了十分系統性的展示。❷其中，洪教授對文獻做了如下的界定：

　　　　凡是用文字寫成的具有歷史價值與科學價值的圖書資料，就是「文獻」。❸

　　這樣的界定我們不能說是錯誤，但卻也並非不可商榷。首先，此定義中所謂的「歷史價值」及「科學價值」就缺乏明確之說明。洪

---

❶　見周彥文，《中國文獻學》（台北：五南圖書出版有限公司，1993年7月），頁441-467。

❷　見洪湛侯，《中國文獻學新探》（台北：台灣學生書局，1992年9月），頁1-5。

❸　註❷，頁3。

教授引古文物說明歷史價值，但是卻沒有說明「科學價值」，此為可議者之一。其次，這樣的定義在周延性上也有不足。如果依中共國家標準局所頒佈「文獻」的標準定義：「記錄有知識的一切載體」❹，顯然洪教授對文獻的定義較窄，無法涵蓋諸如錄影帶、微卷、VCD或DVD等現代產物。關於此，洪教授亦非不正視，其敘述有關「現代文獻」與「古典文獻」之區分，也正是要呼應文獻內容、形式及載體之差異變化。其實，本文在此並不是為了要批評洪教授，而毋寧是要指出「文獻」一辭的多義性與含混性，而此種多義性與含混性其實是完全可理解的。此中之理由亦甚簡單，蓋文獻乃是由不同時代、不同人加以使用的概念，因此，每個時代皆可相應其時代之特殊性提出其對「文獻」之理解與使用，此中對文獻之界定顯然是描述性的（descriptive）而不是規範性的（prescriptive）。易言之，每個時代都描述出他們心目中的「文獻」之意義，但是卻都沒有充足的理由去規範「文獻」之定義。果如此，則所有有關「文獻」、「文獻學」之種種界定也就可以同時成立了，當然，我們也就無法再對以往的文獻學定義，提出決定性的批評了。

讓我們看看以下的二則批評：

> 當前幾部「文獻學」專書，都側重於講授文獻整理方法，業師欣夫先生《文獻學講義》特設一章，名曰：「文獻學的三個內容」，並闡述說：「既稱為『文獻學』就必須名副其實，至少要掌握怎樣來認識、運用、處理、接受文獻的方法……本課定為三個內容：一、目錄、二、版本、三、校讎。」認

---

❹ 周彥文《中國文獻學》，頁444。

爲「文獻學」只是講授文獻整理方法的，這種觀點，現在還有一定的代表性，認爲「文獻學」無非是文字、音韻、訓詁加上版本、目錄、校勘而已。文字、音韻、訓詁屬「古代漢語」範圍，因而文獻學只須講講版本、目錄、校勘就可以了。這種看法，恐怕是不夠全面的。❺

又，

所以，單獨標舉目錄、版本、校讎來撰寫，並且名之爲「文獻學」，事實上是不盡合理的。在沒有釐清「文獻學」到底該以那些內容爲研究範圍，在沒有爲「文獻學」下一清晰明確的定義以前，這樣的撰寫方式，對這門新興學科的進展並無幫助。❻

洪湛侯及周彥文教授在以上引文之批評都是合理的，但是卻是開放的。易言之，我們不能否定以上批評的合理性，但是卻無法證明其他論點的不合理性，理由是在於二者並非在同一層次上。在以往的學者而言，文獻學無他，就是目錄、版本、校讎。如果我們認爲文獻學不止於此，顯然就與前賢對文獻學之定義有了出入，是以二者同時存在並不會形成不能同真的排斥關係，此中存在著明顯的相對性。基於此，我們也可以說文獻學方法亦是相對的，所謂好的方法或壞的方法，乃是相對其處理之對象及目的決定，此中並無一絕對的標準存在。韓非子謂「世異則事異，事異則備變」，正是指出時代及其內容之差

---

❺ 註❷，頁3-4。

❻ 註❶，頁453。

異，直接影響吾人回應方法之不同。❼筆者認爲，文獻、文獻學、文獻學方法等概念，都仍然是開放的概念，我們不易給予一客觀的、規範性的界定，而只能就文獻之時代發展之差別，給予相應之描述罷了。

三、文獻學方法的實用性與哲學性

當我們說有關文獻學方法之種種界定，其實都只是描述的，並不具規範性及決定性，這同時意味著不同時代有其不同之方法要求，我們正是由此線索，發現當前學者對文獻學新方法之提出乃是具有超越實用性的理論性關懷。試看以下引文：

> 從現在高等院校開設的課程看，中國文學專業一般開設有文學史、文學批評史、馬列文論、文學概論、文藝批評與寫作等；歷史專業開設有中國歷史、史學史、史學概論、考古學通論等；檔案學專業開設有檔案管理學、檔案文獻編纂、中國檔案事業史、檔案學概論等。上述這些課程的設置，都考慮到各個專業的特點、研究方法、歷史和理論。就是中醫院校開設課程也還注意到中醫傳統的「理、法、方、藥」完整體性。惟獨文獻專業的「中國文獻學」卻只講文獻整理方法，

---

❼ 筆者對方法論之說，請參見拙著《韓非子哲學研究》（台北：文津出版社，1994年9月）方法論部份。

只講整理方法中的部份內容，豈非以偏概全，名不副實！❽

　　一如前論，認爲文獻學只講文獻整理方法，不免以偏概全，這是在其對「文獻學」之理解下展開的。對其他繼承傳統文獻學觀點的人而言，他們並不否認可以有其他的可能，但是他們「心目中的文獻學」就是這些整理文獻的方法。你不能否認我將文獻學限定在整理文獻方法上的合法性，最多你只能另訂文獻學之定義罷了。進一步的問題是，將文獻學直接等同於文獻整理方法，其實是有所預設的，易言之，也就是預設了實用性的優先性。由於是以實用性爲優先之考量，因此，文獻學並不用心在理論之建構，而在強調文獻使用及整理之方法，以充分達到實用之目的。如果要建構理論，也是爲了實用上的目的而建構，而並非爲知識而知識地去建構理論。就發生歷程而言，實用的目的是優先的，而理論則是後起的、派生的，我們是由實用的經驗中建構理論，而不是根據理論去規範我們對文獻的整理與運用。

　　當然，我們並不能證明以實用爲優先預設之立場，在文獻學上是唯一合理的，因此，當我們在實用的目的達到某種程度的滿足之時，理論的建構似乎也就自然應運而生了。果如此，則諸如洪湛侯、周彥文教授對中國文獻學方法之反省，以及對中國文獻學理論之建立等的種種強調，其實也正是應時而有的必然發展。易言之，當廣大的文獻學內容被處理到某種程度之時，用力之方向應該可以從文獻內容之整理，逐步進入對文獻內容之詮釋上，當然也包括對文獻學本身之反省與詮釋。此義既明，以下的引文便不難了解了：

---

❽　註❷，頁4。

一、文獻之所以能成爲一個學科，關鍵即在於我們由文獻本身，可以抽離出文獻在產生和演變的過程中，它背後的學術誘因和發展趨勢。因爲，任何類型的文獻，都不可能在沒有任何背景因素下孤立的產生。

二、基於此，文獻學的研究範圍就不應只限於文獻類型的介紹，甚或典籍內容的說明。而應是各類型文獻產生和演變的探究，及其和學術史之間的相互影響。

三、也就是說，文獻並不等於文獻學，前者是資料，後者是學科，學科要歸納出理論，並探索其周邊相關素材；但資料只要將其本身加以敘述即可。

四、同樣的，幫助我們研究文獻、瞭解文獻的工具性學科，例如目錄學、版本學等，也並不等於文獻學。否則，文獻學就沒有成立的必要了。

我們在此基本觀點上，建立了工具、資料、文獻學三者分立；以及依朝代爲序，連鎖性探討文獻變遷因果的研究方法。❾

周彥文教授的論點正是立基在文獻學相關工具及成果已然達到一定高度之後而做了以上的開展，此義誠然是合理的。就此而言，周教授無疑是已經帶領我們將古典文獻學做了一個總集成的工作。這裡仍然隱含著三種意義有待吾人進一步發展：

一、由文獻而逐步反溯其時代及文化內容，此可謂是一種「文

---

❾　註❶，序文，頁2-3。

獻文化學」，而此種文獻文化學並不止於過去文獻之處理，也可及於當前文獻甚至未來文獻可能之發展等問題，皆是此文獻文化學可有之義。顯然，文獻學並非考古學，它依然可以與現代甚至未來相接筍，只要我們能掌握時代的相對性，便能掌握文獻文化學的相對性。

二、不但在時間上我們可以突破以往文獻學限制於過去的框架，而與現在與未來相接，在空間上，我們也可以與其他文化之文獻學相比觀，從而發展出更具豐富而多元的文獻學觀念。最明顯而直接的方式之一，便是與西方的圖書館學相交流，從而吸收異質的文獻學觀念。

三、這樣的文獻文化學雖然強調文獻學理論之建構，重視文獻之文化詮釋，然而，此中並未放棄實用性的要求。蓋文化乃是由種種活動組合而成，此中之活動不可避免實用性或實踐性之要求，而理論也正是爲提昇實踐或實用而成立之內容。果如此，我們在文獻文化學中，證成了實用與理論的互動性。理論由經驗活動的實用中產生，進而產生新理論以指導新經驗，由是始卒若環，循環不已。

如果文獻學方法的實用性與哲學性乃是互動的，則我們相應於廿一世紀，也可以提出若干問題及其可能的回應之道。

四、文獻學方法中的新經驗主義

本文所謂的「新經驗主義」之「新」可有二義：首先它是指文獻學在今日之發展，乃是要相應今日之經驗內容而展開，無論是文獻學理論的建構，或是文獻文化學的開展，都是就此新經驗而展開。其次，則是將此中之「新」界定在當前經驗與以往經驗的斷裂性上。廿

一世紀顯然與其前之時代有著極大的異質性，由於資訊科技之發展，使吾人之經驗無論是質與量都與以往經驗有極大的差異，此中之斷裂性十分明顯。如果說我們的知識乃是由經驗歸納而得，則當經驗的斷裂性如此之強時，以往之知識與今日生活及實用要求，還有多少的關連性，便是十分有意義的問題。雖然我們在前文已指出文獻學並非考古學，然而以目前的文獻學內容而言，無疑仍停留在考古的階段。當然，我們在此並非排斥考古的意義與價值，而是要指出文獻學與時代的距離。就此而言，如果資訊與知識的爆炸是一事實，而人類又無法避免對資訊及知識的依賴，則以文獻學方法幫助吾人有效掌握、理解資訊與知識，便可以是文獻學方法的重要貢獻所在。易言之，文獻學在資訊時代不但不會死亡，反而有新的發展可能。

另一方面，我們也必須指出的是，正是由於經驗的斷裂性，使得自然科學之知識或文獻有淘汰的機會，新的知識可以完全取代舊的知識。例如，我們不必讀電腦史，也可以而且事實上是直接學習最先進的電腦操作。西方圖書館學中論及「文獻的老化」問題，亦大多針對自然科學文獻而論。❿然而，人文學文獻卻有著更深的問題，其一是人文學文獻在整個人類文獻中急速老化，現代人愈來愈少關心文獻，尤其是傳統文獻的問題了。其二是人文學文獻在全人類的文獻中雖急速老化，但在自己的範疇裡卻是毫無老化的要求，甚至累積過多

---

❿ 見何光國，《文獻計量學導論》（台北：三民書局股份有限公司，1994年1月），第五章；周曉雯，《我國台灣地區化學期刊引用文獻老化之研究》（台北：漢美圖書有限公司，1994年8月），頁2：「一般而言，文獻的利用率會隨其出版時間增長而逐漸下降，此種使用必要性逐漸減少的過程，即所謂文獻老化（obsolescence），只是每一學科下降的速度不一定相同」。

的文獻，使人不再有餘力創造新的可能。易言之，人文學文獻的連續性與不易淘汰性，使得人文學者文獻負擔過重，而無力充分回應當下的經驗內容及其意義。因此，我們一方面要展開對新經驗的回應，由是而建構新的文獻學方法，另一方面我們要催生某種文獻老化的速度，以減輕研究者及一般人理解上的負擔。

總之，新經驗主義在此是要強調經驗的斷裂性與非連續性，使吾人能充分回應時代的問題。另一方面則是強調經驗的必要性，有經驗不必有知識，但是缺乏經驗，似乎也不可能開創出新的理論及內容。尤其在廿一世紀，以上的問題更形迫切。

五、結　語

本文主要目標，在對文獻學方法的實用性與哲學性，提供初步的反省。此中，我們首先說明文獻、文獻學、文獻學方法的開放性與相對性，從而能包容種種不同的描述性定義，進一步指出此中批評之合理性及開放性。同時，也由此種合理性及開放性，展示文獻學方法實用性與哲學性的互動，並指出廿一世紀經驗內容的斷裂性，由是說明文獻學可能的發展方向。本文重在提供問題引發討論，尚祈學者方家不吝賜正。

一部鮮爲人知的奇書

——談館藏《說文解字義證》的學術與版本價值

崔國光*

摘　要

清代著名學者桂馥用其畢生精力寫出的《說文解字義證》是一部研究文字學的重要著作，但留下的卻是一部尚未刊刻的原稿，且非最後的定稿。要把這樣一部稿子刊刻成書，尚需做大量的查證、校勘工作。清代著名學者許瀚先後三次通校《說文義證》，時間綿延幾近三十年。他默默無聞地把大量的時間和精力奉獻給《說文解字義證》的刊刻，使桂馥這部煌煌巨著終於面世。《說文義證》這部書刷印的很

---

*　山東省圖書館古籍部副研究館員

少，大約只印了幾十部，版片即毀於兵燹，在當時即較為難得。山東省圖書館所藏的這部《說文義證》，並非正式刷印的《說文義證》，而是許瀚在校刊過程中批閱的清樣。上面保留著許瀚許多親筆校語，從部首、筆畫，到線框、魚尾，許瀚無不一一批改，務求準確，有著很高的學術與版本價值。是一部難得的稀世珍籍。

關鍵詞　桂馥　說文解字義證　許瀚

　　山東省圖書館藏有一部貌似普通，實則極具學術和版本價值的奇書。表面上看，此書是一部清道光二十八年靈石楊氏刻印的連筠簃叢書本《說文解字義證》，和其他的楊刻《義證》並無多少不同，但仔細檢閱便會發現，它並非正式刷印的《說文解字義證》。全書係散頁毛裝，書中有許多墨筆批語，字體清秀剛勁，一看便知是大家手筆。書的第一卷首頁的右下角，都鈐有「印林手校」的朱色印記，第48卷末頁更有手書「咸豐二年六月廿三日刻樣二校」字樣。眾所周知，《說文解字義證》是由許瀚（印林）校勘後刻成的，這部「刻樣二校」顯然是刊刻過程中許瀚批閱的清樣。楊刻《說文義證》刷印的很少，大約只印了幾十部，版片即毀於兵燹，因此當時即較為難得。至於許瀚手校的清樣，歷經數百年而能傳至今天，那就更是稀世珍籍了。

　　該書的首頁，鈐有朱文篆字「孝陸」及白文「模罋閣考藏圖籍書畫印」印章，證明此書原為安丘趙孝陸先生所藏。孝陸先生精于鑒賞，收藏豐富，尤其留心鄉邦文獻，所收許印林、王籙友等名家稿本、批校本頗多，其弟趙孝孟曾據以編寫許印林年譜及攀古小廬遺文。孝陸去世後，家人將其所藏善本古籍，售於山東省圖書館，此《義證》

清樣即其中之一。初始，因爲此書裝訂粗糙，書頁陳舊，並未引起重視，被置於普通古籍書庫之中，塵封多年。1987年檢閱此書時，才發現這是一部和一般連筠簃叢書本《說文義證》不同的本子，它不僅保留著原刻《義證》所缺少的第40卷第43頁的內容，而且保留著許瀚寶貴的重要批語，其學術價值和版本價值絕非一般連筠簃叢書可比。

桂馥和《說文解字義證》

　　研究文字學，現在大家無不推崇東漢許愼的《說文解字》，把它視爲文字學的開山之作。其實，《說文》這部書，清代以前的人並不十分作興。宋元間徐鉉、徐鍇、李燾等人雖間有撰述，然發明甚少。明末有些文人喜用僻字，遂把《說文》當作枕中鴻秘，但並不瞭解它的價值和作用。眞正對《說文》進行認眞的研究，還是清代，特別是乾嘉以後。惠棟的《讀說文記》開清代《說文》專書之首，此後便一發而不可收，研究著述風起雲湧。最著名者，有所謂《說文》四大家，即

　　　　段玉裁的《說文解字注》
　　　　桂馥的《說文解字義證》
　　　　王筠的《說文釋例》、《說文句讀》
　　　　朱駿聲的《說文通訓定聲》

　　四家之中，前兩家尤爲世人所重。一是著述較早，庶事草創，有篳路藍縷之功。二是兩人各有專擅，風格迥異，其研究成果恰可互補。《清史稿·儒林傳》中，有一段談及兩人之不同成就，頗爲精彩：

馥與段玉裁生同時，同治説文，學者以段桂並稱，而兩人兩
不相見，書亦未見，亦異事也。蓋段氏之書，聲義兼明而尤
邃於聲；桂氏之書，聲義並及而尤博於義。段氏鈎索比傅，
自以爲能冥合許君之旨，勇於自信，自成一家之言，故破字
創義爲多；桂氏專佐許説，發揮旁通，令學者引申貫注，自
得其義之所歸。故段書約而猝難通闖，桂書繁而尋省易了。
夫語其得於心，則段勝矣；語其便於人，則段或未之先也。

從獨創性看，桂馥顯然不及段玉裁。段書勇於自信，見解精闢，
卓然成一家之言；桂書則恪守許氏藩籬，不敢擅越雷池，只是引他書
以作旁證，且皆案而不斷。然而，從積累之深厚、檢閱之方便看，桂
書又遠遠超過段書。《義證》於每字之下羅列各種古書的解説，令學
者觸類旁通，紬索自得，看似繁雜，實則簡便適用。

桂馥字多卉，號未谷，山東曲阜人。一生博覽群書，潛心小學，
尤精訓詁。他曾説：「士不通經，不足致用；而訓詁不明，不足以通
經。」他把文字訓詁視爲通經致用的基礎。他50多歲才中進士，只做
了一任學官（長山訓導），一任知縣（雲南永平縣），仕途堪稱窮迫。
但他用40多年的時間，「日取許氏説文與諸經之義相疏證」，「力窮
根柢」，寫出了五十卷《説文解字義證》，卻對《説文》的研究做出
了不可磨滅的貢獻。

「義證」之名由來於南北朝。據《梁書·孔子袪傳》載，梁高
祖撰五經講疏及孔子正言，「專使子袪檢閱群書，以爲義證。」所謂
「義證」，即用其他古籍中有關此字意義的解説，附於該字之下，以
爲旁證。《説文解字義證》不僅搜羅繁富，臚列了大量古書中的解説，

而且在安排各說的次序上，也顯示了桂氏深厚的學力。清代學者王筠在《說文釋例》中說：「桂氏書籍徵引雖富，脈絡貫通，前說未盡則以後說補苴之，前說有誤則以後說辨證之。凡所稱引，皆有次弟。」表面上看，桂書是「專臚古籍，不下己意」，也就是案而不斷。然而在各說的次第引述中，桂氏卻把讀者于不知不覺中引向了自己所要達到的目的地。這是一種既客觀而又巧妙的表述方法。

桂馥用畢生的精力寫出了《說文義證》，但卻留下了兩個遺憾。其一是書未刊刻，留下的僅是一部原稿。其二是原稿並非完成的定稿，在第三十七卷「台」字下引〈高唐賦〉，有「查高唐賦原文」六字，足見書稿尚未完成。要把這樣一部稿子刊刻成書，尚需做大量的查證、校勘工作。最終完成這一工作並把該書付印，從而彌補了上述缺憾的，則是清代另一位山東籍的學者——許瀚。

許瀚三校《說文義證》

許瀚字印林，山東日照人。和桂馥比較，他在仕途上就更蹇澀了，道光十五年中舉，然後是「五上春官不利」，始終未能考中進士。生平只做了一任學官（嶧縣教諭），而且很快便丁憂去官。但許瀚的學問，卻是世所公認的。他博綜經史，精於訓詁，而且通金石文字。其校勘古籍，「精審不減黃丕烈、顧廣圻」。龔自珍推崇他爲「北方學者第一」。遺憾的是，許瀚並未留下多少著作。他曾先後三次通校《說文義證》，時間綿延幾近三十年。他默默無聞地把大量的時間和精力奉獻給《說文義證》的刊刻，使桂馥這部煌煌巨著終於面世，其

爲學術而犧牲個人的精神，委實令人欽敬。

許瀚第一次校勘《說文義證》，是應李璋煜之邀進行的，時間在道光六、七年間（1826-1827）。許瀚是通校全書者，同時參校的還有王筠、袁鍊、許槤、陳宗彝等人，所用底本是個抄本，該抄本現藏北京圖書館，上面鈐有「東武李方赤收藏」印，還有參校諸人的校語以及許瀚所寫的跋。此次校後並未付梓。上海古籍出版社影印楊刻《說文義證》，前言稱是李璋煜校本，恐係誤解。

道光二十二年（1842）楊以增擬刻印《說文義證》，再次邀請許瀚校正，是爲許瀚第二次校勘。這一次所用底本是桂馥原抄本。此抄本原藏桂馥之孫桂顯枕處，顯枕老病無子，恐抄本失傳，遂送交曲阜孔憲彝代爲收藏。是年冬，楊以增托汪喜孫將此抄本帶至濟寧，交付許瀚校正。用原抄本校刻，避免了傳抄中的錯誤，當然比用一般抄本好得多。可惜不久楊以增調任陝西布政使，《說文義證》在濟寧僅僅刻了一冊，即告中止。

道光二十七年（1847），在王筠、張穆等人的慫恿下，書商楊尚文（墨林）決意出資刊刻《說文義證》，於是許瀚第三次承擔起校勘的任務。當時許瀚正抱病編纂《史籍考》，難以兼顧，遂邀薛壽、田普實專司校勘。薛、田諸人一面校，一面就在清江浦刻印，七個月校了將近全書的一半，刻了兩卷多。許瀚病體稍愈，即赴清江浦查看，「核其所校，則黑白顛倒，任意刪改，任意呵斥，直以桂君爲小學生而己爲老先生。因思就此刻成，桂書毀矣，翻不如無刻之爲愈也。不得已，辭謝二公，暫且停辦。」（許印林〈與王錄友書〉）《義證》的刊刻再次陷於停頓。

停刻不久，許瀚抱病承擔起全部校勘任務。由於薛、田諸人的

妄改，校勘更加費力。許瀚在給王筠的信中說：「先經江南諸名士校訂，醜謬百出，不可言狀。弟校桂書，覆校校桂書者之謬，既勞且憤，殊難爲情。」至道光二十九年（1849），校勘總算粗就。次年，設局於江蘇贛榆青口鎮，啓工刊刻。時許瀚因父病家居，住在日照，距青口鎮約百餘里，刊刻中，他「奔波數次，寫樣刻樣，紛紜校勘，晝夜靡暇。」（許印林〈復商丘李雅玉昆仲書〉）直到咸豐二年（1852），《義證》始告刻成，並且刷印了幾十部。

許印林在咸豐二年六月所看到的「刻印二校」，正是他往返日照和青口鎮之間「紛紜校勘」的最後一遍清樣。楊刻《義證》的扉頁上，有「道光卅季二月啓工，咸豐二季五月訖工」字樣，則此「刻樣二校」，乃是在刻完之後又看的樣。但許瀚在此樣上批改的內容，大部分都剜改過了，證明看這遍清樣仍是在刷印之前。由此可知，《義證》雖然在咸豐二年五月刻竣，但六月二十二日尚未付印，真正付印的時間當在咸豐二年的七、八月間。

學者風範

因爲是最後一遍清樣，所以「刻樣二校」中校改的地方並不很多。但就是這爲數不多的校語，卻充分顯示了許瀚在校刻《義證》時一絲不苟的工作態度和糾正桂書訛誤的深厚功力，使我們領略了一代學人的風範。

如前所述，桂馥《說文解字義證》只是一部未完成的底稿，許多引書需要查對。爲此，許瀚做了大量的查核，直到「刻樣二校」，

他仍在做著這方面的工作。如卷五54頁8行，原稿論衡之後有一墨丁，許瀚批道：「此墨丁勿去。《御覽》卅六引《論衡》曰：『地之最下者有楊兗二州，洪水之時此二土最被水害。』檢今《論衡》無之，只好加『御覽引』三字於上。」在刻本《義證》中，此處變成了「《論衡》御覽引：」顯然，桂馥在引用《論衡》這段話時，並未查對原書，故留一墨丁。許瀚查後發現，此段引文，今本《論衡》中無，而爲《太平御覽》所引，於是加上「御覽引」三字。但因書已刻完，墨丁又在論衡之後，所以本應爲「御覽引論衡：」，變成了「論衡御覽引：」。

　　儘管許瀚做了大量查證，《義證》仍留有一些問題。正如許瀚給朋友的信中所說：「義證刻成，不安于中處尙多。」「刻樣二校」也反映了這一情況。如卷三十二中，9頁10行「爲恕」之前，10頁7行「爲慈」之前皆有一墨丁。許瀚批道：「此（爲恕）及『慈』字底稿皆未谷先生手抄，姑依刻，俟查子華子善本。」刻本墨丁依舊，刻後數年許瀚又校了一次《義證》，稱爲《說文義證定本》，此二墨丁始補齊，原來是「如心爲恕」「茲心爲慈」，想是許瀚終於查了子華子的善本。

　　許瀚校勘《義證》，最有價值的工作是糾正桂馥的訛誤，這從「刻樣二校」中也可看出。如卷一第8頁4行，原稿：「言示辰童音章，皆從古文」。許瀚校：「汲古初印及小字本皆無『言』字，剜本依小徐本誤補，此稿有『言』無『龍』更誤，今仍從初印本可也。」按許瀚的意思，汲古初印本《說文》正確，此段應作：「示辰龍童音章，皆從古文上。」桂稿依小徐本誤補「言」字，又漏去「龍」字，不確。可惜刻本《義證》未能遵從許瀚的意見改正，可能是因爲書已刻畢，不便剜改的緣故吧。又如卷二十第10頁：「北魏高湛墓誌銘」，許瀚

校曰：「高湛墓誌，《金石萃編》列於東魏元象二年。」卷三十一第25頁3行：「《漢書・韓信傳》作暮」，許瀚校曰：「蒯通誤韓信，『昨』誤『作』」。

在「刻樣二校」中，有一些訂正訛誤的批語是許瀚的弟子丁艮善寫的，有的也頗有價值。如卷五第36頁6行，原稿：「《孟子》：『嗔然鼓之』，正作嗔。」丁校：「《孟子》不作嗔，此桂誤也。宜改作『填』，去『正』字。」同頁第8行，原稿：「嘌嘌無節度也，非本書義。」丁校：「嘌疾故無節度。『非本書義』句宜刪。」等等。

在訂正桂書訛誤時，許瀚是非常慎重的，有些錯誤雖然看得很清楚，也不妄下雌黃。如在卷十四副頁上，有下列案語：「謹案：第二頁，『曹，告也。從曰，側麥反』。此全用小徐本也。大徐本作：『曹，告也，從曰從冊，冊亦聲，楚草切。』桂書大例，說解用大徐本，小徐本有異同則見於義證。此獨用小徐，反切亦用朱翱，未知桂意云何。不敢擅改，許瀚謹識。」此段明顯的違背桂書體例的錯誤，終於未改，這顯示了許瀚對前輩學者的尊重，和薛壽、田普實等人的「任意刪改，任意呵斥」，適成鮮明的對照。

「刻印二校」的批語，還充分顯示了許瀚對校刻工作的一絲不苟。這樣的例子俯拾皆是，試舉數例如下：

卷三第21頁，夯校語：夯從刀。

第9頁，蕢校語：剔斷草頭，此最易事，乃不就中央剔開，而靠一邊作艸形，又成一錯字矣，可恨，可恨！

卷四第32頁，校語：此頁行間多不淨，務須細細尋剔。

卷七舌兒校語：舌上不從

卷十三第20頁，校語：算從丗，不從丌。

卷二十二第1頁，校語：線好！線取直勢！

卷二十五第7頁，周禮，形方氏，校：形

卷二十九第2頁，原稿：石，山石也，在厂之下，〇象形。校語：宜扁而方，不可太圓。

第42頁，老……從人毛匕，言鬚髮變白也。校語：匕與匕不同。

卷三十八第53頁，校語：補字太不勻，用人許多錢財而如此草草，于心何安！

此外，批語中關於篆字描畫不準，筆畫殘斷，版框不足，魚尾補齊等等，屢見不鮮。可以說，大到字的部首、筆畫，小到線框、魚尾，許瀚無不一一批改，務求準確。充分展現了一代學人嚴肅認眞、一絲不苟的治學精神和崇高風範。

論版本及其在文獻學中的基石地位

崔富章＊

摘　要

本文包括四部分。㈠版本釋名：雕板印刷的書籍始稱「版本」。南宋以降，版本含義逐步擴大，圖書文獻經多次傳寫或印刷製作而呈現的各種物質形態，統統稱為版本。研究版本的特徵和差異，鑒別其真偽和優劣，是為版本學。㈡版本鑒定：主要手段是捕捉、識別各種標記。本文舉出書籍制作時的原標記十五種，書籍流傳過程中附加的標記五種，末附四部圖書的版本鑒別實例。㈢善書、善本和善本書目：清代以前「善本」着眼於圖書內容之準確可靠；明末毛晉至乾嘉諸老，始注入古董味道；「舊本」被明文列入「善本」。《中國古籍善本書目》著錄善本六萬餘種，考訂

＊　浙江大學人文學院古籍研究所教授、中國古典文獻學專業博士生導師

版本，非同凡近，可資查閱。㈣版本研究乃文獻學之基石：
以紀昀主編《四庫提要》疏於版本著錄、王重民等研治《四
庫全書總目》不明版本源流、七十年代研究章太炎《訄書》
不知道版本對校為例，說明版本問題非同小可。它是實實
在在的學問，它幾乎無所不在，它是文獻學之基石，甚至
是一切研究工作的基礎。基礎不牢，地動山搖，大家名家，
概莫能外。

關鍵詞　版本　善本　文獻學基石　文獻學

　　中國是世界四大文明古國之一，跟世界上其他文明古國相比較，
中華文明的最大特點和優勢在於綿延流傳，從未中斷，這一點令每一
個中國人感到驕傲和自豪。應該說，文字的發明，圖書的出現，功不
可沒。跟人類社會一樣，圖書也經歷了數千年的發展過程，字體、載
體、製作方式，屢經變遷。它是文明的伴生物，又不容分辯地受到文
明的檢驗，一批又一批被無情的歷史所淘汰，存活的只是少數。但是，
人們仍然以「浩如淵海」來形容。正確地識別它們，確認其製作的時
間及其在學術傳承史上的價值，進而闡明書籍變遷的一般線索，乃是
書史學家、版本學家們殫精竭慮、孜孜以求的目標，也是目錄學、校
勘學暨文獻學家們關注的重要目標之一。

一、版本釋名

　　書籍從產生的時候起，到以後很長的發展時期，都是手工寫作
的，一般稱為「本」。《文選·左太沖魏都賦》李善注引《風俗通》

曰：「按劉向《別錄》，讎校：一人讀書，校其上下，得謬誤，爲校；一人持本，一人讀書，若怨家相對，爲讎。」❶《文選·張景陽雜詩九》李善注引《風俗通》曰：「劉向爲孝成皇帝典校書籍，皆先書竹，爲易刊定，可繕寫者以上素也，今東觀書竹素也。」❷《太平御覽》卷六百六亦引《風俗通》曰：「劉向《別錄》『殺青』者，直治竹作簡書之耳。新竹有汁，善折蠹，凡作簡者，皆於火上灸乾之。陳、楚間謂之『汗』。汗者，去其汁也。吳、越曰『殺』，亦治也。劉向爲孝成皇帝典校書籍二十餘年，皆先書竹，改易刊定，可繕寫者，以上素也。由是言之，殺青者竹，斯爲明矣。」❸清人姚振宗輯《別錄》佚文八篇，每篇記述典校過程，末云：「皆定以殺青，書可繕寫」，或「皆定殺，書可繕寫」；其〈孫卿書錄〉則稱：「皆已定以殺青簡，書可繕寫。」❹上述文獻證明，諸書所引東漢末年應劭《風俗通義》的載述是可以相信的，即劉向校書，皆先書於竹簡，取其易於修改，逮校讎既竟，遂爲定本（殺青本），然後取縑帛繕寫（上素）。所謂「一人持本，一人讀書」者，「持本」是指校讎定本（簡冊），「讀書」是指繕寫之卷（帛書）。「所謂『本』者，謂殺青治竹所書，改治已定，略無訛字，上素之時，即就竹簡繕寫，以其爲書之原本，故稱曰

---

❶ 清嘉慶十四年胡克家重刊南宋尤袤本《文選》李善注卷六。「爲讎」二字，尤本無，據胡克家〈考異〉增補。

❷ 版本同上，卷二十九。

❸ 《太平御覽》卷六百六。商務印書館影印宋本，輯入《四部叢刊》三編，1935年。

❹ 《快閣師石山房叢書·七略別錄佚文》一卷，浙江省立圖書館排印本，1931年。

『本』。其後竹簡既廢，人但就書卷互相傳錄，於是『本』之名遂由竹移之紙，而一切書皆可稱『本』矣。」❺《顏氏家訓·書證篇》列舉到許多本：江南本、河北本、俗本、江南舊本、江南古本、江南書本等，大抵爲寫在紙上的書籍。從六朝到隋唐近七百年間，我國盛行紙寫本，統稱之爲「本」。

隋唐時期，我國人民發明雕板印刷術，書籍由單一的手寫發展爲手寫、印刷兩種形式並存的局面。雕板印刷的書籍，人們稱之爲「版」、「版印」、「印子」、「印紙」、「印本」，逐漸約定俗成，統稱爲「版本」。「鏤板既興，一書刻成，相率摹印，與殺青上素之義，尤相符合，故又有板本之稱。」❻「板本」之名，雖說與殺青上素之義相符合，但更實際的意義則是跟當時尚佔優勢的手寫本相區別。應該說，雕版印刷的書籍，方是「版本」一詞的本義。文獻記載頗多：

1.《宋史·邢昺傳》：景德二年（西元1005年），宋眞宗「幸國子監，閱庫書，問昺經版幾何，昺曰：『國初不及四千，今十餘萬，經、傳、正義皆具。臣少從師業儒時，經具有疏者百無一二，蓋力不能傳寫。今板本大備，士庶家皆有之，斯乃儒者逢辰之幸也！』」❼

2.沈括（1031－1095年）《夢溪筆談》卷十八：「板印書籍，唐人尚未盛爲之。自馮瀛王始印《五經》，已後典籍，皆爲版本。」❽

---

❺　余嘉錫《目錄學發微》，中華書局排印本1963年3月，第68-69頁。

❻　余嘉錫《目錄學發微》，版本同上，第69頁。

❼　《宋史》卷四百三十一〈列傳·儒林一·邢昺傳〉，中華書局1997年縮印點校本，3257頁。

❽　商務印書館影印明刊本，輯入《四部叢刊》，1934年。

3.葉夢得（1077—1148年）《石林燕語》卷八：「唐以前，凡書籍皆寫本，未有模印之法，人以藏書爲貴。……世既一以版本爲正，而藏本日亡。其訛謬者，遂不可正，甚可惜也。」❾

4.朱熹（1130——1200年）〈上蔡語錄跋〉：「熹初得友人括蒼吳任寫本一篇，後得吳中版本一篇。」❿

「版本」與「寫本」對舉，其義自明，即：刊版印刷的書籍，稱之爲「版本」。南宋末期，廖群玉（瑩中）世綵堂刊《九經》。當時居杭城癸辛街的周密撰《癸辛雜識》，寫到「廖群玉諸書，《九經》本最佳，凡以數十種比較，百餘人校正而後成。」廖氏撰《總例》一卷，說明校勘經過（原本已佚）。元初，荊溪（義興，今稱宜興）岳氏重刊廖本《九經》，將卷首《總例》增補改題《刊正九經三傳沿革例》，❶其中說：「今以家塾所藏唐石刻本、晉天福銅版本、京師大字舊本、紹興初監本、監中見行本、蜀大字舊本、蜀學重刻大字本、中字本、又中字有句讀附音本、潭州舊本、撫州舊本、建大字本、俞紹卿家本、

---

❾ 商務印書館排印《叢書集成》初編本，1937年。

❿ 清康熙中櫟兒呂氏寶誥堂刊《朱子遺書》本。

❶ 元初刊本《九經》，卷尾鐫「相台岳氏刻梓荊谿家塾」牌記。荊谿乃常州義興，今稱宜興。岳氏爲常州望族，但跟嘉興金陀坊之岳珂並非一支。明萬曆三十三年（1605年）張萱編《內閣藏書目錄》卷二著錄爲「宋相台岳珂家塾刊本」是錯的，不僅地點不對，時間也不對，廖刻《九經》時，岳珂已去世二十餘年，怎能重刊廖本？更爲嚴重的是：清康熙四十年（1701年）朱彝尊《經義考》卷二百四十四將《刊正九經沿革例》著錄爲「岳氏珂」的作品，《四庫提要》從之，遂稱岳珂「並述校刊之意，作《總例》一卷」，將廖氏並荊谿岳氏一筆抹煞，影響至深且巨，舉凡公私書目，目錄學、版本學、校勘學著作，直至大型工具書，無例外地著錄爲「宋岳珂撰」。張政烺先生首發其覆，趙萬里先生繼之。詳參拙作《四庫提要補正》，195—207頁，杭州大學出版社，1990年9月。

又中字凡四本、婺州舊本、並興國于氏、建安余仁仲凡二十本；又以越中舊本註疏、建本有音釋註疏、蜀註疏，合二十三本，專屬本經名士，反復參訂，始命良工入梓。」這裏說的「二十三本」，絕大多數是雕版印本。⑫耐人尋味的是，這些名副其實的「版本」一概被稱之為「本」，或「舊本」，統統省掉前置的「版」字，而另外的製作形式才一一說明××本，如「石刻本」、「銅版本」等。這一現象說明，雕版印刷術歷經唐、五代至宋代數百年的發展，技術已經趨向成熟，廣泛應用，達到普及的程度，「版本」遍天下，傳統的寫本（葉夢得又稱之為「藏本」）日漸稀少，已經失去了與「版本」並稱的地位，甚或可以忽略不計，「本」之名遂由寫本移之版本。「二十三本」的提法，實在是蘊含著「版本」詞義延伸的資訊。南宋末迄今七百餘年，圖書製作的形式屢經變遷。到了十九世紀中葉，以鑄造鉛字排版為標誌的近代印刷術輸入中國，古老的刻板印刷在風行了一千多年、累積起豐富的文化典籍寶塔之後，逐漸退出了歷史舞臺。但是，淵源於刊版印刷的「版本」一詞，卻依然具有強大的生命力，直至資訊時代，

---

⑫ 國家圖書館藏《春秋經傳集解》三十卷存一卷[卷二十二]，宋嘉定九年（1216年）興國軍學刻本；《春秋經傳集解》三十卷存二十九卷[缺卷十]，宋鶴林于氏家塾棲雲閣刻元修本（以上兩種即「二十三本」中的「興國于氏本」，于氏就興國軍本重刻）；《禮記》二十卷，宋建安余仁仲萬卷堂家塾刻本；《春秋公羊經傳解詁》十二卷，宋紹熙二年（1191年）建安余仁仲萬卷堂刻本（以上兩種即「建安余氏本」）；《禮記》二十卷存十五卷[六至二十]（即所謂「蜀學大字本」）；《周禮》十二卷，宋婺州市門巷唐宅刻本（即所謂「婺州舊本」）。上海圖書館藏建安余氏刻本《禮記》十七卷[卷一至三配宋刻纂圖互注本]；又蜀學大字本《春秋經傳集解》三十卷存二卷[卷九至卷十]。

電腦軟體，北大方正有7.0版本、9.0版本等等，「版本」的包容性幾乎是無限的。「版本」含義逐步擴大，不僅包括了各種製版印刷形式（刻版、活版、石印、影印、油印、複印、膠印、光碟等），而且包羅了各種傳寫形式（手稿、清稿、傳抄、批校題跋等），也囊括了各種載體的書籍（簡冊、帛書、紙書、膠片等）。一書經過多次傳寫或印刷製作而形成的各種不同的本子統稱版本。大凡書籍製作的各種特徵，如書寫或印刷的載體、形式、年代、地點、出版者、版次、字體、行款、紙墨、裝潢、內容的增刪修改，以及流傳中形成的記錄，如藏書印記、題識、批校等。研究版本的特徵和差異，鑒別其真偽和優劣，是為實用版本學。⓭

　　我國傑出的版本學家顧起潛（廷龍）先生說：「什麼叫做版本之學？有人把它看得很狹，好像僅僅限於講究宋元舊刻。講究宋元舊刻固然是版本學的一項內容。但是在雕版以前的簡策、縑素一寫再寫，不也就是不同的版本嗎？現代鉛印和影印的出版物，一版再版，不也是不同版本嗎？依我看來，版本的含義實為一種書的各種不同的本子，古今中外的圖書，普遍存在這種現象，並不僅僅限於宋元古籍。」「印刷術發明以後，經過不斷的刻印，因而產生了各種不同的本子。有了許多不同的本子，就出現了文字、印刷、裝幀等等各方面的許多差異。研究這些差異，並從錯綜複雜的現象中找出其規律，這就形成了版本之學。」⓮

⓭　關於「版本」本義的界定，筆者在十三年前撰寫的〈論版本和善本〉（載《杭州大學學報》第18卷第4期，1988年12月）一文中已經闡明，九十年代以來，部分目錄學、版本學著作陸續採納了著者的界定意見。

⓮　顧廷龍先生〈版本學與圖書館〉，原載《四川圖書館》，1978年第11期。

二、版本鑒定

我國豐富的文化典籍中,絕大多數為雕版印刷品,有人統計在七八萬種,其實不止。研究中國學術,免不了要跟這些古書打交道,那就必須確認它的版本,這正是傳統版本學研究的重點。浩如淵海的古籍圖書,版本情況錯綜複雜,如何辨別,目前主要還是靠實踐經驗的積累,捕捉、識別、研究各種各樣的標記,據以作出判斷。具體說來,標記有兩類,其一是書籍製作時的原標記,其二是流傳過程中附加的標記。

先說書籍製作過程中形成的標記:

㈠牌記。刻本書多在敘目後或卷尾書末刊刻牌記 (書牌子) ,也叫墨圍、木記,記刻書者籍貫、姓氏、堂名、刻書年月等。圖案不拘一格,或作懸掛木牌式,或鼎式,或鐘式,或長方形黑框,或無框,或雙行,或三行以上,皆游離於正文之外,獨處一隅,不難尋覓。

㈡封面 (內封面,多稱扉頁) 。明清兩代有些書刻有封面,一般三行,中間大字書名,右題著者名,左署出版者 (或藏版處) ,欄上橫題刻版年月。

㈢序跋。刻書序跋說好話的多,但寫到刊刻經過,如何時開工,何時完成,出錢的是誰,督工者何人等,這些是可信的。

㈣刻工。書籍製作,刻字工人的勞動至關重要,他們的名姓常常刻在版心下端。有人統計,宋代可考的刻工三千以上,刻工有地區性,其流動帶有群體性。一名刻工的有效刻書時間一般不會超過五十

年。由此著眼，輔以橫向聯繫，可以判斷許多刻本的年代和地點。

㈤諱字。宋代刻本，避諱甚嚴。凡遇皇帝及其祖宗的名字（含同音字）皆須缺末筆，以示避皇帝諱。若是「今上」、「太上」，則改刻「御名」二小字，或「今上御名」、「太上御名」四小字。個別有改字的。元、明不避諱，明末三帝始避諱。清初不避諱，康熙七年後始避諱。諱字多寡，是判斷刻版于何朝的依據之一。

㈥字體。一般說來，宋版書中浙本近歐，建本近柳，蜀本近顏。元版書多趙體，摻用簡體字。明初仿元，間有寫刻軟體字；中葉以後仿宋，方正平穩，略失神韻；萬曆以後漸變爲橫輕直重的「長宋體」，又稱膚廓體。清初承明末風氣，康熙重書法，六巡江南，選能書生員，形成非顏非歐非柳非趙的「館閣體」，圓勻規矩，秀麗美妙；道光以後，一般是呆板的方塊字（稱仿宋）。以上僅就大體趨勢約略言之，刻書家千差萬別，尤其名家寫刻本，不在此列。

㈦行款。即每版行數、每行字數。宋刻本有一定特點，如早期每行字數不同，是仿古卷子本體式，後來出現每版行數與每行字數相等。元以後很難尋出特徵。一般遇到同一種書的不同刻本，無確切出版年出版者可考時，運用行款著錄，以增強目錄的區分能力。

㈧墨色。宋本用墨精良，墨色香淡，雖著潮水濕而無漂迹，甚至有紙朽蝕而著字處完好者。刀法工致，不失原來書寫手筆神韻。明萬曆以後，坊賈逐利，有用墨煤和之以麵粉，以代替墨汁者。

㈨紙色。浙本、蜀本多白麻紙，建本多黃麻紙。元本黃麻紙，兼有白麻紙、竹紙等。明本多棉紙，萬曆以後多竹紙。清代印書用紙，種類繁多，開化紙（又稱桃花紙）最好，殿本多採用之。此外有連史紙、粉連紙、竹紙、毛邊紙等。

㈩版式。宋刻初期多白口單邊，南宋後則漸有左右雙邊、細黑口。版心上記字數，下記刻工，單魚尾，尾下鐫書名。書之大名在下方，小名（篇題）在上方，如黃善夫刻《史記》中作「留侯世家第二十五　史記五十五」是也。這一形式實源自簡冊。版內文字，橫看不成行，不整齊。元版多四周雙邊，粗黑口。明代初期承元版風氣，雙邊黑口；中葉以後仿宋，白口較多。清版一般爲左右雙邊，多白口。

(十一)裝幀。我國紙書在手寫時期，採用卷軸裝（無軸的簡裝亦稱卷子），裝訂工人稱裝潢手。唐代出現了旋風裝，亦稱旋風葉子，這是由卷軸裝向冊葉裝的過渡形式；經折裝，亦稱梵筴裝，完全改變了卷軸裝形式，接近正式的冊葉裝；蝴蝶裝，亦稱蝶裝，則是早期的冊葉裝形式了。雕版印書通行之後，一版就是一葉，數十葉裝訂起來就是一冊，冊葉就是積葉成冊，冊葉裝取代了卷軸裝，成爲我國書籍的主要裝幀形式。北宋早期刻本還有卷軸形式，如西元983年刻的《開寶藏》5000餘卷。至1112年刻的《崇甯萬壽藏》始改爲經折裝。藏經之外的書籍，多採用蝴蝶裝，即每版印葉以版心爲中線，字面朝裏對折（明人稱之爲「倒折」），集數葉爲一疊，戳齊，不用線或紙撚穿孔訂，而只用糵糊粘連印張背面的版心，粘住後，外用書衣包裹裱褙（稱裝背、表背，不叫裝訂），版心在內，四邊空白在外，翻閱時書葉向兩邊張開，如蝴蝶之雙翼，恰是一版。宋人說讀了一版書，就是一葉的意思。（今日出版地圖冊仍沿用此法以便觀覽）元代佛經仍用經折裝，其他書有蝶裝，更多的是包背裝。書葉以版心爲中線，字面朝外折，書口（版心）朝左向外，以板框下欄爲準戳齊，在右邊餘幅處打眼，用紙撚訂起砸平，再用一張厚紙對折後粘於書脊，把書背全部包起，一冊包背裝書就製作出來了。明初仍用包背裝，中期以後採用線裝。線裝書的裝訂方法

與包背裝基本相同，區別是不再用整幅厚紙包背，而用兩張半葉軟紙分置書身前後作爲封面，然後打孔穿線成冊。清代幾乎全是線裝，《四庫全書》仍用包背裝。現在的影印書、木版刷印書及仿古的鉛印本，還採用線裝（個別用蝶裝、包背裝），在人們的印象中，「線裝書」幾乎成了古籍的代名詞。

以上是書籍製作時形成的一些標記，書籍流傳過程中附加標記也很多，略舉一部分如下：

㈡修版、補版。書版經數十年、數百年，往往字迹漫漶，蟲蝕斷爛，重印時便須修版、補版，最典型的是三朝版《二十一史》，原刻于宋，補刻修版於元，再補於明，凡明代補版，皆在版心魚尾之上標「正德××年刊」等字樣。傳世宋本司馬光《傳家集》，無補刊標記，但從版式、字體、刀法，一望而知多元代補版。其補版書葉，則不能與宋版同等視之，校勘家當愼之。

㈢抄配、批校。書籍在流傳中失落卷葉，收藏者據別本抄寫配足，是爲抄配本。讀書人在天頭、地脚、行間加注批語，是爲批校本。書經名家批校，身價倍增。

㈣題記、題識。藏家得一好書，高興之餘，或自己動手，或請品賞者提筆，撰寫題記、題識，載明何種版本，何處得來，價銀幾何等事項。

㈤藏印。書籍流傳愈久，經手的藏家愈多，一般皆有藏章印記鈐於卷端。識別這些藏印，搞清藏家面貌，便理清了此書的流傳過程，成爲確定版本的重要依據。

㈥挖改牌記。挖去影刻、覆刻、翻刻牌記，保留原刻本牌記，以翻刻本冒充原刻本，多發生于元翻宋本，明、清翻宋、元諸書。

㈦撤改序跋。影、覆、重刻諸書，保留原序跋，增加新序跋，敘述翻刻動機經過。撤去新序跋，或挖掉緊要段落，則可冒充原刻本。

㈧鏟去末筆，製造諱字，以冒充宋本。

㈨抽去目錄，挖改卷次，以殘充全。

㈩僞造藏章印記、名人題識，把紙染成黃褐色，誘人上當。

二十種標記，前十一種爲出版者原標記，可據以判斷版本，故意製造騙局的出版家，可說是沒有的。十二至十五出於讀者、藏家、出版者之手，大致可信，惟藏家有擡高版本的傾向。末五種係書賈所爲，旨在設騙局、牟高利，全然不可信。書商們往往在刻得極好、「幾可亂眞」的明翻宋本上做手腳，鑒別難度較大，受騙上當者代不乏人。試舉幾例：

1.楚辭章句十七卷　明隆慶五年豫章朱多煃夫容館翻刻宋本

原刻原印本，有牌記：「隆慶辛未歲豫章夫容館宋版重雕」，有書刻人姓名，宋諱不再缺筆。未幾，再次刷印，將宋諱末筆及書刻人姓名全部鏟去，牌記依舊，且增王世貞序「吾友豫章宗人用晦，得宋《楚辭》善本，梓而見屬爲序」云云，可見出版家增諱字以求近宋版原貌，非以騙人。後世射利之徒，則乘機鑽謀：有挖掉牌記、精工重裝並以永樂元年分析另鬮冊、永樂五年夏稅秋糧冊（騎縫官印爲「義烏縣印」）爲襯紙以充宋本者，今存重慶圖書館；有改換爲「清河萬卷堂咸淳四年刊」牌記者，今存太原圖書館；有將紙染成灰黃色，鈐「毛子晉」、「述古堂」、「士禮居」諸假印者，今存中山大學圖書館。

2.史記集解索隱正義一百三十卷　明嘉靖四年汪諒仿宋刻本

此書正文前有嘉靖四年鉛山費懋中〈新刻史記序〉，目錄後有

「嘉靖四年乙酉金台汪諒刊本」木記，〈三皇本紀〉下題「蒲田柯維熊校正」七字。然浙江圖書館收藏的一部，正文前的〈新刻史記序〉被全文抽去，牌記挖掉，卷端「蒲田柯維熊校正」七字挖掉後，用舊紙彌補，並鈐僞藏印掩蓋，以冒充宋本。

　　3.史記集解索隱正義一百三十卷　明嘉靖六年震澤王延喆仿宋黃善夫刻本

　　此本刻印俱佳。王士禛《池北偶談》載其逸事云：「一日，有持宋槧《史記》求鬻者，索價三百金。王延喆紿其人曰：『姑留此，一月後可來取值。』乃鳩集善工，就宋版本摹刻，甫一月而畢工。其人如期至，索值。故紿之曰：『以書還汝』。其人不辨眞贋，持去。既而復來曰：『此亦宋槧，而紙差不如吾書，豈誤耶？』延喆大笑，告以故。因取新雕數十部散置堂上，示之曰：『君意在獲三百金耳，今如數予君，且爲君書幻千萬億化身矣！』其人大喜過望。今所傳有震澤王氏摹刻印，即此本也。」⑮顯然，王延喆仿得很像，當時就有人誤爲「宋槧」，過數百年，紙色舊了，再經技術處理，挖掉「震澤王氏刻梓」牌記，冒充宋版，辨別難度就更大了，直到前幾年，還有的藏家著錄爲「宋本」。

　　4.北京圖書館藏《魏鶴山先生渠陽詩》一卷，宋王德文注，明翻宋刻本

　　此書曾爲乾嘉時期的版本名家吳縣黃丕烈收得，跋稱「余一見既定爲宋刻」、「此種書非老眼竟不辨其爲宋板。」黃氏身後，其書爲常熟瞿氏鐵琴銅劍樓收得，印入《鐵琴銅劍樓宋金元本書影》中。

---

⑮　王士禛《池北偶談》二十六卷，清康熙四十年刊《王漁洋遺書》本。

清光緒間，貴池劉世珩亦收得一部，跋稱「瞿氏所藏爲明翻宋刻者，直此本爲宋刻眞本矣。」遂刻入《玉海堂影宋叢書》中。其實，劉氏本紙經染色，簾紋極窄，亦是明翻宋刻本，今庋藏於上海圖書館。1979年初，上海館查出僞宋本四種、僞元本二種，浙江館亦清出數種。

版本鑒定，爲版本學的核心。它帶有學術性，更具有實用性，需要多方面的知識，尤爲重要的是實踐經驗。我國版本學長期處於感性經驗階段，很少有規律性的研究；許多經驗又介乎只能意會、難以言傳之間，俗稱「觀風望氣」。古籍經千百年流傳，首尾往往受損，序跋牌記失落，即使沒有人做手腳，判斷亦非易事，號稱「具千百年眼」的黃丕烈亦難免失察。我想，不專治此道的學界朋友，於然疑之際，可以借鑒圖書學界已經取得的研究成果，例如上海古籍出版社1989至1998年間陸續出版的九冊《中國古籍善本書目》，書目文獻出版社排印的《北京圖書館古籍善本書目》五冊等。

三、善書、善本和善本書目

漢景帝前元二年（西元前155年），劉德封河間王，治樂城（今河北獻縣東南），「修學好古，實事求是。從民得善書，必爲好寫與之，留其眞，加金帛賜以招之。繇是四方道術之人不遠千里，或有先祖舊書，多奉以奏獻王者，故得書多，與漢朝等。是時，淮南王安亦好書，所招致率浮辯。獻王所得書皆古文先秦舊書，《周官》、《尚書》、《禮》、《禮記》、《孟子》、《老子》之屬，皆經傳說記，七十子之徒所論。其學舉六藝，立《毛氏詩》、《左氏春秋》博士。修禮樂，

被服儒術，造次必於儒者。山東諸儒，[多]從而遊。」⓰班固是古文經學家，他稱讚劉德的「善書」，一是以儒家圖書為主的文化經典，不是像淮南王劉安所搜集的「浮辯」無實用之書；二是古文先秦舊書，即秦火之前的用「古文」（戰國時期六國流行的字體，漢人稱之為「古文」，以與隸書相區別）抄寫的舊書。則所謂「善書」云者，包含有著作內容和文本可靠兩層意思。

「善本」一詞，淵源於「善書」，遠早於「版本」。唐以前文獻未及細檢，至宋初已屢見不鮮：

宋次道（1019－1079）家藏書，皆校讎三遍。世之藏書，以次道家為善本。（《曲洧舊聞》，朱弁[？－1144]）⓱

唐以前，凡書籍皆寫本，未有摹印之法，人以藏書為貴，書不多有，而藏者精於讎對，故往往皆有善本。（《石林燕語》，葉夢得[1077－1148]）⓲

趙與𥲅以為嚴陵字小且訛，於是精加讎校，易為大字，成為天下之善本。（元延祐六年[1319]陳良弼〈通鑒紀事本末序〉）⓳

予少時得此書而讀之，愛其詞調鏗鏘，氣格高古。徐察其憂愁鬱邑、繾綣惻怛之意，則又悵然興悲，三復其辭，不能自已。顧書坊

⓰ 《漢書》卷五十三〈景十三王傳·河間獻王傳〉，中華書局1997年縮印點校本《漢書》第615頁。

⓱ 朱弁《曲洧舊聞》十卷，商務印書館排印《叢書集成》初編本，1937年。

⓲ 商務印書館排印《叢書集成》初編本，1937年。

⓳ 《通鑒紀事本末》四十二卷，宋袁樞撰，宋寶祐五年趙與𥲅刻元延祐六年嘉禾學宮重修本，北京圖書館藏。又，寶祐五年趙與𥲅刻元明遞修本，浙江圖書館藏。

舊本，刓缺不可讀，嘗欲重刊以惠學者，而未能也。及承乏泲臺，公暇與僉憲吳君原明，論朱子著述，偶及此書，因道予所欲爲者。吳君欣然出家藏善本，正其訛，補其缺，命工鋟梓以傳。（明成化十一年[1475]何喬新〈刻楚辭注序〉。）❷⓪

今人但貴宋槧本，顧宋槧亦多訛舛，但從善本可耳。（王士禛[1634－1711]《居易錄》）❷①

從劉德的「善書」，到宋、元、明、清的「善本」，其含義大致如下：原著非同凡響，注釋亦佳；文字準確（或傳本可靠，或校勘無訛），無論寫本、版本；篇卷完好（相對而言，劉德《周禮》缺〈冬官司空〉，仍屬「善書」之列）。《四庫全書》所收洪興祖《楚辭補注》，乃據康熙元年毛氏汲古閣刊本繕錄，而《提要》以「善本」標舉。這說明，傳統的「善本」觀念，著眼於內容之優劣，而非以古董視之。

章太炎先生嘗云，明人知今而不知古，清人知古而不知今。意思是說，明代讀書人於傳統學術多無根柢、未貫通，但是會當官理事。這樣的文化背景反映在刻書上，則刪節本、白文無注本層出不窮，四庫館臣譏爲「妄改古書，恣情損益」。成化、弘治、正德、嘉靖間，復古風起，崇尚宋刻，仿宋刊本陸續出現，有些人甚至好宋版成癖。汲古閣主人毛晉張榜於門曰：「有以宋刻本至者，門內主人計葉酬錢，每葉出二百；有以舊抄本至者，每葉出四十。」入清，版本大家黃丕烈、顧廣圻等人，酷嗜宋版，以「佞宋」自居，甚至說宋版書「無字處亦好」。他們的議論和實踐活動，無疑是富有積極意義的，推動了

---

❷⓪　浙江圖書館藏，明成化十一年吳原明刊《楚辭集注》八卷，首載何喬新序。
❷①　王士禛《居易錄》三十四卷，清康熙間刊《王漁洋遺書》本。

考據學、校勘學、版本學的發展，同時也把「古董」味引入「善本」之中。至清末，「舊本」被明文列爲「善本」標準。錢塘丁丙界定其「善本」云：

> 一曰舊刻：宋元遺刊，日遠日斲，幸傳至今，固宜求圖視之。二曰精本：朱氏一朝，自萬曆後，剞劂固屬草草；然追溯嘉靖以前，刻書多翻宋槧，正統、成化、刻印尤精，足本孤本，所在皆是。今搜集自洪武迄嘉靖，萃其遺帙，擇其最佳者，甄別而取之；萬曆以後，間附數部，要皆雕刻既工，世鮮傳本者，始行入錄。三曰舊抄：前明姑蘇叢書堂吳氏，四明天一閣范氏，二家之書，半係抄本；至國朝小山堂趙氏，知不足齋鮑氏，振綺堂汪氏，多影抄宋元精本，筆墨精妙，遠過明抄。寒家儲藏，將及萬卷，擇其尤異，始著於編。四曰舊校：校勘之學，至乾嘉而極精，出仁和盧抱經、吳縣黃堯圃、陽湖孫淵如之手者，尤讐校精審，他如馮己蒼、錢保赤、段茂堂、阮文達諸家手校之書，朱墨爛然，爲藝林至寶。補脫文，正誤字，有功後學不淺，薈萃珍藏，如與諸君子面相質問也。㉒

張之洞則趨向簡約：

> 善本之義有三：一曰足本，無缺卷，未刪削；二曰精本，一精校，一精注；三曰舊本，一舊刻，一舊抄。㉓

㉒ 清光緒二十七年（1901）錢塘丁氏刊《善本書室藏書志》四十卷，末載丁丙〈自識〉。

㉓ 張之洞《輶軒語·語學·論讀書宜求善本》，清光緒三年（1877）濠上書齋刻本。

　　兩家於傳統之「善本」含義，並無異議，惟引入一「時間」觀念，即所謂舊刻、舊抄、舊校是也。何謂「舊」？張之洞未明言。丁丙把「舊刻」定在元代以前，實質上是明嘉靖以前，「舊抄」爲明抄和清影抄宋元本；舊校則特指乾嘉間名家批校本。書籍經數百年、上千年流傳，日漸稀少，如鳳毛麟角，雖不是古董，確也染上了文物色彩，丁、張二位既堅持傳統標準，又從「舊」字著手，借時間斷代輔助確定善本，其用意是可取的。

　　書籍經傳寫刊刻，脫文訛字總難免，前人有校書如掃落葉旋掃旋生之喻。一般說來，傳刻次數愈多，增加訛誤的機會也多。如王充《論衡·累害》篇，元刊本不缺，而明刊本皆脫去一葉。劉勰《文心雕龍·隱秀》篇，宋刊本不缺，而元、明刊本皆無。又如〈辨騷〉篇中「固知楚詞者，體憲於三代，而風雜於戰國」諸語，宋以後傳刻本以讀音或形體相近之故，「憲」訛爲「慢」，「雜」訛爲「雅」，遂使文意不銜接，後世注家大傷腦筋。宋刊本亦有脫誤，浙江圖書館藏《名臣碑傳琬琰之集》脫文時見可證。所謂「精校細勘，不訛不缺」，只能是相對而言，善與不善乃從比較而來，實際工作中不易掌握；輔以年資，無異闢一捷徑，然亦不能絕對化。稿本，特別是有學術價值的手稿本，則不能跟明版一樣論資排輩，必須破格。且時間也是一個發展變化的概念，現在距丁丙的時代又過了一個世紀，是否還定在明代，甚至是嘉靖以前？北京圖書館就是這樣。曾有位朋友從柏林寺借歸萬曆刊本，驚呼「借出了善本書」。浙江館定在明末，清代多采抄稿本。有的圖書館則定在清乾嘉間，甚至更晚。1978年3月，國家文物局召集全國善本總目編輯工作會議，討論善本範圍，初步達成一致意見：元代及元代以前刻印、抄寫的圖書（包括殘本與零頁）；明代刻

印、排印、抄寫的圖書（包括有特殊價值的殘本與零頁）；清代乾隆及乾隆以前的活字排印本及流傳較少的刻印本、抄寫本（初刻初印本、稿本、抄本，明以前著述原刻罕傳，至清初第一次翻刻本等）；太平天國及歷代農民革命政權印行的圖書；辛亥革命前流傳很少的刻印本、活字排印本、抄本及名人學者的稿本、批校木等。

　　如前所述，一般而論，傳本愈早，訛誤愈少，經千百年淘汰而流傳至今者，大抵有存在的價值。《中國古籍善本書目》以斷代為綱，輔以內容價值的考核，確定收錄範圍，應該說是合理的、可行的。它吸收了傳統「善本」觀念的某些因素，但骨子裏還是黃丕烈、丁丙這一流派的繼承和發展。

　　《中國古籍善本書目》採用《四庫全書總目》分類法，略加變通，經、史、子、集四部之外，增設叢書部，共著錄28個省市自治區783家收藏的善本圖書6萬種（依版本計），著錄項目為：書名、卷數、著者、版本、藏家等。每書傳本，皆按出版先後順次排列，版本項著出版年、出版地、出版者和版本類別，一般十幾字、二十幾字，得之卻十分不易。先由藏書單位擬定制卡，再由省級鑒定小組巡視復審，最後報北京編委會審定。遇有疑義者，或目驗原書，或調閱書影，搜集證據，推勘事實，必權衡審慎，而後寫定。版本考訂精審，可說是本書目最突出的特徵。我國書目著錄版本，始於宋尤袤《遂初堂書目》，一書多至數本；清初錢曾《讀書敏求記》述授受之源流，究繕刻之同異；乾隆間之《天祿琳琅書目》，版本記述尤詳，兼及藏書源流，牌記、藏印、題跋皆一一載明。然諸家書目規模不大，著錄數百種而已。《中國古籍善本書目》以公有制為依託，國家支持，動員全國圖書館古籍工作者參與，其版本著錄的質量和數量，是以往任何時代所不可

比擬的。

四、版本研究乃文獻學之基石

「書籍由竹木而帛而紙，由簡篇而卷而冊，由手抄而刻版而活字，其經過不知其若干歲，繕校不知其幾何人。有出於通儒者，有出於俗士者。於是有斷爛而部不完，有刪削而篇不完，有節抄而文不完；有脫誤而字不同，有增補而書不同，有校勘而本不同。使不載明爲何本，則著者與讀者所見迥異。……惟有載明其爲何本，則雖所論不確，讀者猶得據以考其致誤之由，學者忠實之態度，固應如此也。」❷❹「載明其爲何本」，就是要求著作者把被著錄或被引用的圖書文獻的版本寫清楚。「學者忠實之態度，固應如此也」，余嘉錫先生把著明版本提到治學態度是否「忠實」的高度，我認爲是完全必要的，切中要害。試想，我們在研究工作中要運用某一部圖籍或某種文獻，如果不知道文獻形成的年代，不知道文獻傳播者的基本狀況（圖書學上稱之爲「版本項」，即出版者、出版地、出版年），這樣的圖書文獻的價值是不確定的，使用價值則是沒有的，運用這種資料而形成的論著，猶如建在沙灘上的樓房，是靠不住的，不能取信於人。在中國傳統文獻學的三大支柱——版本、目錄、校勘三門學問中，版本研究是前提，是基礎。離開版本的確認和比較，連底本都無法確定，更何論「校勘」？不著錄版本的各式目錄，雖不能說毫無用處，但其功用必將受到極大

---

❷❹　余嘉錫《目錄學發微》，中華書局1963年3月排印本，第71—72頁。

的局限。「吾所舉爲足本,而彼所讀爲殘本,則求之而無有矣。吾所
據爲善本,而彼所讀爲誤本,則考之而不符矣。吾所引爲原本,而彼
所書爲別本,則篇卷之分合,先後之次序,皆相刺謬矣。目錄本欲示
人以門徑,而彼此所見非一書,則治絲而棼,轉令學者瞀亂而無所從,
此其所關至不細也。」㉕讓我們以《四庫提要》爲例。《四庫全書總
目》二百卷,含〈提要〉一萬餘篇,每篇標題下附載「內府藏本」、
「江蘇巡撫採進本」、「浙江巡撫採進本」、「浙江吳玉墀家藏本」、
「兩江總督採進本」等,這是遵照乾隆三十九年七月二十五日的諭旨
辦事。「今進到之書,於纂輯後仍須發還本家,而所撰《總目》,若
不載明係何人所藏,則閱者不能知其書所自來,亦無以彰各家珍弆資
益之善。著通查各省進到之書,其一人而收藏百種以上者,可稱爲藏
書之家,即應將其姓名附載於各書〈提要〉末;其在百種以下者,亦
應將由某省督撫某人採訪所得,附載於後;其官版刊刻及各處陳設庫
貯者,俱載內府所藏;使其眉目分明,更爲詳細。」㉖皇帝的用意在
表彰藏書之人,倡導「稽古右文」,並無關版本。「內府刊本」、「永
樂大典本」、「內府校刊宋本」等少量條目連帶著明版本,各篇〈提
要〉內文亦有部分敘明版本,扣去著錄錯誤的部分,㉗總量不及萬篇
〈提要〉的十分之一。這就是說,《四庫全書總目》二百卷,不僅〈存
目〉之書的大部分版本不明,已經抄寫輯入《四庫全書》的三千四百

㉕　余嘉錫《目錄學發微》,中華書局1963年3月排印本,第72頁。
㉖　《四庫全書總目》卷首〈聖諭〉,1965年中華書局縮小影印清乾隆六十年浙
　　江刻本。
㉗　余嘉錫《四庫提要辨證》(中華書局1980年5月第一版)、胡玉縉《四庫全
　　書總目提要補正》(中華書局1961年排印本)暨拙著《四庫提要補正》(杭
　　州大學出版社1990年排印本),皆有所揭舉,可參閱。

餘種圖書中，也是大部分底本不明，讀者無從知道四庫本抄自何本，只能以一般的清乾隆時期的抄本視之，像這樣底本不明且錯字較多的抄本，除非萬不得已，讀者是不敢貿然引作文獻依據的。由於《總目》的編纂者對版本的重要性認識不足，又迫以時限，多付闕如，結果是大大削弱了《四庫全書》的文獻價值和使用價值，人們更多的把它看作標誌性的文化設施。高聳於孤山之巔的文瀾閣《四庫全書》，在杭州人的心目中，它就是博大精深的中國傳統文化的象徵，其整體效應，不容低估。乾隆皇帝認爲：「現辦《四庫全書總目》，〈提要〉多至萬餘種，卷帙甚繁，將來鈔刻成書，繙閱已頗爲不易。自應於〈提要〉之外，另刊《簡明書目》一編，祇載某書若干卷，註某朝某人撰，則篇目不繁而檢查較易，俾學者由《書目》而尋〈提要〉，由〈提要〉而得全書，嘉與海內之士考鏡源流，用昭我朝文治之盛。」❷四庫館臣遵照皇帝旨意，另編《四庫全書簡明目錄》二十卷，作爲檢索工具書，又濃縮〈提要〉之內容，被魯迅先生稱之爲「現有的較好的書籍之批評」（許壽裳〈亡友魯迅印象記〉），但於四庫底本之版本面貌，沿《總目》之舊，大部付之闕如。一百餘年之後，清宣統三年（1911）杭州人邵懿臣、邵章祖孫完成的《四庫簡明目錄標注》二十卷刊版印行，「是書之命意，在分別本之存否，與刻之善否」（繆荃孫序），從宋元舊刻，到清末版本，知見必錄，形成頗具規模的版本資料庫，受到學界歡迎。1959年12月中華書局上海編輯所排印邵友誠整理本，內容益趨完善。雖於四庫底本無所考訂，但提供眾多善本資訊，讀者

---

❷ 《四庫全書總目》卷首〈聖諭〉，1965年中華書局縮小影印清乾隆六十年浙江刻本。

可有多種選擇，不一定千里迢迢、歷盡周折地去求見《四庫全書》了。如前所述，《總目》二百卷不是《四庫全書》的檢索工具書，它的精髓、它的核心，我們借用章學誠的說法，叫做「辨章學術，考鏡源流」。經、史、子、集四部之首，各冠以〈總敘〉，撮述其源流正變，以挈綱領；四十三類之首，各冠以〈小序〉，詳述其分並改隸，以析條目；如其意有未盡，例有未該，則或於子目之末，或於本條之下，附注案語，以明通變之由。各類目之下，分綴〈提要〉一萬多篇。綱舉目張，詳略得宜，縱橫貫穿，渾然一體，涵蓋文化典籍的方方面面，對中國傳統學術作出系統的總結，是中國傳統目錄學的集大成之作。「衣被天下，沾溉靡窮，嘉、道以後，通儒輩出，莫不資其津逮，奉作指南，功既鉅矣，用亦弘矣。」㉙本文主題論及版本，對《總目》有所批評，希望不至因此對讀者造成誤導。

《四庫全書總目》本身亦有版本問題。據筆者考察，傳世有二十幾個版本，主要是七閣寫本、乾隆六十年浙江刊本、乾隆六十年武英殿刊版嘉慶間印本（「琰」字挖版缺末筆，避嘉慶名諱），即寫本、浙本、殿本三個系列。浙本源自文瀾閣《四庫全書》中的寫本，殿本源出紀昀最後修定本，晚出而最為成熟。㉚可是，長期以來，學術界流行「浙本翻刻殿本」誤說，傅以禮、洪業、郭伯恭、王重民、中華書局影印組、昌彼得、臺北商務印書館、華立等，皆主浙本源自殿本說。㉛有什麼根據？王重民先生說得最為完整：「《四庫全書總目》的武

㉙　余嘉錫《四庫提要辨證·序錄》，中華書局1980年5月第一版。

㉚　詳參拙作〈四庫全書總目版本考辨〉，載中華書局《文史》第35輯，1992年。

㉛　傅以禮〈校刊殿本總目跋〉（廣雅書局本，1899）、洪業〈四庫全書總目引得序〉（燕京大學引得編纂處排印本，1931）、郭伯恭《四庫全書纂修考》

英殿刻本首先發到南北七閣貯藏使用。1794年浙江在地方官（謝啓昆、秦瀛、阮元）和士紳（沈青、鮑士恭）的合作下，將《四庫提要》依據文瀾閣所藏的殿刊本翻刻，1795年刻成，從此《四庫全書總目》更廣泛的在全國範圍內流傳開來。」㉜這段話有太多的想當然之辭。我曾在浙江圖書館古籍部工作十餘年，住在孤山之巔，與文瀾閣四庫全書朝夕相處，卻從未見過武英殿刊本《總目》，查閱嘉慶二十五年浙江鹽政清點檔案《文瀾閣藏書目》，亦無殿刊《總目》的記錄，只有寫本《總目》（卷端鈐「古稀天子之寶」，卷尾鈐「乾隆御覽之寶」）析爲四部，分置《四庫全書》經、史、子、集四部之首。可見，所謂「武英殿本首先發到南北七閣貯藏使用」云云，不夠準確，起碼文瀾閣不在其內。我也曾將文瀾閣《四庫全書》中的寫本《總目》原抄本二十七卷，與乾隆六十年的浙江刊本對校，全部吻合，甚至原抄本明顯的誤字，刻本也一式一樣，而這些字殿本基本不誤。當浙本刊成之初，阮元由文淵閣直閣事調任浙江學政，恭紀云：「四庫卷帙繁多，嗜古者未及遍覽，而《提要》一書，實備載時地姓名及作書大旨，承學之士，抄錄尤勤，毫楮叢集，求者不給。乾隆五十九年，浙江署布政使司臣謝啓昆、署按察使司臣秦瀛、都轉鹽運使司臣阿林保，請於巡撫兼署鹽政

（國立北平研究院史學研究會出版，商務印書館發行，1937）、王重民〈論四庫全書總目〉（《北京大學學報》1964年第2期）、〈跋影印本四庫全書總目〉（《吉林省圖書館學會會刊》1981年第1期）、中華書局影印組〈出版說明〉（1964年12月）、昌彼得〈影印四庫全書的意義〉（1983）、臺北商務印書館影印殿本〈弁言〉（1983）、華立《四庫全書縱橫談》（上海古籍出版社，1988）等，皆主浙本源出殿本說。

㉜ 王重民〈論四庫全書總目〉，原載《北京大學學報》1964年2期，輯入《中國目錄學史論叢》，中華書局1984年12月第1版，第232頁。

吉慶，恭發文瀾閣藏本，校刊以惠士人。貢生沈青、生員沈鳳樓等，咸願輸資，鳩工蕆事，以廣流傳。六十年，工竣……士林傳播，家有一編，由此得以津逮全書，廣所未見，文治涵儒，歡騰海宇，寧有既歟！」❸❸作爲見證人，阮元認爲，浙刻的功績在於結束了「毫楮叢集，求者不給」的傳抄階段，而步入「士林傳播，家有一編」的刊印時期，這就間接說明武英殿刊本尚未出籠。所謂「恭發文瀾閣藏本」，指的就是文瀾閣《四庫全書》中的寫本《總目》二百卷卷首一卷。王重民先生把阮元〈跋〉中所寫的「恭發文瀾閣藏本校刊以惠士人」，理解爲「依據文瀾閣所藏的殿刊本翻刻」，並無事實根據，想當然耳。從1899年傅以禮算起，浙本源出殿本誤說綿延百年，1999年5月海南出版社排印整理本《四庫全書總目》，仍沿襲「浙本翻刻殿本」誤說，並且煞有介事地聲稱：「五十八年底或翌年初，武英殿本送至浙江文瀾閣。」❸❹這樣的「整理」只能是愈理愈亂，不僅點校者多費氣力，出版者浪費財物，而且傳播誤說，累及後人。

　　「現代鉛印和影印的出版物，一版再版，不也是不同版本嗎？」❸❺顧老此論，既是針對有人把版本之學看得太狹，也是針對學術界忽視近現代鉛印出版物的版本研究而發。讓我們以章太炎先生的代表作《訄書》爲例。1904年5月，日本東京翊鸞社排印《訄書》六十三篇本，〈訂孔第二〉開首引用遠藤隆吉《支那哲學史》中的一段話：「孔子之出於支那，實支那之禍本也。夫差第〈韶〉、〈武〉，制爲邦者

---

❸❸　阮元〈浙江刻四庫全書總目跋〉，乾隆五十九至六十年謝啓昆等校刊《四庫全書總目》卷末，浙江圖書館藏原刊本。

❸❹　1999年5月海南出版社排印《四庫全書總目提要》卷前〈整理說明〉。

❸❺　顧廷龍先生〈版本學與圖書館〉，原載《四川圖書館》，1978年第11期。

四代，非守舊也。處於〈人表〉，至嚴高。後生自以瞻望弗及，神葆其言，革一義，若有刑戮，則守舊自此始。故更八十世而無進取者，咎亡於孔氏。禍本成，其胙盡矣。」檢閱遠藤隆吉（1874—1946）的原著，這最後四句可譯作：「中國的不進步，罪並不在孔子，無寧說，乃是中國的命運。」太炎先生的譯文有點費解，但基本準確，特別是「咎亡於孔氏」一句，完全符合著作原意。1905年9月，日本東京翔鸞社重排印《訄書》，「咎亡於孔氏」易作「咎在於孔氏」，亡、在兩字以形體相近而誤植。1914年前後，太炎先生「復取《訄書》增刪，更名《檢論》」，1915年上海右文社排印《章氏叢書》和1919年浙江圖書館校刊《章氏叢書》皆收入《檢論》九卷，「咎亡於孔氏」不誤。1958年3月上海古典文學出版社排印《訄書》六十三篇本，1975年上海人民出版社排印大字本《訄書》，竝沿襲1905年東京重排印本之誤，《訂孔》中的「咎亡於孔氏」作「咎在於孔氏」。這本來是純粹的校勘問題。但是，由於眾多的學者不重視版本源流的考察，在特殊的政治背景下，竟導引出一系列的謬誤。七十年代前期，有人抓住「中國更八十世而無進取者，咎在於孔氏」兩語，不問正誤，也不問出自何人，硬把章太炎先生拉入反孔派行列；七十年代末期，又有人出來說，章太炎早期說的「咎在於孔氏」，後來改爲「咎亡於孔氏」，「自應以後來的版本爲據」，這正是章太炎復古倒退的標誌。❸❻眞是你方唱罷我登場，愈演愈離奇，幾乎令人看不懂了。

我們還可以舉出更多的例證，說明版本問題非同小可。不認眞下工夫，掉以輕心，想當然行事，將會給研究工作埋下隱患，甚至基

---

❸❻ 唐振常〈論章太炎〉，載《歷史研究》1978年第1期。

礎不牢，地動山搖，大家名家，概莫能外。誠然，版本學沒有多少深
奧的理論，一是一，二是二，實實在在，應用性很強。它幾乎無所不
在。它是文獻學之基石，甚至是一切研究工作的基礎。我們這樣說，
決非出於對版本學的偏愛，更不是危言聳聽，而是經過無數的事實，
從正面和反面反復證明了的道理。讀書學習先明版本，研究論著載明
版本，人人採取「忠實之態度」，身體而力行之，我們的學術文化事
業將會沿著公開、公平、健康的大道濶步前進！

尤袤《遂初堂書目》的再認識

張　雷*

摘　要

南宋尤袤《遂初堂書目》，是宋代私家藏書目錄存於今者三種之一，開目錄記版本之先河。本文主要論述《遂初堂書目》的類目設置、成書過程、版本流傳及其藏書價值。

關鍵詞　尤袤　遂初堂書目　宋代私家藏書目錄

　　南宋尤袤《遂初堂書目》，是宋代私家藏書目錄存於今者三種之一。晁公武《郡齋讀書志》和陳振孫《直齋書錄解題》，都有新的校證本或點校本問世，唯獨尤《目》沒有。筆者與李豔秋同志合作，用了一年多的時間，對尤《目》作了校注。通過校注，對這部書目有了進一步的認識。茲將所得縷述如下，以供目錄學史研究者參考，不

＊　山東大學古籍所講師

當之處，希望專家學者批評指正。

尤袤（1127——1194）是南宋淳熙名臣，曾任職館閣，又兼國史編修官。他又是著名詩人，與楊萬里、范成大、陸遊並爲南宋詩壇「中興四家」。他好藏書，又好抄書，其子弟諸女皆抄書。他藏書既富，愛書更切，「饑讀之以當肉，寒讀之以當裘，孤寂讀之以當友朋，幽憂讀之以當金石琴瑟。」這樣一位有學識的藏書家，按理應當像宋代其他著名藏書家一樣，編出一部著錄詳細的解題書目來，然而，流傳於今日者卻是一部著錄極其簡陋的書目，非常令人惋惜！

《遂初堂書目》向以「開書目記版本之先河」而知名於世，又以其著錄簡略而不爲世人所重，古今學人于尤《目》甚少稱引，這也許就是它至今未有新的整理本問世的原因。尤《目》雖然簡略，但卻有一些獨特的優點，我們不能因其簡略而忽視它的優點，也不能因其簡略而忽視它的其他缺點，全面的考察，才可以對這部書目得出較中肯的評價。

1、關於「開目錄記版本之先河」

書目中注記版本，是木版刻印術發明以後，必然要出現的事，就今所見，比尤袤稍早的《郡齋讀書志》即于解題中有述及版本者，但於書名之前明標版本者，卻是自尤袤始。實際情況如何？前人多語焉未詳，茲摘錄如下：

　經總類：成都石刻九經論語孟子爾雅、杭本周易、舊監本尚書、京本毛詩、舊監本禮記、杭本周禮、舊監本左傳、杭本公羊傳、杭本穀梁傳、舊監本論語、舊監本孟子、舊監本爾雅、舊監本國語、高麗本尚書、江西本九經、

朱氏新定易書詩春秋古經。

正史類：川本史記、嚴州本史記、川本前漢書、吉州本前漢書、越州本前漢書、湖北本前漢書、川本後漢書、越本後漢書、川本三國志、舊杭本三國志、舊杭本晉書、川本晉書、舊本南史、舊本北史、舊杭本隋書、舊杭本舊唐書、川本小字舊唐書、川本大字舊唐書。

小學類：舊監本許氏說文。

編年類：川本小字通鑒、川本大字通鑒。

雜史類：舊杭本戰國策、遂初先生手校戰國策、姚氏本戰國策。

雜傳類：別本高士傳。

實錄類：重修太祖實錄、朱墨本神宗實錄、紹興重修太祖實錄、新修哲宗實錄、重修徽宗實錄。

目錄類：重修唐書碑目。

地理類：秘閣本山海經、池州本山海經、舊本鄭州圖經、舊本杭州圖經、舊越州圖經、新修紹興圖經、豫章舊圖經、江州舊圖經。

釋家類：金銀字傳大士頌。

數術家類：別本甘氏經。

小說類：京本太平廣記。

譜錄類：別本禽經。

以上共計59種，在該目著錄的3154部書中，尚不足百分之二。而且集中於「經總」、「正史」兩類，「經總」類共著錄18部書，只有《儀禮》、《六經圖》兩部未注版本。正史類共著錄26部書，只有《宋書》、《南齊書》、《梁書》、《陳書》、《魏書》、《北齊書》、

《後周書》、《舊五代史》等八部書未注版本。這些注版本者,有的
有二、三、四個複本,有的並無複本。此目另有《焦氏易林》、《汲
塚周書》、《天下大定錄》、《皇祐平蠻錄》、《慶曆軍錄》、《中
興書》、《郊祀錄》、《漱鄉記》、《熙甯番官陳院編敕》、《文場
盛事》、《石藥爾雅》、《于公異奏記集》、《令狐楚表奏集》、《文
苑英華》、《大曆浙東聯句》、《花間集》、《送伴錄》、《元祐建
中宮記》、《崔灝集》、《伊川集》等二十種書各有兩部,但均未注
版本。別集類著錄645部書,無一部注版本。

上述情況說明:或者注版本並不是編制的定例,而是有一些偶
然性的因素;或者尤袤本擬全目中重要刻本均於注明,但後因某種原
因而不能親自編定,遂只有「經總」、「正史」兩類自注版本,其他
各類則大都從略了。或謂此目「以記錄版本為重點,目的明確、所錄
甚多、超過晁《志》」,數量超過晁《志》是事實,其他則是不符合
事實的。

此目所注「舊本」、「舊監本」、「舊杭本」等,應是北宋刻
本。尤袤生活在南宋初68年間,南宋刻本是不能稱作「舊本」的,這
些都是北宋刻書的寶貴資料。王國維《兩浙古刊本考》稽考甚精,但
此目所記《越州本前漢書》、《越州本後漢書》、《嚴州本史記》三
書王《考》失載。此目所用版本名稱,幾與近世相同,凡此種種,均
可見此目在版本學上的價值。

2、關於類目設置

《四庫總目·遂初堂書目》提要謂:「其子部另立譜錄一門,
為例最善。」其實立類之善還有:設「經總類」以收群經;設「章奏

類」以收奏議；設「樂曲類」以收詞曲，都是以前所未有。此目著錄
宋朝史料甚多，故設立「國史類」、「本朝雜史類」、「本朝故事類」、
「本朝雜傳類」專門收錄宋朝史料。「名」、「墨」、「法」、「縱
橫」諸家較少，乃將以上各類合併爲「雜家類」；「陰陽」、「數術」
類書較少，乃合「天文」、「曆議」、「陰陽」、「五行」、「卜筮」、
「形勢」諸類爲「數術類」。合併後所取之類名未必合適，但根據目
錄收錄各類書的多少，而定類目之分合，不失爲編目中的良法。以上
各點都是在類目設置上的創見，與編目中之良法。

3、分類、著錄與排列中的不足之處。

　　《四庫總目》提要指出：「《元經》本史而入儒家，《綿帶》
本類書而入農家，《琵琶錄》本雜藝而入樂」之類爲不妥，此外又有
《國語》入「經總類」。《十四賢集》、《清江三孔集》、《二林集》、
《二尹集》、《竇氏聯珠集》、《漢上題襟集》、《大曆浙東聯句》
等入「別集類」。《東觀餘論》本「雜家」，而入「別集類」，以及
前所舉《焦氏易林》等二十種書，也都分置兩類之中，凡此種種，均
爲不當。如果仔細推敲起來，分類不當之處當還有，足見此目在具體
類分書籍上是相當粗疏的。

　　此目各類書籍的排列，大體上是按時代先後爲序的，但有排列
失次之處，比較明顯的例子見「別集類」中一人的集子著錄兩部，但
兩部並不連在一起，如《崔灝集》、《伊川集》各有兩部但不排在一
起。又如《沈亞之集》與《沈下賢集》、《鄭褒集》與《鄭成之集》、
《方幹集》與《方雄飛集》、《武元衡集》與《武伯蒼集》、《李益
集》與《李君虞集》、許渾《丁卯集》與《許用晦集》、《王建集》

與《王司馬集》等，雖書名不同，一用正名，一用別號，但都是同--個人的集子，理應排在一起。此外，如仔細查考起來，排列失次的地方當還有不少。

《四庫總目》提要謂此目著錄各書「不載撰人」，在全部3154部書中，有1395部書是注明撰人的，但常不用正名而用別號，古人別號在當時人看來，並不難知其本名，後人查考起來，卻是非常困難。這是一般古代私家藏書目錄的通例，不足深責，但此目著錄撰人有誤題之處，《四庫總目》曾指出「《玉瀾集》本朱槔作，而稱朱喬年。」此外還有《春秋邦典》係唐既濟作，而誤爲該書作序者鄒浩之名爲著者。這兩個例子都不會是因形近而誤，恐怕也是粗疏之故。

4、關於成書過程之推測

《遂初堂書目》成於何時。尤袤既無遺文言及，毛开的序也未署年月。楊萬里文集中有〈益齋藏書目序〉，本是爲尤袤的藏書目錄而作，但今傳本上卻不載此序。陸友仁的跋中雖引此序之文，但卻將作者題爲李燾，可能陸友仁是轉引自《文獻通考·經籍考》，引用時將「誠齋」誤記爲「李太史燾」了。

楊萬里序云：「今年予出守毗陵，蓋延之之州里也。延之持淮南使者之簡而歸，一日，入郭訪余。余與之秉燭夜話，問其閒居何爲？則曰：吾所鈔書今若干卷，將彙而目之，……囑余序其目。」楊萬里於淳熙五年任常州守，其時尤袤只是「將彙而目之」。尤袤「遂初堂」爲光宗御書匾，則書目創始在淳熙五年，而定稿似在光宗時，尤袤晚年。

今傳本上有毛开序云：「晉陵尤延之，始自青衿，迨夫白首，

嗜好既篤，網路斯備，……僕雅竊通書之好，每資餘燭之光，猥辱話言，屬爲序引。」既然已是「白首」和「餘燭之光」，想二人已至老年，淳熙十三（1186）年尤袤六十歲，此目可能成於淳熙十三年前後。毛开序中明言：「若其剖析條流，整齊綱紀，則有目錄一卷」。可見此目原本即是一卷，《鐵琴銅劍樓書目》此目條以爲「此本殆燼餘之目矣。且《放翁集》亦錄入，是出尤氏後人所輯，非原書也。」這樣推測是不確的。至於目中有陸遊、楊萬里的集子，這兩人的卒年雖比尤袤晚（楊卒於開禧二年（1206），陸卒於嘉定三年（1210）），兩人文集的編定也許更晚，但作者在世時未必沒有作品流傳，紹熙二年（1191）「江東漕使楊萬里送《江東集》」給范成大，「並索近詩」。(據于北山《范成大年譜》)尤袤書目中有楊、陸的作品也是可能的，不一定是「後人增入」。

前文曾經提到，以尤袤藏書之富、愛書之切、學識之高，是不應只編此簡目記錄自己的藏書的，爲什麼只成之一卷粗疏簡目呢？我們懷疑此目只是在尤袤指導下，在平日整理的基礎上，由家人寫成，而非尤袤親自編定。理由是：雜史類有「遂初先生手校戰國策」一條，似非尤袤自己口吻；尤袤曾爲《玉瀾集》作序，不應把朱槔（字逢年）誤作朱喬年（名松）；即藏有《春秋邦典》一書，必曾翻閱過，不至於把作序者姓名誤作該書作者之名；把許多總集類書入之別集類，把同一作者的集子不排在一起，如果是尤袤手編，不至於如此粗疏；注版本者集中於「經總」、「正史」兩類，而其他各類甚少，難道別集類中沒有一部值得注明版本的嗎？「經總」、「正史」兩類共44部書，未注明版本者只有十部書，因此我懷疑這兩類是尤袤手定，其他各類則是在尤袤指導下由家人照架抄錄而成的。

尤袤的藏書中，目錄類即有《古今書錄》、阮孝緒《七錄》、《崇文總目》、《中興館閣書目》、《李邯鄲書目》、《邯鄲圖書志》、《廣川董氏藏書志》等解題書目，如果尤袤晚年也有晁公武那樣「三榮僻左少事，日夕躬以朱黃校讎舛誤」的閒暇，這部書目可能就不會如此簡略了。紹熙四年（1193），尤袤任禮部尚書，仍兼國史院編修官，「是時皇上已屬疾，國事復舛，（尤袤）憂積成疾，請告，不准，病篤。乞致仕，又不准。」紹熙五年（1194）就死了。《遂初堂書目》之簡略，不能不與尤袤晚年所處的環境有關。

5、關於《遂初堂書目》的流傳和刻本

《中興館閣書目》成於淳熙五年，是時尤袤還只是「將彙而目之」。《中興館閣續書目》成於嘉定十三年，為尤袤卒後26年，《宋史藝文志》著錄《遂初堂書目》，大概在嘉定十三年之前此目已有鈔本傳入內府了。「寶慶初元（寶慶元年，公元1225年）冬，（魏了翁）得罪南遷，過錫山訪前廣德使君，則書厄於火者累月矣。」尤袤卒後32年，魏了翁在尤袤後人處見到《遂初堂書目》，遂跋其後。陳振孫比尤袤晚卒67年，《直齋書錄解題》中著錄此目，解題云：「嘗燼於火，今其存亡幾矣。」但未提到毛开的序和魏了翁的跋，大概是另一個抄本。今傳《說郛》本上于魏跋之後，又有元初人陸友仁跋。《說郛》是元末明初人陶宗儀所輯，他所得到的抄本上既有毛开序，又有魏了翁、陸友仁跋，收入《說郛》時又注明「一卷全抄」，今日流傳的各本都是如此，所以《說郛》本應是今流傳各本的祖本。

現在各種印本的《遂初堂書目》，以張宗祥據明抄本《說郛》整理，1927年商務印書館排印《說郛》本較好，文字差誤較少。清順

治三年陶珽重校《說郛》，宛委山堂刻本雖刻印較早，但文字差誤很多。清道光、咸豐潘仕誠輯刻《海山仙館叢書》本，和光緒間盛宣懷輯刻的《常州先哲遺書》本，都經過一番校改，文字差誤也較少。1925年尤桐輯印的《錫山尤氏叢刊甲集》本，印行最晚，且據陶、潘、盛三種刻本校勘異文，但往往不能擇善而從，比潘、盛二刻差錯反多。最劣的本子莫過於《四庫全書》本子。《四庫全書》本所據底本，與《說郛》本全同，單抄錄潦草，錯字最多，且將書名任意分合者，別集類竟把□□集只寫人名而省去「集」字者。如地理類《三輔黃圖》，「黃」誤爲「皇」。《輿地記》誤爲《地輿記》。《唐列聖園陵記》，「園」誤作「國」。《元和郡縣圖志》，「郡」誤作「國」。《兩京道里記》，「兩」誤作「西」。李德祐《西南備邊錄》，「李德祐」誤作「李祐」《同安志》，「安」誤作「心」。《浦陽志》，「浦」誤作「蒲」。《洞庭譜記》，誤作「洞庭記譜」。《泉南記》，「記」誤作「錄」。《廣東西會要》，「西」誤作「志」。《西夏雜記》，「記」誤作「志」。其他各類錯字也不少。

　　書名任意分合者，如《成都石刻九經論語孟子爾雅》一條，分作《成都石刻九經》和《論語孟子爾雅》兩條，其實成都石刻諸經（蜀石經）是包括《論語》、《孟子》、《爾雅》在內的，不應分作兩條。又如《朱子新定易書詩春秋古經》，分作《朱氏新定易》和《書春秋古經》兩條，其實這是朱熹所刻「臨漳四經」，也不應分作兩條。又如釋家類《金銀字傅大士頌》，分作《金銀字》和《傅大士頌》兩條。還有多處將二條、三條並作一條，就不一一列舉了。總之，《四庫全書》本所據底本是一個劣本，抄書手是斷然不敢刪改的，只是校勘官的責任心不知到那裏去了！

6、尤袤藏書的價值

現存宋代三家藏書目錄中，論其數量，以尤袤藏書最多。晁《志》連同趙希弁的附志加在一起，僅有1936部，陳《錄》爲3077部，而尤《目》著錄3164部。王重民先生在《中國目錄史論叢》中評論陳振孫的藏書時說，「《直齋書錄解題》共著錄圖書51180卷，超過了南宋政府的藏書目錄（《中興館閣書目》共著錄圖書44486卷，加上《續書目》14943卷，才僅比《直齋書錄解題》多出8000多卷）。」尤袤的藏書中雖有幾十種複本，但還是略多於《直齋書錄解題》中著錄圖書。

尤袤藏書不僅數量多，而且有其特點。由於他擔任史官，所以收藏宋代史料特別豐富，許多書是宋代官、私書目沒著錄的。僅「國史類」、「本朝雜史類」、「本朝故事類」、「本朝雜傳類」就有278部之多。「章奏類」中有86部宋代人章奏爲其他宋代書目未收。「地理類」中著錄宋代方志130部，其中許多方志也僅見于尤《目》著錄。

尤袤又是有學問的人，他的藏書是做學問的需要，「一書兼載數本，以資互考」。淳熙八年，他曾校刻李善注《文選》于貴池，並作《文選考異》一卷。他收藏《戰國策》有四種不同的本子，其中有「遂初先生手校《戰國策》」，可能也是想刊刻而未果。其他各類中有四十多種藏書有複本，許多也是供「互考」之用，一書兼載數本，在其他宋代官、私藏書目中是沒有的。

名家的藏書中，都有稀見之書，爲別家所未有，尤袤的藏書也不例外。經部如：李氏《易辨證》、王存《易解》、齊博士《易辨》，《經義考》即據尤《目》著錄。程迥《古周易》、裴氏《詩集傳》、《周禮名數考》、《五禮考亡》等，《經義考》失收。史部「國史」

等類383部書，其中166部爲其他宋代藏書所未收。「地理類」中如《鄭
州圖經》、《杭州圖經》、《新修紹興圖經》、《天臺圖經》、《長
州圖經》、《封州圖經》、《江西諸郡圖經》、《道州圖經》、《豫
章舊圖經》、《無錫志》、《宜興志》、《台州三縣誌》等，張國淦
《中國古方志考》即據尤《目》著錄。黃恭《廣志》、王秀連《番陽
志》、《浦陽志》、《毗陵風土記》、《泰州志》等，《中國古方志
考》失載。「目錄類」有阮孝緒《七錄》，一般均以爲《七錄》亡于
唐末，尤《目》中竟有此書！又如《葉石林書目》，也是僅見尤《目》
著錄。子部「儒家類」：許嵩老《法言訓詁》。「道家類」：晉孫盛
《老子考訊》和《老子糾》、陳鼻《解老子》、達眞子《老子解》、
毛達可《老子解》，均未見其他書目著錄。「農家類」：《秦農要事》、
《鄙記》二書，王毓瑚《中國農學書錄》即據尤《目》著錄。「小說
類」之《灌畦暇語》、《觀時集》、《漢隋遺錄》、《太平小說》、
《星江野錄》、《浪漫野錄》、張芸叟《貽訓》和《野語》、《金鑾
退潮記》、楊迥《金淵書》、《王氏春秋》、楊彥嶺《筆錄》、韓易
《見聞異辭》、《林下放言》、朱新仲《雜誌》、呂南公《測幽》等，
均未見諸家小說書目著錄。「類書類」如：《唐史屬辭》、《經史類
對》、《采箱子》、《開卷錄》、《文選事類》、《文選雙事》、《蘇
氏選抄》、《應用集類》、《六帖學林》、《類題玉冊》、《題淵》、
《續題府》、《文選華句》等，張滌華《類書流別》即據尤《目》著
錄。「醫書類」如：《保生十全書》、《曹王普惠方》、《古今必效》、
《資生方》、《活人名方》等，《中國醫籍通考》即據尤《目》著錄。
「別集類」如：《阮元瑜集》、《應德璉集》、《徐偉長集》、《劉
公幹集》等漢人集，雖見於兩《唐》志，而宋代官私書目未見著錄。

《孟歸唐集》、《冷朝陽集》、《寶華集》、《王勃集》、《顧佐鎔集》、《鄭崇集》、《鄭愚集》、《于勃集》等唐人集，唐、宋《志》均未著錄。宋人集中如：杜默《詩豪集》、《王觀集》、呂希純《紫薇集》、《葉棣集》、《王防集》、杜澤民《甄城集》、《吳准集》、《許志仁集》、《林元凱集》、《張叔夜集》、《朱伯原集》、《章叔度集》、《芮國器集》、《程正伯集》等，均未見宋代書目著錄。

《遂初堂書目》中著錄的3164部書，有823部既無傳本，也未見於古今書目著錄。這些未查到的書，雖因尤《目》作者用字號而不知其正名，或因書名簡略，又無適當書目可供查核，或因查核粗疏，本有著錄而未查得者，但是，總有許許多多書是僅見尤《目》著錄的。私家所藏的確有可補史志之缺者，也許這正是尤《目》的價值所在。

我國古代目錄學遺著非常豐富，但由於時代久遠，不論著錄之詳略，今日之讀書看到這些書目，或則不知書之內容，或則不知作者時代，或則不知其存佚。佚者不知佚于何代？是否見諸著錄？存者不知有何版本？所以難免有茫然不知之感。為了便於今後讀者利用這些書目，就需要對這些書目中著錄的書籍，一一考察清楚，作出詳明的注釋。我們作《遂初堂書目校注》，就是一次嘗試。由於學識淺薄，許多書考察不清。但是，我們認為：這件事遲早會有人做，早做比晚做要好。因此，這件事應是古籍整理工作的一項「基礎工程」。把一套清晰詳明的古代書目的新注新考本提供給未來的讀者，難道不是當代目錄學研究者在二十一世紀裏應當完成的一項歷史使命嗎！我們希望這件事能引起學者專家的重視。

漢賦中所見易學史料例說

張　濤*

摘　要

兩漢時期，易學與賦體文學的興盛和發展是相伴而行、相互促動、相得益彰的。當時不少士人既是賦作家，又是易學家、思想家，其易學思想和成就在其辭賦作品中同樣有所反映。漢賦中所見易學史料甚多，在賈誼、揚雄、班固、張衡等人的賦體作品中表現得尤為突出。

關鍵詞　漢賦　易學

　　兩漢時期，特別是漢武帝即位以後，賦體文學極度興盛，成為一代文學正宗。與此同時，經學則成為統治思想和官方學術。而《周易》群經之首的地位，又使易學成為經學乃至整個思想文化領域的核心。經過考察，筆者曾得出結論：「一部秦漢思想史，的確可以視為

*　山東大學古籍所教授

適應時代需要，以《易傳》爲內在靈魂和重要源頭，以易學研究和運用爲重要載體，以易學思想爲主潮、主旋律的思想發展史，可以視爲秦漢易學思想史的自然衍攟和伸展。而秦漢思想較之先秦有所發展、有所提高，對於後世思想有所啓示、有所影響，也主要表現在易學思想方面。」❶在考察過程中，筆者也曾注意到《周易》和易學對漢賦的沾漑、影響，注意到漢賦作家、作品對易學思想主潮、主旋律地位的認同、體悟和渲染。在漢代，不少士人既是賦作家，又是易學家、思想家，其易學思想和成就在其辭賦作品中同樣有所反映。漢賦演變與易學發展是相伴而行、相互促動、相得益彰的。漢賦中所見易學史料甚多，在賈誼、揚雄、班固、張衡等人的賦體作品中表現得尤爲突出。筆者不揣讓陋，試圖以賈、揚、班、張四人的賦作爲例，就這一問題談一點粗淺的認識。不妥之處，敬請方家教正。

一

秦朝之時，秦始皇君臣不焚《周易》，且喜愛易學，易學得以傳承不絕，並依然保持強勁的發展勢頭。漢興以後，《周易》繼續走紅，流傳區域更爲廣泛，易學研究和運用出現了新的熱潮。當時朝野上下有許多士人致力於此。賈誼就是其中的重要代表。作爲漢初著名的賦作家、思想家，賈誼對《周易》的占筮形式和思想內容均有所認識和把握。初入朝時，他便與中大夫宋忠一起到長安卜肆拜訪民間易

---

❶ 拙作〈易學與秦漢思想的發展〉，載《中國文化研究》2001年春之卷。

學大師司馬季主。爲長沙王傅時，有服（鵩）鳥集於舍，賈誼「私怪
其故，發書占之」❷。此「書」當爲《周易》。長沙馬王堆漢墓帛書
《周易》的入葬年代與賈誼爲長沙王傅的時間相近，饒宗頤先生曾推
定，賈誼在長沙所見之《周易》經傳，當屬此類❸。另外，賈誼在《新
書》中屢屢引《易》，備論其價值，亦足見其易學功力之深厚。

　　就辭賦作品而言，賈誼的易學思想主要體現在其〈鵩鳥賦〉中。
關於宇宙的生成和發展，賈誼的認識有一個變化過程。起初他以「道」
爲哲學思想的最高範疇，爲一切事物的本原和最後根源。宇宙萬物都
是由「德」所生，而「德」又是「以道爲本」。不過「道」屬於非物
質的東西，是神秘的「無」❹。這主要是受了老子之說的影響。後來，
賈誼進一步借鑒、發揮《周易》的辯證思想和思維方式，在〈鵩鳥賦〉
中形象而系統地表述了自己的宇宙發展觀：「天地爲爐兮，造化爲工；
陰陽爲炭兮，萬物爲銅。合散消息兮，安有常則？千變萬化兮，未始
有極！」「萬物變化兮，固無休息。斡流而遷兮，或推而還。形氣轉
續兮，變化而蟺。沕穆無窮兮，胡可勝言！」在賈誼看來，宇宙萬物
由天地、陰陽自然產生，且千變萬化，轉徙回還，反復無定，轉化更
替，永無止息。賈誼又由天道推衍出人道：「禍兮福所倚，福兮禍所
伏。憂喜聚門兮，吉凶同域。彼吳強大兮，夫差以敗；越棲會稽兮，
句踐霸世。斯遊遂成兮，卒被五刑；傅說胥靡兮，乃相武丁。」也就
是說，社會、人生同樣充滿了變化。

---

❷　賈誼：〈鵩鳥賦〉，見《文選》卷十三。
❸　參見饒宗頤〈略論馬王堆《易經》寫本〉，收入《饒宗頤史學論著選》，上
　　海古籍出版社1993年版。
❹　賈誼：《新書·道德說》。

我們知道，成書於戰國中後期易學家之手的《易傳》，曾提出過較爲系統的宇宙生成論。在《易傳》中，萬物的產生被視爲陰陽、天地交感的結果，而太極則是宇宙的本原、天地的根源，也就是天地未分時的統一體，所謂「《易》有太極，是生兩儀。兩儀生四象，四象生八卦」❺。與此同時，《易傳》肯定了變化的普遍性和永恒性，認爲世界萬物都處於變化、發展之中，所謂「在天成象，在地成形，變化見矣」❻，所謂「《易》窮則變，變則通，通則久」❼，等等。關於變化的根源，《易傳》強調「剛柔相推而生變化」，並進而提出了「一陰一陽之謂道」的命題❽。一陰一陽相互對立，相互推移，這就是最根本的規律。《易傳》還運用推天道以明人事的整體思維方式，將這一規律落實到社會、人生問題上面。賈誼〈鵩鳥賦〉正是以此爲本的。近人劉師培指出：「禍福無門，賈生賦鵩，此《易》教之支流也」。「爲炭爲銅，隱含太極之旨」。❾此說的確是十分精當的。

應該指出的是，賈誼繼承、發揮《周易》變易思想的落腳點，還是現實社會政治問題。當時，黃老之學無爲而治的思想氛圍和統治方略，使經濟生產得到恢復和發展，而在統一的形勢下又埋藏著分裂的隱患，在升平氣象的背後還潛伏著種種危機。以天才少年著稱的賈誼，在分析歷史、總結歷史經驗教訓的同時，重點研究現實社會政治問題，清醒地意識到諸侯王坐大、土地兼併盛行、商業侵蝕農業、社

---

❺　《周易·繫辭上》。

❻　《周易·繫辭上》。

❼　《周易·繫辭下》。

❽　《周易·繫辭上》。

❾　劉師培：《文説·宗騷》，見《劉申叔遺書》，江蘇古籍出版社1997年版。

會逐利、道德滑坡以及匈奴擾邊等一系列隱患和危機。〈鵩鳥賦〉所
言都是有感而發的。在辭賦作品中，在《新書》以及給漢文帝的上疏
中，他以充滿危機之感和憂鬱情結的《周易》爲資鑒，居安思危，居
安如危，流露出深廣的憂患意識。賈誼一生仕途坎坷，命運多蹇，充
滿悲劇色彩，然而他的這種憂患意識絕不僅僅是悲天憫人的感情宣
泄，而是一種憂以天下的博大而崇高的情懷，是一種社會責任感、歷
史責任感，是一種對社會隱患和潛在危機加以洞察、預防的理性反思。
基於這種憂患意識，基於對秦亡教訓的深刻分析和全面總結，賈誼又
繼承、發揮《易傳》革故鼎新的理念，要求及時改變單純無爲而治的
局面，積極有爲，消除各種隱患和危機，以儒家的禮樂仁義思想爲基
礎，參之以法家的權勢法制理論和陰陽家的陰陽五行學說等，建立一
套全新的政治體制，同時實現統治思想的轉變。於是賈誼「以爲漢興
至孝文二十餘年，而固當改正朔，易服色，法制度，定官名，興禮樂，
乃悉草具其事儀法，色尙黃，數用五，爲官名，悉更秦之法」❿。與
其賦作一樣，此舉也在一定程度上體現了易學對賈誼的深刻啓示和影
響。

二

　　西漢後期的著名賦作家、思想家揚雄，也是易學史上的重要人
物。他「以爲經莫大於《易》，故作《太玄》」⓫。揚雄的易學思想

---

❿　《史記·屈原賈生列傳》。

⓫　《漢書·揚雄傳》。

和成就主要反映在《太玄》及《法言》等著作中，但在辭賦作品中也不乏其例。在宇宙論方面，揚雄將玄作爲最高範疇，這主要源自《老子》的道，且又因《老子》稱「道」爲「太」，所以「玄」也稱「太玄」。同時，這又是對《易傳》太極說進行吸收、改造和發展的結果。劉歆在《三統曆》中提出「太極元氣，函三爲一」之說，使太極同於元氣，並與元氣合爲一個範疇，而「太極元氣」在未分化以前即包含天地人生成的元素而渾爲一體。對此，揚雄多有借鑒，指出：「夫玄也者，天道也，地道也，人道也。」❷就是說，玄與包含天地人生成元素而渾爲一體的「太極元氣」一樣，也是一種元氣，是一種化生宇宙萬物的原始物質。而在辭賦作品中，揚雄又將「元氣始化」看作宇宙萬物產生的開端。他在〈覈靈賦〉中說：「自今推古，至於元氣始化。」又說：「太易之始，太初之先，馮馮沈沈，奮搏無端。」這裏的「太易」實際上就是「太極元氣」。可見，揚雄認爲宇宙萬物形成開始於元氣，也就是玄，而它作爲世界最原始的階段，是沒有什麼開始的，這就進一步肯定了元氣的永恒性和世界的物質性。在〈解難〉中，揚雄自比爲「觀象於天，視度於地，察法於人者」，試圖構築一個貫通天道、地道、人道，包羅萬象、廣大悉備的宇宙圖式，這同樣是本於《易傳》的天地人一體觀和推天道以明人事的整體思維方式。

　　受《周易》及老子盛極則衰、物極必反等對立面轉化思想的影響，揚雄認爲任何事物都不是固定不變的，其發展超過一定限度，就要向自身的反面轉化。他在〈太玄賦〉中說：「觀《大易》之損益兮，覽老氏之倚伏。省憂喜之共門兮，察吉凶之同域。……雷隆隆而輾

---

❷　揚雄：《太玄·玄圖》。

息兮，火猶熾而速滅。自夫物有盛衰兮，況人事之所極。奚貪婪於富貴兮，迄喪躬而危族。豐盈禍所棲兮，名譽怨所集。」他在《解嘲》中則說：「吾聞之，炎炎者滅，隆隆者絕；觀雷觀火，爲盈爲實，天收其聲，地藏其熱。高明之家，鬼瞰其室。」《漢書·揚雄傳》王先謙補注引李光地云：「此段全釋〈豐卦〉義。炎炎者火也，隆隆者雷也；當其炎炎隆隆，以爲盈且實也。然〈豐卦〉雷居上，則是天收其聲；火居下，則是地藏其熱；此其盛不可久而滅且絕之徵也。〈豐〉之義如此，故卦爻俱發日中之戒，至窮極，則曰『豐其屋，蔀其家，窺其戶，闃其無人』，即揚子所謂『高明之家，鬼瞰其室』也。揚子是變《易》辭象以成文，自王輔嗣以來，未有知之者。」很顯然，揚雄在這裏流露出的是一種憂患意識。《易》爲憂患之作。《周易·繫辭下》說：「《易》之興也，其當殷之末世、周之盛德邪？當文王與紂之事邪？是故其辭危。危者使平，易者使傾。其道甚大，百物不廢。懼以終始，其要無咎。此之謂《易》之道也。《易》之興也，其於中古乎？作《易》者，其有憂患乎？」又說：「《易》之爲書也不可遠，……又明於憂患與故。」與此相聯繫，《易傳》強調物極則反、「盈不可久」❸，強調「君子安而不忘危，存而不忘亡，治而不忘亂，是以身安而國家可保也」❹。漢武帝時期，經過罷黜百家、獨尊儒術、表章六經，儒家經學取代黃老之學成爲統治思想和官方學術，易學亦得到進一步繁榮和發展，而劉漢皇朝同樣也進入了國運鼎盛的狀態。然而，此後不久，劉漢皇朝即開始走下坡路，由盛而衰，社會危機日益嚴重，

---

❸　《周易·乾卦·象傳》。
❹　《周易·繫辭下》。

政治環境漸趨險惡，士人深感禍福無常而個人挽救危機的才智又難以施展。這樣，在包括揚雄在內的清正的士大夫中間，以《周易》爲本的深廣的憂患意識自然會有所流露。

撰成《易傳》的戰國中後期易學家們，以「天下同歸而殊途，一致而百慮」❶❺爲宗旨，懷著強烈的超越意識和包容精神，站在一個更高的層次上，試圖把道、儒、墨、名、法、陰陽諸家思想的合理內核和有益成分統統吸收過來，然後再進行加工、整合、消化，建構起自己的思想體系，這樣就使它高於百家、超越百家，從而形成了一個承上啓下，與九流十家比肩而立甚至超邁其上的具有獨特風格的思想流派，《易傳》就成了秦漢思想的內在靈魂和重要源頭。受《易傳》包容性、超越性思想風格和學術宗旨的影響，揚雄也表現出對諸子百家特別是道家之說兼收並蓄、綜合融會的傾向。有趣的是，他在表面上擺出的卻是孔門衛道士的姿態。《漢書·揚雄傳》說：「雄見諸子各以其知舛馳，大氐詆訾聖人，即爲怪迂，析辯詭辭，以撓世事，雖小辯，終破大道而或眾，使溺於所聞而不自知其非也。」又說這是揚雄「象《論語》而撰《法言》」的緣起。揚雄自己也曾明確提到：「萬物紛錯則懸諸天，眾言淆亂則折諸聖。」❶❻的確，在〈解難〉中，揚雄承於司馬遷之說，將《易傳》的著作權直接歸於孔子：「宓犧氏之作《易》也，緜絡天地，經以八卦，文王附六爻，孔子錯其象而象其辭，然後發天地之臧，定萬物之基。」❶❼但究其實際，揚雄並不排斥

---

❶❺　《周易·繫辭下》。

❶❻　揚雄：《法言·吾子》。

❶❼　揚雄：〈解難〉，見《漢書·揚雄傳》。

儒家以外的思想學說，而是有選擇地加以吸收、借鑒，對老子之說更是如此。他自己也不否認這一點，像〈解難〉中提到的：「老聃有遺言，貴知我者希。此非其操與！」可見，他是將老子視爲知己和同道的。而且，揚雄的玄即與老子之說存在著某種內在關聯。當時將揚雄尊爲聖人的桓譚對此辨析甚明，並一語破的：「揚雄作《玄》書，以爲玄者天也、道也，言聖賢制法作事，皆引天道以爲本統，而因附屬萬類、王政、人事、法度，故宓羲氏謂之易，老子謂之道，孔子謂之元，而揚雄謂之玄。」⑱漢武帝絀諸子、崇儒術之後，其他各家特別是道家學說並未消失，而是以暗流或支流的形式繼續存在和流傳。包括揚雄在內的具有憂患意識的士人對道家思想更是頗爲傾心，並將其當作治癒心靈創傷的良方，當作實現自我超越的動力。通過擬《周易》而作《太玄》等易學實踐，通過辭賦創作，揚雄繼承了賈誼等人會通《易》、《老》的傳統，樹立了以道家黃老之說解《易》的範例，構築了一個完整而宏闊的易學體系，並深深啓發和影響了後來的魏晉玄學。

三

　　進入東漢以後，在經學、史學和文學等方面均有所建樹的班固，對易學發展也起過重要作用。承於劉向、劉歆《七略》之說，他在《漢書·藝文志》中肯定了《周易》六藝之首的特殊地位，並系統著錄了

---

⑱　桓譚：《新論·閱友》。

一批易學文獻。他還繼承、發揮《易傳》、《易緯》之說，提出了關於宇宙生成、萬物起源和社會演進的理論。而這又主要表現在其賦體文學作品中。〈典引〉曰：「太極之元，兩儀始分，煙煙熅熅，有沈而奧，有浮而清。沈浮交錯，庶類混成。肇命民主，五德初起，同於草昧，玄混之中。蹱繩越契，寂寥而亡詔者，〈繫〉不得而綴也。闕有氏號，紹天闡繹，莫不開元於太昊皇初之首，上哉瓊乎，其書猶可得而修也。亞斯之代，通變神化，函光而未曜。」在這裏，班固先是引用《易傳》太極生兩儀以及「天地絪縕，萬物化醇」❶⑨之說，次則引用《易緯·乾鑿度》「清輕者爲天，濁沈者爲地」之語，認爲「太極之元」是宇宙的本原，它分成陰陽兩儀，經過交錯變化，產生天地萬物，而《易傳》「天地絪縕，萬物化醇」的「絪縕」與元氣是同質同格的。接下來，在天地草創、萬物混沌之時，天爲民立主，從而開始了五德的交替運行，而其始則是劉向、劉歆父子依據〈說卦〉所謂「帝出乎〈震〉」認定的始於以木德王的伏羲。這就將《易傳》太極說與陰陽五行學說巧妙地結合了起來。在〈幽通賦〉中，班固也本於《易傳》之說，談到自然界和人類社會的產生、發展。如賦中說：「天造草昧，立性命兮」。「渾元運物，流不處兮」。「天造草昧」乃《周易·屯卦·象傳》之語，《周易·說卦》則有「昔者聖人之作《易》也，將以順性命之理」云云，而「渾元運物，流不處兮」，《文選》李善注引曹大家注曰：「渾，大也。元氣運轉也。物，萬物也。言元氣周行，終始無已，如水之流，不得獨處也。」可見，班固的這些理論，較之揚雄的「太易」說，又有了進一步發展。

---

❶⑨　《周易·繫辭下》。

　　作爲正統思想的代表，班固此論的目的在於論證劉漢政權的合理性、神聖性：「若夫上稽乾則，降承龍翼，而炳諸典謨，以冠德卓絕者，莫崇乎陶唐。陶唐舍胤而禪有虞，虞亦命夏后，稷契熙載，越成湯武。股肱既周，天乃歸功元首，將授漢劉。」❷漢朝接續堯的統運，以火德王，而中興漢室的光武帝同樣也是得自天統。班固在〈東都賦〉中說：「往者王莽作逆，漢祚中缺，天人致誅，六合相滅」，於是光武帝「紹百王之荒屯，因造化之蕩滌，體元立制，繼天而作，系唐統，接漢緒，茂育群生，恢復疆宇。勳兼乎在昔，事勤乎三五。豈特方軌並跡，紛綸后辟，治近古之所務，蹈一聖之險易云爾。且夫建武之元，天地革命，四海之內，更造夫婦，肇有父子，君臣初建，人倫寔始，斯乃伏羲氏之所以基皇德也。分州土，立市朝，作舟輿，造器械，斯乃軒轅氏之所以開帝功也。龔行天罰，應天順人，斯乃湯武之所以昭王業也。」❷在班固看來，劉秀建立東漢皇朝的情景，就如同《易傳》所謂「包羲氏之王天下」和「神農氏作」云云，就如同其推崇和頌揚的湯武革命。這些都說明，班固雖然是在運用易學來更好地宣傳大漢聲威，但也或隱或顯地反映出《周易》變通思想的某種影響。如他在〈答賓戲〉中提到：「吾聞之，一陰一陽，天地之方。乃文乃質，王道之綱。有同有異，聖哲之常。」他在撰《漢書》特別是十志的過程中，確實也曾貫徹了這種變通之義。

　　與此相聯繫，在辭賦作品中，本於《周易》的憂患意識，通過對歷史和現實的反思、體悟，班固也流露出對社會境遇、人生遭際的

<hr>

❷　班固：〈典引〉，見《文選》卷四十八。
❷　班固：〈東都賦〉，見《文選》卷一。

某種憂慮和感傷。東漢前期，劉漢皇朝尚處於上升階段，但社會危機已經初露端倪，政治腐敗開始蔓延。班固本人在仕途上也並不順利，最後甚至死於獄中。《後漢書·班固傳》說：「固自以二世才術，位不過郎，感東方朔、揚雄自論，以不遭蘇、張、范、蔡之時，作〈賓戲〉以自通焉。」唐代張銑則說：「是時多用不肖而賢良塞路，而固賦〈幽通〉。」❷的確，班固在〈答賓戲〉中提到：「慎修所志，守爾天符，委命供己，味道之腴，神之聽之，名其舍諸！」在〈幽通賦〉中，班固則強調：「變化故而相詭兮，孰云予其終始？」《易傳》一再要求人們「懼以終始」❷，「恐懼修身」，「思患而豫防之」❷。班固賦中之說，與《易傳》之義是頗有相通、相同之處的。

四

班固之後，賦作家張衡曾對中國文學史、思想史和科技史的發展做出過巨大貢獻，同時在易學史上也值得一述。應該承認，與賈誼、班固一樣，張衡確實算不上嚴格意義上的易學家，也沒有留下專門的易學著作，但他確曾致力於易學研究，「欲繼孔子《易》說〈彖〉、〈象〉殘缺者，竟不能就」❷。在漢代天文學領域，張衡是堅持渾天說的最具代表性、最著名的人物。他對渾天說有過許多實際運算，創

---

❷　《文選·班固〈幽通賦〉》張銑注。

❷　《周易·繫辭下》。

❷　《周易·既濟·象傳》。

❷　《後漢書·張衡傳》。

制了其數學模型，而他發明的渾天儀，則對渾天說作了形象生動的說明。張衡所著《靈憲》一書，在揭示天體構成及其運行規律的同時，借鑒易學等有關學說，提出了一個較爲系統、完整的宇宙生成、萬物起源的理論，除了受道家思想的沾漑和啓示，其中顯然含有《周易》變化發展、矛盾統一的思想因素，特別是他認爲元氣分化而爲剛柔、清濁、陰陽、天地、動靜、平圓並相互作用、相互影響，主要就是源於《易傳》陰陽、天地交感之說。所以，張衡在〈思玄賦〉中提到「天地煙熅」，提到「玩陰陽之變化」等等。這些都很容易使我們想起《易傳》所云：「天地感而萬物化生」❷❻。「天地絪縕，萬物化醇。」當然，我們也得承認，張衡的宇宙論又是與他的天文學研究及其實際觀測密不可分的。

《易傳》要求人們必須通過對天道的理解和把握，順應、效法自然的和諧，以求得社會秩序、人際關係的和諧，進而實現包括自然與社會在內的整體和諧。這就是《易傳》著名的中正思想：《周易》每卦六爻，各有其位，初、三、五爲陽位，二、四、上爲陰位，若陽爻居陽位，陰爻居陰位，即爲得位或當位，得位爲正，象徵陰陽各就其位，合於其應然的秩序。每卦有上體、下體之分，二爲下體之中，五爲上體之中，若爻居中位，即爲中，或曰得中，象徵守持中道，行爲適中，不偏不倚，合於陰陽和合的法則。在此基礎上，《易傳》又提出了「保合太和」的思想：一陰一陽相互交感、相互配合、剛柔相濟、彼此推移、相反相成、協調一致，而當達到最佳的結合、最高的和諧狀態時，就稱爲「太和」。《乾卦·象傳》：「乾道變化，各正

---

❷❻ 《周易·咸卦·象傳》。

性命，保合太和，乃利貞。首出庶物，萬國咸寧。」《易傳》太和、中正之說所反映出來的天人和諧、社會和諧思想對張衡也頗有影響。就自然和諧而言，他嚮往「陰陽交和，庶物時育」❷，「時和氣清，原隰鬱茂，百草滋榮」❷的自然景象。在張衡看來，這種自然和諧也應反映到社會人際關係之中，以保持「區宇乂寧，思和求中」❷的局面。而當時的社會現實並非如此。東漢中期以後，豪強貴族瘋狂兼併土地和財富，外戚、宦官勢力急劇膨脹，社會危機迅速發展，政治腐敗日益嚴重。本於《周易》，張衡生發了一種強烈的憂患意識。《後漢書·張衡傳》提到：「時天下承平日久，自王侯以下，莫不踰侈，衡乃擬班固〈兩都〉，作〈二京賦〉，因以諷諫。」在〈西京賦〉中，他讓憑虛公子盡情暴露西京天子的奢侈無度，而在〈東京賦〉中，則通過秦始皇驕奢淫逸而導致最終滅亡的史實，給當時的統治者以警醒和鑒戒。他還用《周易·坤卦·文言》「履霜，堅冰至」之義，強調「堅冰作於履霜」，要求最高統治者居安思危，防患於未然。他繼承、發揮《易傳》厚德載物、進德修業、以仁守位等重德思想，建議最高統治者真正做到「守位以仁，不恃隘害」，「進明德而崇業，滌饕餮之貪欲，仁風衍而外流，誼方激而遐騖」，「不窮樂以訓儉，不殫物以昭仁」。正因為如此，借助《周易》之義，他要求最高統治者「清風協於玄德，淳化通於自然」，「招有道於仄陋，開敢諫之直言，聘丘園之耿絜，旅束帛之戔戔」，「方其用材取物，常畏生類之殄也；

---

❷ 張衡：〈東京賦〉，見《文選》卷三。
❷ 張衡：〈歸田賦〉，見《文選》卷十五。
❷ 張衡：〈東京賦〉。

賦政任役，常畏人力之盡也。取之以道，用之以時」。他呼籲最高統治者施惠於民，使百姓富足安康。在他看來，只有這樣，才能實現「君臣歡康」，「上下通情」，「草木繁廡，鳥獸阜滋，民忘其勞，樂輸其財，百姓同於饒衍，上下共其雍熙」。不難看出，眞正實現包括自然和諧與社會和諧在內的天人整體和諧，是張衡的最高追求和終極理想。

關於歷史發展觀，張衡吸收、貫徹了《易傳》「通其變，使民不倦」❸❶等對立統一、變化發展的觀念。如〈應閒〉說：「世易俗異，事勢舛殊，不能通其變，而一度揆之，斯契船而求劍，守株而伺兔也。」張衡認爲，對那些腐敗透頂、不行仁德的政權，可以通過《易傳》所膺服、讚美的湯武革命的方式取而代之。〈東京賦〉說，秦政暴虐，「百姓不能忍是，用息肩於大漢，而欣戴高祖。高祖應籙受圖，順天行誅，杖朱旗而建大號」。張衡對此是大加頌揚的。他還特別指出：「必以肆奢爲賢，則是黃帝合宮，有虞總期，固不如夏癸之瑤台，殷辛之瓊室也，湯武誰革而用師哉！」在〈南都賦〉中，他將高祖、光武起兵稱爲「眞人革命之秋」。張衡此論，雖是在宣傳大漢之威德，但也顯示出他對現實政治的失望，對《周易》革故鼎新思想的認同和吸納。《周易·革卦·象傳》有言：「天地革而四時成，湯武革命，順乎天而應乎人，革之時大矣哉！」張衡所云，與此是相通的。

在人生價值觀方面，《周易》之旨對張衡也多有濡染和啓示。他在〈思玄賦〉說：「天蓋高而爲澤兮，誰云路之不平？動力自強而不息兮，蹈玉階之嶢崢。」《易傳》要求人們效法天地自然生生不已、

---

❸❶　《周易·繫辭下》。

健動不息的本性，做到剛健中正，保持一種積極進取、兢兢業業、自強不息、及時立功的人生態度和開拓精神，即所謂「天行健，君子以自強不息」**❸**。張衡在當官為政的過程中，確實也是發揚了這種精神，志在報效朝廷、報效國家。在任河間相時，他見豪強大族不守法度，為非作歹，即雷厲風行，「治威嚴，整法度，陰知奸黨名姓，一時收禽，上下肅然」**❷**。其政績頗受百姓稱讚。然而，張衡明白，在小人權奸橫行的年代，清正的士大夫們很難為世俗所容。張衡自己也說：「時天下漸弊，鬱鬱不得志。」**❸**這些都使張衡平添了一重憂患之情，萌生了一種歸隱之志。「常思圖身之事，以為吉凶倚伏，幽微難明，乃作〈思玄賦〉」**❸**，以抒發其情志。其中提到：「惟天地之無窮兮，何遭遇之無常！」「夕惕若厲以省愆兮，懼余身之未敕也。苟中情之端直兮，莫吾知而不恧。默無為以凝志兮，與仁義乎逍遙。不出戶而知天下兮，何必歷遠以劬勞？」這顯然是取自《周易·乾卦》所謂「君子夕惕若厲，無咎」。在〈南都賦〉中，張衡本於《易傳》的趨時說，稱讚了「進退曲伸，與時抑揚」的君子。在〈髑髏賦〉中，張衡則闡發了一種同其自然觀相一致的生死觀。他說自己死後，將「與陰陽同其流，與元氣合其樸。以造化為父母，以天地為牀蓐。以雷電為鼓扇，以日月為燈燭。以雲漢為川池，以星宿為珠玉。合體自然，無情無欲」。應當講，這既合於老莊之旨，更是對《周易》天人合一思想、天地人一體觀的很好的繼承和發揮。

---

❸ 《周易·乾卦·象傳》。

❷ 《後漢書·張衡傳》。

❸ 張衡：〈四愁詩序〉，見《文選》卷二十九。

❸ 《後漢書·張衡傳》。

　　可以看出，承接揚雄等人的治《易》傳統，張衡易學的一個重要特點是會通《易》、《老》，以道家自然無爲之說解《易》，闡釋易學主旨。此舉對後來的易學家特別是王弼等人同樣頗有啓示和沾溉。但是，作爲封建時代的賦作家、思想家、科學家，張衡不可能徹底擺脫宗教巫術等神秘主義思想的糾纏。而且《周易》本身就是以宗教巫術爲外在形式的，存在著神秘主義的雜質，這對張衡影響更大。據《後漢書·張衡傳》，張衡認爲，「聖人明審律曆以定吉凶，重之以卜筮，雜之以九宮」，這有著「經天驗道」的作用。他還抱怨時人不肯學習「數有徵效」的「律曆、卦候、九宮、風角」。在這裏，卦候、九宮、風角都是與易學特別是象數易學有關的占筮之術。張衡本人也精通此道。相傳他曾自注其辭賦作品，其間即對互體等象數易學體例有所運用。如〈思玄賦〉「歷眾山以周流兮，翼迅風以揚聲」張衡自注：「從初至三爲艮，艮爲山，故曰歷眾山。從二至四爲巽，巽爲風，故曰翼迅風。」又「二女感於崇嶽兮，或冰折而不營」自注：「遯上九變爲咸。咸，感也。巽，長女；兌，少女，故曰二女。從三至五爲乾，乾爲冰，故曰冰折而不營。」又「天蓋高而爲澤兮，誰云路之不平」自注：「互體，四至乾變爲兌，兌爲澤，故曰天爲澤。言天高尙爲澤，誰言其路之不通者乎？欲其行也。」張衡也明確提到自己信從占筮的結果。如〈思玄賦〉說：「文君爲我端蓍兮，利飛遯以保名。」「占既吉而無悔兮，簡元辰而俶裝。」天人感應、陰陽災異思想在張衡賦作中也時有流露。

　　張衡此舉表明，天人感應、陰陽災異之說此時仍能在一定程度上起到緩和社會矛盾，調節社會關係的作用。在當時的社會政治生活中，大批清正的經學之士要想實現自己的政治理想，除了利用陰陽災

異這個武器，很難有別的更好的選擇。這種情況反映到易學領域，就是以卦氣說爲中心的孟、京象數易學雖然已不像西漢後期那樣極度盛行，但與現時政治的關係還是最爲密切的，並沒有盡失其社會政治功效。張衡易學也不可能完全跳出現實政治及居於主流和官方地位的思想潮流之外。

五

由上述材料可以看出，賈誼、揚雄、班固、張衡等人的辭賦作品與易學存在著或隱或顯、不同程度的種種聯繫，並在一定程度上折射出漢代易學演變和發展的軌跡。漢賦中所反映出的易學思想和成就是多方面的，這大體包括宇宙觀、歷史發展觀、人生理想觀、社會政治觀、治學宗旨和風格等。例如，就宇宙觀而言，我們知道，戰國秦漢時期的宇宙觀主要表現爲宇宙生成論，即關於宇宙生成、萬物起源過程及其規律、特點的理論。成於戰國中後期易學家之手的《易傳》曾提出自己的宇宙生成論，這就是著名的太極陰陽說，即太極生兩儀，陰陽、天地交互感應而化生萬物的理論。在這裏，被漢代易學家解釋爲混沌未分之氣的太極是宇宙萬物的本原，是世界總過程的開始，陰陽、天地的交互感應、互相推移，又是宇宙生成、萬物起源的根本動力。再來看上面提及的幾位賦作家，從賈誼的爲炭爲銅，到揚雄的「太易」和「元氣始化」；從班固的「太極之元」，到張衡引述《易傳》「天地絪縕」云云，都是將《易傳》和易學的太極陰陽說當作思考、闡釋宇宙生成問題的出發點和立足點的。又如歷史發展觀，幾位賦作

家都本於《周易》和易學的變通之義，闡釋了社會、人生不斷變化、盛極則衰、至極則反的道理。

實際上，除了思想內容、價值取向等，漢賦的創作題材、藝術手法等也深受《周易》和易學的啓示、影響。《易傳》借助推天道以明人事的整體思維方式，以人效法天地、效法自然爲基礎，試圖構築一個天人合一、天地人一體的宇宙圖式。〈繫辭上〉說：「《易》與天地准，故能彌綸天地之道。」又說：「夫《易》開物成務，冒天下之道，如斯而已者也。」〈繫辭下〉則說：「《易》之爲書也，廣大悉備，有天道焉，有人道焉，有地道焉，兼三才而兩之，故六。」也就是說，《易經》總括了宇宙間天地人的一切道理。《周易·乾卦·文言》曰：「夫大人者，與天地合其德，與日月合其明，與四時合其序，與鬼神合其吉凶，先天而天弗違，後天而奉天時。」這些表述，本質上就構成了一種宏大的宇宙圖式。而漢賦特別是大賦的創作，「馳騖乎兼容並包，而勤思乎參天貳地」❸❺，「控引天地，錯綜古今」。「賦家之心，苞括宇宙，總覽人物」❸❻，且致力於追求恢弘博大的氣勢。這樣的取材範圍和藝術手法，不能說與《周易》和易學沒有任何內在聯繫。還有，作爲傳統的取象思維方式的淵藪和典範，《周易》和易學極重取象，強調「聖人立象以盡意，設卦以盡情僞，繫辭焉以盡其言」❸❼。而漢賦創作則是「假象盡辭，敷陳其志」❸❽。應該說，二者之間雖不盡相同，但又不無相通之處。再者，漢賦多用比興特別

---

❸❺ 司馬相如：〈難蜀父老〉，見《漢書·司馬相如傳》。
❸❻ 《西京雜記》卷二。
❸❼ 《周易·繫辭上》。
❸❽ 摯虞：〈文章流別志論〉，見《全晉文》卷七十七。

是比的表現手法，而其源頭不單單是《詩經》，《周易》等亦在其中。宋代陳騤曰：「《易》文似《詩》」。「《易》之有象，以盡其意；《詩》之有比，以達其情。文之作也，可無喻乎？」❸❾清代章學誠也曾強調：「《易》象雖包六藝，與《詩》之比興尤爲表裏」。「《易》象通於《詩》之比興」❹⓿。另外，漢賦韻散間出的句式，溯其淵源，也是包括《周易》在內的。還應指出，就文章風格而言，漢賦亦頗得《周易》和易學之沾溉。劉師培曾說：「賈生〈鵩賦〉，旨貫天人，入神致用，其言中，其事隱，擷道家之菁英，約儒家之正誼，其原出於《易經》；及孟堅、平子爲之，〈幽通〉、〈思玄〉，析理精微，精義曲隱，其道杳冥而有常，則〈繫辭〉之遺義也。」❹❶當然，深受《周易》和易學啓示、濡染的漢賦作品還有很多，遠不止劉氏提及的這幾篇。不妨這樣講，在漢賦產生和發展過程中，幾乎處處都閃動著《周易》和易學的身影。

在漢賦創作過程中，許多作家、作品不僅接受並貫徹了《周易》的精神主旨，而且在行文中屢屢引《易》述《易》。這些材料爲我們認識、研究漢代《周易》的文本、易學的流傳提供了彌足珍貴的線索和資鑒。如張衡〈應間〉：「不見是而不懼，居下位而不憂。」其中「不見是而不懼」，出自《周易·乾卦·文言》，今本作「不見是而無悶」。《後漢書·張衡傳》王先謙集解引惠棟曰「今《易》懼作悶，宜從古文。」又如上引張衡〈思玄賦〉：「文君爲我端蓍兮，利

---

❸❾ 陳騤：《文則》。

❹⓿ 章學誠：《文史通義·易教下》。

❹❶ 劉師培：《論文雜記》，見《劉申叔遺書》，江蘇古籍出版社1997年版。

飛遯以保名。」《文選》李善注：「衡曰：遯，卦名也。上九曰：『飛
遯，無不利。』謂去而遷也。《九師道訓》曰：『遯而能飛，吉孰大
焉。』」《後漢書·張衡傳》王先謙集解引惠棟曰：「晁說之云：〈遯〉
上九『肥遯』，陸希聲云本作飛。說之未知陸所據。棟案：姚寬《西
溪叢語》曰：《周易》『肥遯，無不利』。肥，古字作𦙶，與古蜚字
相似，即今之飛字，後世遂改爲肥字。張平子賦引《易》上九『飛遯，
無不利』，謂去而還也。曹子建〈七啓〉云『飛遯離俗』，是古《易》
皆作飛。故陸氏據以爲說。王輔嗣注此爻云『繒繳不能及』，似王本
作飛也。子夏傳云；『肥，饒裕也。』孔氏正義從之，遂改爲肥。」
應該說，這些都是很有價值的材料，對我們整理、解讀《周易》及其
他易學文本頗有助益。

　　無論是漢賦研究，還是易學研究，都是當今學術研究中的熱門
話題，研究成果眾多，但其中的缺憾也是較爲明顯的。如何在研究物
件、研究內容、研究方法上有所深化、有所拓展、有所突破，保持一
種不斷創新、不斷發展、不斷超越的勢頭，是一個亟待解決的問題。
像易學研究，由於種種原因，以前往往只是在傳統經學的範圍內周旋，
把注意力放在經傳註疏、典籍授受、學派演變等問題上，關心的是歷
史上那些專門的易學著作、那些專治易學且有著述傳世的易學家，而
未能緊密結合當時的社會政治背景和思想文化氛圍，未能充分借鑒、
利用所有相關的文獻資料和研究手段，自然也未能很好地注意漢賦的
價值和作用。我們必須適應21世紀學科整合、學術發展的潮流和趨勢，
打破傳統的學科壁壘和專業畛域，借助人文社會科學諸學科之間滲
透、融通、互補的合力，在考察易學發展歷程時注意發掘漢賦中的相
關材料，而在研究漢賦時又密切關注它與易學等文化思潮的內在聯

繫。筆者相信，在立足於古代典籍整理和闡釋的基礎上，沿著這種跨學科、多視角、全方位的治學之路走下去，漢賦研究和易學研究一定會取得更大的成績。

試論古代書目編撰的特點

曹 之＊

摘　要

書目是古代圖書編撰的重要組成部分。本文論述了古代書目編撰的四大特點：連續性、時代性、學術性和技術性。

關鍵詞　書目　編撰　書目特點　文獻學

早在三、四千年的夏商時期，我們的先人已經開始了圖書編撰活動。花開花落，寒來暑往，儘管多次改朝換代，但是我們的先人始終沒有放下那支力可回天的大筆，給我們留下了巍巍書山、茫茫文海。中華兒女不僅勤於著述，而且勤於編目。從漢代到清代，一代又一代的文獻學家都把書目編撰當做自己義不容辭的歷史責任。他們青燈黃卷、埋頭書叢，爲書目編撰付出了畢生的精力。我國古籍浩如煙海，

＊　武漢大學圖書情報學院教授

但是幾乎每一本書都登記在冊、有案可查，眾多書目訴說了它們失而復得的坎坷經歷，記載了它們聚散無常的動人故事。據不完全統計，我國古籍書目有1000多種。數以千計的古籍書目凝結了代代學人的心血，是我國古籍的忠實記錄。一條條款目猶如一磚一石，築起了華夏文明的萬里長城；一筆筆數據猶如滿天星斗，滙成了光照千秋的燦爛銀河。古籍書目是文化遺產的重要組成部分，本文試就古代書目編撰的特點加以論述。

（一）

連續性是古代書目編撰的第一個特點。

歷代帝王都很重視書目編撰工作，漢代編撰《別錄》、《七略》時，校勘人員「每一書已，輒條其篇目，撮其指意，錄而奏之」❶，漢成帝親自審閱。清修《四庫全書》時，清高宗弘曆尤其關心《四庫全書總目》的編撰，曾經接二連三地發佈聖諭，他在乾隆三十九年(1774年) 的聖諭中說：「現辦《四庫全書總目提要》，多至萬餘種，卷帙甚繁，將來抄刻成書，繙閱已頗爲不易，自應於《提要》之外，另刊簡明書目一編、祇載某書若干卷，注某朝某人撰，則篇目不繁而檢查較易。俾學者由書目而尋《提要》，由《提要》而得全書。嘉與海內之士考鏡源流，用昭我朝文治之盛。」❷可見《四庫全書總目》、《四

---

❶　班固·漢書藝文志：總序。

❷　紀昀等《四庫全書總目·卷首》。

庫全書簡明目錄》都是詔令編撰的。縱觀中國數千年歷史，官方書目編撰就像接力賽跑一樣，從未中斷。就是在風煙滾滾的戰爭年代，書目編撰活動亦未嘗稍息。茲將歷代官修書目列表舉例如下：

朝代		官修書目舉例	與 修 者
漢		《別錄》、《七略》	劉向、劉歆等
三國		《中經》	（魏）鄭默
晉		《中經新簿》	荀勗等
南北朝	宋	《元嘉八年秘閣四部目錄》	謝靈運
	南齊	《齊永明元年秘閣四部目錄》	王亮等
	梁	《梁天監六年四部書目錄》	殷鈞等
	陳	《陳天嘉六年壽安殿四部目錄》	不詳撰人
	北魏	《北魏秘書目錄》	高道穆等
隋		《開皇四年四部目錄》	牛 弘
唐		《群書四部錄》	元行沖等
五代		《舊唐書·經籍志》	（後晉）劉昫等
宋		《崇文總目》	王堯臣、歐陽修等
元		《宋史·藝文志》	脫脫等
明		《文淵閣書目》	楊士奇等
清		《四庫全書總目》	紀昀等

在中國歷史上，史志目錄的連續性尤為突出。一旦什麼時候出現空白，出於強烈的使命感，就會有人站出來填補空白。例如當《舊唐書·經籍志》沒有著錄唐代開元以後的著作時，歐陽修在編撰《新唐書·藝文志》時，馬上補出唐代開元以後的著作28469卷。在二十四史中，

只有《漢書·藝文志》、《隋書·經籍志》、《舊唐書·經籍志》、《新唐書·藝文志》、《宋史·藝文志》、《明史·藝文志》等六種藝文志，爲此後人做了大量的補志工作，清人的貢獻尤爲突出，如補輯東漢藝文志的清人有侯康、姚振宗、錢大昭、陶憲曾等；補輯遼金元藝文志的清人有厲鶚、楊復吉、金門詔、吳騫、張錦雲、錢大昕、繆荃孫、王仁俊、黃任恒、鄭文焯、龔顯曾、孫德謙、張繼才等。通過眾多學者的辛勤勞動，歷代藝文志蔚爲大國，形成一個完整的系列。

歷代學者都很重視書目編撰工作。唐毋煚〈古今書錄序〉云：「（書目）將使書千帙於掌眸，披萬函於年祀。覽錄而知旨，觀目而悉詞。經墳之精術盡探，賢哲之睿思咸識，不見古人之面，而見古人之心，以傳後來，不其愈已！」這就是說，讀者通過目錄，可以縮短與古代賢哲之間的距離，提高學習效率，事半功倍。明高儒《百川書志·自序》云：「書無目猶兵無統馭，政無教令，聚散無稽矣。」這裏強調目錄對於藏書管理的作用。既然如此，古人對於書目編撰一事，每每用心良苦，樂此不疲，稍有積累，輒簿錄甲乙。古代民間書目多如牛毛，犖犖大者如宋晁公武《郡齋讀書志》、陳振孫《直齋書錄解題》、尤袤《遂初堂書目》，明葉盛《菉竹堂書目》、陳第《世善堂書目》、高儒《百川書志》，清黃虞稷《千頃堂書目》、錢曾《也是園書目》、徐乾學《傳是樓書目》、孫星衍《孫氏祠堂書目》、張金吾《愛日精廬藏書志》、陸心源《皕宋樓藏書志》、丁丙《善本書室藏書志》等。明祁承𤊹甚至要求子孫後代少則五年、多則十年編目一次，他說：「書目視所益多寡，大較近以五年、遠以十年一編次，勿分析，勿覆瓿，勿歸商賈手，如此而已。」❸古人在書目編撰過程

---

❸　祁承𤊹《澹生堂藏書目·藏書約》。

中，不管遇到什麼艱難險阻，總是千方百計加以克服。《鐵琴銅劍樓藏書目錄》歷經瞿氏祖孫三代五十餘年的辛勤勞動，始克成功。該目由瞿鏞始編，初名《恬裕齋藏書目錄》，未及刻印而瞿鏞撒手西去。瞿鏞之子秉淵、秉清繼承父業，特聘知名學者季錫疇、王振聲主持增補、校勘工作。咸豐八年（1858年），經部付梓，然同治三年（1864年）經部三卷竟毀於戰火。瞿氏子孫沒有灰心，同治七年（1868年），瞿秉清與其侄啓文、啓科等重理舊業，繼續編目，又特聘知名學者葉昌熾、王蒿隱、管禮耕等先生主持經史兩部的校勘工作。光緒三年（1877）瞿秉清不幸染病身亡，由瞿秉淵率子啓文、啓科繼續編目。到光緒五年（1879年）定稿的時候，父子三人又先後病死。最後由瞿秉清之子瞿啓甲擔負刻書重任，終於光緒二十四年（1898年）由瞿氏家塾刻印行世，並正式定名爲《鐵琴銅劍樓藏書目錄》。可見瞿氏一族爲《鐵琴銅劍樓藏書目錄》的編撰和出版付出了沈重的代價，書目編撰的連續性在瞿氏家族身上也得到了最好的證明。

（二）

時代性是古代書目編撰的第二個特點。

首先，書目數量因時而異。時代不同，環境不同，書目的數量也不相同。圖書目錄是圖書的清單，各個時代圖書目錄的多寡雖由多種因素所制約，但是圖書數量起著決定作用。出於管理和利用的需要，一般說來，如果一個朝代的圖書數量多，則圖書目錄亦多，反之則少。圖書目錄的多寡標誌著一代圖書的盛衰。縱觀古代書目編撰歷史可

知，南北朝、宋朝和清朝是古代書目編撰的三個高潮時期。南北朝可考書目約有42種，宋朝可考書目約有104種，清朝可考書目約有380多種。爲什麼會這樣呢?原因是多方面的，但是文字載體和圖書製作方式的劃時代變革是其關鍵所在。先秦文字載體以簡策爲主，漢代雖然發明紙張，但不可能馬上普及，從發明到普及需要一個漫長的過程。晉代雖然已經大量使用紙張，但是產量有限，偌大一個京師洛陽，連抄寫一篇文章(左思〈三都賦〉)的紙張都難以供應，弄得「洛陽紙貴」。據本人考證，到了南北朝時期，紙張才在全國最終普及❹。作爲文字載體，和簡策相比，紙張具有平滑、吸墨、易存、價廉易得等優點。因此，圖書數量、圖書目錄必然隨著紙張的普及而大增。雕版印刷發明于唐代初期，它同造紙技術一樣，從發明到普及需要一個漫長的過程。大量材料表明，終唐一代雕版印刷都沒有能夠普及，印刷技術仍然停留在初級階段，只能刻印一些需求量大、文字簡易的圖書，雕版印刷的普及時間是在宋代❺。雕版印刷的發明和普及是一件劃時代的重大事件，是人類圖書製作歷史上的一場革命，它改變了人工抄寫製作圖書的傳統方式，大大提高了圖書製作效率。隨著宋代雕版印刷技術的普及，圖書數量、圖書目錄的增多也是必然的。繼明代之後，清代前期是雕版印刷的黃金時代，刻書地區遍佈全國。清代後期西方印刷術傳入中國，石印技術名噪一時，書坊所在皆是，圖書數量的增長速度更是史無前例，書目編撰的繁榮也就不言而喻。專科性目錄的多寡也是因時而異的。專科性目錄專業性強，常常與各個時代的學術環

---

❹ 曹之《中國印刷術的起源·雕版印刷發明的物質基礎》。

❺ 曹之《中國印刷術的起源·唐代發明雕版印刷的旁證》。

境有關。例如南北朝時期佛典目錄眾多，就與南北朝時期佛教盛行密切相關。蕭梁時期，僅建康一地就有寺院500餘所、僧尼10餘萬人。北魏佛教之盛，《魏書·釋老志》曾有記載：「（魏孝明帝）正光以後，天下多虞，王役尤甚，於是所在編民相與入道，假慕沙門，實避調役，猥濫之極。自中國之有佛法，未之有也。略而計之，僧尼大眾二百萬矣，其寺三萬有餘。」北齊佛寺多達4萬餘所，僧尼200餘萬人。南北朝的佛經翻譯工作成績斐然，據隋費長房《歷代三寶記》、唐釋道宣《大唐內典錄》、唐釋智昇《開元釋教錄》等書目著錄，南北朝譯經已有五、六百部、2000卷左右。許多善男信女爲了大造「功德」，紛紛寫經，社會上出現不少以寫經爲業的經生。這樣，佛教著作大量流布社會，從而促進了佛典目錄的繁榮。

其次，書目分類因時而異。一部圖書分類史告訴我們：圖書內容和品種總是不斷變化的，書目分類體系應當因時而異。漢代《七略》六分法曾經獨步一時，但是沒過多久，隨著魏鄭默《中經》的出現，六分法已經開始動搖，四分法日漸盛行，遂成一股不可抗拒的歷史潮流。爲什麼會出現這種情況呢？因爲魏晉南北朝時期雖然戰爭頻仍，但是學術界相當活躍。連年戰爭雖然對國民經濟造成嚴重破壞，但卻促進了民族文化的大串連、大交流、大融合。漢文化在民族文化的碰撞中，不僅沒有受到破壞，而且在吸收外來文化的基礎上變得更加充實、更加完美。例如史學方面，私家修史成風，史書的品種和數量大量增加。在范曄之前，撰寫後漢史者就有班固、謝承、薛瑩、司馬彪、華嶠、謝沈、張瑩、袁山松、袁宏、張璠、袁曄、劉芳、樂資、王粲、侯瑾、劉義慶、孔衍、張溫等18家。這個時期的少數民族史如崔鴻《十六國春秋》、張銓《南燕錄》、裴景仁《秦記》、段龜龍《涼記》、

段國《吐谷渾記》等；典章制度史如《晉宋舊事》、《東宮典記》、王珪之《齊儀》、《齊職儀》等；雜傳如《海內先賢傳》、蘇林《陳留耆舊傳》、阮孝緒《高隱傳》、虞孝敬《高僧傳》、師覺授《孝子傳》、劉昭《幼童傳》、盧思道《知己傳》、杜預《女記》等；地理著作如陸澄《地理書》、任昉《地記》、酈道元《水經注》、楊衒之《洛陽伽藍記》等；譜牒著作如王儉《百家集譜》、王僧孺《百家譜》、《魏孝文列姓族牒》、《益州譜》、《楊氏譜》等。在漢代《七略》中，史書沒有專門立類，而是附屬於六藝略春秋類下。魏晉南北朝時期史書大量增加的客觀現實，說明《七略》的分類方法已經過時，爲史書設立專類已是勢在必行。於是四分法書目應運而生，史書開始在書目分類中佔有一席之地。四分法昉於《中經》，唐《隋書·經籍志》正式定型，至清《四庫全書總目》發展到頂峰。儘管如此，唐以後的1300多年也並不是四分法的一統天下，宋李淑《邯鄲書目》、鄭樵《通志·藝文略》、明楊士奇《文淵閣書目》、陸深《江東藏書目錄》、晁瑮《寶文堂書目》、清錢謙益《絳雲樓書目》、孫星衍《孫氏祠堂書目》等並沒有採取四部分類。歷史上大凡好的書目，其分類體系總是追蹤時代，因書設類，絕不墨守成規，因循守舊。

另外，書目著錄因時而異。自漢至清，歷代書目著錄方法是有區別的。例如先秦西漢時期，許多圖書沒有書名，漢人編目時常常需要自擬書名，自擬方法主要有：㈠以姓名爲書名，如《公孫龍子》、《李克》等。㈡以號爲書名，如《鶡冠子》，作者爲楚人，隱居深山，以鶡羽爲冠，自號鶡冠子；《野老》，作者老年隱居田野，以耕種爲業，自號野老。㈢以官名、封號爲書名，如趙國謀士李左車封廣武君，集因稱《廣武君》。㈣以內容爲書名，如《儒家言》、

《道家言》、《雜家言》、《法家言》、《雜陰陽》等。漢代以後，圖書命名已很普遍，書目編撰者自擬書名的情況大大減少。另外，先秦兩漢時期的文字載體多用竹帛、計量單位多用「篇」、「卷」。因此，《漢書·藝文志》著錄中「篇」、「卷」混用的情況十分普遍。例如在《漢書·藝文志》六藝略中，完全用「篇」作為計量單位的有易、樂、小學三類；完全用「卷」作為計量單位的有詩、禮兩類；兼用「篇」、「卷」者有書、春秋、論語、孝經四類。而書類總計云：「凡書九家，四百一十二篇。」可見在《漢書·藝文志》中，「篇」和「卷」已變成同義詞了。紙張普及以後，書目編撰就不存在「篇」、「卷」混用的現象了。隨著雕版印刷的初步繁榮，同書異本大量增加，宋代書目開始注意同書異本的著錄，例如陳振孫《直齋書錄解題》中涉及的地方刻本有：兩浙路13種、淮南路2種、江南東路2種、江南西路9種、福建路7種。蜀本最多，有數十種。尤袤《遂初堂書目》尤以著錄版本著稱，該目所涉及的版本類別有：㈠以刻印時代區分，有舊監本、舊杭本、新杭本等；㈡以刻印地域區分，在杭本、越本、吉州本、嚴州本、池州本、京本、湖北本、江西本等；㈢以刻印單位區分，有官刻本、監本、秘閣本、家刻本等；㈣以字體區分，有川大字本、川小字本等。以上情況在宋朝以前歷代書目著錄中是不存在的。歷代書目著錄有繁、簡二途，明代書目著錄大多從簡，不少書目僅僅著錄書名、冊數，連著者姓名都略而不錄，這在其他朝代的書目著錄中是不多見的。清代書目著錄漸趨規範，晚清繆荃孫甚至設計了一個程式化的著錄格式❻：

---

❻　陳乃乾《上海藝林夢憶錄》見《中國現代出版史料》甲編。

××××幾卷

××××撰（撰人上有籍貫或官銜，須照原書卷首抄寫），××刊
本（何時刊本，須略具鑒別力），每半頁×行，行××字，白（或
黑）口，單（或雙）邊，中縫魚尾下有××幾字，卷尾題××
××（此記校刻人姓名或牌子），前有××幾年×××序，××
幾年×××重刻序，後有××幾年×××跋。××字××，
××人，××幾年進士，官至××××（撰人小傳可檢本書序跋
或四庫提要節抄），書爲×××所編集（或子侄所編或自編），初
刻於××幾年，此則據××刻本重刻者。××氏××齋舊藏，
有××印。

當然，這個格式並非繆荃孫所杜撰，而是清代書目著錄格式的
總結。這種嚴整的著錄格式在清代以前的書目中是看不到的。

（三）

學術性是古代書目編撰的第三個特點。

章學誠指出：「古人著錄，不徒爲甲乙部次計。如徒爲甲乙部
次計，則一掌故令史足矣，何用父子爲業，閱年二紀，僅乃卒業乎？
蓋部次流別，申明大道，敘列九流百氏之學，使之繩貫珠聯，無少缺
逸，欲人即類求書，因書究學。」❼一部目錄學史告訴我們：書目編
撰絕不只是簡單的登錄圖書的工作，而是一項學術性極強的工作。古

---

❼ 章學誠《校讎通義卷一·互著第三》。

人把「辨章學術，考鏡源流」當做書目編撰的指導思想，書目的類序、按語、解題、分類體系等無不體現學術性。《隋書・經籍志》史部簿錄類類序云：「古者史官既司典籍，蓋有目錄，以爲綱紀，體制堙滅，不可復知。孔子刪書，別爲之序，各陳作者所由。韓、毛二詩，亦皆相類。漢時劉向《別錄》、劉歆《七略》，剖析源流，各有其部，推尋事迹，疑則古之制也。自是之後，不能辨其流別，但記書名而已。博覽之士，疾其渾漫，故王儉作《七志》，阮孝緒作《七錄》，並皆別行。大體雖准向、歆，而遠不逮矣。」這則類序論述了隋代以前目錄的演變源流。馬端臨《文獻通考・經籍考》史部雜傳類按語云：「雜史、雜傳，皆野史之流出於正史之外者。蓋雜史，紀志編年之屬也，所記者一代或一時之事。雜傳者，列傳之屬也，所記者一人之事。然固有名爲一人之事，而實關係一代一時之事者，又有參錯互見者。」這則按語說明了雜史、雜傳的區別和聯繫。下面以《四庫全書總目》爲例說明解題的學術價值，該目的解題內容十分豐富，大而言之，約有以下數端：㈠解釋書名。明張瀚《奚囊蠹餘》解題云：「其自序謂奔走四方二十餘年，每以一囊自隨。凡所得簡箚詩帖，俱納其中。積久蠹蝕，因取其字畫稍全、章句可讀者，錄出成帙，故名曰《奚囊蠹餘》云。」㈡交代卷數。明梅鼎祚《書記洞銓》解題云：「總目載有補遺四卷，此本無之，然今世傳本並同，蓋當日本有錄無書，非關佚也。」㈢著者介紹。明李時勉《古廉集》解題云：「時勉本名懋，以字行，安福人。永樂甲申進士。官至國子監祭酒。卒諡文敬，成化中改諡忠文，事迹具《明史》本傳。」㈣評價內容。明李紹文《明世說新語》解題云：「是書全仿劉義慶《世說新語》，其三十六門，亦仍其舊。所載明一代佚事瑣語，迄於嘉隆，蓋萬曆中作也。前有〈釋名〉

一則，詳列書中諸人名字謚號爵里。」㈤學術源流。清朱彝尊《明詩綜》解題云：「明之詩派始終三變：洪武開國之初，人心渾樸，一洗元季之綺靡，作者各抒所長，無門戶異同之見。永樂以迄弘治，沿三楊臺閣之體，務以舂容和雅，歌詠太平。其弊也冗沓膚廓，萬喙一音，形模徒具，興象不存。是以正德、嘉靖、隆慶之間、李夢陽、何景明等崛起于前，李攀龍、王世貞奮發於後，以復古之說，遞相唱和，導天下無讀唐以後書，天下響應，文體一新。七子之名，遂竟奪長沙之壇坫，漸久而慕擬剽竊，百弊俱生，厭故趨新，別開蹊徑。萬曆以後，公安倡纖詭之音，竟陵標幽冷之趣，么絃側調，嘈囋爭鳴，佻巧蕩乎人心，哀思關乎國運，而明亦於是乎屋矣。」㈥考辨真僞。舊題諸葛亮《將苑》解題云：「此書諸家不著錄，至尤袤《遂初堂書目》乃載其名，亦稱亮撰，蓋僞書之晚出者。又明焦竑《經籍志》更有亮《心書》、《六軍鏡》、《心訣》、《兵機法》諸書，益爲依託。蓋宋以來兵家之書，多托於亮。明以來術數之書，多托于劉基。」㈦版本沿革。宋陸九淵《別本象山集》解題云：「考九淵子持之所作《年譜》雲：開禧元年乙丑，持之編遺文爲二十八卷、外集八卷，楊簡序之。三年丁卯，撫州守括蒼高商老刊於撫州，是爲初本。又云：嘉定五年壬申八月，張衍編遺文成，傅子雲序之，未言刊板與否，是爲第二本。是年九月，江西提舉袁爕刊其文集三十二卷于倉司，稱爲持之所裒益，是爲第三本。嘉熙四年辛卯，爕之子甫文重刊之，是爲第四本……（此本）蓋後人選刻之本。」當然，對於一篇解題來說，以上內容往往兼而有之。解題最能體現書目的學術性。解題目錄分之可視爲一篇濃縮的學術論文，合之可視爲一部規模恢宏的學術史。《四庫全書總目》由4部44類66屬組成的分類體系，基本上涵蓋了當代眾多圖書，類目

之間有著不可替代的邏輯關係，體現了當代學人的學術分類思想。以上多例表明，書目編撰絕不是甲乙丙丁，開中藥鋪，「非深明於道術精微、群言得失之故者，不足與此」❽。紀昀等人正是由於「深明」歷代學術發展情況，才終於編成《四庫全書總目》。

古代不少書目的編撰常常與古籍整理相結合，成為古籍整理的重要組成部分。編撰人員通過整理圖書，洞悉圖書內容，最後寫出高水準的解題，編出高質量的書目。如果編撰人員對圖書內容一知半解，甚至一無所知，只能編出錯誤百出的書目。《七略》、《中經》、《中經新簿》、《隋書・經籍志》、《群書四部錄》、《崇文總目》、《四庫全書總目》等都是古籍整理的產物。歷代參加書目編撰的人員多是各個學科的專家。例如漢代《七略》有劉向、任宏、尹咸、李柱國等，其中劉向是著名經學家、文學家，負責整理經傳、諸子、詩賦等；任宏是軍事家，負責整理兵書；尹咸精通陰陽五行，負責整理數術之書；李柱國是醫學家，負責整理方技圖書。唐代《群書四部錄》的與修者有元行沖、毋煚、余欽、殷踐猷、韋述、王灣等。其中，元行沖是高宗時進士，歷仕太常少卿、弘文館學士等職，是編撰工作的組織者；毋煚是著名學者，食象亭十八學士之一，學識淵博，治學嚴謹，負責總編和子部；余欽，著名學者，食象亭十八學士之一，歷仕四門直講、修書學士、集賢學士等職，負責總編和子部；韋述，著名學者，開元進士，食象亭十八學士之一，歷仕國子司業、集賢學士等職，負責史部；殷踐猷，著名學者，學識淵博，精於氏族、曆數、醫方等，歷仕滎陽主簿、洛陽尉等職，負責集部。宋《崇文總目》的與修者有王堯

臣、歐陽修、聶冠卿、呂公綽、王洙、宋庠、宋祁、李淑等。其中王
堯臣為天聖進士，歷仕翰林學士、參知政事等職；歐陽修，天聖進士，
著名史學家、文學家，歷仕樞密副使、參知政事等職，有《新唐書》、
《新五代史》、《集古錄》、《歸田錄》等著作40餘種，《崇文總目》
中不少小序均出其手；聶冠卿為咸平進士，嗜學好古，歷仕翰林院侍
讀學士等職；呂公綽，著名學者，歷仕館閣對讀、翰林侍讀學士等職；
王洙，學識淵博，音律、訓詁、算數、陰陽、五行、方技等無所不通；
宋庠和宋祁是兄弟二人，同舉天聖進士，並有高名，時稱「二宋」；
李淑也是著名學者，聰慧過人，博極群書。清編《四庫全書總目》，
更是人材濟濟、群賢畢至，紀昀、朱珪、任大椿、邵晉涵、周永年、
戴震、翁方綱、朱筠等均為一代學術名家。古代民間書目的編撰者也
有不少著名學者，例如南北朝《七志》的編撰者王儉、《七錄》的編
撰者阮孝緒、隋代《七林》的編撰者許善心、宋代《直齋書錄解題》
的編撰者陳振孫、明代《世善堂藏書目錄》的編撰者陳第、清代《經
義考》的編撰者朱彝尊、《孫氏祠堂書目》的編撰者孫星衍，等等。
清代不少著名學者多受聘于顯官政要、富商大賈或藏書家，為之編撰
書目，如章學誠、方正澍、胡虔、馬宗璉、嚴觀、張舟為畢沅編撰《史
籍考》；洪頤煊協助孫星衍編撰《平津館鑒藏書籍記》；周中孚為李
筠嘉編撰《慈雲樓藏書志》；莫友芝為丁日昌編撰《持靜齋藏書紀要》；
葉昌熾為潘祖蔭編撰《滂喜齋藏書記》；繆荃孫為張鈞衡編撰《適園
讀書志》；繆荃孫、章壽康為張之洞編撰《書目答問》；王國維為蔣
汝藻編撰《密韻樓藏書志》等。以上事例表明，書目編撰並非易事，
沒有深厚的學術功底，沒有對圖書內容的深刻瞭解，不克成功。學者
躬親編目，並非大材小用，而是最佳人選。從根本上說，要搞好書目

編撰必得其人。其人如是專家甚善，如果不是專家，至少應該具有一定學術水平，並且是一個願意認眞讀書的人。這樣，在書目編撰過程中，就不會出現起碼的常識性錯誤，就會眞正達到「辨章學術，考鏡源流」的目的，這是中國古代書目編撰史留給我們的重要啓示之一。

（四）

技術性是古代書目編撰的第四個特點。

爲了增強書目的學術性，古人十分重視書目的編撰技術。高質量的書目，不僅內容準確無誤，而且講究編撰方法，做到內容和形式的統一。就宏觀而言，書目形式即指書目類型。書目類型有兩種劃分方法：一是按編撰者劃分，可分爲官修目錄和私修目錄；二是按內容劃分，可分綜合目錄和專科目錄。古代書目編撰者非常注意各種書目的類型和特點。官修目錄具有編目人員多、收錄圖書廣等特點：人手既多，要特別強調編例整齊劃一，不得各行其是；收錄既廣，類目設置要全面細密，做到每一種書都有類可歸，《四庫全書總目》就是此類書目的典範。私修目錄要突出特色，要在特色上大作文章，《遂初堂書目》著錄版本就是其特色。綜合目錄，尤其是大型綜合目錄，工作量大，曠日持久，而且需要一定的物質基礎，要從長計議，不可搞短平快。專科目錄內容範圍較小，讀者都是各方面的專家，要注意在版本和解題上下點功夫，《經義考》就是一個範例。就微觀而言，書目形式是指書目的有序化和規範化程度。讓我們結合古代書目編撰的實踐，從分類、著錄和解題三個方面加以說明：

　　第一，關於書目分類。書目分類是實現有序化的重要手段。書目分類包括分類體系、類序、標記符號等內容。在編撰書目時，首先考慮到的就是分類體系問題。這個分類體系要面對圖書的客觀存在，猶如一張疏而不漏的大網，把成千上萬種圖書網羅其中。綜合性目錄要注意類目的橫向涵蓋面，專科性目錄要注意類目的縱向深度。類目名稱要和學術分類相一致，不可另起爐灶，標新立異。類序的作用有二：一是論述學術源流，二是說明類例。歷史上不少優秀書目，例如《七略》、《隋書·經籍志》、《四庫全書總目》等都有類序。標記符號具有簡單易記、便於排架檢索等功能。《中經新簿》、《晉元帝四部書目》、《群書四部錄》、《古今書錄》、《舊唐書·經籍志》、《新唐書·藝文志》等書目采用甲乙丙丁標號，《文淵閣書目》等采用千字文標號，都收到了較好的效果。雖然它們與當今分類法的標記符號相比，還很幼稚，但它們仍然不失爲一種發明。《中經新簿》比1876年美國《杜威分類法》採用阿拉伯數字作爲標記符號要早1600年。

　　第二，關於著錄問題。著錄是書目編撰的重要內容之一。著錄應做到準確、規範。所謂「準確」，就是要以原書爲依據，忠實地揭示其本來面目；所謂「規範」，就是要前後一致，執一而終。認眞制定凡例，是實現著錄規範化的重要保證，《四庫全書總目》、《愛日精廬藏書志》等堪稱典範。著錄內容包括書名、卷數、著者時代、著者姓名、著作方式、版本等內容。書名著錄要注意四個問題：一是書名著錄應以卷端書名爲主要依據。古籍題名位置不一，或封面，或書名頁，或書口，或書根，或卷端，比較而言，應以卷端爲確。《四庫全書總目》書名著錄多從卷端，但也有從古稱、從省稱、從諱名之例。二是不宜刪去書名冠詞，因爲書名冠詞往往是同書異本互相區別的標

誌。三是同書異名應在解題中加以說明。四是沒有書名的書，書名可據內容自擬，但應在解題中加以說明。卷數著錄要注意三個問題：一是核查目錄與正文的卷數是否一致，有錄無書、有書無錄、殘闕等情況應在解題中加以說明。《隋書·經籍志》、《經義考》等著錄存亡殘闕等內容是值得學習的。二是計量單位以卷為主。如是排架目錄，也可輔以冊、函計數，以便內部管理，《文淵閣書目》、《絳雲樓書目》、《天祿琳琅書目》等就是如此。三是分為正集、續集、別集、附錄等幾個部分的古籍，不可總計卷數，應分別一一著錄。著錄著者時代要注意兩個問題：一是要將同名朝代加以區別。例如「趙宋」和「劉宋」二朝，不可統著錄為「宋」，「趙宋」可著錄為「宋」，「劉宋」可著錄為「南朝宋」。二是跨時代著者的斷代，有以政治活動、寫作年代、卒年斷代三種方法，可以因人而異，但對某一著者而言，應當前後一致。著者姓名的著錄要注意五個問題：一是著者姓名以卷端姓名為據；二是以字行、以號行著者應著錄其字號；三是僧人著者之前宜加「釋」字；四是為書著者之前宜加「舊題」二字；五是著者不明之書，應加以考證，並在解題中加以說明。清代書目著錄著者姓名已漸趨規範，《四庫全書總目》等可資參看。著作方式的著錄要注意兩個問題：一是要將編與撰、注與疏、修與纂等易混著作方式加以區別，古籍之「撰」相當今「著」，是最常用的著作方式。二是兩種以上的著作方式，應以時代先後依次著錄。版本著錄要注意兩個問題：一是版本著錄是在版本鑑定的基礎上進行的，沒有版本鑑定的深厚功底，就難免出錯。《天祿琳琅書目》後編的宋版部分就有不少錯誤，從而受到版本學家葉德輝的批評❾。二是版本著錄的內容應當包括出

---

❾ 葉德輝《書林清話》卷十〈天祿琳琅宋元刻本之偽〉。

版年、出版地、出版者和版本類別。其中，出版者還應包括出版者姓名和齋堂室名；版本的名稱要規範化，活字本宜分泥活字本、銅活字本、木活字本等。古籍著錄除了上述內容外，還有排序、互著、別裁等問題。古籍著錄的排序方法一般以時代先後爲據，帝王皇后著作冠于各代之前的做法是不可取的。什麼是互著？互著就是把內容兼該若干門類的圖書在有關各類同時著錄。什麼是別裁？別裁就是將一書之內自爲一類的內容分析著錄。馬端臨《文獻通考・經籍考》、高儒《百川書志》等書目採用的互著、別裁之法對於文獻資源的開發和利用具有重要意義，應當大力推廣。雖然現在古籍著錄有了國家標準，國家標準對於古籍著錄的規範化，對於文獻資源共享，具有重要意義，但是國家標準只是古籍著錄的形式規定，其基本內容仍然超不出上述範圍。

第三，關於書目解題。解題本來應該屬於著錄內容之一，因爲它對一部書目來說，具有舉足輕重的作用，所以我們特作專題論述。傳統看法認爲，解題有敘錄體、傳錄體和輯錄體三種：敘錄體「能夠全面的評介一書的內容（包括著者事迹），是我國編寫提要、解題的正宗」；傳錄體是「用傳撰人事迹的方法」所寫的解題；輯錄體就是「不由自己編寫，而去抄輯序跋、史傳、筆記和有關的目錄資料」而成的解題❿。這種分類方法似可商榷。敘錄體和傳錄體是以內容作爲標準劃分的，而輯錄體是以著者作爲標準劃分的，用雙重標準進行分類，顯然是不科學的。我認爲，書目解題的分類似可有三種劃分方法：㈠依內容劃分，有敘錄體和單一體兩種：敘錄體是指像劉向敘錄那樣內

---

❿　王重民《中國目錄學史論叢・中國目錄學史》。

容廣泛的解題；單一體是指內容單一的解題，它可以是著者小傳（即所謂「傳錄體」），也可以是書名釋義、版本介紹等。㈡依著者劃分，有自撰體和輯錄體兩種：自撰體是書目編撰者自己撰寫的解題；輯錄體是兼輯他人成說的解題。㈢依形式劃分，有繁體和簡體：繁體篇幅較長，簡體篇幅極短。不少目錄學著作在解題目錄之外還提到一種注釋性目錄（或題解性目錄），其實，注釋性目錄也應屬於解題目錄，因為注釋性目錄的內容在本質上與解題目錄的內容沒有區別，區別只是篇幅長短而已。就內容來說，注釋性目錄大多內容單一，屬於單一性解題目錄；就著者來說，注釋性目錄多為書目編撰者所寫，屬於自撰體解題目錄；就形式來說，注釋性目錄篇幅短小，屬於簡體解題目錄。過去人們對於簡體解題目錄頗有微詞，其實大可不必。繁體解題目錄固然有內容較詳、學術價值較高等優點，但是簡體解題目錄也並非一無是處。卷數較少、便於檢索，是簡體解題目錄的優點。目錄作為一種檢索工具，其檢索功能是值得注意的。長期以來，人們習慣於那樣單一的思維模式，非此即彼，要麼十全十美，要麼一無是處，為什麼魚與熊掌不可得兼呢?在書目解題問題上，也應該提倡兩條腿走路，不宜對簡體解題目錄採取簡單否定的態度。實際上，在整個古代書目編撰歷史上，簡体解題目錄占絕大多數。當然，如果條件允許，我們還是大力提倡編撰繁體解題目錄，因為繁體解題目錄具有更高的學術價值。既然解題目錄具有重要的學術價值，那就要求編撰者在解題上狠下功夫，解題內容力求準確無誤，解題文字力求簡而又簡。

　　古代書目編撰的特點大致如上所述。研究這些特點，對於弘揚民族文化，對於古籍整理，具有重要意義。了解古代書目編撰的連續性，可據以排查一書的流傳情況，考證一書的版本源流；了解古代書

目編撰的時代性和學術性，可據以研究歷代的學術史、文化史；了解古代書目編撰的技術性，可據以古爲今用，借鑒古人的書目編撰方法。總之，了解古代書目編撰的特點，對於繼承文化遺產，大有裨益，今後應當加強這方面的研究工作。

杜詩〈三吏・三別〉彙校

陳文華*

摘　要

〈新安吏〉、〈潼關吏〉、〈石壕吏〉、〈新婚別〉、〈垂老別〉、〈無家別〉六首組詩，世稱〈三吏・三別〉，是杜甫具有代表性的社會寫實詩，各種杜詩版本除了受限於體裁之因素外，也無不收錄。但綜觀各種版本，所呈現的異文卻十分嚴重，而六詩的編次也有頗大的差異，其中的是非曲折，實有待於進一步釐清。本文的目的，即在探明各種版本的狀況，就今存自宋迄清共三十一種杜詩版本，詳加比對，並加以評斷，以期能得出較為合理的結果，作為對杜詩研讀者之參考。

關鍵詞　杜詩　校勘　新安吏　潼關吏　石壕吏　新婚別　垂老別　無家別

＊　淡江大學中國文學系教授

一、前　言

　　〈新安吏〉、〈潼關吏〉、〈石壕吏〉、〈新婚別〉、〈垂老別〉、〈無家別〉六首組詩，世稱〈三吏·三別〉，是杜甫具有代表性的社會寫實詩，遠從唐代白居易開始，便已肯定其反映現實的精神❶，故歷來讀杜詩者對其莫不耳熟能詳，各種杜詩版本除了受限於體裁之因素外，也無不收錄。但綜觀各種版本，所呈現的異文卻十分嚴重，而六詩的編次也有頗大的差異，其中的是非曲折，實有待於進一步釐清。

　　異文的呈現，通常有兩種現象：一是某本與某本之間正文即存在差異，另一是所採正文雖然相同，卻將他本之異文羅列句下，而以「一作」、「或作」顯示。在唐詩版本中，《全唐詩》承襲了前人大量對校的成果，收羅宏富，故多有「一作」出現，對唐詩的校勘有不可忽視的價值❷。今查杜甫這六首詩，在總數168句中，各種版本的異文即有51句，而《全唐詩》即佔有其中的37句；筆數則為四十七筆，而《全唐詩》「一作」的總筆數是15,656筆❸，以《全唐詩》收詩總數48900餘首情況來和這六詩作簡單比較，其首數比是8150：1；而異文比則是333：1，雖然《全唐詩》的「一作」也包涵了有關作者名

---

❶　見〈與元九書〉，《白氏長慶集》卷四十五。

❷　參見楊建國《全唐詩「一作」校證集稿·前言》，濟南：山東教育出版社，1997。

❸　此一數據是據《全唐詩全文檢索系統》光牒版檢索所得，台北：東吳大學，2000。

氏部份的材料，不全是詩作的異文，但總的說來，這六詩的異文狀況
的確偏高，其研究價值也應相對提高。

　　本文的目的，即在探明各種版本的狀況，詳加比對，並加以評
斷，以期能得出較爲合理的結果，作爲對杜詩研讀者之參考。

二、異文之推論

（一）各本異文之現象

　　本文之作法，是以《全唐詩》正文爲底本，並臚列其異文，再
以《杜詩叢刊》❹、《杜詩又叢》❺兩套叢書中所收的各版作一對校。
這兩套叢書前者收各種杜集三十五種，除了金喟《唱經堂杜詩解》，
以及專收杜律的選本如《杜律虞註》、《杜律趙註》等，或者是詩話
類之著作如唐元竑之《杜詩攟》，其餘二十三種都收有這些作品；雖
然有些只是選錄，並非六首都收。後者收書七種，其中蔡夢弼《草堂
詩箋補遺》因是補遺性質，正集已收，餘則情況與前者類似，也有三
種收有此六詩。此二十六種以外，另補以宋本《杜工部集》、黃鶴《補
註杜詩》、蔡夢弼《草堂詩箋》、仇兆鰲《杜詩詳註》、楊倫《杜詩
鏡銓》，共三十一種。有些版本出現的較晚，自非善本，但從校勘意
義上看，也並非毫無價值，至少可以看出異文流傳的情況，而且其中
也有一些是前代版本沒有出現過的，值得認眞處理。

---

❹　黃永武編，台北：大通書局，1974。
❺　吉川幸次郎編，台北：中文出版社，1977。

　　《全唐詩》採揚州詩局本❻，並將其與《全唐詩稿本》❼、文淵閣四庫全書本❽、點校本❾對照，並沒有發現不同。對校之各本，略以時代先後排列，其先後之論定，據周采泉《杜集書錄》❿之記載。本文不採傳統句下作注方式，改用表列，以清眉目，以便省覽。各本正文如與底本相同，例不出校；若屬通同字，如屬與囑、貍與狸等，亦不出校；若有不同，則曰「某作某」；如注有異文，則曰「某一作某」。以下先將各本之名稱、省稱、版本作一說明：

　　1.《杜工部集》，宋王洙編次、王琪校刊，上海商務印書館續古逸叢書本。

　　2.《分門集註杜工部詩》，省稱《分門集註》，宋·闕名註，南宋建陽刻本，收入《杜詩叢刊》。

　　3.《九家集註杜詩》，省稱《九家集註》，宋·郭知達集註，文瀾閣四庫全書本，收入《杜詩叢刊》。

　　4.《黃氏補註杜詩》，省稱《補註杜詩》，宋·黃希·黃鶴編註，

---

❻　上海：上海古籍出版社剪貼縮印，1986。

❼　錢謙益、季振宜遞輯，台北：聯經出版公司，1997。此書實爲《御定全唐詩》之祖本，詳見劉兆祐〈御定全唐詩與錢謙益季振宜遞輯唐詩稿本關係探微〉，該書序言。今以兩書所收杜詩核對，發現《御定全唐詩》幾乎全襲錢謙益之《杜工部集》，此可從詩作編次、所收異文、題下附註看出。又《御定全唐詩》還收有十四條「錢謙益曰」，更是明證。不過到了乾隆修四庫時，錢書已遭禁燬，就將這些「錢曰」挖走，改亂以他語。此爲劉文所未及，補述於此。

❽　臺灣商務印書館影印本，台北：商務印書館。

❾　中華書局編印，1960。

❿　上海古籍出版社，上海，1986。

文瀾閣四庫全書本。

5.《杜工部草堂詩箋》，省稱《草堂詩箋》，宋·蔡夢弼會箋，上海商務印書館續古逸叢書本。

6.《集千家註批點杜工部詩》❶，省稱《批點》，宋·劉辰翁評點，明嘉靖八年靖江王府刻本，收入《杜詩叢刊》。

7.《王狀元集百家註編年杜陵詩史》，省稱《杜陵詩史》，題宋·王十朋集註，宣統三年影宋本，收入《杜詩又叢》。

8.《集千家註分類杜工部詩》，省稱《分類杜詩》，題宋·徐宅編、黃鶴補註，元皇慶元年勤有堂刊本，收入《杜詩叢刊》。

9.《杜工部詩范德機批選》，省稱《范批》，元·范椁選，元天曆二年刻本，收入《杜詩叢刊》。

10.《讀杜詩愚得》，省稱《愚得》明·單復撰，明宣德九年江陰朱氏刊本，收入《杜詩叢刊》。

11.《刻杜少陵先生詩分類集註》，省稱《分類集註》，明邵寶集註，明萬曆二十年慎餘堂刻本，收入《杜詩叢刊》。

12.《杜詩分類》，明傅振商撰，明東海杜濬重刊本，收入《杜詩叢刊》。

13.《杜工部詩通》，省稱《詩通》，明·張綖撰，明隆慶六年刻本，收入《杜詩叢刊》。

14.《李杜詩集》，明·萬虞愷輯、邵勳校❷，明嘉靖二十一年

---

❶ 《杜詩叢刊》書名作《集千家註批點補遺杜工部詩》，誤衍「補遺」二字，刪。

❷ 《杜詩叢刊》書名作《唐李杜詩集》，誤衍「唐」字，刪。又誤編者為邵勳，據邵勳〈刻李杜詩後序〉改。

刻本，收入《杜詩叢刊》。

15.《杜詩選》，明閔映璧集評，明烏程閔氏刊本，收入《杜詩叢刊》。

16.《杜詩五古選錄》，清·王澍選錄，清康熙間手寫本，收入《杜詩叢刊》。

17.《錢牧齋先生箋註杜工部集》，省稱《錢箋》，清錢謙益箋註，清康熙六年靜思堂刻本，收入《杜詩叢刊》。

18.《杜工部集輯註》，省稱《朱註》，清·朱鶴齡撰，清康熙九年刻本，收入《杜詩又叢》。

19.《杜詩論文》，省稱《論文》，清吳見思撰，清康熙十一年刻本，收入《杜詩叢刊》。

20.《杜詩提要》，省稱《提要》，清·吳瞻泰撰，清乾隆間羅挺刊本，收入《杜詩叢刊》。

21.《澤風堂批解纂註杜詩》，省稱《澤風堂》，朝鮮·李植撰，清康熙十八年朝鮮李氏家刻本，收入《杜詩叢刊》。

22.《杜詩闡》，清盧元昌撰，清康熙二十五年刻本，收入《杜詩叢刊》。

23.《讀書堂杜工部集註解》，省稱《讀書堂》，清·張溍評註，清康熙三十七年滏陽張氏刻本，收入《杜詩叢刊》。

24.《杜詩詳註》，省稱《詳註》，清·仇兆鰲撰，一九七九年中華書局排印本，所據為康熙五十二刻本。

25.《讀杜心解》，省稱《心解》，清·浦起龍撰，一九六二年中華書局排印本，所據為雍正三年寧我齋刻本，收入《杜詩叢刊》。

26.《杜詩偶評》，省稱《偶評》，清·沈德潛撰，影嘉慶八年

日本昌平黌刊本，收入《杜詩又叢》。

　　27.《朱雪鴻批杜詩》，省稱《朱雪鴻批》，舊鈔本，收入《杜詩叢刊》。

　　28.《杜詩箋》，清·湯啓祚撰，舊鈔本，收入《杜詩叢刊》。

　　29.《杜詩鏡銓》，省稱《鏡銓》，清·楊倫撰，一九二八年成都志古堂據望三益齋本重刻本。

　　30.《杜詩集評》，省稱《集評》，清·劉濬輯，清嘉慶九年劉氏藜照堂刻本，收入《杜詩叢刊》。

　　31.《歲寒堂讀杜》，清·范蓥雲輯，清道光二十四年刻本，收入《杜詩叢刊》。

（二）六詩異文表

詩題	新安吏						
00 底本	府帖昨夜下	次選中男行	青山猶哭聲	眼枯即見骨	我軍取相州	日夕望其平	牧馬役亦輕
00 全唐詩	帖一作符 夜一作日		猶一作聞	即一作卻	取一作至；一作收		
01 杜工部集			猶一作聞				
02 分門集註	洙曰：帖一作符；夜一作日		洙曰：猶一作聞	即作卻	洙曰：取一作至		洙曰：牧一作看
03 九家集註	帖一作符 夜一作日		猶一作聞	即作卻			
04 補注杜詩	帖一作符 夜一作日		猶一作聞	即作卻	取一作至		牧一作看
05 草堂詩箋	帖一作符 夜一作月		猶一作聞	即一作卻	取一作至	夕作從	牧一作看
06 批點				即作卻	取作收		
07 杜陵詩史	帖一作符 夜一作日		猶一作聞	即作卻	取一作至		牧一作看

08	分類杜詩	帖一作符 夜一作日		猶一作聞	即作卻	取一作至		牧一作看
09	范　批				即作卻			
10	愚　得				即作卻			
11	分類集註	帖一作符 夜一作日		猶一作聞	即作卻	取作收；又曰：取一作至		牧一作看
12	杜詩分類				即作卻	取作收		
13	詩　通				即作卻			
14	李杜詩集				即作卻	取作收	夕作夜	
15	杜　詩　選	——	——					
16	五古選錄					取作收		
17	錢　　箋	帖一作符 夜一作日		猶一作聞	即一作卻	取一作至		牧一作看
18	朱　　註	帖一作符		猶一作聞	即一作卻	取一作至；一作收		
19	論　文				即作卻	取作收		
20	提　要		選作遣	猶作聞		取作收		
21	澤　風　堂	帖一作符 夜一作日		猶一作聞	即作卻，注：一作即	取一作至		牧一作看
22	杜　詩　闡				即作卻	取作收		
23	讀　書　堂				即作卻	取作收		
24	詳　　註	帖一作符 夜一作日		猶一作聞	即一作卻	取一作至；一作收		牧一作看
25	心　解			猶一作聞		取作收，注：一作取		
26	偶　評				即作卻			
27	朱雪鴻批				即作卻		夕作夜	
28	杜　詩　箋					取作收		
29	鏡　銓				即作卻			
30	集　評					取作收		
31	歲　寒　堂				即作卻	取作收		

詩　　題	新　安　吏		潼　　關　　吏				石　壕　吏
00 底　　本	送行勿泣血	修關還備胡	丈人視要處	窄狹容單車	萬古用一夫	慎勿學歌舒	暮投石壕村
00 全 唐 詩	泣血一作垂泣	修關一作築城	丈一作大	窄一作穿	萬一作千	勿一作莫	
01 杜工部集		修關一作築城			萬作千		
02 分門集註		洙曰：修關一作築城			萬作千		
03 九家集註		修關一作築城			萬作千		
04 補注杜詩		修關一作築城			萬作千		
05 草堂詩箋	泣血一作垂泣	修關一作築關	丈或作大。處作道	窄作穿，注今作窄	萬作千		
06 批　　點					萬作千		
07 杜陵詩史		修關一作築城			萬作千		
08 分類杜詩		修關一作築城			萬作千		
09 范　　批			處作道		萬作千		
10 愚　　得					萬作千		
11 分類集註		修關一作築城			萬作千		
12 杜詩分類					萬作千		
13 詩　　通					萬作千		
14 李杜詩集					萬作千		
15 杜 詩 選	———	———	———	———	———	———	
16 五古選錄							
17 錢　　箋	泣血一作垂泣	修關一作築城	丈一作大	窄一作穿	萬吳本作千	勿一作莫	
18 朱　　註	泣血一作垂泣	修關一作築城	丈一作大	窄一作穿	萬作千		
19 論　　文					萬作千		暮作壕
20 提　　要			———		———	———	
21 澤 風 堂	泣血一作垂泣	修關一作築城			萬作千		
22 杜詩闡			要作險		萬作千		

						萬作千	
23	讀書堂					萬作千	
24	詳　註	泣血一作垂泣	修關一作築城	丈一作大	窅一作穿	萬吳作千	勿一作莫
25	心　解				窅一作穿	萬作千，注：一作萬	
26	偶　評					萬作千	
27	朱雪鴻批					萬作千	
28	杜詩箋					萬作千	
29	鏡　銓	.					
30	集　評						
31	歲寒堂					萬作千	

	詩　題	石　壤　吏					
00	底　本	老婦出門看	一男附書至	存者且偷生	惟有乳下孫	有孫母未去	出入無完裙
00	全唐詩	門看一作看門；看一作首	至一作到	存一作在 且一作是	惟一作所	有孫一作孫有 全句一作孫母未便出	入一作更 全句一作見吏無完裙
01	杜工部集					全句一作孫母未便出	全句一作見吏無完裙
02	分門集註		洙曰：至一作到		惟作所	洙曰：一作孫母未便出	洙曰：一作見吏無完裙
03	九家集註		至一作到			全句一作孫母未便出	全句一作見吏無完裙
04	補注杜詩		至一作到			洙曰：一作孫母未便出	洙曰：一作見吏無完裙
05	草堂詩箋	蘇潤公本作老婦出看門	至一作到			有孫作孫有 全句一作其母未便出	全句一作見吏無完裙
06	批　點					有孫作孫有	
07	杜陵詩史		至一作到		惟作所	有孫作孫有；洙曰：一作孫母未便出	洙曰：一作見吏無完裙
08	分類杜詩		至一作到		惟作所	洙曰：一作孫母未便出	洙曰：一作見吏無完裙

09	范批					有孫作孫有
10	愚得					有孫作孫有
11	分類集註		至一作到		惟作所	有孫作孫有；全句一作孫母未能出	全句一作見吏無完裙
12	杜詩分類					有孫作孫有
13	詩通					有孫作孫有
14	李杜詩集					有孫作孫有
15	杜詩選	——	——	——	——	——	——
16	五古選錄	門看作看門					
17	錢箋	蘇潤公本作老婦出看門	至一作到	存一作在 且一作是	惟文粹作所	陳浩然本作孫有母未去 一云：孫母未便出	入一作更 一云：見吏無完裙
18	朱註	出門看蘇潤公本作出看門，海鹽劉氏校本作出門首	至一作到	且一作是	惟文粹作所	有孫陳浩然本作孫有 一云：孫母未便出	入一作更 一云：見吏無完裙
19	論文					有孫作孫有
20	提要					全句作孫母未便出	全句作見吏無完裙
21	澤風堂	出門看一作出看門	至一作到			有孫作孫有；全句一作孫母未便出	全句一作見吏無完裙
22	杜詩闡	看作首				有孫作孫有
23	讀書堂					有孫作孫有
24	詳註	門看作看門，注謂據蘇潤公本，又注：一作門看；海鹽劉氏本作門首	至一作到	存一作在 且一作是	惟文粹作所	有孫陳浩然本作孫有 一云：孫母未便出	入一作更 一云：見吏無完裙
25	心解	門看作看門，注：			惟一作所	全句一作孫母未便出	全句一作見吏無完裙

		一作門看			
26	偶　評				
27	朱雪鴻批	一本看字作首字			
28	杜詩箋			有孫作孫有	
29	鏡　銓			有孫作孫有全句一作孫母未便出	全句一作見吏無完裙
30	集　評	門看作看門			
31	歲寒堂			有孫作孫有	

詩　題	石壕吏		新　婚　別				
	如聞泣幽咽	引蔓故不長	不如棄路傍	結髮爲妻子	君行雖不遠	守邊赴河陽	日夜令我藏
00　底　　本	如聞泣幽咽	引蔓故不長	不如棄路傍	結髮爲妻子	君行雖不遠	守邊赴河陽	日夜令我藏
00　全唐詩		故一作固		妻子一作子妻；一作君妻	雖一作既	赴一作戍	日一作月
01　杜工部集							
02　分門集註						洙曰：赴一作戍	
03　九家集註						赴一作戍	
04　補注杜詩						赴一作戍	
05　草堂詩箋	泣作淚			妻子樊作子妻	雖一作既	赴一作戍	日作月，注：一作日
06　批　點							
07　杜陵詩史						赴一作戍	
08　分類杜詩						赴一作戍	
09　范批							
10　愚　得							
11　分類集註							
12　杜詩分類							
13　詩　通							
14　李杜詩集				妻子作君妻			

15	杜 詩 選	———		如作知	妻子作君妻			
16	五古選錄				妻子作君妻			
17	錢　　箋		故一作固		妻 子 樊 作 子妻	雖一作既	赴一作戍	日夜草堂本 作月夜
18	朱　　註		故一作固		妻 子 樊 作 君妻		赴一作戍	
19	論　　文							
20	提　　要				妻 子 作 君 妻			
21	澤 風 堂				妻 子 一 作 子 妻 ； 劉 曰 ： 當 作 夫妻		赴一作戍	
22	杜 詩 闡				妻子作君妻			
23	讀 書 堂							
24	詳　　註		故一作固		妻 子 樊 作 君妻	雖一作既	赴一作戍	日一作月
25	心　　解				妻 子 作 君 妻 ， 注 ： 一作妻子		赴一作戍	
26	偶　　評				妻 子 作 君 妻			
27	朱雪鴻批							
28	杜 詩 箋				妻 子 作 君 妻			
29	鏡　　銓		故一作固		妻 子 作 君 妻			
30	集　　評				妻 子 作 君 妻			
31	歲 寒 堂							

詩題	新婚別				
00 底本	雞狗亦得將	君今往死地	沈痛迫中腸	誓欲隨君去	勿為新婚念
00 全唐詩	狗一作犬 得一作相	今一作生 往死一作死生		去一作往	為一作改
01 杜工部集					
02 分門集註	洙曰：狗一作犬	往死作死生		去作往	
03 九家集註	狗一作犬				
04 補注杜詩	狗一作犬				
05 草堂詩箋	狗一作犬 得黃作相	句作君生往死地，注：生一作今；晉作君今死生地。		去作往	為一作以
06 批點		往死作死生		去作往	勿作乃
07 杜陵詩史	狗一作犬	往死作死生		去作往	
08 分類杜詩	狗一作犬	往死作死生		去作往	
09 范批	狗作犬	句作君生往死地			
10 愚得		往死作死生		去作往	
11 分類集註		往死作死生		去作往	
12 杜詩分類		往死作死生	痛迫作迫痛	去作往	
13 詩通		句作君生往死地			
14 李杜詩集		往死作死生		誓作誓 去作御	
15 杜詩選		往死作死生		去作往	
16 五古選錄					
17 錢箋	狗一作犬 得一作相	陳浩然本君今死生地，草堂本君生往死地		去一作往	為一作改
18 朱註	狗一作犬	陳浩然本作死生地		去一作往	為一作改
19 論文		往死作死生		去作往	
20 提要					
21 澤風堂	狗一作犬 得一作相	往死作死生		去作往	為一作以

	詩題					
22	杜詩闡					
23	讀書堂		往死作死生		去作往	
24	詳　　註	狗一作犬 得一作相	往死作生死, 注謂據杜臆, 又注:陳浩然 本作死生,一 作往死,後四 字又作生往死 地。		去一作往	爲一作改
25	心　　解					
26	偶　　評					
27	朱雪鴻批				去作往	
28	杜詩箋					
29	鏡　　銓					
30	集　　評					
31	歲寒堂		往死作死生		去作往	

	詩題	新婚別			垂老別		
00	底　　本	自嗟貧家女	久致羅襦裳	人事多錯迕	四郊未寧靜	垂老不得安	同行為辛酸
00	全唐詩		久致一作致此	事一作生		老一作死	
01	杜工部集						
02	分門集註		洙曰:久致一作致此		洙曰:郊一作方		
03	九家集註		久致一作致此	洙曰:事一作生	郊一作方		
04	補注杜詩		久致一作致此	事一作生	郊一作方		
05	草堂詩箋		久致一作致此	事一作生			同一作聞
06	批　　點			事一作生			
07	杜陵詩史		久致一作致此	事一作生	郊一作方		

			此				
08	分類杜詩		久致一作致此	事一作生	郊一作方		
09	范　批						
10	愚　得						
11	分類集註				郊一作方		
12	杜詩分類						
13	詩　通						
14	李杜詩集						
15	杜　詩　選				——	——	——
16	五古選錄						
17	錢　箋			事一作生		老一作死	
18	朱　註		久致一作致此	事一作生		老一作死	
19	論　文						
20	提　要						
21	澤　風　堂		久致一作致此	事一作生	郊一作方		同一作聞
22	杜　詩　闡	嗟作歎					
23	讀　書　堂						
24	詳　註		久致一作致此	事一作生		老一作死	
25	心　解		久致一作致此	事一作生		老一作死	
26	偶　評						
27	朱雪鴻批						
28	杜　詩　箋						
29	鏡　銓		久致一作致此				
30	集　評						
31	歲　寒　堂						

詩題	垂老別					無家別
	幸有牙齒存	所悲骨髓乾	縱死時猶寬	豈擇衰老端	萬國盡征戍	園廬但蒿藜
00 底本	幸有牙齒存	所悲骨髓乾	縱死時猶寬	豈擇衰老端	萬國盡征戍	園廬但蒿藜
00 全唐詩	存一作好	髓一作肉	猶一作獨	老一作盛	征戍一作東征	
01 杜工部集						
02 分門集註		洙曰:髓一作肉		老作盛;洙曰:一作老	洙曰:征戍一作東征	
03 九家集註				老作盛;注:一作老	征戍一作東征	
04 補注杜詩		髓一作肉		老作盛;注:一作老	征戍一作東征	
05 草堂詩箋	存作好,注:一作存	髓一作體	猶晉作獨	衰老作盛衰,注:盛一作甚	征戍一作東征	
06 批點				老作盛		但作尙
07 杜陵詩史		髓一作肉		老作盛;注:一作老	征戍一作東征	
08 分類杜詩		髓一作肉		老作盛;注:一作老	征戍一作東征	
09 范批				老作盛		
10 愚得				老作盛		
11 分類集註				老作盛;注:一作老	征戍一作東征	
12 杜詩分類				老作盛		
13 詩通				老作盛		但作俱
14 李杜詩集				衰老作盛衰		
15 杜詩選	——	——	——	——	——	——
16 五古選錄	牙齒作齒牙			衰老作盛衰		
17 錢箋	存一作好	髓一作肉	猶晉作獨	老一作盛	征戍一作東征	
18 朱註	存一作好	髓一作肉		老一作盛		
19 論文				老作盛		
20 提要						
21 澤風堂		髓一作肉		老作盛;	征戍一作東	

					注：一作老	征	
22	杜 詩 闡				老作盛	盡作尙	
23	讀 書 堂				老作盛		
24	詳　　註	存一作好	髓一作肉	猶晉作獨	老一作盛	征戍一作東征	
25	心　　解		髓一作肉		老作盛，注：一作老		
26	偶　　評				老作盛		
27	朱雪鴻批						
28	杜 詩 箋				老作盛		
29	鏡　　銓				老作盛		
30	集　　評				老作盛		
31	歲 寒 堂				老作盛		

詩　題	無　家　別						
00　底　本	我里百餘家	死者爲塵泥	歸來尋舊蹊	人行見空巷	安辭且窮棲	縣吏知我至	永痛長病母
00　全唐詩	百一作萬	爲一作委	舊一作故	人一作久 巷一作室			
01　杜工部集				人作久			
02　分門集註	洙曰：百一作萬	洙曰：爲一作委	洙曰：舊一作故	人作久	洙曰：安一作敢		
03　九家集註	百一作萬	爲一作委	舊一作故	人作久	安一作敢		
04　補注杜詩	百一作萬	爲一作委	舊一作故	人作久	安一作敢		
05　草堂詩箋	百一作萬	爲一作委	舊一作故	人作久，巷作室，注：室一作巷	安一作敢		
06　批　點				人作久			
07　杜陵詩史	百一作萬	爲一作委	舊一作故	人作久	安一作敢		永作率
08　分類杜詩	百一作萬	爲一作委	舊一作故	人作久	安一作敢		
09　范　批				人作久			
10　愚　得				人作久			

11	分類集註	百一作萬	爲一作委	舊一作故	人作久		
12	杜詩分類				人作久		
13	詩　　通				人作久		
14	李杜詩集				人作久		
15	杜　詩　選	——	——	——	——	——	——
16	五古選錄				人作久		
17	錢　　箋	百一作萬	爲一作委	舊一作故	人作久 巷一作室		
18	朱　　註	百一作萬	爲一作委	舊一作故	人作久		
19	論　　文				人作久		
20	提　　要				人作久		
21	澤　風　堂		爲一作委	舊一作故	人作久	安一作敢	
22	杜　詩　闡				人作久		
23	讀　書　堂				人作久		
24	詳　　註	百一作萬	爲一作委	舊一作故	人作久 巷一作室		吏一作令
25	心　　解	百一作萬	爲一作委	舊一作故	人作久		吏一作令
26	偶　　評				人作久		
27	朱雪鴻批				人作久		
28	杜　詩　箋		爲作委，注：一作爲		人作久		
29	鏡　　銓				人作久		吏一作令
30	集　　評				人作久		
31	歲　寒　堂				人作久		

（三）異文之勘定

這些異文，可以從幾方面來論定：

⑴其義難通，明屬訛字，不可依據：

如「窘狹」各本多作「穿狹」，應屬形訛；《草堂詩箋》訛「同

行」為「聞行」、《杜陵詩史》訛「永痛」為「牽痛」，亦然。「惟有乳下孫」，各本多一作「所有」「勿為」，《批點》訛「勿」為「乃」；「人行見空巷」，諸本皆作「久行」，獨《全唐詩》作「人行」（各種版本皆如此），於義俱難通，亦是形訛。至於《論文》訛「暮」為「壞」，是因下文而訛；《草堂詩箋》「衰盛」作「衰甚」、「昨夜」作「昨月」，則是音近而誤，「泣幽咽」作「淚幽咽」，則以義近而訛。「沈痛迫中腸」，《杜詩分類》獨作「沈迫痛中腸」，乃是痛迫二字誤倒。至於《草堂詩箋》「日夜令我藏」，「日」作「月」，註謂：「月一作日，月夜謂臥月也。」⓭則是以訛為正，固不論月夜是否可解釋為臥月，據此解釋，句意也不合理。皆不可據。

(2)義雖相通，而孤例不可據：

如「修關」他本多一作「築城」，而《草堂詩箋》獨作「築關」、「要處」作「要道」、《杜詩闡》則作「險處」；「次選中男行」《提要》「選」作「遣」；「自嗟」《杜詩闡》作「自歎」；「牙齒」《五古選錄》作「齒牙」、「萬國盡征戍」，《杜詩闡》作「尚征戍」、「園廬但蒿藜」，《詩通》作「俱蒿藜」，義雖可通，但終嫌孤例，終不可從，大概也是一時筆誤所致。何況有些還是較晚的本子，如《提要》、《詩闡》、《詩通》等，更不足據了。

(3)兩義近似，可不必定其是非：

如「府帖」與「府符」、「昨夜」與「昨日」、「取相州」與

⓭ 《杜工部草堂詩箋》，卷十三，p.480，台北：商務印書館。

「收相州」「至相州」、「日夕」與「日夜」、「牧馬」與「看馬」、「丈人」與「大人」、「萬古」與「千古」、「慎勿」與「慎莫」、「附書至」與「附書到」、「存者」與「在者」、「且偷生」與「是偷生」、「故不長」與「固不長」、「赴河陽」與「戍河陽」、「雞狗」與「雞犬」、「得將」與「相將」、「隨君去」與「隨君往」、「勿爲」與「勿以」、「人事」與「人生」、「四郊」與「四方」、「爲塵泥」與「委塵泥」、「舊蹊」與「故蹊」、「空巷」與「空室」、「安辭」與「敢辭」等俱屬此類，其例最多，以兩者之間多是同義詞或近義詞，自不必強爲定奪。

(4)義雖相通，而情韻略有優劣

如「青山猶哭聲」，諸本「猶」多一作「聞」，兩義俱可，但「聞」只是客觀的陳述，而「猶」則有哭聲永留不去之悲，情韻較勝。

又如「泣血」與「垂泣」、「牙齒存」與「牙齒好」，前者比後者較爲形象化。

「久致」與「致此」、「但蒿藜」與「尙蒿藜」，前者意義較後者深重。「久致羅襦裳」，著一「久」字，表示貧家女子置備嫁衣之不易；「園廬但蒿藜」，著一「但」字，表示亂後田園只剩蓬蒿，一無其餘。俱較他本爲優。

「垂老」不宜作「垂死」，蓋「垂老」可扣題中的「垂老」二字。

「征戍」不宜作「東征」，蓋「征戍」涵蓋面較廣，指四處之烽煙，故句云：「萬國盡征戍」，若作「東征」，便當如〈羌村三首〉中所說的：「兵革既未息，兒童盡東征」，乃是專指收京之戰。

「修關」似宜作「築城」，前既云：「築城潼關道」，此處詩人借問潼關吏，乃是承前句而來，故云：「築城潼關道？」

「妻子」亦宜作「君妻」。《杜詩闡》云：「一篇中，君字凡七喚。首曰結髮爲君妻，下數君字皆從此出。爲君妻，則暖君床；席不暖君床，凡以君有行也。爲君妻，則爲君紅妝。爲君妻，則與君雙翔。君行矣，君往矣，不得與君同去矣，紅妝則對君洗，相望則與君永，凡以爲君妻也。七箇君字，一呼一淚。」⑭其意以爲「君妻」是整首詩之綱領，詩中君字凡七見，都是由此引出，其說甚有見地。若作「子妻」，其下各個「君」字便失去帶領的字眼了。作「妻子」，其義亦通，但整首詩是表現了妻子向其夫傾訴的口吻，「婦人對夫言，可自稱爲君妻，不當亦自稱妻子也。」⑮此句《澤風堂》又作「夫妻」，乃是孤例，或亦是誤刻所致，自不可從。

「老婦出門看」，總共有三種異文，「門看」或作「看門」，或作「門首」。過去的註解，於此爭議也最多，其主要的著眼點，是在叶韻上面。按此詩前四句：「暮投石壕村，有吏夜捉人。老翁踰牆走，老婦出門看。」「村」、「門」在《廣韻》「魂」韻（平水韻屬「元」韻）、「人」在「眞」韻、「看」在「寒」韻，俱不在同一韻部，所以啓人疑竇，乃有各種版本的出現，目的即在令其能夠完成押韻。可是如果按照中古語音來要求，這三種異文無論如何選擇，其實都無法達到目的，此所以才有叶音的說法產生，把「人」讀作「如延切」⑯，來和「看」字押韻。可是這樣一來，「人」「看」固然押韻

---

⑭ 盧元昌《杜詩闡》，卷之七，p.351-352，台北：大通書局，1974。

⑮ 施鴻保《讀杜詩說》，卷七，p.62，台北：台灣中華書局，1970。

⑯ 如《全唐詩》句下註文。

了，「村」字依然不葉。於是又有另一種說法，「人」依舊讀如本字，而將「門看」倒爲「看門」，如此則「村」「人」「門」三字相葉。仇兆鰲即主此說❶，但這仍然不是依照《廣韻》韻部，而是用古韻通轉。另外一種處理的方式，則是「門看」改作「門首」，其考慮是「村」「人」、「走」、「首」各自押韻（「走」在《廣韻》「厚」韻，平水「有」韻；「首」屬「有」韻）。三種版本當中，此說最不可據。仇兆鰲即曾指出：此詩韻律特別整齊，「各四句轉韻」❶，如依此說，則此四句便是兩句一轉，而與整首的設計不合。至於「門看」或「看門」，就韻部說，都不是用本韻，而用通韻。王力考察杜詩的古體韻例，認爲：「依杜詩而論，凡以 n 收尾的字，都可互相通押。」❶譬如〈彭衛行〉即以眞文元寒刪先通韻，與此詩正合。然則，作「門看」或「看門」，其實都算押了韻，不過是以鄰韻相通罷了。仇兆鰲選擇了「看門」，認爲才押上韻，是不知村、人、門或村、人、看都可通押的。

　　至於《詳註》這樣選擇的因素，施鴻保又爲他作了另一解釋：仇氏是將「看門」當作守門義，「翁既踰牆走，老婦出守門」❷，姑不論仇氏是否是這樣的判斷，依詩義而言，詩中既言：「有吏夜捉人」，則不是看緊門戶的問題，而是到門口探看到底發生了什麼事情，才屬合理，故就詩義說，宜作「出門看」❷。

---

❶　《杜詩詳註》卷七，p.528。

❶　同上註。

❶　《漢語詩律學》，p.347，台北：文津出版社翻印本（書名作《中國詩律研究》，1970。

❷　同註❶，p.61。

❷　施鴻保也以爲應作「出門看」，所持理由是：「蓍婦既放翁走，故意出門看，使吏信翁不在家也。」同註15，p.61，說稍異，可參看。

(5)義不可通，而必須去取

「眼枯即見骨」，作「即」爲是，「即」有「即使」義，才能與下句「天地終無情」形成完整之語義。若作「卻見骨」，語氣便不飽足。

「有孫母未去，出入無完裙」，其異文可從兩個層面觀察：一是保留原句，但「有孫」作「孫有」、「入」作「更」，這個變動差異不大，頂多只是句型的改變而已，如「有孫母未去」，是上一下四句，「孫有母未去」則是上三下二；「出入」是複詞偏義，「出更」則就單從其「出」一方面說，意義都沒多大的差別，可不深論。一是全句更動，改作「孫母未便出，見吏無完裙」❷，這就關係到意義的不同了，需要進一步討論。其中關鍵是「去」字有無恰當的解釋，「孫母」（即老婦的媳婦）未去是什麼意思？過去註解於此幾乎都未處理，只有《草堂詩箋》註曰「言其夫戰死，無所依也。」❷夫死無依，爲什麼就未去呢？顯然沒有搔到癢處。《杜臆》則說：「母戀子故未去」❷，只說出了未去的理由，於去字仍無的解。蕭滌非說：

> 「有孫母未去」一句，意思祇在說明家中還有個媳婦，因爲丟不下孩子，還沒走。有人把「去」解作改嫁，有人認爲指去服兵役。後說固無據；前解也似乎不近情理。一則「二男

---

❷ 蔡夢弼《杜工部草堂詩箋》引「一作」則作：「其母未便出，見吏無完裙」，與他本稍異。「孫母」與上句「乳下孫」形成頂眞關係，較「其母」出色；且是孤例，或是誤刻。卷十三，p.478。

❷ 同上註。

❷ 《杜臆》，p.81，台北：臺灣中華書局，1970。

新戰死」，再則這一地帶連中男都拉光了。這個去字沒有必要去肯定。㉕

　　此說彙集了近人的各種解釋，而一一加以否定，最後仍然是接受了《杜臆》的看法，還是沒有一個肯定的答案。這就說明了這個句子令人懷疑的地方，老婦既然是要向差吏一一細數家中人口的情況以博取同情，又怎能語焉不詳？而且「去」與「出入」之間，又有什麼關聯？老婦又為何要向吏申訴其媳婦「無完裙」？

　　假如作「孫母未便出，見吏無完裙」，意思就顯豁的多了。「出」就是下句的「見吏」，老婦既向吏說出家中還有一個媳婦，吏可能就要她出來見一見，所以老婦才說明媳婦衣衫襤褸，不方便出來。此一異文來源甚早，但除了吳瞻泰的《杜詩提要》，其餘杜集都只是將其當作「一作」處理，未予重視，亟宜改正。

　　「君行雖不遠」，作「雖」為是，「雖」即如今「雖然」義。若作「既不遠」，句意不順。

　　「君今往死地」，此句又作「君生往死地」、「君今死生地」、「君今生死地」，不過「生死」與「死生」其義應該相同，而且只有《詳註》採取這個版本，說是依據王嗣奭《杜臆》而來。今按《杜臆》是評本，並沒有將杜詩原句全部過錄，故不知其所用底本是那種版本，且今所見《杜臆》，亦作「死生」㉖，非如《詳註》所云作「生死」，故此一異文應捨棄不論，剩下的便只有三種異文了。其中「君今死生

㉕　〈談《石壕吏》〉，《杜詩研究論文集》二輯，p.153，北京：中華書局，1963。
㉖　同註㉔，p.82。

地」，《杜臆》說：「妙有餘思。」❷而施鴻保有不同意見：

> 今按此詩通首明順，蓋代婦人言應爾。作生死地雖有餘思，
> 與通首不類，且與下誓欲隨君去句不合；隨去，即承此句今
> 往言也，作往死地正是。❷

施氏的看法，是認為「君今生死地」，沒有「君今往死地」明白順暢，不類婦人口吻；而作「往死地」，往字也可以與「誓欲隨君去」的去字照應。此說頗為妥適，應可從。同樣，「君生往死地」句子也顯得生澀，皆不及「君今往死地」佳。

「勿為新婚念」，是女子勸勉其夫之語，若作「勿改新婚念」，則不知何謂，難道是其夫有改念之意？

「骨髓」指精力；「骨髓乾」，是指老人之精力衰竭，宛如油盡燈枯。若作「骨肉」，便無此義，頂多只是描寫老人之乾瘦而已。《草堂詩箋》作「骨體」❷，歷來無此辭彙，「體」料是髓之訛。

「縱死時猶寬」，句意是說：就算會送命，時間也不是那麼急迫。「猶」，副詞，表示持續，相當於還、仍，意同「猶尚」、「尚猶」❸。若作「時獨寬」，獨字便無此義。

「豈擇衰老端」，應作「衰盛」。衰老只是一義，衰盛則一詞二義，與上句「離合」相偶。「衰盛」又呼應前面「土門壁甚堅，杏園度亦難，勢異鄴城下，縱死時猶寬」而來，蓋「土門」、「杏園」

---

❷　同上註。

❷　同註❶。施氏引《杜臆》說也作「生死地」，乃是承《詳註》而來。

❷　刻本字作「骵」，「骵」，《玉篇》云：「俗體字。」

❸　陳霞村《古代漢語虛詞類解》，p.317，台北：建宏出版社，1995。

二句，今時之盛也；「鄴城下」，昔時之衰也。故句中本含盛衰兩層意，若作「衰老」便顯示不出來了。

「我里百餘家」，各本「百」多一作「萬」，一里焉能有萬家，顯然不合理，也不可從。

「縣吏知我至」，應作「縣令」，意「捉人」者固是縣吏，而「召令」者當屬縣令，兩者職掌原有不同。

三、六詩編次之論定

（一）六詩編次之情況

本文所整理的各種杜集，除了閔映璧《杜詩選》只錄了〈新婚別〉、吳瞻泰《杜詩提要》未選〈潼關吏〉以外，無論全集本或選本，都收了這六首詩，不過六詩的順序卻呈現了極大的差異，也猶待進一步釐清。下面先將其不同的編次情況，分類顯示：

(1)在編次上，將六詩連貫而下，其順序是〈新安吏〉、〈潼關吏〉、〈石壕吏〉、〈新婚別〉、〈垂老別〉、〈無家別〉，這也是我們現在普遍看到的編排方式，這包括《全唐詩》、《杜工部集》、《九家集註》、《補注杜詩》、《五古選錄》、《錢箋》、《朱註》、《詳註》、《心解》、《杜詩箋》、《鏡銓》、《偶評》、《集評》等十三種。但其中仍存在某些差異。又可再細分為若干類別：

1.將六詩視為同時之作，其性質猶如連章組詩，其寫作時間則但依題下「原注」，認為是：「收京後作」，沒有進一步考定，如《杜工部集》、《五古選錄》、《杜詩箋》、《集評》等。

2.同樣視爲同時之作，寫作時間則依錢謙益的說法，認爲是：「乾元二年，自華之東都❸，道途所經次感事而作也。」如《錢箋》、《朱註》、《全唐詩》等。

3.也視爲乾元二年所作，但其途次是由東都回華州，一反《錢箋》所說的方向。如《詳註》、《心解》、《鏡銓》、《偶評》等。

4.不視爲同時之作，如《補注杜詩》，便將〈新安吏〉、〈石壕吏〉、〈新婚別〉、〈無家別〉定爲乾元二年作，但定〈潼關吏〉爲至德二載、〈垂老別〉爲乾元三年作，最爲凌亂。《九家集註》雖然沒有那麼複雜，也不將〈潼關吏〉與其餘五首視爲同時。

(2)將六詩連貫而下，但其順序是：〈潼關吏〉、〈石壕吏〉、〈新安吏〉、〈新婚別〉、〈垂老別〉、〈無家別〉。如《草堂詩箋》、《杜陵詩史》、《范批》等三種。其寫作時間，《草堂詩箋》有較多的認定，如謂〈潼關吏〉之寫作背景：「安祿山反時，歌舒翰守潼關，爲火拔歸仁執以降賊，由是賊陷長安。後肅宗收復京城，又增修阨險處，以爲守禦之命。」不言及鄴城兵潰事，意其定在至德二載長安初復之時。至於〈石壕吏〉則明言是：「至德二載秋，甫往鄜迎家，夜投宿于石壕村，因感吏捉人以守河陽，傷之而作是詩也。」其餘四首則言及鄴城兵潰，應是定爲乾元二年作。其他兩種：《杜陵詩史》明定〈新安吏〉爲乾元二年作，其餘諸篇，以及《范德機批》所選，都沒有明顯的編年說法。

(3)將〈潼關吏〉視作獨立之一篇，其餘五首合爲另一篇，其順

---

❸ 各本《錢箋》「東都」皆作「東郡」，誤。今據《朱註》、《詳註》引文改正。

序是〈新安吏〉、〈石壕吏〉、〈新婚別〉、〈垂老別〉、〈無家別〉。
兩篇之間則雜以他詩，不視爲同時之作。〈潼關吏〉據黃鶴說：「乃
公歸京時作也」㉜，而定爲至德二載作。其餘五首，則引「師曰」㉝：
「從〈新安吏〉以下至〈無家別〉，蓋紀當時鄴師之敗，朝廷調諸郡
兵益急，雖次丁盡行，秦之謫戍，無以加焉。」而定其爲乾元二年作。
如《批點》、《愚得》、《詩通》、《杜臆》㉞、《論文》、《澤風
堂》、《杜詩闡》、《讀書堂》、《歲寒堂》等九種皆然㉟。選本中
《杜詩提要》不選〈潼關吏〉，其餘五首之編次則同此類，可視爲同
一觀點下之編排方式。

　　⑷將〈新婚別〉獨立爲一篇，再將〈新安吏〉、〈潼關吏〉、
〈石壕吏〉、〈垂老別〉、〈無家別〉五首連貫在一起；而兩者之間，
間雜有其他篇目。此類又有兩種情況，一是〈新婚別〉在五首之前，
如《分門集註》；一是列在五首之後，如《分類杜詩》、《分類集註》、
《李杜詩集》、《杜詩分類》等四種。至於各詩之寫作時間，《分類
杜詩》有較多的認定，將〈潼關吏〉訂在至德二載，〈垂老別〉定在
乾元三年冬晚，餘四首則定爲乾元二年。其他各本多未明言，如有認

㉜　《集千家註批點杜工部詩》，卷三，p.322，台北：大通書局，1974。
㉝　同上註，卷五，p.431。「師曰」當是師古之註，師古有《杜詩詳說二十八
　　卷》，詳周采泉《杜集書錄》，p.644，上海古籍出版社1986。
㉞　《杜臆》不錄原詩，故前文異文表不列此書，但其箋評詩意時，仍列出詩題
　　的順序，因此可看出其編次上之看法。
㉟　周采泉謂：《杜詩通》「將〈潼關吏〉編入至德二載，其餘及〈三別〉詩編
　　入乾元二年，歷來無此編法」，其說不確。此種編法，事實上爲數甚夥，從
　　上述九種版本中即可見出，尤其在明代各選本中還頗爲流行。說見《杜集書
　　錄》，p.302，同註6。

定，也同《分類杜詩》。

(5)選本之情況：多數選本，如六詩全選，其編次也大都可歸屬於前述四類之一中。未全選者，《提要》已如前述，可視同第三類。《杜詩選》只選〈新婚別〉一首，自難看出其編次之觀點，而《朱雪鴻批》雖然六首全選，卻將〈石壕吏〉獨立開來，間隔了數十首之後，再選入〈新安吏〉、〈潼關吏〉、〈新婚別〉、〈垂老別〉、〈無家別〉。可以判斷乃是隨手漫錄，並無任何依循之標準，這也可以從其所選其他各詩時空零亂之情形看出。這後面兩種，也就無從深究了。

（二）六詩編次之釐定

從上述的分類，可見各本編次確實相當混亂。形成這種現象的原因，就大方向看，其中的一項因素，是編輯性質的分歧所致。也就是說有些是採取分類的方式，而有些則是依編年來定其秩序。

譬如前面所說的第四類，將〈新婚別〉獨立開來，便是因屬分類本的關係。從其書名看，除了《李杜詩集》，其餘都帶有「分門」、「分類」字樣，便可看出端倪。就實際情形看，五個本子，都將〈新安吏〉等四首歸入「時事類」，而將〈新婚別〉歸入「婚姻」或「姻戚」類，如此分法，自然就將兩者區隔開來了，因此也與編年方式的結果有所不同。「門類本」是宋代流行的編輯方式，其中自有諸多不合理的地方，但既然是在其體系內運作出來的結果，此處也就不必論斷其是非了。

造成混亂的另一項因素，則是在編年的認定上造成的分歧。譬如第三類，將〈潼關吏〉獨立出來，是因為認為此首作於至德二載，與其餘五首不同時的緣故。至於第二類雖然將六首也連貫而下，並無

分隔，但順序與第一類不同，則是將〈潼關〉、〈石壕〉視爲至德二
載作，其餘四首則爲乾元二年作，不過在編排上，將六首並聯在一起
罷了。比較特殊的是第一類的《補注杜詩》，在黃鶴的認定上，六詩
既非同時所作，在編排上則仍採習慣的順序，或許是依循了王洙的版
本，但編年上又有自己的看法，故以題下加註的方法加以表達，而不
更動原來的順序。

　　現在的問題是：這六詩是否確然爲連章之作？假如是，是否有必
然之順序？其順序又是否可依其寫作之時間和地點來確認？假若答案
皆屬肯定，就可以將這些混亂的編次釐清出一個合理的答案。

　　〈新安吏〉下面有一個「原注」：「收京後作。雖收兩京，賊
猶充斥。」姑不論這是否爲杜甫本人所加上去的，但基本上提供了一
個寫作背景。「收京」指至德二載九月和十月的光復長安、洛陽，不
過這僅僅表示這些作品寫於兩京光復之後，而致慨於安史餘孽未盡，
並不必然是寫於至德二載。六首詩中，一再提到相州兵潰事，如〈新
安吏〉：「我軍取相州，日夕望其平，豈意賊難料，歸軍星散營」、
〈石壕吏〉：「聽婦前致詞，三男鄴城戍。一男附書至，二男新戰死」、
〈垂老別〉：「勢異鄴城下，縱死時猶寬」、〈無家別〉：「賤子
因陣敗，歸來尋舊蹊」；或是朝廷徵調民伕退保東京之事，如〈石壕
吏〉：「急應河陽役」、〈新婚別〉：「君行雖不遠，守邊赴河陽」，
可知其確實寫作時間應在乾元二年三月九節度爲史思明所敗，兵潰相
州，郭子儀乃斷河陽橋退保東京之後❸，其時杜甫正自洛陽返回華州

---

❸　此段史實，可參《資治通鑑》卷221，〈唐紀三十七・肅宗乾元二年〉，第
　　十冊，p.7069~7070，台北；明倫出版社，1972。

司功參軍任所，沿途見百姓爲征調所苦，而寫下這批作品❸。那麼，其爲同時之作，應無可疑。

再從題目的設計判斷，前三首題中皆有一「吏」字，後三首則有一「別」字，應是有意的安排。在詩中，也有巧妙的呼應，如「借問新安吏」、「借問潼關吏」、「有吏夜捉人」，三首詩中皆以「吏」串聯敘事的對應角色。而〈三別〉中，則塑造了三個典型人物：新婚女子，垂暮老翁以及家園盪盡的士卒，來反應面臨征調的悲劇命運。這些設計，當然也就顯現了其爲整體結構的特色，視爲一篇連章之作，應無可疑。

過去的編年，並不是沒有人注意到這些現象，如仇兆鰲於〈新安吏〉下云：「此下六詩，多言相州師潰事，乃乾元二年自東都回華州時，經歷道途，有感而作。」其他如《心解》、《鏡銓》、《偶評》等，也都是這樣的觀點。甚至《錢箋》亦然，但錢氏誤認是「自華之東都」所作，把路途的方向搞反了。

至於《草堂詩箋》說：〈石壕吏〉是至德二載秋杜甫自鄜迎家夜宿石壕村所作，顯然是昧於事實。此詩明言「三男鄴城戍」、「急應河陽役」，而至德二載尚未有鄴城之圍，也沒有兵潰之後的河陽之役，杜甫何能作此語？另外，黃鶴將〈垂老別〉定在乾元三年冬晚作，也不可據。按乾元三年實爲上元元年，此年閏四月改元，故無所謂乾元三年冬，頗疑此爲二年之誤。其說曰：

> 乾元三年安慶緒爲史思明所殺，而思明自河南分爲四道會于汴，自是東京與鄭滑等州相繼陷沒，而防守愈急。此當是其

❸ 參《杜甫年譜》，p.52~53，四川省文史研究館編，四川人民出版社，1958。

年冬晚作。**㊳**

史思明殺安慶緒，事在乾元二年**㊴**，應可斷其爲誤。但無論其爲二年或三年冬，杜甫實際上已於二年七月棄官至秦州，十月赴同谷，並於十二月往成都**㊵**，已遠離了京洛地區，怎會掉轉筆再寫當地徵調之事？黃鶴作此論，可能是因此詩有「歲暮衣裳單」之語，故爲此推論。此句確實讓人困惑，竊意以爲：「歲暮」在此可能只是表示天寒之意，並非實寫季節，不然便與其餘諸篇在時間上無法統合。

　　處理上比較困難的是〈潼關吏〉，相對於其餘五首，此詩內容顯然較爲另類，不述徵調，但議守關之策。宋人註本多引王深父說：

> 安祿山反，歌舒翰以潼關擊賊，翰敗，祿山遂陷長安。其後又復長安，頗增飾餘險。此詩蓋刺非其人則舉以棄之，得其人雖舊險亦足以恃，不必衆而持無益也。**㊶**

黃鶴承其說，因謂：「今詩云：修關還備胡，當是至德二載收京後詩。又云：要我下馬行，必歸京時作。」這些說法，就反映到某些版本的編年上，而將此首歸入至德二載，與其他五首截然劃開。但就黃鶴的舉證來看，顯然也不夠充份。至德二載兩京光復時，安慶緒乃走保鄴城，史思明、高秀巖等亦以所部來降，叛軍此時明顯無力反攻，

㊳　《補注杜詩》，卷三，p.20，台北；商務印書館。

㊴　同註**㊱**，p.7071~7072。

㊵　同註**㊲**，p.53~58。

㊶　如《補註杜詩》、《九家集註》、《草堂詩箋》等。深父，宋・王回字，侯官人，事蹟詳《宋史》卷四三二，所註杜集已失傳，書名亦不可知，宋人註本則頗引之，詳參《杜集書錄》p.879，同註**❻**。

杜甫何以要於此時強調「修關備胡」？反而應該是相州兵潰後，因史思明復叛，洛陽危急，長安也備感威脅，才要修關備胡。至於「要我下馬行」，如何能證明就是「歸京時」？就更顯無稽了。因此，本文寧願從前述題目的設計及其某些修辭的手段，來認定其應與其餘五篇同屬乾元二年春所作。

創作時間確認後，還必須處理其間的地點問題，此六詩的編次才能得到合理的定位。在認同六詩皆乾元二年作的各種版本中，其實也認識到其間的途次是在洛陽與華州之間，不過，《錢箋》認爲是自華州往洛陽途中，而仇、浦、楊諸人則以爲應是自洛陽歸華所作。揆諸實情，杜甫是在乾元元年冬晚時自華州暫赴洛陽，有〈冬末以事之東都〉詩可證，第二年春，再從洛陽歸華州❷。錢氏於此處致誤，殊堪訝異❸，其影響便是《朱註》與《全唐詩》因引用其說而同樣出錯。

六首詩中，杜甫明確指出其經過的三個地點：新安、石壕、潼關，也就提示了這六詩創作的地理位置。按新安縣在唐代屬都畿道河南府，石壕鎮在唐代屬都畿道陝州硤石縣；潼關唐代屬京畿道華州。三個地點的相關位置，若以洛陽爲首途，往西至華州，則新安最東，其次石壕，最西爲潼關。這條路是京洛大道，爲當時最主要道路之一，嚴耕望曾考察其道路途徑及所經驛站，足資參鏡，茲節錄其所考華州至洛陽間之驛道如下：

---

❷ 同註❸，p.50~52。

❸ 按錢氏所撰〈少陵先生年譜〉於乾元元年下云：「冬晚間至東都」，乾元二年下云：「春自東都回華州」，本不誤，不知何以在箋詩時卻造成錯誤。見《錢牧齋先生箋註杜詩》附錄。

由華州東行……至潼關，去長安約二百八十里。……自潼關
東行……至湖城縣，……向東有南北兩道。北道由湖城直東…
至靈寶縣。……由靈寶東北行，蓋七十五里至陝州治所陝縣
（今陝縣）。……由陝州向東有兩道，……其一正東偏南至洛
陽……，五十里至硤石縣，……又東二十里至石壕鎮（今石
壕），……又東入永寧縣北境……有村名胡郭，…又分南北二
道。……北道東經土壕，約五六十里至澠池縣，……由縣東
十二三里至新安驛，東七八里至千秋亭，……又東二十里至
峽石堡，……又東十里至缺門，……又東十五里至白超壘，……
又東南十五里至新安縣。由新安而東，三十里至慈澗店，……
又東十里渡孝水，又東四十里至東都。❹

嚴氏所述，是由長安東行至洛陽之方向，假如從東都往西京，以杜甫
所述三個地點來說，當然就是以新安為起點了，再次是石壕，最後則
是潼關，此所以六首詩中，以〈新安吏〉為首章之原因。這固然可以
看出錢謙益的疏忽，更重要的是也讓我們應該重新思考這六詩合理的
順序。

　　所有把這六詩定為乾元二年春杜甫自洛陽回到華州的各個版
本，都是以〈新安吏〉、〈潼關吏〉、〈石壕吏〉、〈新婚別〉、〈垂
老別〉、〈無家別〉為順序，後三首因為缺乏明確的地點，固可不論，
可是前面三首的順序，顯然錯了。其合理的順序，應該是：〈新安吏〉、
〈石壕吏〉、〈潼關吏〉，這樣才能符合上述的途次實況。

---

❹　嚴耕望《唐代交通圖考》，p.85~87，中央研究院歷史語言研究所專刊之八
　　十三，台北：中央研究院，1985。

造成這種錯誤的原因，也許就是因爲某些版本先把〈潼關吏〉作年定在至德二載，將其與其他五首隔離開來，等到有些人意識到其應合而爲一時，在羼合的過程中，不免就把順序弄錯了，這當然是揣測之下的解釋，也可能就是實情。總之，在具備那樣明顯的地理線索情況下，歷代的版本或箋註者，竟然都沒有留意到其不合理之處，未予改正，確實讓人驚訝，由此也可見杜詩的研究，還有不少的空間可待開發。

四、結　語

本文將〈三吏·三別〉六首詩，以《全唐詩》爲底本，對校三十餘種自宋迄清的各種杜詩版本，將其中五十一句的異文及六詩的編次，作了一些整理，並提出某些看法，希望能探討出較爲合理的版本。其結論是：就六詩的編次說，其合理的順序應爲：〈新安吏〉、〈石壕吏〉、〈潼關吏〉、〈新婚別〉、〈垂老別〉、〈無家別〉。異文的部份，則將勘定結果過錄如下，其於底本不同之處，則將該字用框線表示：

新安吏

客行新安道，喧呼聞點兵。借問新安吏，縣小更無丁。府帖昨夜下，次選中男行。中男絕短小，何以守王城。肥男有母送，瘦男獨伶俜。白水暮東流，青山猶哭聲。莫自使眼枯，收汝淚縱橫。眼枯即見骨，天地終無情。我軍取相州，日夕望其平。豈意賊難料，歸軍星散營。

就糧近故壘，練卒依舊京。掘壕不到水，牧馬役亦輕。況乃王師順，
撫養甚分明。送行勿泣血，僕射如父兄。

石壕吏

暮投石壕村，有吏夜捉人。老翁踰牆走，老婦出門看。吏呼一何怒，
婦啼一何苦。聽婦前致詞，三男鄴城戍。一男附書至，二男新戰死。
存者且偷生，死者長已矣。室中更無人，惟有乳下孫。孫母未便出，
見吏無完裙。老嫗力雖衰，請從吏夜歸。急應河陽役，猶得備晨炊。
夜久語聲絕，如聞泣幽咽。天明登前途，獨與老翁別。

潼關吏

士卒何草草，築城潼關道。大城鐵不如，小城萬丈餘。借問潼關吏，
築城還備胡。要我下馬行，為我指山隅。連雲列戰格，飛鳥不能踰。
胡來但自守，豈復憂西都。丈人視要處，窄狹容單車。艱難奮長戟，
萬古用一夫。哀哉桃林戰，百萬化為魚。請囑防關將，慎勿學哥舒。

新婚別

兔絲附蓬麻，引蔓故不長。嫁女與征夫，不如棄路旁。結髮為君妻，
席不煖君床。暮婚晨告別，無乃太匆忙。君行雖不遠，守邊赴河陽。
妾身未分明，何以拜姑嫜。父母養我時，日夜令我藏。生女有所歸，
雞狗亦得將。君今往死地，沈痛迫中腸。誓欲隨君去，形勢反蒼黃。
勿為新婚念，努力事戎行。婦人在軍中，兵氣恐不揚。自嗟貧家女，
久致羅襦裳。羅襦不復施，對君洗紅妝。仰視百鳥飛，大小必雙翔。
人事多錯迕，與君永相望。

垂老別

四郊未寧靜，垂老不得安。子孫陣亡盡，焉用身獨完。投杖出門去，
同行為辛酸。幸有牙齒存，所悲骨髓乾。男兒既介冑，長揖別上官。

老妻臥路啼，歲暮衣裳單。孰知是死別，且復傷其寒。此去必不歸，
還聞勸加餐。土門壁甚堅，杏園度亦難。勢異鄴城下，縱死時猶寬。
人生有離合，豈擇衰 盛 端。憶昔少壯日，遲回竟長歎。萬國盡征戍，
烽火被岡巒。積屍草木腥，流血川原丹。何鄉為樂土，安敢尚盤桓。
棄絕蓬室居，塌然摧肺肝。

　　無家別

寂寞天寶後，園廬但蒿藜。我里百餘家，世亂各東西。存者無消息，
死者為塵泥。賤子因陣敗，歸來尋舊蹊。久 行見空巷，日瘦氣慘悽。
但對狐與狸，豎毛怒我啼。四鄰何所有，一二老寡妻。宿鳥戀本枝，
安辭且窮棲。方春獨荷鋤，日暮還灌畦。縣令知我至，召令習鼓鞞。
雖從本州役，內顧無所攜。近行止一身，遠去終轉迷。家鄉既盪盡，
遠近理亦齊。永痛長病母，五年委溝谿。生我不得力，終身兩酸嘶。
人生無家別，何以為烝黎。

　　校勘的理想目標，是還原原本面貌。但杜詩在遺佚之餘，經過
唐五代及兩宋人的辛苦經營，輯佚校刻，才得有集本傳世，無論如何，
勢難復舊。本文不過是就其中的六首作品，提出一些看法，若能臆中
於萬一，也算是對研讀杜詩者的些許貢獻吧。

輯錄體解題之文獻揭示——以徵引資料之排列與出處爲例

陳仕華*

摘　要

目錄解題之作，分爲綜述與輯錄之體；後者於揭示文獻時，常徵引豐富之資料，以達到揭示深化之目的。而考證之事貴在徵實，故考證家之取材，必需廣泛，方能貫串折衷，以求信實可靠。而所徵引之資料，其排列與出處，亦必求當。本文以姚振宗《隋書經籍志考證》爲例說明之。

關鍵詞　目錄學　提要學

---

*　銘傳大學中文系副教授

一、前　言

目錄解題之作，分爲綜述與輯錄之體；後者於揭示文獻時，常徵引豐富之資料，以達到揭示深化之目的。而考證之事貴在徵實，故考證家之取材，必需廣泛，方能貫串折衷，以求信實可靠。馬端臨《文獻通考‧經籍考》小序云：

> 今所錄先以四代史志列其目，其存於近世可考者，則採諸家書目所評，並旁搜史傳、文集、雜說、詩話，凡議論所及，可以紀其著作之本末，考其流傳之眞偽，訂其文理之純駁者，則具載焉。俾覽之者如入群玉之府而閱木天之藏。不特有其書者稍加研窮，即可洞究旨趣；雖無其書，味茲品題，亦可粗窺端倪。蓋殫見洽聞之一也。

是可知其所取材者，除諸家書目外，並旁搜史傳、文集、雜說、詩話，徵引各家成說，以考證一書。其明確標出書名者，共四十四部，尤以雜家和詩文評兩類論著居多，共稱引二七七次，而其徵引序跋、書奏、墓銘、哀詞而未明確記載出處者共八十五家，引證四八一次。其引證資料可謂浩繁。❶

迨乎清代，朱彝尊撰《經義考》，遠紹馬《考》，除參考宋、明、清書目外，於史傳、方志、文集、說部、類書亦能蒐羅廣泛，故

---

❶　王承略：〈試論《文獻通考‧經籍考》的著錄依據和著錄方法〉，《古籍整理研究論叢》(濟南：山東大學出版社，一九九一)，頁一九六。

孫詒讓《溫州經籍志·敘例》云：「朱氏《經義考》，祖述馬書，益恢邾郭。」《四庫提要》更許之曰：「詳贍」。

姚氏以爲《隋志》爲《漢志》以後最古者。而其所收錄，亦最爲宏富，自周秦六國漢魏六朝迄於隋唐之際，上下千餘年，網羅十幾代，古人制作之遺，胥在乎是。惜其文略，非考證不明。姚氏於目錄考證，亦有其見解，〈新編序例〉云：

> 夫目錄之學固貴乎有所考證，而考證尤必得其體要，近時爲
> 目錄考證者，往往以搜緝佚文爲事，餘皆不甚措意。不知佚
> 文特考證中之一端，不於一書之本末源流推尋端緒，徒沾沾
> 于佚文之有無，以究心焉，則直以輯書之法爲目錄之學，殊
> 不然也。

其所謂「以搜緝佚文爲事」者，乃指章宗源《隋志考證》，此當另文討論。而其所謂「體要」者爲何？姚氏又云：

> 今所編錄，凡撰人爵里，著書指歸，但有可以考見之處，靡
> 不條舉而疏通證明之，務使一書源委大概可見。

如要遂行此目的，則非徵引廣泛之資料不可，故其〈後序〉：

> 《隋志》四部所載存佚併計，綜四千七百五十餘部，散見於
> 傳記，有著其本事者，有言其命意者，有稱道其美，詆諆其
> 短者，有載其文字，而錄存其序目者，自史漢三國以迄李延
> 壽南北朝十五史之中，不知其幾百千餘條也。其見於諸子、
> 雜家、類書、小說、文集中者，亦略相等。

就上述而論,姚氏所引資料之類別,以時代探究:則除六朝傳世文獻外,唐宋文獻必不可少,而此類文獻並不多,只佔所引資料約百分之十六。故宋以後之文獻較多,尤以清人文獻甚夥,亦顯現姚氏善於利用後人研究成果。

若以文獻類型探究:姚氏將書目史料來源,從目錄書專著,史傳、目錄序跋擴大至類書、方志、政書、文集、題跋、筆記等。

二、資料排列

然處理資料,使其貫串不紊,自有條理,以清眉目,極不容易。姚氏《漢書藝文志條理·敘錄》云:

> 諸所引書,分條排比,或以時代先後爲次,或以事類聯貫爲次,不一例。

姚考亦用此原則❷。今試爲分析如左:

卷一「《周易》九卷後漢大司農鄭玄注」條,其引文順序及引文要旨如下:

1.《後漢書》本傳　述鄭玄生平。

2.鄭氏〈自序〉　引其序,知鄭玄至元城,乃注《周易》。

3.《後漢書·儒林傳》　知馬融受費氏易,授鄭玄,玄作易注。

4.《魏志·高貴鄉公紀》　知鄭玄作注合象象於經,卻使學者尋

---

❷　姚氏《考證》自序云:其體例一依《漢志條理》。

省易了。

5.《釋文敘錄》

6.《唐書經籍志》

7.《唐書藝文志》

8.《宋史藝文志》　以上皆注卷數

9.《崇文總目》

10.張惠言《易義別錄》

11.鄭珍《鄭學錄》　以上皆釋文，論其大旨得失。

12.《孫祠書目》　記其輯本。

前四項以見鄭玄之生平、師承、及注此書之特點。五至八項見各代著錄情況。九至十一項皆引目錄釋文，以見此書之大旨及得失。末引書目以記其輯本。姚考引文略可分四大部份：著者、本籍著錄情況，論說本書、本書輯本。此即「以事類聯貫爲次」。至於在同一事類者，即「以時代先後爲次」。

又如卷卅九之一「漢文園令《司馬相如集》一卷」條，其引文凡十四種：

1.《史記》、《漢書》本傳、〈傳贊〉、〈藝文志〉　述其生平及有荆軻論五篇。

2.《西京雜記》

3.《蜀志·秦宓傳》　以上雜記其事，亦記其功業。

4.李充《翰林論》

5.《宋書·謝靈運傳論》

6.《文心雕龍·詮賦篇》

7.《史通·序傳篇》及《雜說篇》　以上併引評論其文者。

8.《唐書經籍志》

9.《唐書藝文志》　以上記著錄情形。

10.《明汪士賢二十名家集》

11.《張氏百三名家集》

12.《汪氏文選撰人篇目》

13.《嚴氏鐵橋漫稿（司馬相如集）序》　以上記篇目輯本。

前三則皆與相如生平有關，次四則併引評論其文者再引著錄情形，及其輯本。皆符合上述引書之排列原則。

又卷十「《三倉》卷郭璞注秦相李斯作《倉頡篇》揚雄作《訓纂篇》後漢郎中賈魴作《滂熹篇》故曰三倉」條，其引書情形如下：

1.《漢書藝文志》及《揚雄本傳》　記李斯作《倉頡》、揚雄作《訓纂》。

2.唐張懷瓘《書斷》　記賈魴作《滂熹篇》並釋《三倉》之名。

3.梁庾元威《論書》　釋《三倉》之名，並記郭璞注《三倉》。

4.注引侯康《三國藝文志》、《法書要錄》　論考賈魴之生平。

5.《晉書·郭璞傳》。　記郭璞注《三倉》。

6.《舊唐書經籍志》

7.《新唐書藝文志》　以上著錄《三倉》。

8.宋徐鉉《說文韻譜序》　論《三倉》書出，隸字始廣，即篆籀轉徵。

9.謝啓昆《小學考》

10.馬國翰輯本《序》

11.《孫祠書目》。　以上記輯本。

前四則論述《三倉》及其注之所由作，次二則乃目錄著錄情形，次一

則乃論及其書之影響，末則記其輯本。亦符合上述引書之排列原則。

《經義考》在引書之排列，採單一之方式，亦即全依資料之時代先後排列，其優在展卷瞭然，其弊則在同性質之問題，往往分散不能集中，資料夾雜，眉目難清。姚考則大抵先引仕履生平，師承淵源，學術思想，再引著錄情況，再引其書大旨得失，再引其傳本、輯本，每一部份，再依時代先後排列。

又卷十二「《紀年》十二卷《汲冢書》並《竹書同異》一卷」條，姚氏引書情形如左：

1. 《晉書·武帝本紀》　記發現汲冢竹簡之初
2. 《晉書·束皙傳》　記束皙在著作，得觀竹青，隨疑分釋，皆有義證。
3. 杜預《左氏經傳集解》後序　以《汲冢書》與左傳相證。
4. 本志〈篇敘〉　記晉武帝命荀勗、和嶠參與整理事。
5. 《兩唐志》、《宋志》、《玉海·藝文》　以上記著錄情形。
6. 《四庫提要》　訂爲僞書。
7. 錢大昕《養新錄》　以爲今本《竹書紀年》，乃宋以後人僞託，非晉時所論之本。

此《竹書紀年》之始出、功用、整理、著錄、辨僞情形皆一一錄出。最後再以按語綜合論說，論辯此書乃明范欽僞作。其考證可謂詳密。

喬衍琯先生《經文考及補正·校記綜合引得敘例》嘗論及《經義考》之評價❸：

---

❸　《屈萬里院士紀念論文集》（臺北：學生書局，一九八五年五月），頁三一～三七。

排列順序，需能考鏡源流。經義考在這一方，採取單一的方
式，就是一書下，全依資料的時間先後排列，優點是時間的
先後，展卷瞭然。缺點則是同一問題的資料，往往分散而不
能集中，其中夾雜若干其他資料，查閱時頗不易弄清眉目。
較理想的順序，譬如先考撰人的仕履、生平、師承、學術思
想。再考書名、卷數、傳本等。最後則是撰寫經過、內容、
批評、比較、考訂等。經義考旨在提供比較原始的資料，加
以剪輯排比。如想對各書做解題或提要式的認識，則需據以
另行撰寫。

若以姚考印證，即爲理想之排列順序。

三、資料出處

除引文之順序外，其引文之出處，亦爲考證時，不可忽視之環
節。俾使覽者得以討原，不難覆檢。如馬氏《經籍考》引書，每有改
易。盧文弨《群書校補》訂正其脱漏，重出、誤乙、錯誤等二百多處。
余嘉錫《四庫提要辨證》，對提要引用馬考失當處，亦多所辨證。喬
衍琯詳論《馬考》缺失，提出八點結論❹：

一、書名、卷數，如晁、陳並引，多從晁氏，不過也有不少
例外。

二、所引各家書志、序跋等，不一定是按先後順序，甚至也

---

❹　喬衍琯宋代書目考（台北：文史哲出版社，一九八七），頁一二三。

沒有其他次序可言。

三、所引晁氏曰、陳氏曰，每有脫誤，四庫總目不知核對原
　　書，因而跟著錯，甚至馬氏不誤的也錯了。

四、所引晁氏曰，係根據衢本，且不錄趙希弁的《附志》。
　　偶有和衢本不同而和袁本相合的的地方，或係他人所改，
　　不足成爲馬氏也用袁本的證據。

五、所引晁氏曰，每次末句闌入馬氏所改寫的《陳志》。

六、所引陳氏曰，每有合陳志的兩條或多條，刪併爲一條的。

七、後人校訂晁、陳、馬三家書，或有相互校補的地方，偶
　　而也互相闌入。

八、《馬考》因刊行時率意改易行款，致產生不少錯誤。

　　並引「如果知道馬考的缺失，利用起來，才不致爲其所誤。」
故考證時對資料之引用篩選不可不愼。

　　翁方綱評《經義考》云：

> 所載每書考辯論說皆渾稱爲某人曰，不著其出於某書某注某
> 集，則其言之指歸無由見，而於學人參稽互證之處亦無所裨
> 助。蓋竹垞此書因昔人經籍存亡考而作，專留意於存佚，而
> 未暇計及後人之詳考也。❺

是朱氏所注出處，若以考證求實之要求，自是一大疵病。迨及謝啓昆
《小學考》出，亦沿襲朱氏之體例，但於採及他書論說者，則著明所
出。

---

❺ 《蘇齋筆記》卷一。

姚考凡引資料，皆注明出處，但詳略不一：

一、撰人時代：如鄭樵《通志·藝文略》上冠「宋」字。但先
　　秦之書多不記撰者，故亦不載時代。清人之書，亦不載時
　　代。

二、撰人籍貫：清人則冠以撰人籍貫。如《經義考》作者朱彝
　　尊，則冠以「秀水」。

三、撰人：先秦之書及集體之作，則不記撰人。如《禮記》、
　　《崇文總目》等。

四、書名篇部：卷數不載，篇部則記，如史書記某書某某人傳，
　　《冊府元龜》或記《學校部》；《金樓子》或記《立言篇》。

但其後再次引用時，則前項所述多所簡略，如撰人籍貫多略去，或僅
簡曰某氏。書名亦簡稱之，如王應麟《漢書藝文志考證》，即簡爲《漢
志考證》。錢大昕《十駕齋養新錄》，即簡爲《養新錄》。如同條中
引同書者，其下則不冠所引之書名，此皆既已見前，後則求其省便，
亦不妨其覆覈也。

除上述外，其記載方法，尚有可記述者：

一、姚考新編序例云：「錄與《漢志條理》同例，已詳於彼，
　　故不具。」今檢《漢志條理敘錄》，得一條與出處有關：
　　「（引書）輯本猶殘本，與本書無甚異，凡所引據，不復注
　　其所出。」姚考一書亦如是，故如《七略別錄》、《崇文
　　總目》、陳振孫《直齋書錄解題》、《子略》等爲人所輯
　　之書，但言書名，不復注其所出。皆因人所共知，屛袪冗
　　節，不爲欺人。而朱氏《經義考》引此類書，當時並無輯
　　本，當係引自《文獻通考·經籍考》，亦俱不加說明，則

不足爲法。

二、引文中之引文，間或註明出處。如卷二十九「《鬼谷子》
三卷」條，引王應麟《漢書藝文志考證》，王氏文中又引
《說苑》，姚考於其下注云：「見《說苑·善說篇》」。

三、其所引書，或不爲人所熟知者，即於其下註明之。如卷三
「梁有《毛詩序》一卷梁隱居先生陶宏景注亡」條，引陶
翊《華陽隱居陶先生本起錄》，其下注方：「翊，字木羽，
隱居先生從子也，見宋張君房《雲笈七籤》中。」又卷三
十「《淮南子》二十一卷」條，引會稽陶方琦《淮南許注
異同詁》，其下注云：

> 吾友陶孝逸學使，亦字子珍。歿已十餘年矣。于許注《淮南》，
> 蒐輯甚力，最後得高麗傳來《大藏音義》百卷，《續音義》
> 十卷。及日本所有唐本《玉篇》、《玉燭寶典》諸佚書，大
> 有所獲。約略寫出五六百條，二十一篇之中，皆有許氏之注。
> 因取許高二注之異同而詁訓之，別自爲學云。

是其爲使讀者方便易曉也。

余嘉錫嘗論輯錄體體制云：

> 考訂之文，尤重證據。是故博引繁稱，旁通曲證，往往文累
> 其氣，意晦於言。讀者乍觀淺嘗，不能見其端緒，與其錄入
> 篇內，不如載之簡端，既易成頌，又便行文。

既需博引繁稱，故其排列，當如姚氏考證之法。以作者、書籍、論說
得失、考訂辨證爲序。又因考訂需重證據，故其注明出處亦當有法。

上述所舉姚氏之例,如其常用同一出處者,則既已見前,後則當求省便,故多用省稱。凡用輯本,亦不復注其所出。然爲求方便讀者了解所引之書,則往往有所說明介紹。此皆詳略不一,足爲此體之法式。

《中國古籍稿抄校本圖錄》前言

陳先行*

摘　要

《中國古籍稿抄校本圖錄》係上海圖書館古籍部編著，由上海書店出版社於2000年10月正式出版。該書屬中國古籍版本學研究領域填補空白之作。〈前言〉作了四方面內容的闡述，一是對古籍版本學及其形成與發展的認識；二是關於以《留真譜》為代表的版本圖錄在版本學研究中所具有的地位與影響；三是稿、抄、校本文獻與文物的雙重價值分析及編纂稿、抄、校本圖錄的現實意義；四是本書編纂經過兼及館藏稿、抄、校本的考訂。

關鍵詞　版本學　留眞譜　稿本　抄本　校本

＊　上海圖書館古籍部主任

《中國古籍稿抄校本圖錄》屬近年來上海圖書館陸續整理出版的館藏精選系列之一。在本書即將出版之際，我們想談一下對古籍版本學、版本圖錄在版本學中所處的地位以及編纂此書的意義的粗淺認識，並介紹一下此書的編纂經過。

一、古籍版本學的主要功用與特徵

古籍版本學是一門應用科學，它主要以客觀存在的各種古籍版本為研究對象，根據各版本形制、文字上的特徵與異同，鑒別版本真偽，區分版本優劣（包括考訂版本源流，評估版本的文物價值），為人們解決閱讀、整理、研究、收藏古籍碰到的版本問題。當然，研究版本學本身的發生、發展及其與相關學科的關係等亦屬於版本學的範疇，但離開鑒別版本真偽、區分版本優劣這一主要功用，就不成其為古籍版本學。

鑒別版本真偽、區分版本優劣既是古籍版本學的主要功用，又是古籍版本學區別於校勘、目錄等相關學科或者說是從這些相關學科中脫離出來獨立成學的主要特徵。鑒別版本真偽或許要借助校勘手段，但校勘學的主要任務是發現並糾正書籍的文字訛誤而不解決鑒別版本真偽問題。誠然，通過校勘也會起到揭示版本優劣的作用，但古籍版本學的區分版本優劣還包括評估版本的文物價值，這同樣不是校勘學所承擔的任務。而傳統的目錄學，通俗地講，主要任務是解決如何對圖書進行著錄、分類與編目的問題，以「辨章學術，考鏡源流」，與古籍版本學的功用有着明顯區別。古籍版本學對各種版本研究的成

果往往會通過目錄來反映，同樣，目錄學要充分揭示圖書的全貌須利用版本學的研究成果，於是產生了所謂的「版本目錄」，但這只是兩者相互結合利用的關係，而不是相互隸屬的關係；更何況傳統目錄學的成學在兩漢，而具有鑒定考訂版本性質的版本目錄的成熟發展要晚至清代。因此，可以這樣認為，漢代劉向整理國家藏書，雖以備列眾本為前提，校異同，刪重複，訂訛誤，最終撰成敘錄，但這些工作更接近於校勘學，與鑒別版本真偽無涉。之後，其子劉歆纂成《七略》，則又屬於目錄學的範圍。宋代雕版印刷興盛，「版本」或「善本」的名詞已頻繁出現，但這也並不意味着版本學已成為一門獨立的學問（宋代「善本」的概念主要指文字無訛，屬於校勘學範疇，而清代以後「善本」的概念已擴大至具有版本文物價值的內涵，為版本學所習用）。無論著者有爭議的《九經三傳沿革例》（舊題宋岳珂編，張政烺等先生考定為元初岳浚編）抑或尤袤的《遂初堂書目》，雖亦備列眾本，但前者做的是校勘工作，後者做的是編目工作。即便是陳振孫的《直齋書錄解題》，雖然間或對版本類型與刻印的時間、地點、刻印者甚至版式等作疏簡的記錄，但陳氏並非有意識地在做鑒別版本工作，而且在客觀上也不存在這種必要，因此該目錄只能說是一部提要目錄而不是版本目錄。

古籍版本出現作偽及如何鑒定版本真偽問題的提出，據目前掌握的文獻資料分析，當在明代中後期（圖書作偽的現象在漢代已經出現，但在相當長的時期裏，作偽的對象主要是「書」而不是「本」）。因為在那時，隨着宋元舊本的日見稀少，其文物與文獻資料價值凸現，為牟取暴利，社會上出現了偽本，於是便有了如何鑒別版本真偽的需要，也有了如何評估版本文物價值的需要，人們開始研究、探討如何鑒別版本真偽、區分版本優劣。

關於作僞，明人高濂在《遵生八箋·燕閑清賞箋》中作了生動描述：

> 近日作假宋板書者，神妙莫測。將新刻模宋板書，特抄微黃厚實竹紙，或用川中繭紙，或用糊扇方簾棉紙，或用孩兒白鹿紙，筒捲用槌細細敲過，名之曰刮，以墨浸去嗅味印成；或將新刻板中殘缺一二要處，或濕黴三五張，破碎重補；或改刻開卷一二序文年號；或貼過今人注刻名氏留空，另刻小印，將宋人姓氏扣填；兩頭角處或粧芽損，用砂石磨去一角；或作一二缺痕，以燈火燎去紙毛，仍用草煙薰黃，儼狀古人傷殘舊迹；或置蛀米櫃中，令蟲蝕作透漏蛀孔；或以鐵線燒紅鎚書本子，委曲成眼，一二轉折，種種與新不同。用紙裝襯，綾錦套殼，入手重實，光膩可觀，初非今書仿佛，以惑售者；或劄帋圂，令人先聲，指爲故家某姓所遺。百計瞽人，莫可窺測，多混名家收藏者，當具眞眼辨證。

此外，高氏書中又對宋、元本及修補本的特徵有所揭示：

> 宋人之書，紙堅刻軟，字畫如寫，格用單邊，間多諱字。用墨稀薄，雖著水濕，燥無湮迹，開卷一種書香，自生異味。元刻仿宋單邊，字畫不分粗細，較宋邊條闊多一線，紙松刻硬，用墨穢濁，中無諱字，開卷了無嗅味。……又若宋板遺在元印，或元補欠缺，時人執爲宋刻；元板遺至國初，或國初補欠，人亦執爲元刻。然而以元補宋，其去猶未易辨；以國初補元，內有單邊、雙邊之異，且字刻迥然別矣。

　　在高濂前後，從鑒別版本出發對宋、元本特徵進行探索的尚有
王世貞、屠隆、謝肇淛等人，他們根據各自經驗，對宋、元本的版式、
行款、字體、紙張乃至校刻書的質量一一作了悉心研究與較詳細的記
載。而在如何區分版本優劣，尤其是如何評估版本文物價值的問題上，
胡應麟在所著《經籍會通》中有一段可說是代表當時版本學界共識的
論述：

> 凡書之直之等差，視其本，視其刻，視其紙，視其裝，視其
> 刷，視其緩急，視其有無。本視其鈔、刻：鈔視其譌正，刻
> 視其精粗；紙視其美惡；裝視其工拙；印視其初終；緩急視
> 其時，又視其用；遠近視其代，又視其方。合此七者參伍而
> 錯綜之，天下之書之直之等定矣。
>
> 凡本，刻者十不當鈔一，鈔者十不當宋一，三者之中自相較，
> 則又以精粗久近、紙之美惡、用之緩急為差。
>
> 凡刻，閩中十不當越中七，越中七不當吳中五，吳中五不當
> 燕中三，此以地論，即吳、越、閩書之至燕者，非燕中刻也。燕中
> 三不當內府一。五者之中自相較，則又以其紙、其印、其裝
> 為差。
>
> 凡印，有朱者，有墨者，有靛者，有雙印者，有單印者。雙
> 印與朱，必貴重用之。凡版漫滅，則以初印之本為優。凡裝，
> 有綾者，有錦者，有絹者，有護以函者，有標以號者。吳裝
> 最善，他處無及焉。閩多不裝。
>
> 有裝、印、紙、刻絕精而十不當凡本一者，則不適於用，或
> 用而不適於時也。有摧殘斷裂而直倍于全者，有模糊漫滅而

> 價增於善者，必代之所無與地之遠也。夫不適於時者遇，遇
> 則重；不適於用而精焉，亦遇也。

應當說，高濂、胡應麟等人從客觀實際需要出發，對鑒定版本
眞僞、區分版本優劣所作的研究，不僅起到啓發後來的重要作用，同
時也標誌著古籍版本學開始成爲一門獨立的學問。

如果說清代版本學在明代基礎上有所發展，乃至成爲「顯學」，
根本在於使鑒別版本眞僞、區分版本優劣這一版本學的主要功用發揮
得更充分、更具體。首先，清代注重將研究版本的成果借助目錄予以
反映，並形成風氣，出現了以《讀書敏求記》、《天祿琳琅書目》、
《邵亭知見傳本書目》等爲代表的一大批類型、特點各異的版本目錄。
其次，眾多學者潛心投入對大量版本個案的研究，除鑒別其眞僞外，
在考訂版本源流上也下了極大的功夫，寫下了成千上萬篇題跋、箚記，
這既是受到考據風氣的影響，亦是出於當時大規模整理古籍的實際需
要。在這方面的代表人物是黃丕烈，其他還有鮑廷博、吳騫、張金吾
等。洪亮吉將藏書家分爲五等，黃丕烈被列入第四等賞鑒家一類，於
是有人即認爲黃丕烈的學問不如顧廣圻，乃至簡單地稱之爲「佞宋」。
其實這種比較是不科學的，他們做的是不同的學問，黃是版本學家，
顧是校勘學家。客觀而言，黃丕烈對上千種版本所作的精審鑒別考訂
工作是前人與同時代人所不及的，後人推崇「黃跋」絕非盲目。第三，
清代學者很注意對鑒別版本的內容與方法不斷加以總結並有所發明，
同時對如何評估版本價值有了全新認識。如孫從添的《藏書紀要》，
即對鑒別考訂版本從何處入手，如何根據版本形制與文字特徵進行鑒
定等有著詳細明晰的歸納與描述，同時還從校勘準確、刻印精美、舊

刻秘鈔諸角度提出了屬於版本學範疇的善本標準，這些都對後來治版本學者有著直接影響。此外如江標的《宋元本行格表》，無疑是鑒別宋元版方法上的創意，它在版本學上的地位也是不能被忽視的。

　　在此，有必要著重評價清末楊守敬所編刻的《留眞譜》，這不僅是因爲該書對後來版本圖錄的編纂起着重要影響，還因爲以《留眞譜》爲代表的版本圖錄在版本學上的地位遠未被人們充分認識。

二、從《留眞譜》看版本圖錄的價值

　　鑒別版本是一項實踐性、經驗性很強的技術工作，離開實踐與經驗而企望靠讀幾本書在鑒別版本方面成爲行家裏手，那是不可能也是絕對靠不住的。有比較才有鑒別，這是至理名言。只有通過實踐比較，方能取得鑒別版本的經驗，方能談得上在總結經驗的基礎上上升爲具有切實能指導實踐的理論。前輩專家們所說的「觀風望氣」，實際就是對無數不同版本反復比較後獲得的經驗。從事過版本鑒定的行家都有這樣的體會，在某些場合鑒別版本，往往沒有寬綽的時間與豐富的參考資料來作從容細緻的考證，若能賴「觀風望氣」判別版本眞贋與價值，是眞本事。然而，要做到能「觀風望氣」並不容易，因爲其基本前提就是要多看、多比較，但即使人們在主觀上有這種意願，在客觀上卻未必有這種條件，即使是能接觸到大量版本的大藏書家或公家圖書館工作人員，其見識亦終有局限。因此，盡管清代以來治版本學者將鑒別版本之術說得頭頭是道，楊守敬並未盲從，而是另辟蹊徑，創編《留眞譜》一書，結果使整個版本學界耳目爲之一新。他在

序中說道：

> 著錄家於舊刻書多標明行格，以爲證驗。然古刻不常見，見
> 之者或未及卒考，仍不能了然無疑。余於日本醫士森立之處
> 見其所摹古書數鉅冊，或摹其序，或摹其尾，皆有關考驗者。
> 使見者如遘眞本面目，顏之曰「留眞譜」，本〈河間獻王傳〉
> 語也。余愛不忍釋手。立之以余好之篤也，舉以爲贈。顧其
> 所摹多古鈔本，於宋、元刻本稍略，余仿其意，以宋、元本
> 補之。又交其國文部省書記官岩谷修與博物館局長町田久成，
> 得見其楓山官庫、淺草文庫之藏，又時時於其收藏家傳錄秘
> 本，遂得廿餘冊，即於其國鳩工刻之，以費重，僅成三冊而
> 止。歸後擬續成之，而工人不習古刻格意，久之始稍有解，
> 乃增入百餘翻，友朋見之者多歡賞，囑竟其功，至本年春共
> 得八冊，略爲分類印行。觀者不以爲嫌，當並所集之廿余冊
> 賡續刻之。

綜合楊氏此書本身、編纂此書的經過及自序等加以分析，我們
大致可領略到：

第一、編纂此書的目的就是直接向人們提供難以見到的古鈔本
及宋、元舊刻書影面目，以資版本的比較鑒別，這種鑒定版本的手段
比各家僅賴文字著錄更直截了當，因而更具有實用價值。如從版本學
的整體角度去認識，《留眞譜》的價值尚不僅僅在於此。學術界爲什
麼認爲金石學在宋代已成立？是因爲構成宋代金石學的不僅有專門目
錄，有文字考釋，有流傳眞僞的考訂，更有圖譜（如《考古圖》、《嘯
堂集古錄》、《宣和博古圖》之類）。圖譜或許有供藝術欣賞的一面，但

主要是用於鑒別。而圖譜既列目錄，亦兼考訂，其于鑒別金石的作用要比一般的目錄與考訂文字來得更大。因此，圖譜是金石學的重要組成部分，缺少圖譜，金石學是不完整的（《四庫》將《考古圖》等列入譜錄類是頗爲荒謬的）。同樣，楊氏《留眞譜》亦具有版本目錄的功能，並撰寫了十九篇考訂提要，它在如何充分發揮版本學的主要功用方面又朝前推進了一大步。可以說，《留眞譜》的出現，意味着鑒別版本從間接的著錄版式行款時代進入了直接的圖錄（書影）時代，意義甚偉。因此，以《留眞譜》爲代表的版本圖錄，理所當然是古籍版本學不可或缺的重要組成部分。

第二、《留眞譜》的直接發明者並非楊守敬，而是日本版本學家森立之等一批學者。除了楊氏自序外，我們從陳捷小姐整理的〈楊守敬與宮島誠一郎的筆談錄〉一文中瞭解到楊氏還在日本購得小島尙質所編《留眞譜》底稿。可見對版本圖錄的重視及對「留眞」名詞的使用，在當時日本的版本學界不限於一家。不過，日本學者終未將《留眞譜》刻印成書，而是由楊守敬予以完成，這也是中日文化交流史上的一段佳話。其實，版本圖錄的產生有其歷史必然性，隨著版本學的發展，人們終究會認識到鑒別版本用「按圖索驥」的方法要比單純的文字說明來得高明、實用；何況始於明代中期的影刻本，明末清初毛晉、錢曾的影抄本以及早就流傳的金石圖譜等，早晚會對人們有所啓示。當然，誰最先推行的功績應予肯定。

第三、楊氏刻《留眞譜》十分不易，其自序只談到兩條，一是經費的匱乏，一是刻工難達要求。其實，最難的還是底本的蒐集，其序中雖未談及，但〈楊守敬與宮島誠一郎的筆談錄〉多處記載着楊氏爲尋覓佳槧底本而近乎向對方哀乞的場面。在當時年代和環境下，通

懷樂善者畢竟不多，日本如此，中國何嘗不是這樣。或許，這也是版本圖錄出現較晚並且未能迅速發展的一個重要原因。顧廷龍、潘景鄭兩先生在三十年代即想編稿抄校本圖錄，並就所得已攝製了數十幅圖版。六十年後，面對泛黃的照片，予曾問顧師爲何未能成編，日名家之作品缺乏（如無明吳氏叢書堂抄本、楊氏七檜山房抄本等），沒有代表性。又詢潘師原委，日嘉業堂、鐵琴銅劍樓等藏家均拒絕借用。因明刻本較易找尋，故率先編成《明代版本圖錄初編》。由此更加體會到楊守敬刻《留眞譜》的艱難。如果我們再將他在日本孜孜以求的訪書並最終助黎庶昌校刻《古逸叢書》聯繫起來認識，則其執著的治學精神及爲傳播民族文化所作的貢獻遠非就事論事地評價《留眞譜》所能涵蓋。因而在今天，無論從那方面講，我們都應在版本圖錄領域有所發展，有所貢獻。

三、編纂稿抄校本圖錄的意義

在《留眞譜》問世後至今近一個世紀中，相繼出現了一批版本圖錄，其中反映一家所藏的有《鐵琴銅劍樓宋金元本書影》，以斷代爲主題的有《明代版本圖錄初編》，以通史體裁編纂的有《中國版刻圖錄》，各具特色，並先後採用了石印、影印的先進手段，使畫面更爲「留眞」，與楊氏模刻之法不可同日而語。然而，形態較刊本更爲原始的稿本、抄本與大量產生於明、清以來的批校本卻一直未有專編，缺乏系統的經驗總結，使版本鑒別在這些方面的比對資料相當稀少（上海圖書館曾在1978年編印過一冊《善本書影》，顧廷龍先生特地選了若

干種稿、抄、校本以供當時參加編纂《中國古籍善本書目》的青年工作者參稽，但由於該書所收品種既少，且採取掃描油印方式，質量較差，又未正式出版，故影響不大）。其實，無論從古籍版本流傳的數量、價值抑或鑒定版本角度上講，編纂稿抄校本圖錄皆很有必要。

我們就《中國古籍善本書目》著錄的稿、抄、校（包括批評、注釋）本的數量作了統計。在經部的5239種版本中，有稿本659種，抄本1209種，校本1002種；在史部的15708種版本中，有稿本1616種，抄本5383種，校本1687種；在子部的12294種版本中，有稿本666種，抄本3559種，校本1362種；在集部的22924種版本中，有稿本1906種，抄本6970種，校本2813種；在叢部的622種版本中，有稿本108種，抄本91種，校本51種。《中國古籍善本書目》著錄的56787種版本中，稿、抄、校本即占了29087種，比例達百分之五十一強。由於目前尚無簡便的檢索途徑，對這個看似簡單的統計，我們花費了不少時間與精力，目的是想說明，面對如此大量而有價值的稿抄校本（據我們所知，各地公私收藏單位中，還有大量未入善本書目，甚至還有待整理鑒定的稿抄校本），版本學界沒有理由迴避、輕視對它們的研究。在人們長期熱衷於雕版印本研究的情況下，對稿抄校本的研究不僅是讀者的需要，也是版本學發展的需要。

稿本是書籍版本的最初形式，從整體上說是一書不同版本的祖本。雖然稿本有手稿、清稿等區別，但即使有修改也出自作者本人之手，無傳抄翻刻之誤，因而最爲可信。未經抄寫、刻印的稿本最爲珍貴，無論形式與內容皆堪稱海內孤本。即使已經傳抄與刻印的稿本，同樣值得寶貴，這是因爲稿本鈎乙增刪之處，刻本往往不得而見，惟閱原稿，可識作者著書爲學之歷程。如清沈大成《學福齋詩文集》稿

本，載有〈項貢甫畫梅短歌〉一首：「我聞冬心老狂客，一幅一縑索畫直。豈知皆出兄手中，可憐贋鼎無人識。」沈氏自注曰：「金壽門在日，常倩兄畫梅而自署其上。」潘景鄭先生得此本後題跋其上云，「今集中此詩已刪去。世珍冬心畫梅，而不知都出項氏之手，是亦可添藝林故實矣。先生刪而不存，蓋篤于友誼而諱之也。稿本之足貴，即此一端可見矣。」此其一。其二，一書雖已抄寫或刻印流傳，但作者又作修改整理，則可補通行抄本或印本之未備。如本書所收清臧庸《韓詩遺說》稿本，傳世抄本及刻本皆源出未校正前之舊稿。嘉慶己巳臧氏重加校訂，寫詣朱為弼，則此稿要比他本精確完備。至于章太炎在《訄書》刊刻之後的幾份修訂手稿，更是研究章太炎思想的重要資料。其三，稿本可糾正刻本之舛誤。如清沈欽韓《兩漢書疏證》，雖有光緒間浙江書局刻本，但錯得離奇，竟把《後漢書》中缺卷，謬以〈藝文志〉屬入。而《兩漢書疏證》的稿本今分藏中國國家圖書館、上海圖書館，若彙集整理出版，則浙江書局本可以廢置。其四，某些內容印本未收，稿本可以補充。所謂印本未收，並非指著者自己刪削，而是事出有因，刻印者未收。如清林則徐〈粵海即事詩〉稿本錄詩十八首，作於鴉片戰爭時期琦善所主和局失敗廣州被圍時，編《雲左山房詩鈔》者恐觸時忌，未予收錄，則後來重輯林氏詩集者可將此稿補入。又如太平天國忠王李秀成的自述刻印本出於曾國藩刪定，以資料可靠程度而言，自然以原稿為佳，然以原稿與刻印本比勘，亦可獲得不少可供研究的線索。

鈔本是稿本或刻印本的複寫本。在雕版印刷術發明之前，圖書主要靠抄寫本流傳。由於歷史原因，唐五代以前的抄寫本保存至今者已稀如星鳳。諸如中國國家圖書館所藏《律藏初分》（抄於西涼建初年

間）、上海圖書館所藏《維摩詰經》（抄於北魏神龜元年）、故宮博物院所藏唐吳彩鸞寫本《刊謬補缺切韻》等，藏家無不視爲鎭庫之寶。即使雕版印刷流行之後，抄本仍與刻本並存不廢，其原因有多種，有的是限於條件無法刻印，如《永樂大典》、《四庫全書》之類的大書，部頭太大，即使皇家亦沒有力量刊刻，只能抄寫；有的書出於特殊需要編纂，如帝王實錄及出於個人治學所用的節本、彙編本，只要抄寫就足敷應用；已有刊本的一般性圖書，若一時覓不到刊印本，喜好者亦往往鈔寫錄副；還有就是純粹出於愛好玩賞或其他目的而繕寫的精抄本。由此可見，在印刷術已經流行的時代，抄本的並行流傳在某種程度上補充了刊本的不足。後世藏書家之重視抄本，亦仍然離不開版本的兩重性，其一是它的文獻價值，若刻本亡佚，可賴抄本以存原貌，如宋本《類篇》久佚，毛氏的影宋抄本可延一線之脈；出於不同流傳系統的鈔本，可補刻本之未備，如宋王闢之的《澠水燕譚錄》，明商濬刻《稗海》本僅錄二百八十五條，缺失或刪節殊甚，而上海圖書館所藏明柳僉抄本則有三百餘條，與晁氏《郡齋讀書志》記載條數差近。其二是由於抄本的文物價值，鈔本的流傳總比印本少，則物以稀爲貴，出於名家抄寫的書法手迹輔以精妙紙墨又不啻藝術珍品（毛氏汲古閣抄本勝於刻本，除了其刻本校勘粗疏而影抄本則保留了宋、元本的眞面外，抄寫精美亦是重要原因），還有些抄本則因人而貴成爲珍稀的歷史文物。

　　批校本是指稿本、抄本或印本在流傳過程中經收藏者、閱讀者手書其批點、評注、校勘文字的本子。批校本的版本價值主要在於批校文字而不是被批校版本本身。批點、評注是批評者的讀書心得，每于後人治學有所啓迪，且往往有未經整理刻印者，可作稿本觀。如何焯批校《唐音戊籤》，用功八年，或抒己見，或采摭前人與同時人之

說進行評議，朱墨燦爛，而《義門讀書記》未及收錄。又如齊召南批《杜工部集》，其讀杜心得可資從事文學批評、研治杜詩者參考，也未刊刻入集。而通過不同本子的校勘，校語寫於天地之間，既爲讀者提供一個文字較爲準確的本子，又可從中瞭解不同本子的面貌與相互間的關聯，這又是校本的價值所在。如丁杰校清抄本《三山拙齋林先生尚書全解多方篇》，此篇久佚，劉台拱等人先後所抄與《四庫》本皆出自《永樂大典》，但有舊抄誤者，有新抄誤者，更有林氏自誤者，丁氏予以反復校訂，辨析毫芒。此外，名家批校本因批校者的學問高人一籌而倍受重視，相應地其手迹也受到人們的珍愛，因而更具文物價值。至於過錄批校本，也不能輕視，常有名家過錄他人批校的情形；在原來的批校本亡佚或難得的情況下，過錄批校本的價值幾乎與原本相埒。而本書所收汪由敦過錄其師何焯批校本《文選》，雖《義門讀書記》已收，但文字有異同，入《讀書記》者或經何氏修改，或何氏另有一校本，那麼汪氏過錄之本也有其自身價值，不僅在於保留汪氏墨迹也。

　　鑒定稿鈔校本要比鑒定刻本的難度大。首先是因爲，稿鈔校本大都是孤本，且往往深藏於擁有者的篋中，公私書目中較少著錄，對於它的鑒定很少有可能像鑒定刻本那樣有較多的參證與文字記載資料。爲數較多的題跋箚記，散見各處，而附着於稿鈔校本的跋語，本身還有一個眞僞鑒定的問題。復次，稿鈔校本風格變異的程度，要比刻本來得大，從中總結規律性的現象也更不容易。其三，稿鈔校本相互之間亦有一些不易分清的界限，例如編著者請人鈔寫謄清的清稿本，若無原編著者的標記手迹，很容易與鈔本混淆；純粹過錄他人批校語的本子，形式上像批校本，而實質上只是鈔本。至於名頭不大的

原本亡佚之後，據其傳鈔之本也很容易被認定爲稿本。稿鈔校本鑒定的要點在於確定係出於何時代、何人之手，以及它的性質與價值，後者主要通過校勘的手段，而前者必須依仗字迹比對。盡管稿鈔校本的鑒定也可以像鑒定刻本那樣，通過紙張、諱字、印記等因素識別，甚至從字體特徵上大致亦可區別各時代的風格，但要斷定出自那位名家手筆的稿鈔校本，倘若沒有字迹比對，是很難把握的（上海圖書館過去就有過因沒有仔細辨認字迹而把《四庫全書總目提要》殘稿本、黃丕烈校跋本《青城山人集》等混同於普通古籍的現象）。顧廷龍先生在教授我們學習版本鑒定時多次告誡道，鑒別版本以稿鈔校本爲最難，要多看名家手迹，同時又要練習書法，以熟悉各時代的書法風氣。並說他自己所以習書唐以前寫經之體，就是爲了鑒定現存各時代手寫經卷的需要。他又在〈中國古代的鈔校稿本〉一文中強調：「鑒別名家手校本，首先得看筆迹，繼而是印記、紙張與其他因素。沒有字迹比對，即使是精於版本鑒定的前輩也容易失誤，不用說初學了。」由於鑒定稿鈔校本要比鑒定刻本在更大程度上依賴經驗的積纍，因此，要促進版本學界在這方面有所提高，進一步發掘公私藏書中尚未被認識或鑒定有偏差的善本，編纂一本較爲系統、全面的稿鈔校本圖錄，就顯得非常必要了。

四、本書編纂始末

本書的編纂是顧廷龍先生在1995年提出的，在主持長達近二十年的《中國古籍善本書目》編纂工作告蕆後，他想在有生之年完成宿願。爲此，他與徐小蠻女士專門在《傳統文化與現代化》雜誌上發表

了〈中國古代的抄校稿本〉一文，提出編纂此書的建議，並囑咐我爲此事多做些具體工作。幸運的是，那年十月，上海圖書館與上海科學技術情報研究所合併，新館所領導對編纂稿抄校本圖錄予以鼎力支持。於是，我一邊積極做準備工作（包括草擬編纂計劃，初選收入品種，配置必須設備材料等），一邊又在《圖書館雜誌》上發表〈亦談編纂抄校稿本圖錄〉一文，爲使該項目能順利進行再造輿論。然而，由於上圖新館建成，須馬上搬遷，編纂工作只得停止。時顧老從北京來電再三叮嚀，「搬遷工作是頭等大事，不容半點疏忽，其他皆可不予顧及」。直至1998年5月，百數十萬冊古籍安全搬入新館並全面對讀者開放，我們才得以正式開始編纂工作。孰料六月下旬顧老因患結腸癌住院，越兩月竟遽歸道山，終未能親自主持該項工作，諸同仁爲之痛惜不已。爲了完成顧廷龍先生的遺願，我們沒有放棄這件有意義的工作。但隨着實質性編纂工作的深入，問題接踵而至，始知編纂此書甚爲不易。

　　首先面臨的是版本鑒定問題。當初爲盡快編成《中國古籍善本書目》，上海圖書館有十數人從事館藏善本的編校工作，每天校閱多達二百餘種，疏漏在所難免。在批校本方面，如原著錄清任兆麟批明吳勉學刻本《前漢書》，原書根舊寫「任心齋手批漢書」，書中批語亦每有「麟按」字樣，似無問題。但細審卷端鈐有「仁圃珍藏」白文方印、「省過齋」朱文方印，卻無任氏印章。考「仁圃」爲嘉慶舉人胡祥麟字，著有《省過齋詩鈔》，則「麟按」者似應是胡氏而非任氏。又如原著錄清陳撰評點康熙二十四年柯煜小幔亭刻本《絕妙好詞》，鈐有「陳撰楞山氏」朱文方印，其卷二首頁有墨筆批曰：「《石帚詞》爲陳玉几楞山勘本，今刻於眞州書局，不至失傳。每一讀之，尚想其標格不凡，風流盡致，白石眞仙也哉！」觀此語氣，應不會出陳氏之

手。在稿、抄本方面，如原著錄明黎儀抄本《草堂詩餘別錄》，卷末
有「黎儀錄」三字。細審抄寫用紙，版心上鐫有「南湖」兩字，而此
書作者張綖又著有《南湖詩集》，知此爲張氏抄書用紙也。再讀卷首
張氏弁言，又知此本系呈送其師進教之本，雖請門人黎儀抄錄，實爲
謄清稿本。又如原著錄明陸治手抄本《孔子家語》，該書經陸氏考證，
其於嘉靖甲子、丙寅二度題跋，敘述考證此本經過及此書與刻本的差
異，則該本應爲陸氏手稿本，然而清代的王鳴盛偏偏視而不見，在題
跋中硬是說此爲陸氏手抄本，並煞有介事說「包山以七十之年猶手自
蠅頭細書，先哲之好學如此」。而我們在編《中國古籍善本書目》時
也依王說著錄入目，這就埋沒了陸氏的學術成果，有欠妥當。再如原
著錄清劉燦校補清嘉慶十六年劉氏墨莊刻本《嚴氏詩緝補義》，此書
係劉燦自撰，此本亦劉氏家刻，而劉氏又在此本的天地行間或加增補，
或作刪汰，或校改訛字，於前賢之不經見者加注字號爵里，最終又對
增補刪改者重釐次序，則此本應視爲稿本。諸如此類版本問題的產生，
使我們不得不改變直接選編的初衷，而是對預選版本率先重新逐一加
以鑒定。由於功夫花得較當初編善本書目時爲細，陸續發現並糾正了
一些原來的鑒定錯誤。古人云，「以己所不識遂謂人所不識，此遼豕
之所以貽譏」。因此，我們在選擇版本品種時頗爲謹慎，稍有疑感即
摒除在外，絲毫不敢托大。

其次是各類版本品種之選擇，頗費思忖。按理說上圖藏有稿本
1800餘種、批校本2000餘種，抄本不計其數，品種的選擇應該遊刃有
餘。但實際上並非想像的那樣簡單。一是要考慮版本的代表性、知名
度與學術價值，盡可能以收名家手稿、批校本及著名藏書家抄本爲主。
因爲是名家，就更有被假冒作僞的可能，那麼圖錄對鑒別版本而言意

義更大。而版本的學術價值較高，客觀上給讀者提供了有用的文獻資源信息，又起到了版本目錄的作用。二是要考慮反映具有各時代特點的版本面貌。雖然一些大名家的稿抄校本集中在清代，甚至是乾嘉時代，但我們編的不是清代或乾嘉時代的圖錄，如果那樣，讀者的視野會受到很大局限，而此書的作用當然也會十分有限，因此，須從時間跨度出發，盡可能將版本品種收得較爲齊全。三是要考慮圖錄的畫面效果。如底本是否清晰；入圖的手迹是否足以起到鑒別參證作用；除手迹外，原書的特徵及流傳過程中的藏印等是否也能在畫面中得到反映從而給讀者更多的參考與啓發，等等，皆須仔細留意選擇。當然，能結合上述數端編纂此書的想法雖然美好，事實上卻很難做到。上圖的藏品再豐富，但根據這些要求，選擇範圍一下子縮小了許多。因爲以選名家版本品種爲主，便將有之不爲多、無之不爲少者刪去；雖爲名家墨迹，但畫面不清晰或因字少而難以起到借鑒作用者亦只能割愛；加上剔除原來鑒定錯誤或者尚存疑問者，我們從原來選入的千餘種銳減到現在的三百餘種。即使如此，由於藏品與圖錄篇幅等條件限制，入選品種也遠未達到理想的要求，這是令人感到遺憾的。

第三，是否需要撰寫考釋文字與如何撰寫考釋文字。毫無疑義，本書的主要功用在圖版。如果加以考釋文字，可能有利于圖版作用的發揮；但若考釋文字出現謬誤，又可能會對讀者起到誤導作用。爲此我們也作了愼重考慮。我們認爲此書的閱讀對象不僅是專業人員，更多的是廣大古籍版本愛好者，他們案頭的參考資料可能不會很多，需借助考釋文字以增加對圖版的認識。雖然圖版在一定程度上反映了編者對版本的認識，但考釋文字更能加強編者與讀者的交流。再者，我們想通過考訂工作使該書更具有提要式版本目錄的功能，這不僅有利

於學術研究,也爲人們如何全面評估版本的文物價值多少帶來啓迪。於是,我們根據因書制宜的原則,對三類版本的考釋文字採取既相同又有區別的寫法。所謂相同,主要指編寫稿本作者、批校者及藏書家的生平小傳,原本史傳或地方誌等較爲可信的傳記資料,而非隨手抄撮。所謂不同,即稿本與批校本盡可能通過考訂進一步揭示其版本價值;抄本則着重描繪版本形制特徵,間亦有作考訂者。對同一門類版本,亦是根據實際情況撰寫釋文,不強求一律。此外,文字要求簡潔明瞭,對無關宏旨、特點者,絕不浪費筆墨。

本書在上海圖書館領導人王鶴鳴、馬遠良、王世偉的主持下,經過十五個月的努力工作終於完成。在編纂過程中,曾得到中國國家圖書館、南京圖書館、天津圖書館、復旦大學圖書館、常熟圖書館與曹大鐵、黃潤華、宮愛東、吳格、李國慶、白麗蓉等先生及本館古籍部同仁的熱忱幫助,而上海書店出版社的有關編輯爲此書的出版也頗費心血,在此向他們表示由衷的感謝。限於收藏條件與編者水平,此書無論在版本品種的數量與選擇抑或考釋文字上都不盡如人意;客觀上也不具備反復潛玩、于繭絲牛毛必審必核的條件,錯誤在所難免,祈讀者教正與鑒諒。我們希望此書能對古籍版本研究有所裨益,以告慰顧廷龍先生在天之靈。我們也希望通過自己的努力、同仁的合作、社會的支持,爲古籍版本學的發展作出更多的貢獻。

凡　例

一、本書分稿本、抄本、校本（即手書批校、評注之本）三類，類各一
　　冊。稿本收錄109種，抄本收錄153種，校本收錄113種。或有一
　　書可兼入兩類者（如稿本有批校或抄本有批校），皆擇需歸入某一
　　類（大多入校本類），不作重複。

二、每種采圖版一至三幀不等，要能反映各類版本特徵，故畫面不必
　　以卷端爲准。

三、本書絕大部分圖版據原件拍攝，個別黑白圖版則從其他圖錄翻拍
　　而來。

四、圖版尺寸丈量以半葉爲單位，以邊線內沿爲基準，凡雙邊者以內
　　邊爲基準。無邊匡者尺寸省略。非本館所藏者，圖版尺寸由原
　　件收藏者提供。

五、因限於篇幅，除毛晉、顧廣圻等個別者外，凡一人之手迹只收錄
　　一種（或稿本，或抄本，或校本）。

六、凡作者（包括抄者、批校者）小傳前面已出現者，後面則作參見，
　　不再重複。

七、本書釋文除對版本形制特徵作必要描述外，對字體、風格一般不
　　加評論，由讀者比較賞析。

八、古書用紙主要爲麻、棉（皮）、竹紙三類。雖區別紙張乃鑒定版
　　本方法之一（如明抄本多用薄棉紙，也有用竹紙；清抄本則常用毛太、

太史連之類竹質紙），但各時代、各地方產品既多，即質地相同者
名稱也有不同，較難把握；且圖版的主要缺陷就是較難反映紙
張質地，即使注明某本用某類紙，讀者也難以感受，故釋文於
紙張從略。

九、本書所收以上海圖書館藏品爲主，凡採自館外者，皆於釋文中注
明來源。

十、本書末附有以四角號碼編制的作者（包括抄者、批校者）與室名綜
合索引。

石刻文獻與古代文學研究芻論

程章燦*

摘　要

本文論述石刻文獻與古代文學研究之關係，重點闡述以下
四點：一、石刻文獻是集部輯佚的一大淵藪；二、石刻文
獻是文集校勘的寶貴資源；三、石刻文獻提供了作家作品
研究的重要史料；四、作為一種新材料，石刻文獻可以為
古代文學研究帶來新的認識，論文最後指出了利用石刻文
獻研究古代文學時應當注意的一些問題。

關鍵詞　石刻文獻　校勘　輯佚　古代文學

　　石刻文獻與文學研究的關係，早在宋代就引起歐陽修、趙明誠、
洪适等石刻學者的注意。近年來，隨著中國古代文學研究在深度和廣

＊　南京大學古典文獻研究所副所長、教授、博士生導師

度兩方面的拓展，石刻文獻對於古代文學研究的意義，也受到了越來越多的學者的重視。本文擬以前賢的研究爲基礎，結合個人的一些讀書心得，對石刻文獻與古代文學研究的關係，以舉例說明的方式，作一些簡單的梳理和初步的總結。

一、集部輯佚的一大淵藪

　　作爲一種史料，石刻文獻中有相當大的一部分不見載于傳世文獻（書本文獻），因此具有傳世文獻所不可取代的價值。宋代以來的石刻學者，已經注意到這一問題。明清以來，學者們在重新編撰前代文人別集以及收集整理一代詩文文獻的過程中，普遍意識到石刻文獻是一座極爲豐富的礦藏，絕對不可以忽視。以先唐詩文總集爲例，清代嚴可均校輯的《全上古三代秦漢三國六朝文》和今人逯欽立校輯的《先秦漢魏晉南北朝詩》，都已經注意使用石刻文獻，顯示了較爲寬廣的史料視野。但另一方面，也有一些石刻文獻材料嚴可均和逯欽立未曾寓目，另有一些石刻文獻則在他們身後才出土或被發現，因此，在今天看來，二書在利用石刻文獻輯佚方面，仍不免有遺珠之憾。嚴可均書由於成書較早，這一方面的問題就更爲突出一些。以墓誌這一文體爲例。1992年，天津古籍出版社出版了趙超編著的《漢魏南北朝墓誌彙編》。此書在趙萬里《漢魏南北朝墓誌集釋》及北京圖書館和北京大學圖書館所藏拓片的基礎上，補充收集了1949到1986年間各地新出土的先唐墓誌。該書補充的這一部分內容，基本上是《全上古三代秦漢三國六朝文》所缺輯的，可以看作是嚴可均書的補編。

逯欽立書中自漢碑中輯錄的歌詩謠諺，即有〈費鳳別碑詩〉（《漢詩》卷五）、〈李翕析裏橋郙閣頌新詩〉（《漢詩》卷六）、〈酸棗令劉熊碑詩〉（《漢詩》卷七）、敦煌鄉人為曹全的諺語（《漢詩》卷八），〈張公神碑歌〉、〈李翊夫人碑歎〉和〈郭輔碑歌〉（《漢詩》卷十二）等七篇，總數雖然不多，卻是彌足珍貴的。實際上，〈孔彪碑〉、〈鮮于璜碑〉、〈西狹頌〉、〈衡方碑〉等漢碑所附的銘頌，也是廣義的詩歌作品，應當予以收錄。此外，《唐代墓誌彙編》頁714〈唐故魏州昌樂縣令孫君（義普）墓誌銘並序〉：「常誦法華經，未終之前，若有神應，恒詠薛開府詩云：『昨望巫山峽，流淚滿征衣。今赴長安道，含笑逐春歸。』」墓主孫義普卒于唐高宗上元二年（675），志文中所謂「薛開府」，當是指隋朝詩人薛道衡❶，這首詩不見於《薛司隸集》，也不見於《先秦漢魏晉南北朝詩》，應當補輯。

清人編撰《全唐詩》、《全唐文》，已從石刻中輯錄了數量相當可觀的詩文。二書編成後，後人又多次補輯。對《全唐文》的第一次大規模的補輯是清末陸心源所輯的《唐文拾遺》七十二卷和《唐文續拾》十六卷，其中有不少作品即出自唐代石刻。近幾年出版的周紹

---

❶ 按此處「開府」非人名，而是官名。揆此處志文之意，薛開府當是彼時世人周知的名人或名詩人，符合此一條件的只有隋朝詩人薛道衡。據《隋書》卷五十七《薛道衡傳》，隋文帝「善其稱職，……於是進位上開府，賜物百段。」故薛道衡可稱薛開府。又，道衡卒于隋煬帝大業五年（609），去孫義普未遠，故孫氏得以稱引其詩句。然亦有學者認為開府是人名，唐高宗前人，如陳尚君即據此將此詩輯入《全唐詩續拾》卷二，作者題薛開府。見陳尚君輯校《全唐詩補編》頁668，中華書局，1992年。此志錄文亦見《陝西金石志》卷六十五〈唐故魏州昌樂縣令孫君（義普）墓誌銘並序〉、《十二硯齋金石過眼錄》十／4上。

良主編的《唐代墓誌彙編》上下兩巨冊，洋洋三百幾十萬言，其中多有《全唐文》及陸心源未收錄的，因此也可以看作是《全唐文》的一種補編。

《全唐詩》編成於清康熙年間，由於客觀條件的限制，有一些佚詩遺落未收。後人在對《全唐詩》進行輯佚校補時，又從墓誌、摩崖、題刻等石刻文獻中發掘了不少新材料。以唐代墓誌為例，其中也引錄了一些《全唐詩》以外的佚詩。陳尙君《全唐詩續拾》已從中輯得完篇或斷句6首，而《全唐詩》未收、《全唐詩續拾》亦漏輯的還有如下幾篇：

1.蜀州人為鄭知賢歌

《唐代墓誌彙編》頁948〈周中大夫行蜀州長史上柱國鄭公（知賢）墓誌銘並序〉：「除蜀州長史，政化清美。吏民愛之，乃為歌曰：『州有長史，一隅歡喜，調吏如琴，養民如子。』」❷

2.李問政　失題詩

《唐代墓誌彙編》頁1539王端〈大唐故右金吾衛冑曹參軍隴西李府君（符彩）墓誌銘〉：「父問政，和州刺史，……公即和州府君第二子也。弱冠，南郊輦腳，解褐洺州龍興縣尉。時太守齊公崔日用許其明敏，因遺和州府君書曰：「公嘗為詩云：『五文何彩彩，十影忽昂昂。』今于符彩見之矣。」❸

---

❷　此志拓本見《千唐齋志藏志》頁463，文物出版社，1984年。

❸　此志拓本見《千唐齋志藏志》頁802。

3.謝迢　〈賦寓題詩〉

《唐代墓誌彙編》頁2429謝承昭〈唐秘書省歐陽正字（琳）故夫人陳郡謝氏（迢）墓誌銘並序〉：「夫人生稟雍和，長而柔順，組紃之暇，雅好詩書。九歲善屬文，嘗賦寓題詩曰：『永夜一台目，高秋千戶砧』，其才思清巧，多有祖姑道蘊之風，頗爲親族之所稱歎。」❹

4.〈哭亡女〉

《唐代墓誌彙編》頁2552〈張氏亡女墓誌銘〉即爲〈哭亡女〉詩二首，其一云：「送汝出秋□，□舟臨路歧。全家共來處，丹旐獨歸時。撫櫬腸欲絕，舉觴心更悲。不知黃壤裏，知此與無知？」其二云：「吳興嘉山水，爲汝不復遊。終日□□後，閉門泣淚流。冥然當盛暑，忽爾成高秋。片玉想如在，一生□□□。」❺

5.〈王氏殤女墓銘〉

《唐代墓誌彙編》頁2391〈王氏殤女（容）墓銘〉：「王氏殤女其名容，名由儀範三德充。誦詩閱史慕古風，卑盈樂善正養蒙。是宜百祥期無窮，奈何美疹剿其躬。芳年奄謝午咸通，季夏二十三遘凶，翌月十八即幽宮，壽逾既笄三而終。晉陽之冑冠諸宗，厥考長仁命不融。外族清河武城東，中外輝焯爲世雄。今已矣夫石卯封。仲父刻銘

---

❹　此志拓本見《千唐齋志藏志》頁1172。

❺　此志拓本藏北京圖書館，見《北京圖書館藏墓誌拓片目錄》頁315，編號M3355，題〈張氏女墓誌〉，檢《北京圖書館藏中國歷代石刻拓本彙編》，此拓本似未見收錄，不審何故。

藏戶中，以紓臨穴嫂哀恫。古往今來萬化同，高高誰爲問圓穹？姑安
是兮龜筮從，俟吉良兮從乃公。」❻

6.慈潤寺故大明歊律師支提塔記

　　《唐代墓誌彙編》頁2566〈慈潤寺故大明歊律師支提塔記〉：
「律師俗姓□，生長在瀛州。出□□具戒，問道□都遊。三藏俱披
□，□□□□□。□□群英□，遠近□來求，四□□□□，□□八
十周。□□數十遍，釋滯解玄幽。亦謂無量壽，淨土業恒修。爰登
於六九，七十五春秋，遷神慈潤所，起廟此岸頭。略紀師之德，芳名
萬古留。」❼

　　按：以上三篇都是詩體墓誌，輯補《全唐詩》時應予收錄❽。總
之，石刻不僅是校輯一代詩文總集的文獻淵藪，也是校補和重編別集
的重要的史料依據。

---

❻　此志拓本見《隋唐五代墓誌彙編·洛陽卷》冊14頁171，天津古籍出版社，1991
　　年。《唐代墓誌彙編》錄文有訛誤，本文已據拓本是正。
❼　《唐代墓誌彙編》謂所據爲北京圖書館藏拓本，筆者未見。
❽　此外，《唐代墓誌彙編》頁2574（殘志065）〈沙州報恩寺故大德禪和尚□
　　□□遷神志銘序〉後亦附詩一首：「辯踈下頤中，荒迷不顧身。茹茶何足苦，
　　銜蓼未爲辛。兩目恒流涕，雙眉鎖伉嚬。唯余林裏鳥，朝夕助啼人。」作
　　者是「前沙州法曹參軍璆琳。」此志錄自敦煌卷子P.3677,雖然不屬於石刻文
　　獻，顯然也是補編《全唐詩》者應予採輯的。

二、文集校勘的寶貴資源

有一類文獻，既鐫之於石刻，也載之於紙本，既見之前人的金石書，又收編于作家的別集之中。石刻與紙本、石本與集本之間文字往往不同，這就提供了一項重要的校勘資料。集本經過多次傳抄刊刻，比較容易產生魯魚亥豕之訛，藉助石刻，這些訛誤往往可以得到校正。歐陽修早就指出：「今世所行昌黎集，類多訛舛，惟〈南海碑〉不舛者，以此刻石人家多有故也，其妄意改易者頗多，亦賴刻石為正也。」（《集古錄跋尾》卷八〈唐韓愈南海神廟碑〉）由此一例，可見石刻在校勘尤其是集部校勘中有重要的作用。南宋時，方崧卿作〈韓集舉正〉，朱熹作《原本韓文考異》，都十分注意利用石刻進行校勘，這一點很可能受了歐陽修的影響，也可以說反映了宋人重視石刻文獻的學風。

《集古錄跋尾》中以石校集的例子隨處可見，這裏不擬一一列舉。值得注意的是，這一類工作的意義並不限於校勘學的文字校正，有時它也會激發人們進一步思考，開展更深入的研究。例如，韓愈〈羅池廟碑銘〉中有「春與猿吟兮秋與鶴飛」，而石刻作「春與猿吟兮秋鶴與飛」，與集不同，歐陽修最早注意到這一不同，並懷疑是「碑之誤也」。（《集古錄跋尾》卷八〈唐韓愈羅池廟碑〉）但當時很多學者不同意歐陽修的看法，由此引發了一場頗為熱鬧的討論。參加討論的有沈括（《夢溪筆談》卷十四）、陳長方（《步裏客談》卷下）、王觀國（《學林》卷七「羅池廟」）、程大昌（《考古編》卷八「羅池廟」）、陳善（《捫虱新話》卷五「文章貴錯綜」）、孫奕（《履齋示兒編》卷十「詩說·春猿秋

鶴」）等學者❾。綜合上述諸家的意見，主要有如下四點：第一、碑刻作「春與猿吟兮秋鶴與飛」不誤；第二，韓愈著意好奇，錯綜爲文，追求的是一種「語勢矯健」（《夢溪筆談》卷十四）、「句老而格新」（《學林》卷七「羅池廟」）的藝術效果；第三，這種句法亦非韓愈首創，而是有所祖述的（《履齋示兒編》卷十「詩說 · 春猿秋鶴」），其樣榜來自〈九歌 · 東皇太一〉中的「吉日兮辰良」、「蕙肴蒸兮蘭藉，奠桂酒兮椒漿」，有的人認爲，《春秋》中「隕石于宋五，是月六鶂退飛過宋都」的錯綜句法，已是其濫觴（《捫蝨新話》卷五「文章貴錯綜」）；第四，韓碑中這種求新奇、「取勁健」（《考古編》卷八「羅池廟」）的非常句法，與歐陽修一生爲文追求平易暢達的一貫主張背道而馳（《步裏客談》卷下）。此句被歐陽修判定有誤，顯然與這一文學背景有關。從文學研究的立場上看，這場討論是深入的、細緻的、富有闡發的，而這些，都是在以石校集的校勘基礎上產生的。

　　歐陽修本人的文章，也有在流傳過程中致誤的事例。他的散文名篇〈瀧岡阡表〉有句云：「回顧乳者劍汝而立於旁」。按《禮記 · 曲禮上》：「長者與之提攜，則兩手奉長者之手；負劍辟咡詔之，則掩口而對。」鄭玄注曰：「劍謂挾之於旁。」歐陽修文中的「劍」字即用此義。在宋代，就有人不能理解此字之意，以爲是誤字，徑改爲「抱」字，並以訛傳訛，以致在民間流傳極廣的《古文觀止》一書中，這個字也誤作「抱」。好在此文有石本流傳，《金石萃編》卷一三七即據石本抄錄其全文，證明「抱」實是訛字。❿後人校輯的一代詩文

---

❾　參看胡道靜《夢溪筆談校證》卷十八，上海古籍出版社，1987年。

❿　宋人洪邁《容齋隨筆》卷五「負劍辟咡」條對此已有辨證，可參看。

總集，也可以根據石刻文獻進行校勘。薛景平、易難〈《全遼文》所收遼寧館藏碑誌校錄〉⓫即是以碑誌校定一代文章總集之例。

傳世文獻在流傳過程中，除了容易發生文字訛誤之外，篇章的殘缺不全也時有出現。例如，王禹偁《小畜集》卷三十所收〈故泉州錄事參軍贈太子洗馬陳君墓碣銘〉，就是一篇有缺漏的文章。而清人陳啓仁《閩中金石略》卷三中收錄王禹偁此文，卻完整無缺，可以據石刻校補本集的脫漏。

以石校集時，也不可一味迷信石本。實際上，石刻與紙本、石本與集本文字的異同，有比較複雜的原因，需要作具體分析，孰正孰誤，實難一概而論。對此，葉國良〈石本與集本碑誌文異同問題研究〉⓬已有十分精審的論析，這裏不再贅述。本文想強調指出的是，如果二者差別比較大、異文比較多，則有可能是文章上石之後，作家本人又作了一些修改，而後來編入文集的，恰恰是經過修改的文本。修改的原因，或是由於某種政治原因、迫於某種社會壓力、出於某種心理顧忌；或是基於文章修辭、寫作藝術方面的考慮。前者如魏徵撰〈李密墓誌〉、元稹撰〈有唐武威段夫人墓誌〉，後者如庾信撰寫的一些石刻文字。《庾子山集注》卷十四有〈周隴右總管長史贈太子少保豆盧公神道碑〉，而碑本則題爲〈周開府車騎大將軍豆盧敬公碑〉。就文字而言，碑與集也有多處不同。碑云：「公諱恩，字永恩。」集則謂：「公諱永恩，字某。」碑云：「器侔鍾鼎，聲感風雲。猛虎震地，七

⓫　此文載《遼海文物學刊》1986年第2期，1987年第1期。

⓬　此文原載《台大中文學報》第八期（1996年4月），頁23－40，後來收入葉國良《石學續探》，頁27-58，大安出版社，1999年。

歲不驚；羝羊觸藩，九齡能對。」集則曰：「氣侔鍾鼎，聲感風雲。觀于秦兵，尚稱童子；對於楚戰，猶在青衿。」這些文字的改動、典實的更換，著眼點主要在修辭方面，無關褒貶大旨。❸至於〈李密墓誌〉則是另一種情況。魏徵本來是李密的舊部，墓誌記李密被迫降唐後，潛逃出來，準備東山再起，遇唐軍埋伏，為盛彥師所殺，頗有傷悼之意。《全唐文》卷一四一魏徵卷收錄此篇墓誌文，已是經過刪改的文本，增加了稱頌唐皇的文句，削去了讚揚李密、同情其無辜被殺的文詞，以免觸犯時忌。「相形之下，這件墓誌上未經修飾的原文便更接近史實，感情也更真摯，而且可據以改正《全唐文》的錯誤。」❹在我看來，這一類的異同並不存在所謂正誤的問題，可以說兩種文本都有其存在的價值。勉強判定兩種文本孰是孰非，不如仔細尋繹體會在文本異同的背後所蘊含的深層意義。元稹在〈有唐武威段夫人墓誌〉中口口聲聲稱段氏為夫人，刊石之後，出於禮法及親族關係的考慮，又對志文作了多處改動，並去掉了夫人的稱號，這足以體現元稹為人行事謹小慎微乃至圓滑勢利的特點。❺總之，對於因作者的修改而導致的兩種文本的差異，不必厚此薄彼，囿於是非正誤的爭執，重

---

❸　碑本與集本之異不止一處。參看清林侗《來齋金石刻考略》卷上〈車騎大將軍豆盧敬公碑〉、嚴可均《鐵橋金石跋》卷一。嚴可均《全上古三代秦漢三國六朝文·全後周文》卷十五輯錄庾信這篇碑文，並標明其版本依據之一為「碑本」，而「氣侔鍾鼎」以下諸句實未採用碑文，亦未標注異文。倪璠《庾子山集注》在校勘此文時也未使用碑本。洪頤煊《平津讀碑記》卷三：「碑本庾信所撰，見《文苑英華》，刊本多訛字，當以此碑正之。」其言甚是。

❹　《新中國出土墓誌·河南卷》之《前言》，文物出版社，1994年。

❺　詳見拙撰〈從〈有唐武威段夫人墓誌〉看元稹為人〉，《中國典籍與文化》，1995年第3期。

要的是通過互相比勘，探討作者所處的時代及其心理。傳世的古文稿本相當罕見，古人修改文章的實例亦不多覯，在這種背景下，這一類石本的價值就更加突出了。

前人在考釋抄錄石刻文字時，由於種種原因，也難免有一些訛誤脫漏。因此，輯自石刻的文章，包括石學著作中收錄的釋文，仍有必要與石刻拓本乃至原石刻對校。如《全宋文》第二冊卷四十六李昉撰〈王仁裕神道碑〉，係據張維《隴右金石錄》卷三錄文。將其與《北京圖書館藏中國歷代石刻拓本彙編》37冊189頁所收此碑拓片相校，就會發現其中文字多有異同：如「既令師友之規」，拓本作「既乏師友之規」；「喜見公，而文翰之職一以委之」，拓本作「喜見公面，文翰之職，一以委之」；「晉祚初改」，拓本作「晉祚初啓」；「開寶四年三月十八日」，拓本作「開寶七年正月十八日」；「唯我少師」之前，拓本多「誰□起□」四字；「以德藻身」，拓本作「以身藩身」；「哲人之逝」，拓本作「哲人云逝」；「古壟立堂」，拓本作「古壟玄堂」；等等。其中有些是《全宋文》重新排印時產生的訛誤，有些則是《隴右金石錄》本來就存在的問題。諸如此類，皆當據拓本校正。

在以石校集時，還有兩點應該注意：石刻在刊刻過程中，也有可能致誤，而致誤之後，由於難以刊改，有時就聽之任之，乃至將錯就錯，此其一；有的石刻非當時所刻立，時過境遷，所記時地人物諸項，未必無誤，至於後人補刻，所據文本亦難保無訛，此其二。❶如

---

❶ 參看拙撰《石刻文獻學》第九章〈石刻文獻之校讎及相關問題〉第一節〈石刻文獻訛誤之原因及表現〉，未刊稿。

果以石校集時所據爲拓本，而拓本的優劣及文字清楚與否，對此也有很大的影響。汪逵早就指出，石本未必無誤，至於輾轉傳錄的石本，則更不待言（《昌黎先生集考異》卷六末附汪逵（季路）書並論）。歐陽修曾搜求到韓愈〈送李願歸盤谷詩序〉的石本，發現其中幾處與集本不同，「疑刻石誤」（《集古錄跋尾》卷八〈唐韓愈盤谷詩序〉）。方崧卿撰《韓集舉正》時，去取往往以館閣本爲主，但碑誌部分則多據石本，有些顯然屬於石本之誤，也沿用不改。如韓愈〈南海神廟碑〉：「祀之之歲」，「祀」字方氏所據石本即誤作「祝」。所以，朱熹說：「按此文石本，今最易得，而方本失考者凡五條，然則它云石本者，恐亦不能無謬也。」（《昌黎先生集考異》卷八）又如韓愈〈李元賓墓誌〉云：「竟何爲哉！竟何爲哉！」方崧卿以爲上「竟」字石本作「意」，並引邵公濟說，標舉此爲韓文句法之妙，遂定上字作「志意」之「意」，下字作「究竟」之「竟」。朱熹不以爲然，以爲「意」字「若非當時誤刻，即是後來字半磨滅，而讀者不審，遂傳此謬，好事者又從而誇大之，使世之愚而好怪者遂爲所惑，甚可笑也。」（《昌黎先生集考異》卷七）《唐代墓誌彙編》頁2543收錄此志，所據爲周紹良先生藏拓本，即作「竟何爲哉！竟何爲哉！」由此看來，在朱熹的兩種推測中，後一種更有可能。

三、作家作品研究的重要史料

利用石刻文獻來考察研究作家生平及其交遊，是大有可爲的。1930年，左思之妹左棻的墓誌在洛陽偃師出土。墓誌不僅記載左棻字

蘭芝，而且記其父名熹，字彥雍，兄名思，字泰沖。《晉書·文苑·左思傳》記左思字太沖，父雍，妹芬。以石校史，皆有出入。墓誌上還記載左棻「兄女芳，字蕙芳，兄女媛，字紈素。」恰可與左思〈嬌女詩〉中「小字爲紈素」、「其姊字惠芳」的記敘相互印證。❼〈嬌女詩〉風格輕鬆詼諧，常用誇張乃至漫畫式的筆法，墓誌使我們相信，這首詩還有頗爲寫實的一面。雖然從文體上說，這方墓誌還處於萌生期，故行文簡略，但它爲研究左思親族的情況提供了寶貴的原始資料。

再以唐代石刻爲例。其中數量最多、文獻價值最高的是墓誌。傳世的以及近現代以來出土的唐代墓誌，已經多達四千多方，總計達三百多萬字，相當於一部《舊唐書》或一部《新唐書》的篇幅。一方墓誌就是一篇人物傳記。這四千多篇傳記內容涉及面極廣，涵蓋了政治、經濟、軍事、文化、文學以及對外關係等方面，在某些方面，具有正史所不可替代的史料價值。近年來，在唐代文學研究中，許多學者已有意識地從石刻中發掘材料，進行作家的生平研究，創獲甚多。其中，傅璇琮、郁賢皓、吳汝煜、陶敏、陳尙君、胡可先諸先生所取得的成績尤爲引人注目。❽可以說，至少在唐代文學研究界，石刻文

---

❼ 參看徐傳武〈〈左棻墓誌〉及其價值〉，載《左思左棻研究》頁73－82，中國文聯出版社，1999年。

❽ 參看傅璇琮主編《唐才子傳箋證》（中華書局）及傅璇琮等《唐五代文學編年史》（遼海出版社，1999年）、郁賢皓《唐刺史考》（江蘇古籍出版社，1987年）、吳汝煜《唐五代人交往詩索引》（上海古籍出版社，1993年）及吳汝煜、胡可先《全唐詩人名考》（江蘇教育出版社，1990）陳尙君《唐代文學叢考》（中國社會科學出版社，1997年）以及他爲《唐詩大辭典》（江蘇古籍出版社，1990年）撰寫的有關條目、陶敏《全唐詩人名考》（陝西人民教育出版社，1996年）。另參陳尙君〈石刻所見唐代詩人資料零劄〉，載《唐代文學研究》第1輯，山西人民出版社，1988年。

獻的重要性已被普遍重視。

在唐代石刻中，與作家研究關係最為直接的是〈王之渙墓誌〉、〈趙璘墓誌〉和〈溫庭筠墓誌〉。〈王之渙墓誌〉為李根源所收藏，拓本收入《曲石精廬藏唐墓誌》。這顯然是研究王之渙生平的重要根據。岑仲勉據此糾正了《唐詩紀事》卷二十六及《唐才子傳》卷三王之渙小傳對之渙年代、籍貫、親族等記載的不實之詞。[19] 馬茂元也曾據此墓誌，作〈王之渙生平考略〉，考察詩人的生平[20]。趙璘是唐代筆記《因話錄》的作者，其生平事蹟多有不能明瞭之處。周勛初師根據〈趙璘墓誌〉等石刻文獻，對趙璘的生平及創作作了全面的考索。[21] 關於晚唐著名作家溫庭筠的卒年，學者向來苦於不能詳。而《寶刻叢編》卷八據《京兆金石錄》收有〈唐國子助教溫庭筠墓誌〉，雖然沒有抄錄志文，卻記下了墓主的卒年是在咸通七年（866），於是千年積疑迎刃而解。[22] 由此可見，在利用石刻文獻研究作家生平的時候，不僅要注意作家本人的石刻材料，某些石刻題跋著錄類的著作，也有可能為我們提供有價值的史料或線索，同時還要注意與作家的親族友人相關的石刻文獻。[23]

---

[19] 參看岑仲勉〈續貞石證史·王之渙志〉，載《金石論叢》，頁226－228，上海古籍出版社，1981年。

[20] 此文載《馬茂元說唐詩·唐詩劄叢》，上海古籍出版社，1999年。

[21] 詳見周勛初師〈趙璘考〉，載《唐代筆記小說考索》，江蘇古籍出版社，1996年，又見《周勛初文集》第5卷，江蘇古籍出版社，2000年。

[22] 施蟄存說，見其《金石叢話》，頁59，中華書局，1991年。

[23] 例如，與杜甫有很深交誼的韋濟的墓誌的出土，就有助於唐詩研究者確定杜甫在天寶年間的行蹤。參看陳鐵民〈由新發現的韋濟墓誌看杜甫天寶中的行止〉，《唐代文學研究》第五輯，廣西師範大學出版社，1994年。陳尚君亦有〈跋王之渙祖父王德表、妻李氏墓誌〉，載《文學遺產》1987年第5期。

古代文人在登山臨水之際賦詩題詠，或題刻記遊，往往記其時、地及同遊者姓名，這對於我們考察文人之間的交遊，也很有價值。歐陽修曾據石刻所題唱和詩，考知薛蘋與馮宿、馮定、李紳等「唐顯人」有交遊（《集古錄跋尾》卷九〈唐薛蘋唱和詩〉）。宋代石刻中，這一方面的材料尤其多。此外，其他石刻中也有這一方面的材料。如《唐代墓誌彙編》頁1973許志雍〈唐故江南西道觀察判官監察御史裏行太原王公（叔雅）墓誌銘並序〉：「時秘書郎嚴維有盛名於代，雖以公年幼，交契老成，⋯⋯每器而厚之。時攜幼弟適郢，乃賦詩以贈云：『萬里天連水，孤舟弟與兄。』時屬而和者連郡繼邑，染簡飛翰，期月不息。繇是聲華籍甚於公卿間。」嚴維是大曆中著名詩人，他與王叔雅的交遊僅見於此。

石刻還可以彌補正史經籍藝文志之不足，幫助我們考知作家的創作情況。筆者曾以所見唐代墓誌爲據，從中輯考得隋唐人著作82種，其中已見於《唐書》經籍、藝文二志者16種，5種與兩《唐書》著錄相同，11種有異，66種未見於《唐書》經籍、藝文二志，今皆佚。❷④以寫《開元天寶遺事》、《玉堂閒話》等書著名並頗爲後人所重的王仁裕，是五代時期一個多產的詩人，曾作詩萬首，集爲百卷，號《西江集》，以致蜀人稱之爲「詩窖子」。但實際上，王氏的著作遠遠不止於此。《王仁裕神道碑》記仁裕「平生所著《秦亭篇》、《錦江集》、

---

❷④　參看拙撰〈唐代墓誌中所見隋唐經籍藝文彙考〉，原載《文獻》1996年第1期，後收入拙著《石學論叢》頁21-49，大安出版社，1999年。另外，陳尚君有〈石刻所見唐人著述輯考〉，原載《出土文獻研究》第4輯，中華書局，1998年，又收入《陳尚君自選集》頁114-133，廣西師範大學出版社，2000年。

《入洛記》、《歸山集》、《南行記》、《東南行》、《紫泥集》、《華夷百題》、《西江集》，共六百八十五卷。又撰《周易說卦驗》三卷，《轉輪回紋金鑒銘》、《二十二樣詩賦圖》，並行於世。著作之多，流傳之廣，近代以來，樂天而已。」而《舊五代史》卷一二八王仁裕本傳已殘，《新五代史》卷五十七本傳也很簡略。㉕此碑對於研究王仁裕的創作及五代文學，有十分珍貴的史料價值。

在作品研究方面，石刻文獻的作用也是多方面的。唐代詩僧靈澈名作〈東林寺酬韋丹刺史〉有句云：「相逢盡道休官去，林下何曾見一人。」至北宋時，「世俗相傳以為俚諺。慶曆中，天章閣待制許元為江淮發運使，因修江岸，得斯石于池陽江水中，始知為靈澈詩也。」（歐陽修《集古錄跋尾》卷八〈唐僧靈澈詩〉）這是據石刻考知作品主名的一個例子。

石刻對於考察韻文的音韻也有很大的幫助。以漢代為例，除了漢賦以外，漢代韻文流傳至今者已寥寥無幾，而漢碑中仍有頗多頌銘文字。根據其葉韻字例，可以考知某字在漢代的聲韻。中古以前，患字讀為平聲，故漢碑〈石門頌〉曰：「未秋截霜，稼苗夭殘。終年不登，匱餒之患。卑者楚惡，尊者弗安。愁苦之難，焉可具言。」這與賈誼〈鵩鳥賦〉中「忽然為人兮，何足控摶；化為異物兮，又何足患！」以及王粲〈七哀詩〉中「患」與「蠻」、「攀」、「原」、「間」、「還」、「完」、「言」、「安」、「肝」等字相協，是完全一致的。

㉕　碑記王仁裕詩文集著作，亦詳於《崇文總目》。張興武《五代作家的人格與詩格》（人民文學出版社，2000年3月）頁81、頁290列敘王仁裕作品，因未見此碑，亦有所遺漏。

又如「誦」字，漢人亦讀作平聲。❷〈石門頌〉曰：「自南自北，四海攸通。君子安樂，庶士悅雍。商人咸憘，農夫永同。春秋記異，今而紀功。垂流億載，世世歡誦。」高文《漢碑集釋》頁105〈石門頌〉注58引《漢隸拾遺》云：「誦讀若容，與通、雍、同、功爲韻。〈小雅·節南山〉：『家父作誦。』與通、從、容爲韻。是其證也。〈武榮碑〉：『萬世諷誦。』亦與功、同爲韻。」並指出：「〈武梁祠堂畫像題字〉第二層有『祝誦氏無所造爲』云云，以『誦』爲『融』，亦漢人誦讀平聲之證。」

在文體研究方面，歷代石刻不僅貢獻了大量的碑文和墓誌文作品，而且也提供了許多其他文體的研究材料。研究碑誌二體的起源及發展，勢必離不開石刻文獻。再以詩歌爲例。石鼓文屬於四言詩體，漢碑中附系有四言、五言、騷體及七言的韻文或詩作。關於早期的五言詩和七言詩及其起源問題，應該參考這些來源於石刻的文獻資料。《集古錄跋尾》卷一已經注意到〈後漢費鳳碑〉（漢安二年）「其後悉爲五言韻語」。《隸釋》卷三錄漢桓帝和平元年（150）的〈張公神碑歌〉❷，是一篇由九章組成的騷體詩，其中有兩章半已是比較純粹的七言詩體。詩作的這一部分句句用韻，證明早期的七言詩體確有句句用韻的共同傾向。這是很值得我們注意的。

除了石刻文字外，某些石刻圖像，對於文學研究也有意想不到的作用。例如山東嘉祥武氏墓群石刻中的畫像石和連雲港孔望山的摩

---

❷　參看高文《漢碑集釋》，頁101，〈石門頌〉注❷。

❷　《集古錄跋尾》卷二〈後漢張公廟碑〉已提到此歌，並錄其中三句，逯欽立《先秦漢魏晉南北朝詩·漢詩》卷十二（327頁）輯入此歌。

崖石刻，不僅對藝術史研究而且對文學史研究都具有相當重要的意義。「武氏墓群石刻中諸畫像及石闕上的畫像，內容豐富，雕刻精細，既有豐富的想像力，又有濃郁的生活氣息，包括歷史人物、歷史故事、孝義故事、列女故事、神話傳說和各種車馬出行、宴享樂舞、庖廚、水陸攻戰、神瑞靈異等圖像，從各個不同角度再現了東漢時期的社會面貌，展示出當時的生產水平、貴族生活情況及意識形態，」❷❽爲理解漢代傳說故事及漢賦作品提供了最爲生動形象的資料。福建泉州開元寺塔上有猴行者和玄奘之圖，而南宋福建詩人劉克莊〈釋老六言十首〉之四（《後村先生大全集》卷四十三）亦有「取經煩猴行者」之句。石詩映證，不僅說明取經故事在南宋民間流傳頗廣，而且佐徵了前人關於劉克莊詩「好用本朝故事」的說法。❷❾

四、新材料與新認識

如前所述，石刻文獻對於古代文學研究的助益，多數限於比較具體的、細部的方面，實際上，以石刻文獻研究古代文學，不僅可見其小者，亦能見其犖犖大者，比如某種文學風尙以及某一時期的文壇風貌。

初唐時代的文體，以駢文爲主，猶沿齊梁舊規，語句腔調都很

---

❷❽ 駱承烈、朱錫祿《武氏墓群石刻》第五章〈畫像內容略釋〉，頁62，曲阜師範學院歷史系中國古代史研究室，1979年。

❷❾ 孫少川說，見其〈門神、羅漢、猴行者及其他——《西遊記》有關資料瑣談〉，《中國文化》第7輯。

相似。唐高宗御制的〈明徵君碑〉，就是代表這種文風的典型例子。又如關於唐代進士行卷的風尚，其他類別的文獻史料中雖已有所涉及，但在石刻文獻中仍然可以獲得重要的補充。李夷遇撰〈唐故鄉貢進士南陽郡張公（曄）墓誌銘〉❸云：

> 公應進士舉，天下知名。著古律詩千餘篇，風雅其來，莫之能上，覽者靡不師服。於是乎今鄂州觀察判官盧端公庠頃爲河南府掾，充考試官，公因就試，遂投一軸。盧公謂諸僚友曰：「張子之文，自梁宋以來，未之有也。」複課一詩送公赴舉云：「一直照千曲，一雅肅群俗。如君一軸詩，把出奸妖服。」又云：「乃知詩日月，瞳瞳出平地。」又今尚書右司郎中楊戴爲淮南太守時，制一敘獎公之文曰：「張氏子用古調詩應進士舉，大中十三年，余爲監察御史，自臺暮歸，門者執一軸曰：『張某文也。』閱於燈下，第二篇云〈寄征衣〉：『開箱整霞綺，欲制萬里衣。愁剪鴛鴦破，恐爲相背飛。』余遂矍然掩卷，不知所以爲激歎之詞，乃自疚曰：『余爲詩未嘗有此一句，中第二紀，爲明時御史，張子尚困於塵坌，猶是相較，得無愧於心乎？』」

這一段文字中不僅存錄了三首唐詩的佚文，而且揭示了唐代進士行卷的細節，例如受贄者往往賦詩制文，對投卷者予以嘉許慰勉，而行卷者往往將其得意之作置於卷首的習俗，也在此再次得到了印證。

---

❸　此志拓本見《千唐志齋藏志》頁1179，錄文見《唐代墓誌彙編》頁2445。

從詞語或典故的使用中，也可以推考當時文學及文壇的某些實況。皮錫瑞《漢碑引經考》卷三云：

> 如毛序之說，七子之母猶不能安其室，則〈凱風〉之詩非佳事矣。而漢人多稱引之者，漢用三家詩義，不與毛同。《後漢書·光武十王傳》章帝賜東平王書曰：「今送光烈皇后假紒帛巾各二及衣一篋，可時奉瞻，以慰凱風寒泉之思。」〈章八王傳〉和帝詔曰：「諸王幼稚，早離顧複，弱冠相育，常有〈蓼莪〉、〈凱風〉之哀。」《三國·蜀志·二主妃子傳》：「今皇思夫人宜有尊號，以慰寒泉之思。」此碑（引者按：〈衛尉卿衡方碑〉）與〈馬江〉、〈孔耽〉、〈武斑〉碑皆用三家詩也。若如毛序，漢人不當舉爲美談，以稱其親。章、和二帝，更不當施之于母后矣。其後，陶潛〈孟嘉傳〉、潘岳〈寡婦賦〉、謝莊〈宋孝武宣貴妃誄〉、謝朓〈齊敬皇后哀策文〉，猶沿用凱風寒泉，不以爲諱。自唐宋後，但知毛序，不知三家，於是凱風寒泉等語莫敢複用，而此碑及漢人引用者，且或據毛詩而詆其誤矣。

按照〈毛詩序〉的解釋，〈邶風·凱風〉有諷刺「衛之淫風流行，雖有七子之母，而不能安其室」之意。按照三家詩的解釋，此篇則只是頌美孝思，別無他意。唐宋以後，毛詩大行於世，三家詩義逐漸湮沒，不爲世人周知，一般人對漢魏六朝人詩文中使用的凱風寒泉之語，難免感到費解。皮錫瑞從「凱風」一詞意義的演變以及文人對於這一典故的援引中，觀察各家《詩》說的流傳和影響，其角度是頗爲別致的。

《芒洛塚墓遺文四編》卷三〈吉懷惲墓誌〉稱吉氏「宏姿天骨，

人傑地靈。」時當垂拱三年（687），去王勃作〈滕王閣序〉才十幾年，而〈滕王閣序〉早已流傳開來了。《唐代墓誌彙編》頁1099〈唐故王府君（行果）墓誌銘並序〉：「書帳覆燈，〈揚都〉之賦增麗。」**❸**余嘉錫《世說新語箋疏》文學第四「庾闡始作〈揚都賦〉」條：

> 《類林雜說》七〈文章篇〉曰：「庾闡作〈揚都賦〉未成，出妻，後更娶謝氏，使於午夜以燃鐙於甕中。仲初思至，速火來，即為出鐙。因此賦成，流於後世。」亦見敦煌寫本《殘類書·棄妻篇》，均不言出於何書。」

這篇墓誌銘所用典實，與《類林雜說》《殘類書》二書所記大同小異，可見這個典故是當時文人所熟悉且慣用的。

能否從石刻文獻中抉發出隱含的重要意義，取決於學者的眼光和學力。在這一方面，古代金石學者確有值得我們學習、取法之處。歐陽修就為我們樹立了一個好榜樣。貞元中所刻立的韓愈〈送李愿歸盤谷序〉，其後書云：「昌黎韓愈知名士也。」歐陽修指出，「當時退之官尚未顯，其道未為當世所宗師，故但云知名士也。然當時送愿者不為少，而獨刻此序，蓋其文章已重于時也。」（《集古錄跋尾》卷八〈唐韓愈盤谷詩序〉）從石刻的稱謂中，推論當時人對韓愈的評價，言而有據，令人信服。此外，《集古錄跋尾》卷八〈唐元次山銘〉談到對元結文章的評價，卷九〈唐薛蘋唱和詩〉比較了薛蘋與馮宿、馮定、李紳等人的唱和詩的優劣，並推論薛蘋原唱詩較佳的原因是「豈唱者得于自然，和者牽于強作邪？」也是頗有道理的。

---

❸ 此志拓本見《千唐志齋藏志》頁546，又見《北京圖書館藏中國歷代石刻拓本彙編》冊20頁89，《隋唐五代墓誌彙編·洛陽卷》冊8頁126。

五、餘　論

在利用石刻文獻研究古代文學時，要想有所收穫，除了要具備充分的古代文學文化的基礎知識，掌握有關石刻文獻的目錄學知識，還要注意以下三個方面的問題：

首先，使用石刻文獻要注意真偽問題。自明以來，僞石僞刻僞拓之類屢見不鮮。近代以來，古代碑誌及拓本的市場價格行情日長，由於受商業利益的驅動，作僞之風愈演愈烈。根據僞石僞拓作出推論，只會以訛傳訛，差之毫釐，謬以千里。〈段峻德墓誌〉本來是依託北魏〈鞠彥雲墓誌〉而僞作的，故二志所記墓主父祖之名及其歷官全同，不明就裏，很容易將此事斷爲「千古之謎」，顯然就是上了僞志的當。❸

其次，使用石刻文獻要注意版本問題，盡可能用善拓，或者盡可能將錄文釋文等與拓本乃至原石對校，特別是發現錄文有缺漏等問題的時候，更應當設法訪求善拓或原石以相對勘。《全唐詩補編》援引〈謝觀墓誌〉以考訂謝觀生卒年，因爲其所據拓本上記其壽數處有一字不明，遂不能確定其生年及壽數。可見，選擇好的拓本和準確的錄文是很重要的。

第三，如上舉《集古錄跋尾》和《漢碑引經考》所例示的，前人的石學研究著作和石刻題跋中，有許多詩文評材料，更有不少與文學研究相關的真知卓見。至於金石例一類的著作，則自《四庫全書》

---

❸　見羅國威〈北魏碑刻中的千古之謎〉，《中國典籍與文化》，1994年第2期。

以來，都歸入詩文評類。其中對碑誌文的體例條分縷析，材料豐富，更是研究這些文體的學者所不能忽略的。

這些問題牽涉的方面頗多，需要專門討論，因已逸出本文範疇，這裏就不再細論了。

古代小說目錄的幾個問題

程毅中*

摘 要

中國古代小說的概念非常廣泛,在歷代書目著錄中常有出入,而白話小說在四部分類法中更找不到位。本文對古代小說目錄提出幾個問題,分別表示了一些自己的看法,包括:㈠哪些書是小說,㈡古代小說的分類,㈢白話小說的分類,㈣古代小說專科目錄的回顧與前瞻。希望能古代小說的分類著錄進行適當的調整並加強其學術規範。

關鍵詞 古代小說分類 小說專科目錄

一、哪些書是小說?

中國古代小說的概念是不斷變化的,和古代的文學概念一樣,

---

* 中央文史研究館館員、中華書局編審

內容很雜，外延極廣。到底指哪些作品，各個時代，各人理解不同。從《漢書・藝文志》開始，歷代書目小說家所著錄的書千差萬別，都屬於子部中不被重視的一家。小說家的書在各家書目中多少出入不同，就因爲對小說的界限不易辨別。鄭樵《通志・校讎略》說：「古今編書所不能分者五：一曰傳記，二曰雜家，三曰小說，四曰雜史，五曰故事。凡此五類之書，足相紊亂。」《四庫全書總目》在小說家雜事之屬的書目之後，特別加了一段說明：

> 案紀錄雜事之書，小說與雜史最易相淆。諸家著錄，亦往往牽混。今以述朝政軍國者入雜史，其參以里巷閒談詞章細故者則均隸此門。《世說新語》古俱著錄於小說，其明例矣。

《四庫全書》對前人著錄的書作了一些調整，例如把《新唐書・藝文志》小說家類的《資暇集》等改入雜家類，把地理類的《山海經》、實錄類的《穆天子傳》、道家類的《神異經》和雜史類裡的一批書改入小說類。可見小說在古人眼中就是很難定性的。到了現代，小說的概念又有了新的變化，有人要以現代的小說概念來衡量古代作品。那麼，唐以前幾乎就沒有小說可言，唐以後的文言小說也很少可以合格的了。目前多數研究古代小說的學者還是根據中國文學史的特點，照顧到歷史的傳統，有限制地承認一部分書爲小說。總的原則是前寬後嚴，對宋代以後的作品適當加以甄別。

我覺得後一種辦法是可取的。我們應該按照中國小說發展的特點來研究古代小說。但是具體到哪一本書可以算小說，哪一本書不能算小說，還是見仁見智，各有不同。例如《酉陽雜俎》那樣的書，內容很雜，簡直像一部小叢書。因爲是唐人的作品，大家承認它爲小說

是沒有多大問題的。後世類似的書很多，如《夢溪筆談》中有「神奇」「異事」兩門，也可以說是小說，但全書卻不能算是小說了。《四庫全書》把它列入雜家類的雜說之屬，雖有道理，但對雜家的界定也未免太寬了。

還有紀實性的傳記文學，怎麼和小說區別，也是一個大難題。如《虞初新志》裡的作品，能不能都算是小說？《浮生六記》那樣的作品，能不能算是小說？

編目工作者要對每一本書定性分類，確有困難，很需要研究古代小說的專業工作者參與合作，定出一些標準來進行討論。

二、古代小說的分類

古代小說的分類，首先要分文言和白話兩大類。現在一般論著把古代的白話小說稱作通俗小說，可以區別於一般的白話小說，自有其道理。但「通俗」是和「高雅」相對的，有些文言小說也很通俗，如《風月相思》那樣的作品，孫楷第先生的《中國通俗小說書目》也收了，因為它見於清平山堂刻的《六十家小說》。因此我曾參照詩的體類，把古代小說分為古體和近體兩大類，用近體小說來區別於現代的白話小說，同時也可以包含用淺近文言寫的通俗小說。關於古代白話小說的分類，留待下面再說。先談文言小說，明代胡應麟曾分為志怪、傳奇、雜錄、叢談、辨訂、箴規六類❶，其中只有志怪和傳奇兩

---

❶ 《少室山房筆叢》卷29〈九流緒論〉。

類可以被公認爲是小說。而志怪和傳奇也沒有明確的界線，往往在一本書裡兼而有之。胡應麟也說：「至於志怪、傳奇，尤易出入，或一書之中，二事並載，一事之內，兩端俱存，姑舉其重而已。」❷，《四庫全書》把小說家分爲雜事、異聞、瑣語三個屬類，其中只有異聞之屬比較近於現代人所說的小說，雜事之屬的書大部分都可以歸入雜史筆記。如果把雜事和瑣語兩類剔除了，文言小說只有志怪、傳奇兩個小類，而這兩類又很難分辨，不能像詞調那樣按字數多少來劃界。況且傳奇小說往往以單篇流傳，一般不著錄於書目。魯迅《中國小說的歷史的變遷》曾從志怪推衍出「志人」一類，現在這個名稱已被很多人所採用。但魯迅是專用於《世說新語》系列的作品的，這類小說實在不多。魯迅還用「雜俎」指稱《酉陽雜俎》一類的作品。有人就據以把文言小說分爲志怪、傳奇、雜俎、志人、諧謔五類❸，這可以作爲一種方案，但有些書很難對應分編。《中國叢書綜錄》的子目分類目錄把小說分爲雜錄、志怪、傳奇、諧謔、話本、章回、評論七個小類。除了話本、章回兩類屬於白話小說之外，評論著作是不該列入小說的。我覺得對於古代文言小說而言，分類宜粗不宜細，按《中國叢書綜錄》的前四類分大體上比較好。但是志怪和傳奇很難分清，甚至有的書裡各種題材都有。有人就把《酉陽雜俎》稱爲「志怪傳奇雜事集」❹，實在是一種不得已的做法。就如《聊齋志異》，也是書中各種體裁、各類題材都有，是不是也稱之爲「志怪傳奇雜事集」呢？還

---

❷　同❶。

❸　如寧稼雨《中國文言小說總目提要》，齊魯書社1996年12月第1版。

❹　李劍國《唐五代志怪傳奇敘錄》，南開大學出版社1993年12月第1版，715頁。

有雜錄一目,又是一個迫不得已而設置的類目,相當於《四庫全書》的雜事之屬,能不能把其他類裡放不下的書都列到雜錄裡去呢?

總之,古代小說的定性和分類是個大難題。從理論上說,首先要確定它是不是小說,然後再可以分類。可是小說裡的小類,又是根據作品的實際而定的。如果這本書的本質屬性應該屬於別的類,那就不必收入小說了。這裡還是牽涉到小說的概念問題。如不少《四庫全書》列在小說類雜事之屬的書,在同一個圖書館裡,線裝的按四部分類法列在子部,而新版平裝書則列在歷史類。例如中華書局點校本的《朝野僉載》列入了《唐宋史料筆記叢書》,就是按新的學科分類的。因此,每一本書的分類,需要經過專業學者研究討論後才能定性。而不同專業的學者還可能有不同的看法。必要時,可以採用裁篇別出和互見的辦法,把一本書的不同部分列入不同的類,從宜粗不宜細考慮,像《中國圖書館圖書分類法》那樣,簡單地把《四庫全書》的小說類一律更換成「I242古代作品」可能比較省事❺,但其中一部分書恐怕要移到歷史等類去的。現當代的新體小說,數量很多,在圖書分類法裡也只分長篇、短篇,一般不是按內容分類的。(國家圖書館的分類目錄,在古代小說之下再分筆記、話本平話、章回等小類,筆記小說類又包括了志怪、傳奇、志人和雜事筆記等書。)這裡,還可以談一下「筆記小說」的問題。「筆記」作為書名,大概始於北宋的宋祁。筆記與小說連稱,可能最早見於宋人史繩祖的《學齋佔畢》卷二,但他舉的例子是《懶真子》,屬於考證性的筆記。「筆記小說」作為一種小說的類目,似乎興起於清末,民國元年進步書局編印了《筆記小說大觀》之後才流

---

❺ 據《圖書館古籍編目》,中華書局1985年3月第1版,310頁。

行的。嗣後「筆記小說」的名稱被人用得越來越濫，如近年台灣新興書局編印的《筆記小說大觀叢刊》，收到了《韓詩外傳》《獨斷》等書，實在是泛濫無邊了。筆記小說是文言小說裡的一個類別呢，還是指所有的文言小說呢？筆記小說的範圍甚至比古人所說的小說還寬廣，那就更難掌握了。有人把筆記分爲小說故事、歷史瑣聞、考據辨證三類，如劉葉秋的《歷代筆記概述》❻。那就是說小說故書類的筆記才是筆記小說。《中國古籍善本書目》小說類下分設筆記、短篇、長篇三類，筆記之下又分雜事、異聞、瑣語、諧謔四個小類，比《四庫全書》加出了一個「諧謔」類。也有人把筆記小說專指前人所謂的雜事小說，如周勛初的〈唐代筆記小說敘錄〉❼，又把範圍縮小了。只談歷史瑣聞類的筆記，包括原屬史部的雜傳記之類，那麼志怪、傳奇類的作品就不屬於筆記小說了。爲了避免混淆，我建議盡可能把小說和筆記區別開來。凡是基本上屬於歷史瑣聞類的作品，就歸到史料筆記裡去。雜俎類的作品，則需要仔細分析後再進行定性。

三、白話小說的分類

古代書目一般都不收白話小說。宋元以後，以話本爲根源的白話小說大爲興盛。《永樂大典》卷一萬七千六百三十六至一萬七千六百六十一在禡韻「話」字部裡收了二十六卷評話，此外，卷二千四百

---

❻　中華書局1980年6月第1版。

❼　《周勛初文集》第5冊，江蘇古籍出版社2000年9月第1版。

零五「蘇」字部引有《醉翁談錄》的蘇小卿故事，卷五千二百四十四「遼」字部收了講史平話《薛仁貴征遼事略》，卷一萬三千一百三十九「夢」字部引了《西遊記》的〈夢斬涇河龍〉一節。可見白話小說在《永樂大典》裡遠不止「話」字部裡所收的二十六卷評話。明代內府藏書在《文淵閣書目》裡也有所反映（傷本《菉竹堂書目》全抄自《文淵閣書目》，並非實藏），其中宙字號櫥的史雜類著錄了《薛仁貴征遼事略》《宣和遺事》（卷六），荒字號櫥的子雜類後面「雜附」有《摭遺新說》《青瑣高議》等比較通俗的文言小說（卷八），月字號第二櫥詩詞類之末著錄了《新詞小說》《綠窗談藪》《煙粉靈怪》等書（卷十）。可見明代皇家藏書已不限於傳統的經史子集四部，而且在書目分類上也有所突破·如「史雜」「子雜」就是新立的子目。明代私家藏書目錄更為開放，如高儒《百川書志》史志三野史類著錄了《三國志通俗演義》和《忠義水滸傳》，把白話小說列入了史部的「野史」類，這在目錄學上是一次創舉。明代私藏書目陸續收錄了白話小說，如晁瑮《寶文堂書目》的分類就很特別，子雜類著錄了各種類型的小說，包括文言小說和白話小說，間或注明版本，如武定版的《水滸傳》和《三國通俗演義》，上下卷的《三遂平妖傳》和南京刻的《三遂平妖傳》，還有《隨航集》及許多小說家的話本。盡管《四庫全書總目提要》批評它「編次無法，類目叢雜」，然而我們研究小說史時總不能不把它作為重要的文獻資料。清代書目如錢曾《也是園書目》則乾脆另立了戲曲小說一大類，與經、史、子、集並立，其下又設古今雜劇、曲譜、曲韻、說唱、傳奇、宋人詞話、通俗小說等小類。這在目錄學上又是一次突破。

可是白話小說在公私書目中始終處於另冊或附庸的地位。清代

官修的《四庫全書》根本不把白話小說和戲曲放在眼裡，一概摒棄在外。乾隆以後許多藏書家不敢違背《四庫全書》欽定的標準，一般都按照它的四部分類，至今許多圖書館的線裝書還是照《四庫全書》的分類法編目。這樣白話小說放在哪裡，就成為一大難題。清末以來，有些圖書館試行革新，收錄白話小說，或把它附在子部小說家，或者從它的文學性著眼，把它放在集部❽。建國以後，新編的書目如北京圖書館編的《北京圖書館善本書目》及《西諦書目》、《藏園群書經眼錄》等，就在集部裡設立了小說類，而把文言小說保留在子部的小說家。小說放在集部，只能說是一種權宜之計，恐怕不是妥善解決的辦法。把文言小說和白話小說分置兩部，似乎也不夠妥當。十幾年前，我曾向顧廷龍先生請教過這個問題，他也表示還沒有一個妥善的辦法。後來他主編的《中國古籍善本書目》還是把白話小說與文言小說一起放在子部的小說類，這不失為一個過渡狀態的分類法❾。

　　白話小說的下一級類目不像文言小說那麼複雜，比較好辦，只按篇幅長短分兩類也就可以了，下一級如果按題材內容分類，只能說是一種輔助性的指引手段。《中國通俗小說書目》中第四部參照《都城紀勝》《夢粱錄》等書分了煙粉、靈怪、說公案、諷喻四小類，實際上恐怕反而作繭自縛，我們很難照辦。現代小說也只能按長篇短篇分，按題材分類是很難的。

---

❽　參考潘建國〈古代通俗小說目錄學論略〉，載《文學遺產》2000年6期。

❾　《中國古籍善本書目》小說類把文言小說集《虞初志》等和《清平山堂話本》等都列入短篇一類，似還考慮不周。

四、古代小説專科目錄的回顧和前瞻

　　既然古代書目著錄的白話小説極不完備，專科的小説書目自然就順應歷史的發展而產生了。孫楷第先生的《中國通俗小説書目》是一部開山之作，六十多年來一直是我們學習小説史、文學史的必備參考書。雖然新發現的白話小説日出不窮，但是它始終是最基本的小説書目。近二十年來，陸續出現了好幾種古代小説的辭典和書目提要，則是小説專科目錄的新發展。除了好幾部鑑賞詞典和專題小説詞典之外，比較完備的有江蘇社科院明清小説研究中心所編的《中國通俗小説總目提要》❿，收書較多，提要寫得很詳細，最大的貢獻是幾位主要撰稿人自己上許多圖書館作了普查工作，找出了一些新書目和新版本。寧稼雨的《中國文言小説總目提要》是個人獨力完成的，也作了不少普查工作，但作者力求其「全」，收書很多，不免有力不從心之處。綜合了文言和白話的小説總目性質的書還有劉世德等編的《中國古代小説百科全書》（以下簡稱《百科》）⓫和侯忠義、黃霖等編的《中國歷代小説辭典》（以下簡稱《歷代》）⓬、劉葉秋、朱一玄等編的《中國古典小説大辭典》（以下簡稱《古典》）⓭。這幾種古代小説的書目

---

❿　《中國通俗小説總目提要》，中國文聯出版公司1990年2月第1版。

⓫　《中國古代小説百科全書》，中國大百科全書出版社1993年4月第1版。

⓬　《中國歷代小説辭典》，雲南人民出版社1986年11月出第一冊，後三冊1993年3月出齊。

⓭　《中國古代小説大辭典》，河北人民出版社1998年7月第1版。

都成於眾手，在觀點、體例、文風以及水平上不能完全統一，顯然是難以避免的。《百科》本意就沒有求全，特別是宋以後的文言小說和晚清小說選錄較嚴，收書較少，在釋文上則多數比較詳細，努力介紹新的資料和新的成果。《古典》條目最多，容量很大，在規模上更像百科全書，但體例不盡嚴謹，釋文較簡。它出書最晚，而定稿卻很早，基本上截稿於1990年，有些新出的資料未及參考。總的說來，這些著作各有特點，互有長短，對古代小說的研究成果作了初步總結。其成績是不能低估的。

從新出的幾種小說書目看，普遍地存在一些問題，如：

(1)要不要求全？除了《百科》本無求全之意，《歷代》和《古典》都力求全備。但白話小說不斷有新的發現，遺漏難免。如《中國通俗小說總目提要》成書較早，有些新發現和新引進的作品就沒有收。文言小說定性不易，或缺或濫都是不可避免的。因此最好要在確定標準之後，再討論求全的問題。白話小說標準好定，需要補充的恐怕主要是晚清小說的部分。晚清小說有些只見於報刊雜誌，沒有單行本，現在不易查找。今後在已有成果的基礎上，再編總目性的工具書自當力求其全，但也不能期望一勞永逸，毫無遺憾。當然，如果有人先編一些局部的如某些館藏的書目提要也是非常需要的。

(2)敘錄和提要如何力求精確？從理論上說，撰稿人必須目驗原書，而且必須對不同版本作了比較，才能下筆。如孫楷第先生編寫《中國通俗小說書目》時先寫了不少所見小說的提要，然後編定書目。這是符合學術規範的做法。後來修訂再版時別人幫他補充了一些版本，有些他沒有用，因為未經目驗，和他所見的書可能有出入。可能正因如此，他的書沒有用總目的名稱。近年所編的幾種書目辭典，有的撰

稿人由於各種原因，不能目驗原書，只能引用第二手材料，或者不能
比勘異本，所見未周。而限於全書的體例和計劃，又不能不列條目。
因此有些條目寫得不夠精確，或者還有遺誤。今後在總結歷史經驗的
基礎上，應該按學術規範的要求，力求精確。迫不得已而採用第二手
資料時也應注明出處。作爲全書的負責者，應有複核的義務和修訂的
權利。當然，這樣做是困難很多的。因爲古代小說有不少孤本、珍本，
分藏於世界各處，個人是無法全部得見的。

這裡可以談一談如何利用別人成果的問題。書目、辭典之類的
工具書，首先要客觀地介紹知識性的內容。對於同一對象，各人的敘
述可能基本相同，這是完全正常的，後來者不必故意標新立異。然而，
這裡也就可能掩蓋了抄襲和變相抄襲的問題。抄襲和吸取他人學術成
果、利用第二手資料有時很難辨別。即使兩人的敘述出了同樣的錯誤，
也可能是重蹈覆轍而不是沿誤襲謬。作爲一個讀者，我首先要求內容
精確，要求後來者居上。對於一本書來說，要從總體上看它的學術質
量和學術規範，有沒有特色。當然，敘錄必須力求精確。如上所說，
編審者、撰稿者應該盡可能運用第一手資料，利用他人成果時必須經
過複核，不得已而引用第二手資料時應注明出處，對某些孤本、珍本
應注明藏所。這些都是應該借鑑的歷史經驗。至於有沒有侵犯他人的
著作權問題，讀者和書評家自能作出評判。

(3)個人撰稿和集體編撰的得失利弊。總目性的小說敘錄，個人
編寫有一定的優點，體例、文風基本一致，如《中國通俗小說書目》
和《日本東京所見中國小說提要》、《戲曲小說書錄解題》等就是範
例，但是需要具備一定的條件。孫楷第先生也只是另外寫了一部分提
要，並沒有寫成總目提要。《中國文言小說總目提要》也成於一人之

手,有作者自己的見解,但收書過多,定稿太急,不免出了一些問題。
看來,總目類型的書還是採取集體編撰的方式爲好。但是必須有統一
的體例和嚴格的程序,必須眞正做到集思廣益,同心合力,組織者既
要專人負責,又要廣泛聽取意見,吸取當代已有的學術成果。在歸納
前人的書目著錄方面,如王紹曾主編的《清史稿藝文志拾遺》和李靈
年、楊忠主編的《清人別集總目》,已經創造了一些好的經驗。但是
要寫出書錄解題就更爲困難,除了文獻資料的充分利用和認眞考訂之
外,還有一個學術觀點的選擇問題。古代小說的問題很多,在作者、
年代、版本、眞僞等方面往往存在不同的意見,作爲工具性的書目解
題,如何在客觀地介紹知識、史實和學術信息時,又能表達個人的見
解,也是一個不易掌握的問題。

　　近年來,古本小說陸續影印或整理出版,新的資料和新的論著
不斷出現,在已有成果的基礎上補充修訂書目提要之類的書就有更好
的條件了。

試論中國文獻學學科體系的改革

馮浩菲[*]

摘　要

文章論述了我國文獻學學科發展的現狀及存在問題，認為現行文獻學學科體系比較落後、雜亂，不利於學術發展和學科建設，應該加以改革；討論了學科體系改革的必要性和可能性；並進一步提出了具體的改革設想。主張將現行的分屬於三個不同學科門類的三類文獻學學科歸攏在一起，作為一門獨立的學科門類對待，下屬綜合文獻學與單一文獻學二個一級學科；前者包括中國古典文獻學與現代文獻學二個二級科，後者包括專科文獻學、專題文獻學、專書文獻學三個二級學科。每個二級學科又包括若干個三級學科。

關鍵詞　文獻學　學科體系改革

＊　山東大學古籍所教授

各種資訊和迹象表明，人類歷史剛剛進入的這個新世紀，即21世紀，跟以往各個時代將大不相同。在這個新世紀裏，以資訊技術爲前導的高新技術將會越來越發達，經濟全球化以及與之相伴隨的文化全球化的步伐將會越來越快，知識經濟將會成爲社會經濟發展的主導力量，這一切對人類社會生活的各個領域和各個方面將會產生深刻影響，自然而然，對各門學科的發展也必然會產生巨大的推動力。本文打算談談新世紀中國文獻學學科體系改革的一些看法，以便引起學界和有關方面的重視，推動對這個問題的研究和解決。

一、我國文獻學學科發展的現狀及存在問題

作爲一門學問，中國文獻學的起源相當早，且不說西周初年周公姬旦制禮作樂之事以及比這更遠的記載和傳說，大概至遲從春秋中期孔子整理以六藝爲主的古代典籍開始，就已經有了這方面的學問。從那以後，2500多年來，歷代學者整理文獻的工作越來越繁重，所產生的成果，即古籍整理著作，越來越多；於此同時，所積累的文獻學知識也越來越豐富。但是，作爲一門學科的文獻學，卻產生得很遲。20世紀30年代，鄭鶴聲、鄭鶴春著《中國文獻學概要》一書❶，始正式以「文獻學」名書。在中國文化史上，文獻學名正言順地作爲一門學科，並伴隨有本學科專著和教材出現，似起於此時。80年代初，張

---

❶ 鄭鶴聲，鄭鶴春，中國文獻學概要[M]，上海：商務印書館，1933。

舜徽先生《中國文獻學》❷一書打破近半個世紀的寂寞，繼之而起。此後，各類文獻學著作和教材層出不窮。有的屬於古典文獻學，如吳楓《中國古典文獻學》❸、王欣夫《文獻學講義》❹等。有的屬於現代文獻學，如黃宗忠《文獻信息學》❺、邱均平《文獻計量學》❻、周慶山《文獻傳播學》❼等。有的屬於專科文獻學，如張君炎《中國文學文獻學》❽、單淑卿等《中國經濟文獻學》❾等。還有的屬於文獻學總論性質，如倪波等《文獻學概論》❿。就筆者所見，僅這類以「文獻學」或「文獻」字樣名書的著作不下20多種，至於屬於各個三級學科，如目錄學、版本學、訓詁學等方面的著作則更多。這就是說，晚近20多年來，中國文獻學的學術研究發展比較快，取得了一大批研究成果。另一方面，從現行學科體系上看，我國大陸各高等院校和科研院所共有3類文獻學專業，即中國語言文學學科所屬中國古典文獻學專業，中國歷史學科所屬歷史文獻學專業，圖書館、情報與文獻學學科所屬文獻學專業，都是二級學科。也就是說，文獻學被分設在三個不同的大學科中，互不相涉，各自發展。這三類文獻學學科都已形成了比較完整的教育體系，即正規教育與函授教育相結合，本科、碩

---

❷ 張舜徽，中國文獻學[M]，鄭州：中州書畫社，1982。

❸ 吳楓，中國古典文獻學[M]，濟南：齊魯書社，1982。

❹ 王欣夫，文獻學講義[M]，上海：上海古籍出版社，1986。

❺ 黃宗忠，文獻信息學[M]，北京：科學技術文獻出版社，1992。

❻ 邱均平，文獻計量學[M]，北京：科學技術文獻出版社，1988。

❼ 周慶山，文獻傳播學[M]，北京：書目文獻出版社，1997。

❽ 張君炎，中國文學文獻學[M]，南昌：江西人民出版社，1986。

❾ 單淑卿等，中國經濟文獻學[M]，青島：青島海洋大學出版社，1991。

❿ 倪波等，文獻學概論[M]，南京：江蘇教育出版社，1990。

士、博士教育相銜接，每年培養出大批各層次的專門人才，促進了古籍整理研究與整個文獻工作的發展，推動了國家的文明建設。

儘管我國文獻學學科在最近20年來取得了較快的發展，但由於時間較短，經驗不足等原因，無論學術研究，還是學科建設，都存在不少問題。從學術研究方面看，主要有以下三個問題⓫：

⑴對中國文獻學如何分類的問題，諸家觀點不同，把握不一致。反映在專著和教材中，往往稱名相似，內容卻出入很大；稱名不同，內容卻相差無幾。因此分別觀之，似乎諸家自成體系，各有建樹，但綜合觀之，卻發現學科分類不一，職志混亂。

⑵內容龐雜，主次不清。這是由前一個問題造成的。如有的著作既講現代文獻學，又講古典文獻學；既涉乃圖書館學、情報學、檔案學，又涉及圖書的編輯、出版乃至發行，等等。又如有的專科性文獻學著作講了本門學科的文獻學之後，又分立專章講帶「學」字的目錄學、版本學、校勘學、輯佚學、編纂學，等等，企圖面面俱到，卻犯了主次不清，交搭重疊的錯誤。

⑶結構零亂，缺乏系統性。如有的文獻學著作劃分章節，前面講文字、辭彙、語法等方面的知識，接著講古代的注釋，接著講版本、目錄，接著又講今注今譯等。在文獻學著作中介紹注釋方面的有關問題是必要的，但不應該按古注今注分章，更不應該用其別的內容將兩者遙遙隔開。結構零亂破壞了全書的整體感，沒有系統性，更談不上科學性，失於粗疏，蕪雜。

從學科建設方面看，主要存在三個問題：

⓫ 馮浩菲，〈我國文獻學的現狀及歷史文獻學的定位〉[J]，學術界，2000，[4]。

　⑴學科設置和課程設置缺乏一致性和規範性。如上所說，我國大陸高校存在著分屬於三個大學科的三類文獻學專業，即中國古典文獻學、歷史文獻學、文獻學。但直至目前，從上到下，對這三類文獻學專業各自的特點及專業內容尚沒有統一的認識和標準，基本上是由各校自定。許多院校的這些專業在設置三級學科和課程時，往往不是以專業需要爲根據，而是根據本單位教師的特長而定，因此往往應該設的學科沒有設，不應該設的卻設了。或者專業歸屬和名稱不同，但所設下位學科和課程反而基本相同。這一切影響了學科建設和人才培養，乃至打亂了國家專業設置的整個計劃。

　⑵現行三類文獻學學科的歸屬、定位、名稱等有待調整和重新認定。由於20世紀80年代初以前，二鄭的《中國文獻學概要》❶和張舜徽先生的《中國文獻學》❸二書相繼奠定了中國文獻學的理論基礎和學科體系，而它們的作者都是當代著名的歷史學家；更由於這二部名世著作的研究對象、取材範圍及書中提出的有關理論的施行對象都是中國古代典籍，即廣義的歷史文獻；還由於張舜徽先生1981年被國務院學位委員會評爲第一位歷史文獻學博士生導師。因此在以上二書所代表的年代裏，人們往往把「文獻學」跟廣義的「歷史文獻」及「歷史文獻學」歸於一體，認爲歷史文獻學可以代表中國的整個傳統文獻學。但是，就在《中國文獻學》行用的同時，吳楓的《中國古典文獻學》❹一書也問世了。由於當時中國既有屬於中國歷史學科的歷史文

---

❶　同註❶。
❸　同註❷。
❹　同註❸。

獻學專業，又有屬於中文學科的中國古典文獻學專業，後者以前沒有該專業的通論性理論著作出現，人們權以二鄭、張氏的著作爲代表，現在既然出現了本專業的通論性理論著作，自然而然要另立山頭。因此，至今不少人對歷史文獻學與古典文獻學兩門學科的特點、作用、地位等難以區別，不知如何對待。更難對付的還在於隨著專科文獻學著作的出現，現行的中國古典文獻學與歷史文獻學兩門學科的歸屬和地位發生了問題。比如中國古典文獻學屬於中文學科的二級學科，現在既然出現了中國文學文獻學，那麼很明顯，前者的位置由後者來代替則更適合。如果不代替，無疑，現行的學科體系就會因滯後於學術研究而影響學術發展和學科建設；如果代替了，那麼前者，即中國古典文獻學學科應該如何定位，如何安排，就成了問題。再如，歷史文獻學至今在許多教學單位仍具有廣義性，即仍以整個中國傳統文獻學代表的身份出現；但是現在既然許多學科事實上都已經有了各自的專科文獻學，如文學文獻學、經濟文獻學、法律文獻學，等等，那麼作爲中國歷史學學科所屬二級學科的歷史文獻學怎能妄自尊大，仍以整個中國傳統文獻學代表的身份自居呢？因此，現行歷史文獻學學科也面臨著重新定位的問題。還有，圖書、情報與文獻學學科既有二級學科文獻學，但許多教學單位卻將目錄學、版本學等歸於圖書館學之下，而不歸於文獻學之下，文獻學之下只統轄正在形成中的現代文獻學各分支。這就出現了三級學科歸類欠當及「文獻學」名大實小而兩不相符的問題。總之，由於學術研究的先導性與學科體系的保守性之間所形成的矛盾，我國現行三類文獻學學科的歸屬、定位及名稱等亟待重新認定和調整。

(3)忽視了專科文獻學。自上世紀80年代中期以來，一部分學者

把注意力投向專科文獻學，相繼取得了不少研究成果，像中國文學、中國歷史、經濟學、法學等學科，都已經有了本學科的專科文獻學著作，而且不難預料，在不久的將來，其他文、理、工、管、農、醫等各門學科的專科文獻學著作將會相繼問世。但是我國現行的學科體系只包括三類綜合性文獻學學科，不包括專科文獻學，學科體系滯後於學術發展，也從這裏能看出來。

二、我國文獻學學科體系改革的必要性和可能性

在這個新世紀的開頭，對我國文獻學學科體系進行一次改革是必要的，也是可能的。其必要性主要表現在以下三個方面：

1.有利於本學科學術研究的發展

學科體系與學術研究是互相促進，互相制約的。當學科體系比較先進、比較科學的時候，它對本學科的學術研究就有一定的促進作用；反之，當學科體系比較落後、比較雜亂的時候，它對本學科的學術研究就產生一定的阻礙作用。同樣，當學術研究比較低落、沒有什麼成果的時候，它對本學科學科體系便不發生什麼影響；但當學術研究比較活躍、成果比較顯著的時候，它對本學科原有的學科體系就會產生衝擊作用，推動其發生必要的變革。從上文的論述可以看出，世紀之交，我國文獻學學術研究比較活躍，成果比較顯著，對現行的文獻學學科體系正發揮著衝擊作用。因此，學科體系只有順應形勢，進

行改革，才能適應新時期的需要，促進本學科學術研究進一步發展。否則，不利於學術發展。晚近以來，我國文獻學學術研究雖然呈現出空前繁榮的景象，但是由於受到現行學科體系的制約，學術研究基本上是在一種自發的、無序的狀態中發展。如果將學科體系加以改革，使其能夠激發、引導學術研究自覺、有序地發展，那樣將會取得更大更多的成果。比如倘能理順整個文獻學學科的一級、二級、三級學科體系，那麼人們就會發現用武之地很多，可著手的科研項目很多，急需要撰寫的專書很多。因為不但文獻學許多三級學科至今沒有通論性專著，各個二級學科的通論性著作也有待改進、重寫，一級學科的通論性專著更不多見。如此之類，都需要有大批具有真才實學的研究者去完成。再如，直到目前，相對而言，綜合文獻學研究成果比較多，而專科文獻學研究成果比較少，主要原因之一恐怕就在於對它們的出現沒有給予足夠的重視，以致在現行學科體系中還沒有它們的合法位置。如果學科體系調整之後，對專科文獻學給予應有的地位，加以提倡，那麼這個領域不久將會成為文獻學中最熱火的領域。因為既然中國文學、中國歷史、經濟學、法學等學科都已經有了本學科的文獻學著作，那麼政治學、哲學、社會學、數學、化學、物理學等所有的學科也將會有它們自己的專科文獻學。還必須看到，各個學科不但會有自己的整體性專科文獻學專著，而且還會出現分階段的專科文獻學著作。例如張君炎《中國文學文獻學》❶一書可看作中國文學學科的整體性專科文獻學著作，而劉躍進的《中古文學文獻學》❶一書則顯然

---

❶　同註❽。

❶　劉躍進，中古文學文獻學，南京：江蘇古籍出版社，1997。

屬於階段性文學文獻學著作。中國文學學科的專科文獻學可以有整體性與階段性之別,其他學科的專科文獻學也未嘗不可以。還有,專科文獻學的發展,無疑將會啓迪、激發專題文獻學、專書文獻學的研究。也就是說,不難預料,本世紀前20年,不但會有大批的、配套的專科文獻學著作出現,還會有大量的專題文獻學、專書文獻學著作相繼問世。比如山東大學中國古典文獻學專業博士點近年來所招文獻學理論研究方向的博士生們大都正在從事這方面的研究和寫作,他們的博士學位論文將會成爲這方面的專著中的一部分。

2.有利於學科建設的發展

本文第一部分中所談到的文獻學學科建設方面存在的三個主要問題,都與學科體系的相對落後和雜亂有直接關係。如果對現行學科體系加以改革,這些問題將會得到解決,有利於學科建設的發展。比如,現行文獻學教學分屬三個大的學科門類,沒有相應的上位學科,也沒有相應的一致的下位學科,上下無著落,沒有統系,大多數教學單位都各念各的經,各唱各的戲。倘加以改革,使文獻學成爲一個獨立的學科門類,下設若干一級學科和二級學科,再確定各自的三級學科。這樣,上下相接,統系清楚,互不交搭,在學科設置和課程設置方面所存在的盲目性和雜亂性自然就會得到克服。還有,當綜合文獻學系統化之後,它與專科文獻學、專題文獻學、專書文獻學等單一文獻學相比,兩者的特點也就突現出來了。綜合文獻學分類研究帶有共同性的各類文獻學理論問題,如目錄學討論文獻編目原理,訓詁學討論文獻注釋原理,文獻計量學討論文獻計量原理,等等。而單一文獻學所屬的各類專科文獻學、專題文獻學、專書文獻學則只討論與各自

領域直接相關的文獻學問題。如數學文獻學只討論數學文獻的編目、注釋、計量等問題，而不討論整個目錄學、訓詁學、計量學等方面的理論問題。其他專科文獻學以及專題文獻學、專書文獻學皆然。這樣，就可以做到名實相副，職司分明，互不闌入，避免課程內容的不必要重複及其所引起的人力、物力、財力的浪費，學科建設自然就能得到順利發展。

3. 有利於適應時代的發展，使文獻學更好地為經濟建設和社會進步服務

我們現在所處的這個時代被眾多媒體稱為網路資訊時代，由於電腦技術、微電子技術及通信技術等的日益廣泛的應用，使整個人類社會生活的各個方面已經發生了、而且正在發生著巨大變化。就以我們討論的文獻學領域來說，以往我們的研究對象——各種文獻——大都是以紙張為載體的。現在不同了，由於新技術的發展，新的文獻類型層出不窮，它們以錄音帶、磁片、光碟、錄影帶、網絡等為載體，而且種類越來越多，數量越來越大。據北大方正預測，到2015年，各類大型圖書館新增圖書的50％將是電子圖書（ebook）**⓱**。由於文獻載體的變化，人們的閱讀方式、研究方式以及研究成果等也必然要隨之發生變化。不難想像，以非紙質文獻為背景而產生的目錄學、版本學、校勘學、訓詁學等學科與以紙質文獻為背景而產生的這類學科必然有這樣那樣的不同，而且很有可能還會產生許多新學問，新著作，新學科。在這樣的形勢下，現行分散而無序的文獻學學科體系顯得兵

⓱ 胡春民，電子圖書，風風雨雨來時路[N]，中華讀書報，2000－12－06（20）。

力分散，張慌失措，無能爲力。面對新情況，新問題，分處三個大學科之下的三類文獻學學科不對付不行，要對付又不知如何下手。要麼視而不見，甘處落後；要麼無計劃行動，低水平重復。如此以往，我們的文獻學水平不但跟不上國內其他資訊領域的發展步伐，更跟不上國際上文獻學發展的步伐。因此，只有改革現行文獻學學科體系，集中研究力量，有計劃、有步驟地開展教學和科研活動，才能適應時代發展的需要，多出成果，多出人才，在推進國民經濟資訊化和社會資訊化的進程中發揮應有的作用。

在新形勢下，對我國文獻學學科體系進行改革的可能性可從三方面來說明：第一，我們已經積累了發展文獻學學科的經驗。從上個世紀30年代二鄭的《中國文獻學概要》❶一書刊行算起，在中國的大學裏設立文獻學課程已有70多年的歷史。特別自80年代以來，由於文獻學學術研究空前活躍，成果層出，推動了學科建設，大部分綜合性大學和師範院校都相繼在中文，歷史，圖書館、情報與文獻學三個大學科中分別設立了文獻學學科。雖然在學科建設中存在著上文中所說的問題，但成績是主要的，形成了數以百計的科研與教學人員隊伍，出版了大量各具特色的學術專著和教材，培養了大批包括碩士和博士在內的高級專門人才。這些成果的取得，爲新時期學科體系的改革和學科建設的發展奠定了牢靠的基礎。以打仗作比喻，已是陳兵百萬，待命而動；而不是招兵買馬，始作運籌。因此只要上頭主管部門肯下決心，那麼我國文獻學學科體系的改革一定能夠取得成功。

第二，從國內來說，政治形勢大好，機遇難得。如果倒推20多

---

❶　同註❶。

年，在當時極左思潮占統治地位的年代裏，不要說談不到學科體系改革，連文獻學科的生存和發展也成問題。目前的情況則迥然不同，改革開放20多年來，不但經濟、文化、科學等各個方面都已取得了舉世矚目的成就，而且政策寬大，思想自由，從上到下，營造了一種日益寬鬆的適宜的學術氛圍和環境；務實，創新，追求高水準，高質量，多貢獻，成為主導思想。因此，不怕什麼地方會產生阻力，只怕提不出好的改革計劃和方案。只要能提出切實可行的改革方案，就能夠得到政府決策部門的批准，加以貫徹執行。

第三，從世界範圍來看，與文獻學有關的國際組織，如聯合國教科文組織（UNESCO）、國際文獻聯合會（FID）、國際文獻與傳播中心（IDCC）、國際資訊處理聯合會（IFIP）、國際標準化組織（ISO）、國際互借局（OIL），等等，數量多，活動頻繁。而且不少國家，如美國、英國、法國、德國、義大利、日本、俄國等，文獻工作和文獻學研究都取得了長足的發展。中國加入WTO以後，與各國的往來和聯繫將更加頻繁，更加深入。「它山之石，可以攻玉。」我們正好可以借鑒別國發展文獻學的先進經驗，促成我國文獻學學科體系的改革。

三、我國文獻學學科體系的改革設想

文獻學是一門具有邊緣性、綜合性、交叉性的學科。其邊緣性表現在它處於文、理、工、管、農、醫等各學科之間，同各門學科都有關係。其綜合性表現在它的學科內容相當豐富，包含了與許多現行的獨立學科有關的各種知識。其交叉性表現在各門學科都可以有自己

的文獻學，而且部分內容有不同程度的交叉現象❶。有鑒於此，根據
我國文獻學學科發展的歷史經驗、存在問題及前景與需要等因素綜合
考慮，我們認爲應該打破目前我國文獻學因分屬於三個大學科而造成
的互不關聯的無序狀態，將文獻學作爲一門獨立的學科門類對待，下
設綜合文獻學與單一文獻學二個一級學科。 綜合文獻學分類研究帶
有共性的各類文獻學理論問題，單一文獻學只討論各類文獻學理論在
本領域的實際應運，也就是只討論與本領域直接相關的文獻學應用問
題。綜合文獻學下屬中國古典文獻學與現代文獻學二個二級學科。前
者也可稱爲傳統文獻學，下設目錄學、版本學、訓詁學、辨僞學、輯
佚學、古籍整理體式學等三級學科。現代文獻學可以包括新出現的和
將要出現的各類現代色彩的文獻學學科理論，如文獻計量學、文獻資
訊學、文獻傳播學等，作爲其三級學科。單一文獻學下屬專科文獻學、
專題文獻學、專書文獻學三個二級學科。專科文獻學研究分科文獻學。
在網絡時代，知識資訊密集，暢通，交流方便，有利於學科的發展，
各門學科比以往任何時期都更需要有自己的文獻學，爲本學科資訊資
源的開發、利用和管理提供指導和服務。因此，幾乎每門學科都可以
有自己的專科文獻學，如中國歷史文獻學、中國文學文獻學、中國經
濟文獻學、政治文獻學、宗教文獻學、數學文獻學、物理學文獻學、
化學文獻學、工程學文獻學、地質學文獻學、醫學文獻學，等等。專
題文獻學研究尚未列入專科文獻學的各類專題性文獻的有關學問，如
中國方志文獻學、中國金石文獻學、中國茶文化文獻學，等等。專書
文獻學研究所括資料豐富的各種專書文獻的有關學問，如易經文獻

---

❶　同註❶。

學、尚書文獻學、詩經文獻學、三禮文獻學、春秋文獻學、說文文獻學，等等。綜合文獻學所屬的各類二級學科和三級學科，各個教學單位必設，因為這些學科均屬於基礎理論學科，帶有共性和普遍性。單一文獻學各二級學科所屬的下位學科，各教學單位可設，也可不設；可集中設，也可與各院系各學科取得聯繫，分散設，均視各教學單位的具體情況而定。

　　為了簡明計，以上所論我國文獻學學科體系的重新分類及定位可圖示如下：

學科門類	文獻學				
一級學科	綜合文獻學		單一文獻學		
二級學科	中國古典文獻學	現代文獻學	專科文獻學	專題文獻學	專書文獻學
三級學科	目錄學 版本學 校勘學 訓詁學 辨偽學 輯佚學 古籍整理體式學 ……	文獻計量學 文獻資訊學 文獻傳播學 ……	中國歷史文獻學 中國文學文獻學 數學文獻學 工程學文獻學 數學文獻學	中國方志文獻學 中國金石文獻學 中國茶文化文獻學 ……	詩經文獻學 易經文獻學 說文文獻學 ……

　　很明顯，如果施行這一學科體系，那麼本文第一部分中所談到的目前我國文獻學學科建設方面存在的各種問題基本上都可以得到解決。

　　如果認爲文獻學作爲一個獨立的學科門類，其學科內容目前尚嫌單薄的話，也可以暫處於圖書館、情報與文獻學學科之中，使文獻學成爲一級學科，其他下位學科級數可以遞增一級，待整個學科發展更成熟之後，再分立出來，作爲獨立學科門類對待。也就是說，我國文獻學學科設置有兩種辦法：一種是一步到位，作爲獨立學科門類對待；一種是暫處於聯合學科中，今後再行獨立。我們認爲按前者施行較妥。

　　對於以上改革方案的實施，也有兩種辦法：一種是組織有關專家進行論證，倘認爲可行，即付諸施行。一種是論證通過之後，可先行設立得到國家資助的文獻學理論及學科建設研究中心，進行基地試驗，取得成熟經驗之後，再行推廣。我們認爲，後者較妥。

編撰《書目答問》新本芻議

黃永年*

摘　要

亟待論撰《書目答問》新本，類目可增設，《書目答問》未及著錄之重要版本及有關新著均應收入，使成一供今日治我國古代文史者之指南。

關鍵詞　《書目答問》　分類　有關新著版本

一、張之洞《書目答問》撰成於清光緒元年即西元1875年，去今已逾一個世紀。不特我國古籍之新版本、新校注本層出不窮，且自「五四」新文化運動以來，對古籍之評價利用更出現有別於乾嘉學人之新面目。而前此止有1931年版行之范希曾《書目答問補正》，其細已甚。1923年胡適所撰〈一個最低限度的國學書目〉，梁啓超所撰〈國

＊　陝西師範大學教授

學入門書要目及其讀法〉，亦不足以取代《書目答問》。故今亟待編撰一《書目答問》新本，以爲治我國古代文史者之指南。

二、書目必須分類。但分類法是隨文化之進展、書籍之增多而建立演變。經史子集之四部法雖不盡美善（子部尤甚），然尚大體無背於我國古代學術之發展格局，殊不必套用西歐文化形成之十進法之類，爲削足就屨之事。至四部法自需增改，如前所摒棄之話本及章回小說已蔚爲大國。又敦煌吐魯番文書、戰國以還簡帛書附入各類，抑別出部類，亦有待考慮。

三、此目著錄自限於古籍及其校注之書。古籍通常斷限於清末至民國初（其時以新體式撰寫者不在此列），校注則不受時間限制。惟若干新著有與古籍同一性質者，如姚薇元之《北朝胡姓考》。而昔開明書店編印《二十五史補編》，亦收入時人譚其驤等著作。主譚氏主編《中國歷史地圖集》之遠勝楊守敬舊圖，已爲學術界所公認。凡此均可擇要收入，以利檢讀使用。

四、「五四」新文化運動以來有關我國古籍、我國古代文史研究之成果，應擇要著錄，以體現本世紀此學問之新氣象新趨向。如顧頡剛師之《古史辨》，呂誠之（思勉）師及胡適、陳寅恪、陳垣諸先生重要學術論著，均宜收入，不得遺略。至若干惟舊是保，至視《僞古文尚書》爲商周時之眞史料，據新出土之《黃帝四經》便斷言黃帝眞有其人之類，不論以何種面目出現，均斷不能收入，庶免魚目混珠，貽誤後學。

五、新校注本、新標點本及影印本，均宜取其高水準有學術價值者，草率牟利之本概不得入錄。又《書目答問》所記版本多取其時易得者，以清代佳刻爲主，間及明刊，鮮錄宋元。今宋元舊本之精善

者多已影印，藏圖書館者亦有機緣閱覽，均可擇要錄入，不必局限於《書目答問》所陳。

六、至全書門類之增刪改易，各類著錄之選擇去取，各書版本之斟酌詳略，需有通識且具專長者爲之。可分別委任，然後綜合；亦可由一人執筆，徵得多方意見再事修訂。至名稱似不必沿用《書目答問》，或可逕稱《中國古籍要目》。

讖緯文獻學方法論

黃復山*

摘　要

　　讖緯學的研究，歷來均難以擺脫讖緯佚文殘缺凌散、定義含混的困擾，所以研究上一直有著許多盲點，亟待作澈底全面的釐清與整理。筆者近年來致力於讖緯學史探源與基礎文獻的整理，覺得這個議題需要建立一套研究方法，以供有心者依循的正途，所以整理出相關的疑義以及解決的方法，一為史料編年，二為相關子史文獻的比對，三為輯本的使用原則，四為佚文的分類與製表比對。

　　史料編年是嘗試以情境重塑的方式，將東漢讖緯學概況作一具體的呈現，並且探究明、清的緯書輯本與東漢讖緯的關係。如此將可藉由史料溯源，釐清東漢讖緯與經學的實質關係。再者，東漢讖緯的篇數問題，造成歷代研究

---

*　淡江大學中國文學系教授

者的誤解，也可藉由史料作一澄清。

相關文獻的利用，藉由讖緯佚文的比對，發現許多西漢以來文獻，雖無讖緯篇名，而內容卻與讖緯相類或雷同。考察的結果，發現原因之一是讖緯取材與該書同源，如《史記·天官書》；一是該書取材自讖緯，如《帝王世紀》、《宋書·符瑞志》。這些史料留下了讖緯的全文，足以從其中看出分讖緯的行文體式與該段主旨，對於讖緯思想的了解有很大的幫助，值得作深入的探討。

至於明、清以來的十餘種緯書輯本，雖有助讖緯的研習，也因為收錄佚文的標準不一，產生許多誤收、誤讀的情形，後人依據這些錯誤來討論漢代學術，容易產生扣盤捫燭的論斷。要解決這個問題，除了運用上兩種方法外，最實際的就是作佚文的全面分類。

佚文的分類，是一項龐雜繁瑣、耗時費力的工夫，但是若能將全數佚文細作分類，對於百千年來充滿疑團的凌散佚文，必能得到撥雲見日的效益，對於輯本佚文的誤收、字句的皎舛、斷句的解讀、讖文的完整面貌，都可以收到明確的推論。這是一項非常值得使用的方法，相信也會為讖緯研究拓展更寬廣的道路。

關鍵詞 讖緯 緯書輯本 圖讖 開元占經

讖緯學的研究，歷來均難以擺脫主體（讖緯佚文）不完整的困擾，甚至有些時候連主體的定義都莫衷一是，所以研究上一直有著許多盲點，亟待作澈底全面的釐清與整理。筆者近年來致力於讖緯學史探源

與基礎文獻的整理，覺得有必要提出一套研究的原則，以供有心者依循。所以整理出文獻使用上最常遇見的疑義以及解決的方法：一爲製作讖緯史料長編，以切實呈顯讖緯學的歷代流衍情況。二爲藉由相關子史文獻的比對，以助佚文的斠讀。三爲舉例說明緯書輯本的使用原則。四爲將佚文作內容及相關字詞的分類，或製作表格，以利讖文的解讀。希望透過這些方法，能對讖緯研究者有所幫助。

一、史料編年

　　學者對於「讖、緯」的定義莫衷一是❶，就是因爲所見的歷代凌散史料中，早已將讖緯學的流衍與內容混淆、錯置，衍生悖離東漢史實的誤說，學者循此論述，因而產生許多南轅北轍的推斷。要解決這個問題，最具體的方法就是將歷代的讖緯流衍，作歷史還原的工作。

　　筆者研習讖緯之初，曾嘗試作「情境重塑」的工作，先逐卷蒐檢《漢書》、《東觀漢記》、《後漢書》等正史傳記與注文中，言及

---

❶　關於「讖緯」的定義，大致有四種說法，可以區分爲兩大類：第一類說法認爲「讖、緯」有別，此類又可細分爲三種：一以爲「讖爲隱語、緯以配經」，如《隋書‧經籍志》；二以爲《河圖》、《洛書》以及篇名「讖」字的是「讖書」，七經緯則是「緯書」，如王葆玹；三以爲「緯書」是漢武帝時著作，後世逐漸摻入預言性質的「讖語」，就成了今日所見「讖、緯」各半的情況，如安居香山。第二類說法認爲「緯書」已內含在「經讖」、「圖讖」之中，這三種在漢代同時出現，內容並無分別，如陳槃、鍾肇鵬。詳見黃復山：〈「讖、緯」異同說評議〉，《漢代《尚書》讖緯學述》(輔仁大學中文博士論文，1996年)，頁1~6。

讖緯的文句，並儘量考究每筆資料出現的年月，再逐年逐條編列，撰成「漢代讖緯史料長編」八萬餘字，因而從其中發現許多後世囿於一隅的成見。其後再將史料擴展到東漢子書、經解、讖緯注文、以及漢後正史（如《三國志》）、稗編（如《帝王世紀》）等，得三十餘萬字，使長編資料更爲豐富，所呈現的讖緯流傳過程之眞象也更爲明晰。所輯史料的類別，可以依論述者的身分，分爲直接史料與間接史料。由於直接史料的「圖讖八十一卷」已經亡佚，只得以東漢時期的君臣詔令、奏疏與子書、經解等，作者親見讖緯而作引述與評論的文字，視如「直接史料」；至於後世史家、稗編於撰述時（如晉皇甫謐《帝王世紀》、劉宋范曄《後漢書》），對東漢讖緯的評述，則視如「間接史料」。以「資料長編」所重現的讖緯流傳面貌，得到兩項重要的發現，一是學者論述所依據的「緯書輯本」，實即取材自光武帝時的圖讖；二是誤解緯書的卷、篇數目，以致產生緯書篇目認定的困惑。

㈠讖緯學以「緯書輯本」為主要依據，輯本則以復原光武帝官定圖讖為目的

　　東漢光武帝以圖讖起家，所以信從圖讖，並有意使之獲得尊崇的地位，於是在即位之初，就詔令儒臣編定圖讖。不過，從史料的記載看來，當時流傳的圖讖並沒有經解內容。最早負責編纂的儒臣尹敏❷，於經學「初習歐陽《尙書》，後受古文，兼善《毛詩》、

---

❷　尹敏生平行止，可參看[劉宋]范曄：《後漢書》(北京：中華書局，1962年)卷79上，〈儒林列傳·尹敏〉頁2558。又見謝承：《後漢書》卷5：收入《八家後漢書輯注》(上海：上海古籍出版，1986年)，頁163；[漢]劉珍撰、吳樹平校注：《東觀漢記校注》(河南：中州古籍出版，1987年)卷18，〈尹敏傳〉頁799。

《穀梁》、《左氏春秋》」，曾經在光武帝建初二年（西元26）上疏陳〈洪範〉消災之術；光武欣賞他的「博通經記」，所以「令校圖讖，使鐫去崔發所爲王莽著錄次比」。王莽時臣民（如哀章、石牛）與官方（如説符侯崔發）所造作之符命、圖讖，爲數甚夥，超過七百餘事❸，但是以今存讖緯佚文觀之，王莽時所盛行的圖讖，的確很少收入光武官定的圖讖中。

尹敏雖然負責編纂圖讖，卻頗以讖文爲非，進諫光武云：「讖書非聖人所作，其中多近鄙別字，頗類世俗之辭，恐疑誤後生。」光武不聽，尹敏於是在編纂時，私自於圖讖書版的闕文處增加一句：「君無口，爲漢輔。」暗喻自己應該作朝廷宰輔。光武見而怪之，召問其故。尹敏對以：「臣見前人增損圖書，敢不自量，竊幸萬一。」光武深非其行，雖竟不罪，而尹敏亦以此沈滯。與尹敏同時「受詔校定圖讖」者，還有「世習《韓詩》」，「尤善説災異、讖緯」的博士薛漢❹。黃開國以爲「《河圖》、《洛書》和七緯就是經薛漢等人之手，成於這個時期」❺。

由尹敏的話中，可知光武校定圖讖之初，讖書雖或有成冊者，而其中「多近鄙別字，頗類世俗之辭」，內容相當粗疏，又可隨意「增損圖書」，顯然並無定本；再者，編纂之際，又刪除了新莽時的「説符侯」崔發❻爲王莽編造的讖文。尹敏所言，可以說是現今可考知，最早、最直接、也最眞實言及光武時期圖讖內容的評議。世俗多謂：

❸ 詳見黃復山：〈漢代讖緯學流衍〉，〈漢代《尚書》讖緯學述〉，頁30~35。
❹ [劉宋]范曄：《後漢書》卷79下，〈儒林列傳·薛漢〉頁2573。
❺ 黃開國：〈論漢代讖緯神學〉，《中國哲學史研究》1984年第1期。
❻ 崔發於新莽地皇2年(元21)爲説符侯，負責符命的蒐集與造作。見[漢]班固：《漢書》(北京：中華書局，1987年)卷99下，〈王莽傳下〉頁4170。

讖書成於哀、平之際而盛於王莽之時。果若如此,甚言災異占驗的讖書,應該被善於〈洪範〉消災之術的尹敏所接受,尹敏何故卻如此排拒?而且王莽攝政三年、即位十四年,其間雖然符命盛行,但是少見與經義相關的圖讖❼;以此亦可推知光武初年所流傳的圖讖,出自方士流俗的編造,與經義無涉,又多別字。即便偶有與經義攸關的讖文,也非方士所著重者。

不過,光武「校定」圖讖時,既以「博通經記」之掾吏、「善說讖緯」之博士主事,則光武應該有意使「圖讖」與「經義」結合,只是朝中儒臣卻頗不附合。如給事中桓譚認為「讖出《河圖》、《洛書》,但有朕兆而不可知。後人妄復加增、依託,稱是孔丘,誤之甚也」❽。更於建武四年(西元28),不顧觸犯光武,上疏反對❾:

---

❼ 王莽時,造生符命的事例甚多,至於將符命編為文字,且集結為專書,當以王莽在平帝元始4年(西元4),諷令風俗使者「詐為郡國造歌謠,頌功德,凡三萬言,莽奏定著令」者為首,其次乃篡漢建新時(西元9)所宣布之「《符命》四十二篇」,三則為王莽所常言的《紫閣圖》,內容略謂:「太一、黃帝皆僊上天,張樂崑崙虔山之上。後世聖主得瑞者,當張樂秦終南山之上。」不過,這些符命、圖讖的內容概與儒家經義無關,更非為解經、配經而撰作者。詳見黃復山:〈漢代讖緯學流衍〉,《漢代《尚書》讖緯學述》頁28~40。

❽ [漢]桓譚:《新論·啓寤第七》,引自[唐]馬總:《意林》(臺北:臺灣中華書局,1980年)卷3,頁9。又見[清]嚴可均:《全後漢文》(京都:中文出版社,1978年)卷14,頁5;[劉宋]范曄:《後漢書》卷28上,〈桓譚傳〉頁959。

❾ 按:上疏時間應該在建武四年(西元28),一般論述多定在七年(西元31)以後,非是。蓋[劉宋]范曄:《後漢書·桓譚列傳》云:大司空宋弘於二年二月後「薦譚,拜議郎給事中,因上疏陳時政所宜。……書奏,不省」。桓譚疏中言及「今宜申明舊令,……不得雇山贖罪」。雇人上山伐材以贖罪,為高祖時舊法,桓譚此言,當為針對光武帝三年七月之詔:有罪可「雇山歸家」

臣前獻瞽言，未蒙詔報，不勝憤懣，冒死復陳。……蓋天道性命，聖人所難言也。自子貢以下，不得而聞，況後世淺儒，能通之乎？今諸巧慧小才伎數之人，增益圖書，矯稱讖記，以欺惑貪邪，詿誤人主，焉可不抑遠之哉！臣伏聞陛下窮折方士黃白之術，甚爲明矣；而乃欲聽納讖記，又何誤也！其事雖有時合，譬猶卜數隻偶之類。陛下宜垂明聽，發聖意，屏姙小之曲說，述五經之正義，略雷同之俗語，詳通人之雅謀。⓾

　　桓譚認爲圖讖本爲政治利益而造作，故侈言「天命」，此類「天道性命，聖人所難言」之讖文，必非聖人所作，故於疏文中極力維護「五經之正義」。而且圖讖是「今諸巧慧小才伎數之人」的假造，與學術全然無關；所預測諸事「雖有時合，譬猶卜數隻偶之類」。仔細玩味桓譚的奏疏用語，可知當時流傳的圖讖以預言爲主，與經義無關。

　　由此疏亦可得知：光武即位之後的三年中，雖無新莽時期爲政治目的造作符命的人，卻仍有「巧慧小才伎術之人，增益圖書，矯稱

而言。此時爲其第一次上疏，未久，「天下不時安定，譚復上疏」，論及「讖之非經」，又言及「今聖朝興復祖統，爲人臣主而四方盜賊未盡歸伏」，並籲請：「陛下誠能輕爵重賞，與士共之，則何招而不至？何說而不釋？何向而不開？何征而不克？」查[漢]劉珍：《東觀漢記》云：光武於「六年二月，吳漢下朐城，天下悉定，唯獨公孫述、隗囂未平」。可知桓譚二疏必在「崔山贖罪」之後、「吳漢下朐城」之前。考建武四年諸儒會聚蘭臺論今古經學，桓譚應與其會，而同年桓譚去位，至七年始復職（天下已定之次年），當不必論及「四方盜賊」等問題。

⓾　[劉宋]范曄：《後漢書》卷28上，〈桓譚列傳〉頁959。

讖記」。是則光武所編定的「圖讖八十一卷」中，應該含有光武朝的偽造增補。例如光武建武二年（西元26），銅馬等地賊寇共立孫登為天子，光武使吳漢等剿滅之，史載：「銅馬、青犢、尤來餘賊共立孫登為天子於上郡。登將樂玄殺登，以其眾五萬餘人降。」⓫孫登擁眾，造成光武統一大業的阻礙，所以當時就取此事造作讖文一條：「漢賊臣，名孫登，大形小口，長七尺九寸，巧用法，多技方，詩書不用，賢人杜口。」⓬這就是光武朝為政治目的所造作的讖文，後來被編入了《春秋保乾圖》中。

建武四年（西元28），朝中公卿、大夫、博士等會聚於雲臺，陳元、范升辯難《左氏傳》議立博士事。會後雖立《左氏》博士，旋又廢除。四十餘載後，《公羊》今文學者李育追述此事，認為陳元、范升二人「更相非折，而多引圖讖，不據理體」⓭。《左氏》古文學者賈逵則辯解道：光武「興立《左氏》、《穀梁》，會二家先師不曉圖讖，故令中道而廢」⓮李育批評陳、范二人「多引圖讖，不據理體」，是責怪二人所引據的圖讖不符合儒家經義；而賈逵又說二人「不曉圖讖，故令中道而廢」，又似責難二人不熟悉圖讖，致使興立古文經學之事不成。一說二人「多引圖讖」、一說他們「不曉圖讖」，看似矛盾，其實是因為建武四年的「圖讖」正在校定之初，內容原本就浮淺、

⓫ [劉宋]范曄：《後漢書》卷1，〈光武帝紀〉頁31。

⓬ [劉宋]范曄：《後漢書》卷48，〈翟酺傳〉頁1602李賢注引。又，全書卷1，〈光武帝紀〉頁31，李賢注引《春秋保乾圖》曰：「賊臣起，名孫登，巧用法，多技方。」字句有刪減。

⓭ [劉宋]范曄：《後漢書》卷79下，〈儒林列傳·李育〉頁2582。

⓮ [劉宋]范曄：《後漢書》卷36，〈賈逵傳〉頁1236。

雜亂，當然不及四十多年後賈逵等人所見的定稿完備。由此也可推知：未作校定的圖讖，文義蕪雜，與經義無涉，陳、范二人欲勉強持以解經，當然會失卻理據。

事實上，光武帝詔命編纂圖讖八十一卷，時間雖然長達三十年之久，而過程卻嫌草率敷衍。其中，如大量襲取、節鈔經傳子史之文字，文義前後矛盾，相同文句重複出現於不同篇目之中，應屬甲讖（如《尚書緯》）主旨之說解，反而見於乙讖（如《春秋緯》）中❶，此類咬舛屢見不鮮。東漢學者對於此事已多所批駁，迹如侍中賈逵「摘讖互異三十餘事，諸言讖者皆不能說」❻，張衡則云：「一卷之書，互異數事，聖人之言，孰無若是。」❼劉洪亦謂「孔子緯一事見二端」❽，直到唐代孔穎達編纂《五經正義》時，仍鄙薄其書無用，說：「緯候紛紜，各相乖背，且復煩而無用。」❾都認為光武帝的官定圖讖，內容不佳，說義前後矛盾。

但是漢末鄭玄替這些圖讖作注，並且名之曰「緯」，謊稱它們是孔子為了緯翼經書而親自撰作之後，讖緯的學術地位竟被大大地提升了❿。直到現在，學者研究讖緯的主要依據——各種緯書輯本，仍

---

❶ 筆者近年年致力於讖緯文獻的基礎整理工作，對於這項議題，撰作多篇論文，詳見黃復山：〈漢代《尚書》讖緯學述〉、《東漢讖緯學新探》（臺北：臺灣學生書局，2000年）。

❻ [劉宋]范曄：《後漢書》卷59，〈張衡列傳〉頁1912。

❼ [劉宋]范曄：《後漢書》卷59，〈張衡列傳〉頁1912。

❽ [劉宋]范曄：《後漢書·志》卷2，〈律曆志中〉頁3042。

❾ [唐]孔穎達：《禮記正義》（臺北：藝文印書館，1980年），〈禮記正義序〉頁6。

❿ 鄭玄注解圖讖之前，光武帝的官定圖讖81卷，並無「緯」的名稱，當然更無

是以圖讖八十一卷的殘文爲主體，另外又誤添了一些漢末、魏、晉新造的謠讖與緯書㉑。

今以八十一卷裏的《河圖》、《雒書》爲例，其中造假附會的痕跡斑斑可考。其中最著名的《河圖赤伏符》「劉秀發兵捕不道」讖文，後世多認爲是光武討伐王莽、興復漢室的預言，出現在光武誕生之年。但是詳細稽考莽新、建武之際的史實，「劉秀」讖本只作「劉氏」，泛指劉漢宗室有志復興者，後由長安道士西門君惠改作「劉秀」，乃爲鼓動莽新國師劉秀（劉歆避哀帝諱所改名）之用，國師劉秀敗亡後，才改由光武劉秀接收㉒。在「劉氏」讖盛傳期間，諸多義軍如李焉造作讖書：「文帝發怒，居地下趣軍嗘嗘當相攻。」以「文帝」爲發兵攻王莽的人；長安男子武仲也假借成帝名號起義，自稱「漢氏劉子輿，成帝下妻子也。劉氏當復，趣空宮」㉓；在在說明「劉秀」並非命定人選。至於「劉秀發兵」讖文，原本並無篇名專稱，字句也在歷經刪修後，終於光武帝建武三十二年（西元56）二月，以《河圖赤伏符》的名義出現在泰山封禪的刻石銘文中。可知此讖造作附會的過程，並

「緯翼」儒家經義，與「讖、緯」分流的事實。俗謂漢成帝時李尋已見「六緯」，又認爲班固說過「聖人作經，賢者緯之」，而《隋書·經籍志》與《四庫全書總目》更指稱「緯醇粹、讖雜駁」，二者內容不同，其實都是不正確的。這些誤解也是造成「讖緯」定義含混的原因。詳見黃復山：〈漢代讖緯學流衍〉，《漢代《尚書》讖緯學述》頁58-70。

㉑ 明、清諸家所輯佚的「緯書輯本」，內容實即裒輯光武帝圖讖八十一卷佚文，詳見黃復山：〈漢代讖緯學流衍〉，〈漢代《尚書》讖緯學述〉頁70-79。

㉒ 《赤伏符》的造生經過，詳見黃復山：〈東漢圖讖《赤伏符》本事考〉，收入《東漢讖緯學新探》。

㉓ [漢]班固：《漢書》卷99中，〈王莽傳〉頁4119。

無神祕預言可言。

㈡官定圖讖八十一卷，後世附會為八十一篇

關於讖緯的篇數問題，一直混淆著研究者論斷的原則。史書稱：光武帝於建武三十二年（西元56），明令「宣布圖讖於天下」❷。至於卷數，見於該年二月的封禪泰山銘文中：「皇帝唯慎《河圖》、《雒書》正文。……建武元年已前，文書散亡，舊典不具，不能明經文，以章句細微相況八十一卷，明者爲驗；又其十卷，皆不昭晳。」❷意謂自王莽篡漢以來，文書散亡，舊典不具、經文不明，所以藉用「《河圖》、《雒書》正文」「八十一卷」，來與諸家經文「章句」的「細微」差異作一「相況」，章句解釋符合「八十一卷」的算作正確；此外，還有十卷圖讖內容不夠明晳，無法作爲比較。可知光武帝所見的圖讖，官定者爲八十一卷，另有十卷備存，並非八十一「篇」。

不過，從《孝經援神契》所載：孔子「告備於天，日：『《孝經》四卷，《春秋》、《河》、《洛》凡八十一卷，謹已備。』」則「八十一卷」爲《河圖》、《洛書》加上《春秋》等「經讖」的卷數，若再計上《孝經》四卷，共有八十五卷，與光武帝封禪銘文所說的卷數不同❷。可見卷數多寡，本來並無定論。

但是後世學者多將「八十一」附會爲篇數。先是《春秋緯》說：

---

❷ [劉宋]范曄：《後漢書》卷1下，〈光武帝紀〉頁84。

❷ [劉宋]范曄：《後漢書・志》第七，〈祭祀上〉頁3166。

❷ 光武刻石銘文中，引用《河圖》、《洛書》、《孝經鉤命決》等圖讖文，可知《孝經緯》4卷是包含在他所說的「八十一卷」之中的。詳見[劉宋]范曄：《後漢書・志》第七，〈祭祀上〉頁3166。

「《河圖》有九篇，《洛書》有六篇。」❷鄭玄注《易乾鑿度》又稱：「孔子將此應之，作讖三十六卷。」❸所以唐代魏徵編撰《隋書·經籍志》時，就將篇數附會成「《河圖》九篇、《洛書》六篇」、「孔子所撰七經緯三十六篇」，再加上「九聖所增演三十篇」，共得「八十一篇」之數。但是《尚書璇璣鈐》已說：「孔子求書，得黃帝元孫帝魁之書，迄於秦穆公，凡三千二百四十篇，斷遠取近，定可以為世法者百二十篇，以百二篇為《尚書》，十八篇為《中候》。」若以「七經緯三十六篇」為數，僅是《尚書中候》就佔十八篇了，《尚書緯》與其餘六緯怎可能合計纔有十八篇❷？再查對歷代輯本的十緯篇數，明孫瑴《古微書》（守山閣本）有六十六篇、清黃奭《通緯》（朱長圻補刊本）有一一六篇、日安居香山《重修緯書集成》有一六九篇，都非「八十一」之數；其中《河圖》篇數，《古微書》有十九篇，黃奭《通緯》有二十九篇，安居香山《重修本》四十二篇；《雒書》篇數，《古微書》有五篇，黃奭《通緯》有四篇，安居香山《重修本》十四篇，也與「九、六」篇數不同。可知「篇數」原本並無定論，無論是光武的「八十一卷」、或是鄭玄的「三十六卷」，本來就不能等同於「八十一篇」、「三十六篇」。

---

❷ [唐]孔穎達：《周易正義》（臺北：藝文印書館，1980年）卷7，〈繫辭上〉頁30。

❸ [清]黃奭輯：《通緯·周易乾鑿度》（上海：上海古籍出版社，1993年）卷2，頁50。

❷ 按：《隋書·經籍志》將《尚書中候》排除在「七經緯」之外，但是鄭玄已將《尚書中候》納入經讖之中，《中候》的內容也與「七經讖」有許多重複、雷同處。詳見黃復山：〈漢代《尚書》讖緯學述〉。

再從輯本佚文的條數說，有些篇目只有數條讖文，有些卻多達
三、四百條，所以條數少的應該是數篇合爲一卷，而條數多的則可一
篇分作數卷不等。例如黃奭《通緯·尚書中候》十八篇，佚文只有一
四六條，《春秋緯》十五篇，佚文卻高達二千三百餘條，二者佚文字
數也相差十倍。輯本的篇數雖不能重現東漢讖緯原貌，但是歷代學者
引用之際，應該還是有基本原則，不至於過分偏頗，所以輯本仍可反
映出當時讖緯的大致輪廓。以此而論，讖緯原本以卷數爲準，每卷所
含篇數不定，而篇數的多寡，在東漢時期並無實質意義，更不可據《隋
志》說辭，作爲論證讖緯與經學關係疏密的依準。

二、相關文獻之利用

㈠可藉由它書擬測佚文編排體式

讖緯學者都認爲讖緯佚文殘敓不全，很難看出整體思想❸。但是
圖讖編纂之初，擷取了許多經解、星占的通識，或取材當時的經籍如
《尚書大傳》、《春秋繁露》、甘石《星經》等；後世也有不少書籍
是抄掇讖緯而成的，如《帝王世紀》、《路史》等。從這些相關的文
句中，可以比對並了解佚文的原旨大義。例如《史記·天官書》擷取
西漢星占而成，而《春秋緯》各篇中的星占部分，也是取材於西漢星

---

❸ 例如安居香山認爲：「讖緯的緯是注釋經書，所以也是短文。……所以，緯
書的內容難懂、意思不明白的地方相當多。」見安居香山著、田人隆譯：《緯
書與中國神秘思想》(河北：河北人民出版社，1991年)頁139。

象占驗，所以許多〈天官書〉的內容也出現在《春秋緯》各篇中。是以《春秋緯》佚文雖然殘敚，卻可在〈天官書〉中看出讖緯的完整結構。試舉中宮天極星為例，比較諸緯關係：

《史記·天官書》：中宮天極星，其一明者，太一常居也；旁三星三公，或曰子屬。後句四星，末大星正妃，餘三星後宮之屬也。環之匡衛十二星，藩臣。皆曰紫宮。	《春秋合誠圖》129：❸ 中宮天極星，其一明者，太乙常居；旁三星三公，或曰子屬；後勾四星，末大星正妃；餘三星，後宮之屬也。	《春秋元命包》82：天生大列為中宮大極星。 （星）其一明者，大一（帝）[常]居。	《春秋文耀鉤》02：中宮大帝，其北極星，下一明者，為太一之先。	《春秋文耀鉤》01：中宮大帝，其精北極星。
		《春秋緯》135：天庭微序五統、三立，法式成章，匡衛星為蕃臣，西星將位，東星相位，中執法，南兩星端門，旁左右掖門，伍諸侯王。	《春秋合誠圖》78：鉤陳，大帝之正妃也，大居之常居也。	《春秋緯》153：北極星，其一明大者，太乙之光，

《春秋合誠圖》第78、129條，《春秋元命包》第82條，《春秋文耀鉤》第1、2條，《春秋緯》135、153條，所言各有詳略，但是列表以與《史記·天官書》比對，則可清楚看出應是擷取漢代天象星占而來。更將此表與《晉書·天文志》所載的中宮星象參覈，可知七條讖文確實是敘述古代星官無疑，在當時屬於習見常識，並無深奧晦澀之處。

在天文星占的議題上，緯書輯本中甚多論述星象占驗的讖文，如果能配合古代星占文獻，如各種正史的《天文志》、唐《開元占經》、

---

❸ 本文所列舉讖緯佚文，以朱長圻補刊之黃奭《通緯》為底本，並依原書各緯佚文條次逐一編碼；若有引用安居香山《重修緯書集成》者，則於佚文編碼之前加英文字母「a」作為「安」字簡稱。

《乙巳占》、北宋重修《靈臺祕苑》、清《管窺輯要》、以及古今各種天文全圖，必可校正此類佚文的闕漏，並有助於文義的解讀。

再則可藉歷代相關文獻，擬測讖緯的編排體例。例如梁沈約《宋書·符瑞志》前段有三千餘字，詳述三皇、五帝、三代以及秦、漢諸帝王的感生神話、帝業事蹟，經詳細比對緯書佚文後，證實是逐錄自讖緯而來，例如述及「帝堯感生」一事，文句採自《尚書中候》，而《春秋合誠圖》則有相同而更爲詳細的敘述：

《宋書·符瑞志》：帝堯之母曰慶都，生於斗維之野，	《尚書中候·握河紀》197：粤若堯母曰慶都，	《春秋合誠圖》40~44：堯母慶都，有名於世，蓋大帝之女，生於斗維之野，常在三河之東南，天大雷電，有血流潤大石之中，生慶都。長大形象天帝，常有黃雲覆蓋之，蔑食不饑。
常有黃雲覆護其上。乃長，		年二十，寄伊長孺家，無夫，出觀三河之首，常有若神隨之者。有赤龍負圖出，慶都讀之，「赤受天運」，下有圖人，衣赤光，面八采，鬚長七尺二寸，兌上豐下，足履翼宿，署曰「赤帝起，成天寶」。即慶都之翼之野，奄然陰風雨，赤龍與慶都合婚，有娠，龍消不見，而乳堯。既乳，視堯如圖表。
觀于三河，常有龍隨之。一旦龍負圖而至，其刊要曰：「亦受天佑，眉八采，鬚髮長七尺二寸，面銳上豐下，足履翼宿。」既而陰風四合，赤龍感之，孕十四月而生於丹陵，其狀如圖。及長，身長十尺。有盛德，封於唐，厥夢作龍而上，厥時高辛氏衰，天下歸之。	遊於三河，龍負圖而至，其刊要曰：「亦受天佑，眉八采，鬚髮長七尺二寸，圓，兌上豐下，足履翼宿。」既而陰風四合，赤龍感之，孕十四月而生於丹陵，其狀如圖，身長十尺。有盛德，封於唐，厥夢作龍而上，厥時高辛氏衰，天下歸之。	

《握河紀》文字與《宋書》相同，所缺「生於斗維……乃長」一段，
應屬後人迻錄時刪艾所致。《合誠圖》佚文五條，典出《太平御覽·
皇王部一》、〈皇親部一〉，內容較爲詳細，應是同樣傳聞的另一種
說法。就此類比對作更進一步的探討，可以發現《宋書·祥瑞志》於
「天下歸之」之後，續以「在位七十年，景星出翼……」以及「箎
脯」、「蓂莢」、「禪位於舜」等事，都見於緯書輯本中。如果循此
一順序，將各緯所遺留帝堯事蹟的諸多佚文依次序列，更可廓清這些
說辭含混的殘篇零簡之原義❷。

　　此外，晉皇甫謐《帝王世紀》、梁沈約箋注《竹書紀年》、宋
羅泌撰、羅苹注《路史》，都大量取用讖緯中帝王部分，從其中可以
比對出讖緯所述帝王事蹟，並得較爲完整的認識。此一比對方式尚未
見及學者使用，應該是能夠爲讖緯學的研究開啓另一扇明朗的門戶。

㈡可藉子史文獻校正殘敓佚文

　　安居香山《重修緯書集成·尚書中候》有一條讖文輯自《樂書要錄》：
「用玉律　唯二至乃候　靈臺用竹律　十六候　四各如其曆。」❸文意
不甚了然，依《後漢書·律曆志》所載，可知實爲古代節氣的測量法：
「氣至者灰動，其爲氣所動者其灰散，人及風所動者其灰聚。殿中候，
用玉律十二，惟二至乃候。靈臺用竹律六十，候日如其曆。」❹「竹

---

❷　黃復山〈緯書中「五帝受命圖」佚文考釋〉嘗就此專作論述，發表於第一屆
　　「淡江大學全球姊妹校漢語文化學學術會議」中，2001年6月1日。

❸　日·安居香山：《重修緯書集成·尚書中候》(京都：明德出版社，昭和50
　　年)頁89。

❹　[劉宋]范曄：《後漢書·志》卷1，〈律曆志上〉頁3016。

律」下多「六十，候日如其曆」七字，則《中候》之誤、敓字句如「殿中候、十二、十六、四」都可據以校正了。安居本當作：「『殿中候』用玉律『十二』，唯二至乃候。靈臺用竹律『六十』，候『日』各如其曆」。「玉律十二、竹律六十」之數，覈以《後漢志》同卷頁所云「五音生於陰陽，分爲十二律，轉生六十」，可知安居本所據有誤。

又如《文選・思元賦注》引《孝經援神契》「天度彪鴻，孳萌」六字，宋均注也僅有「彪鴻，未分之象」六字，文意不詳。考道經《帝王五運麻年記》所言：「天度彪鴻，孳萌茲始，遂分天地，肇立乾坤，啓陰感陽，分布元氣，乃孕中和。」 **⑤** 四字句式，甚合讖緯文例，可信《麻年記》襲用緯文，可據以補全《援神契》闕文。

㈢藉用漢魏石刻史料作佚文的校正

史稱圖讖盛行於東漢、三國時，影響所及，當時的碑誌石刻也引述甚多的讖緯史料。宋洪适《隸釋》所收碑文即多此類文字，其中如〈魯相史晨奏祀孔子廟碑〉載：「《孝經援神契》曰：『玄丘制命帝卯行。』又《尚書考靈耀》曰：『丘生倉際，觸期稽度，爲赤制，故作《春秋》，以明文命，綴紀撰書，脩定禮義。』」 **⑥** 皮錫瑞藉其書碑文而撰作《漢碑引緯考》 **⑦** ，列舉八十四條相關文字，以析論緯

---

⑤ [清]趙在翰：《七緯・孝經援神契》(上海：上海古籍出版社，1994年)卷36，頁13，趙在翰引。

⑥ [宋]洪适：《隸釋》(臺北：臺灣商務印書館《叢書集成簡編》本，1975年)卷1，頁25。

⑦ 此文收入臺北新文豐出版社《石刻史料新編》第27冊中，1977年出版。

書佚文與東漢原文關係。日本學者則有中村璋八取四十八種碑銘爲例，撰成〈漢碑所見緯書說〉，並由碑文撰者之地望，來推論東漢讖緯的流傳情況❸；內野熊一郎更擴及至周、秦、漢的金石鏡背銘文等，撰成《中國古代金石文中的經書讖緯神仙說攷》，詳論碑文與讖緯的關係❸。這些史料對於讖緯的斠勘都有直接的助益，值得學者繼續深入探討。

三、輯本問題的探討

歷代緯書因爲已不見成書流傳，所以輯本在讖文的歸屬、蒐檢上，往往因爲輯佚者的主觀判斷，以致造成誤收。最典型的例子就是將《白虎通》所引的「《傳》曰」、「禮說」當作讖緯，使得圖讖在《白虎通》裏的地位，顯得非常重要。但是經過深入、廣泛的考證後，我們可以確信：《白虎通》裏的「《傳》曰」、「禮說」，是引用西漢經解的通識，而非襲取東漢讖緯文句❹。所以研究東漢讖緯，輯本是不可或缺、卻又極易造成結論差慝的工具，必須作一番明確的整理

---

❸ 此文收入[日]安居香山、中村璋八著：《緯書之基礎的研究》([日]東京都：漢魏文化研究會發行，昭和41年[1966]6月)，第二篇《資料篇》頁372~389。

❸ 按：是書由東京都：汲古書院於昭和62年(1987)刊行，分作兩編，前編《周末秦漢鏡圖鏡銘詩所現的神仙、讖緯、祥瑞説思念及其源泉、伸展形相攷》，頁1~152；後編《漢碑銘文所引經書句説、讖緯、神仙、祥瑞説思念及其伸展形相攷》，頁155~310。

❹ 詳見黃復山：〈《白虎通》引讖説原舛論略〉，收入《東漢讖緯學新探》頁164~190。

緣是。以下就輯本內容，作文獻應用上的探討。

（一）鄭玄、宋均注文有助於佚文的解讀

除了讖文本身外，漢末鄭玄、魏初宋均的注釋，也對讖文內容的了解有一定的幫助。例如《易是類謀》的鄭注頗為明確，可作為看似隱晦深奧的讖文之解讀，其中「皇政毀道，散命名胡」一句，文句怪奇，惟參考鄭注：「『皇政』，秦始皇；『毀道』，焚燒詩書；『散』，亡者；『胡』，胡亥也。」則可知文義其實是漢代習見的說辭。此類注語雖然簡單，對於讖文解義卻頗有幫助，甚有參考價值。

再如何休《公羊春秋解詁·宣公三年》「上帝五帝」，徐彥《疏》引《春秋感精符》作為詮解：「蒼帝之始，二十八世，滅蒼者翼也」、「滅翼者斗」、「滅斗者參」、「滅參者虛」、「滅虛者房」。所言「翼、斗、參、虛、房」是二十八宿星名，但是與「五帝」有何關係，又何以言「滅」，則令人不解。不過參考宋均注：「堯，翼之星精，在南方，其色赤」、「舜，斗之星精，在中央，其色黃」、「禹，參之星精，在西方，其色白」、「湯，虛之星精，在北方，其色黑」、「文王，房星之精，在東方，其色青」❹。可知《感精符》只是用星宿名代稱帝王，堯赤（火）＝＝翼、舜黃（土）＝＝斗、禹白（金）＝＝參、湯黑（水）＝＝虛、文王青（木）＝＝房，以五行相生的「火生土、土生金、金生水、水生木」為帝王嬗代次序，文義其實頗為簡單。只是原文以五行相生為義，卻用了「滅」字，因而與原意不合，這就是讖文本身的錯誤了。

---

❹　[唐]徐彥：《公羊傳注疏》(臺北：藝文印書館，1980年)卷15，〈宣公三年〉頁8。

㈡各篇讖文有前後矛盾、重複、雷同的現象

緯書輯本之各緯篇目，常見重複、雷同收錄的佚文，筆者經過七年多的逐步整理，已蒐得超過四百組佚文❷，有些是光武帝編纂時已然，有些則是輯佚者在歸屬時主觀的誤認。這些都亟待釐清，才能讓讖緯研究得到正確的結論。

光武帝編纂時已經重複者，如《太平御覽》引《河圖稽命徵》：「帝劉即位百七十年，太陰在庚辰，江充詭其變，天鳴（所）[地]坼。」❸《開元占經》則引作《河圖祕（微）[徵]》：「劉帝即位百七十（日）[年]，太陰在庚辰，江充搆禍，其變天鳴。」❹可見本即兩緯皆有此條，黃奭《通緯》、日安居香山《重修緯書集成》因而循之，分別收入兩緯中。這些例子甚多，筆者於〈漢代《尚書》讖緯學述〉、《東漢讖緯學新探》中，已有詳細討論。

又有後人誤輯的例子，如《易緯乾鑿度》的上、下卷，有一半以上的文句是重複的，卻分別附有解義不同的「鄭玄注」，但是二注對於《乾鑿度》思想的闡釋，卻明顯不同，足證不是鄭玄一人之所為。其所以如此，應該是後人將鄭注以及魏、晉以後的新注，編輯合一所致。這些都是需要在文獻的考證與鄭玄學術思想的了解上，作深入的分判，才能得到進一步的釐清。如果任意摘取上、下卷不同的注文，

---

❷ 黃復山：〈漢代《尚書》讖緯學述〉、《東漢讖緯學新探》，皆嘗列舉雷同、重複之佚文，並作論述。

❸ [宋]李昉：《太平御覽》(臺北：臺灣商務印書館，1968年)卷874，〈咎徵部〉頁6。

❹ [唐]釋瞿曇悉達：《開元占經》(臺北：臺灣商務印書館，1986年)卷3，〈天占〉頁6。

來綜合論述《乾鑿度》與鄭玄的思想，就不能呈現鄭玄讖緯思想的真貌。

至於明、清輯本誤認讖文的例子，更是不勝枚舉❹，如《太平御覽》引《春秋保乾圖》：「江充之害，其萌反舌鳥入殿。」文下附宋均注「交喙反舌，百舌鳥也」，《玉燭寶典》、《藝文類聚》皆同❻，而孫瑴《古微書》則收錄此條入《春秋握誠圖》中，並未說明原因；黃奭《通緯》、日安居香山《重修緯書集成》因而循之，分別收入兩緯之中；如果學者依據輯本篇名而論述各緯內容的獨特性時，這些誤收都將造成判斷上的錯誤。

又有黃奭《通緯·春秋元命包》收錄「潢主河渠，所以度神通四方」（卷3，頁29），卻於同卷後半又重複收錄此條讖文「天潢主河梁，所以度神通四方也」（頁63）；前條引自《史記·天官書索隱》，後條引自《開元占經·石氏中官占》，本屬一條，不應複見，而且句首文字微異，對於引用者也可能造成判讀上的困擾。這種同卷重複的現象，實屬輯佚者的誤失，皆應一一剔除，以還其本真。

這種誤收的情形，在歷代類書採錄時已然存在，清殷元正《集緯》於《河圖》部分，收錄《考靈曜》佚文一條，並下按語說：

《考靈曜》者，《尚書緯》篇名也。惟《唐類函》援《初學

❹ 清人喬松年於所輯《緯攟》第十三卷中，提出《古微書訂誤》200條，包括孫瑴誤輯讖文與誤認篇名的例子。

❻ [宋]李昉：《太平御覽》卷923，〈羽族部十〉頁5。又見[唐]歐陽詢：《藝文類聚》(京都：中文出版，1980年)卷922，〈鳥部上〉頁1601。[隋]杜臺卿：《玉燭寶典》(新文豐《叢書集成》第43冊)文字略異，作「江充之害，其前交喙，反舌鳥入殿」(卷5，頁345)。

> 記》有《河圖考靈曜》，《玉海》引《隋志》有《春秋考靈
> 曜》。然而二篇各止一條，他不多見。而此一條之引見於他
> 書者，仍作《尚書考靈曜》，是所云《河圖》、所云《春秋》，
> 或不無譌也。❹

可知殷元正輯佚讖文時，已經發覺《考靈曜》有此類困擾，但是在困
惑之際，卻仍依所引篇名收入《河圖》中，雖屬符合收錄的體例，卻
變成了後人論述《河》《洛》與「經讖」究竟有無區分的錯誤證據。

其實這種誤收還不是最麻煩的問題，真正的難題是有心作偽及
後人盲從採信的事例，略述如下。

㈢引用者擅改字句

歷代引用讖緯文句的人，不乏擅自改動讖文字句的情況，如光
武帝建武三十二年的封禪銘文中，引錄《雒書》一條，說明封禪泰山
的必要與正當性：

> 《雒書甄曜度》：「赤三德，昌九世，會修符，合帝際，勉
> 刻封。」❹

一百七十年後（漢獻帝二十五年，西元220），魏曹丕即位稱帝，蜀中姓
臣張爽、尹默、譙周等也敦請劉備即位，奏疏云：

> 臣聞《河圖》、《洛書》、五經讖緯，孔子所甄，驗應自遠。

---

❹ [清]殷元正輯、陸明睿增訂：《緯讖候圖校輯》，《北京圖書館古籍珍本叢
　　刊3》(北京：書目文獻出版社，1996年)，頁633。
❹ [劉宋]范曄：《後漢書·志》卷7，〈祭祀志上〉頁3165。

謹案《洛書甄曜度》曰：「赤三日德昌，九世會備，合爲帝際。」❹

蜀臣引用《洛書》讖文，僅增一「日」字，再改「修符」爲「備」字，就將光武封禪的圖讖，變成了劉備即位的預言。《宋書·符瑞志》就採信這條讖文，當作劉備受符命的證據❺。這些改造的釐清與否，對於東漢圖讖的思想評議、明清緯書輯本的佚文選汰，都會有直接的影響。

再如蕭吉《五行大義》論「五行相生」觀念時，引用《孝經援神契》說法：「五行：土出利，以給天下。」❺然而賈公彥於《周禮·載師疏》論土質與農作，所引用的《孝經援神契》卻是：「五岳藏神，四瀆含靈，五土出利，以給天下。黃白宜種禾，黑墳宜種麥，蒼赤宜種菽，洿泉宜種稻。」很明確地將土質分爲黃、白、黑、蒼、赤五色，以驗證上句五岳、四瀆、五土之意，其中「五土出利，以給天下」，絕未以「五行相生」爲意，是以蕭吉將「五土出利」變成「五行土出利」，必非讖文本意。

又如《大義·論情性》引《孝經援神契》云：「性者，人之質，人所稟受產。情者，陰之數，內傳著流，通於五臟。」❺解說「性、

---

❹ [晉]陳壽：《三國志》(北京：中華書局，1987年)卷32，〈蜀書·先主傳〉頁887。

❺ [梁]沈約：《宋書》(北京：中華書局，1987年)卷27，〈符瑞志上〉頁779。

❺ [隋]蕭吉：《五行大義》(臺北：興中書局影印《知不足齋叢書》，1964年)卷2，〈第四論相生〉頁5。

❺ [隋]蕭吉：《五行大義》卷4，〈論情性〉頁26。《説文》字句略有譌敓，據[清]段玉裁：《説文解字注》(臺北：漢京文化事業出版，民國69年3月。

情」的內容與差異，文義似乎完整無缺；但是孔穎達《詩經・蒸民正義》引《孝經援神契》同樣讖文，內容卻有顯著的差異：「性者，生之質；命者，人所稟受也；情者，陰之數，精內附著，生流通也。」❸關鍵處多了「命者」二字，以「性、命、情」爲說，其中「性者生之質」出自董仲舒《春秋繁露・深察名號》，可證《大義》「人之質」有誤；至於「人所稟受產」的「產」字，校以《禮記正義》、《左傳正義》，應屬「度」字之譌❹，意指「命」乃人得自於上天者，每個人都有已註定的度量❺。至於「內傳箸流，通於五臟」8字，校以《詩經正義》「精內附著，生流通也」，則《五行大義》應缺一「精」字、「附著」可能於抄錄時，先改作「傳著」，再譌爲「傳箸」，以致《七緯》循之而誤。所以此句讖文應校正爲「『精』內傳著，流通於五臟」，

卷10下，頁24) 增補。

❸ [唐]孔穎達：《詩經正義・大雅・蕩之什》(臺北：藝文印書館，1980年)卷18之3，〈蒸民〉頁674。

❹ [唐]孔穎達：《禮記・中庸正義》云：「《孝經說》曰：『性者，生之質；命，人所稟受度也。』不云命者，鄭以通解性命爲一，故不復言命。但性情之義，說者不通，亦略言之。」(卷31，頁2)再者，《禮記・王制正義》云：「《孝經說》云：『性者，生之質。』若木性則仁，金性則義，火性則禮，水性則信，土性則知。」(卷12，頁27)三者，[唐]孔穎達：《左傳・成十三年正義》云：「所謂命者，教命之意，若有所稟受之辭，故《孝經說》云『命者，人之所稟受度』是也。命雖受之天地，短長有本。」(卷27，頁11)

❺ 「人所稟受產」，鍾肇鵬《七緯點校》(山東：齊魯書社，1995年)作「人所稟於天」(頁954)，校云：「據《五行大義》訂正。」(頁961)惟詳查《大義》諸版本，如《元弘本》、《佚存本》、《知不足齋本》、《大義標點本》、中村《大義譯註》、劉國忠《大義校文》(河北：遼寧教育出版社，1999年)，皆無「於天」一詞。未知鍾氏所採《大義》版本如何，其說待商榷。

蓋謂：「情」屬陰，其精附著通流於五臟之中❻。如此，則《援神契》所言「性、命、情」三說，乃文意完備矣。

㈣輯佚只以讖緯篇名為原則，誤收難免

明、清「緯書輯本」取捨佚文之際，主要是以篇名為依據，因而篇名的認定成了唯一條件，這也造成輯本誤收情形的泛濫。後世學者又引用這些誤收篇章，以論述東漢的學術，時常造成張冠李戴的結果。例如出現於南宋、附有鄭玄注的《易乾坤鑿度》，言及：「帝用《垂皇策》與《乾文緯》、《乾坤二鑿度》」、「炎帝皇帝有《易靈緯》」，以「緯」字直稱「緯書」；其所附鄭玄注也說：「緯者，古本經，已後不知緯字何也。經之與緯，是從橫之字。」❼是明確的將「緯」視為古代專書名稱。但是詳考光武帝圖讖八十一卷中的「緯」字絕無指稱書名之意，只作「治理」、「星體」解❽，直到鄭玄論述《穀梁傳》「四時田獵」時，纔自創新說，謂「緯」是孔子親撰：

> 孔子雖有聖德，不敢顯然改先王之法，以教授於世。若其所
> 欲改，其陰書於緯藏之，以傳後王。《穀梁》「四時田」者，
> 近孔子故也。《公羊》正當六國之亡，讖緯見讀而傳為「三
> 時田」。作傳有先後，雖異不足以斷《穀梁》也。❾

---

❺⑥ 「內傳箸流」，鍾肇鵬《七緯點校》作「由感而起」(頁954)，校云：「據《五行大義》訂正。」(頁961)詳查《大義》諸版本，皆未見其說之載錄。

❺⑦ 分別見於[清]黃奭：《通緯・易乾坤鑿度》卷3，頁46、68。

❺⑧ 詳見黃復山：《漢代《尚書》讖緯學述》頁56~58。

❺⑨ [唐]孔穎達：《禮記正義》卷12，〈王制〉頁6，「歲三田」引「鄭玄釋之云」。

可知作僞者並不知東漢圖讖與鄭玄創說的差異，將漢末稱「緯」之詞，誤置於東漢初的圖讖中。

再仔細蒐檢《乾坤鑿度》，文中常引《萬形經》、《制靈經》等書內文，而「鄭玄注」也八次引用《萬形經》爲證。若《乾坤鑿度》與「鄭玄注」都是漢代文獻，則可由此推斷：東漢初年官定圖讖（西元56）以迄漢末鄭玄注釋緯書（約西元160）的百餘年間，《易乾坤鑿度》與《萬形經》二書當廣行於世。但是此二書絕不見錄於漢代文獻中❻❹，晉、唐以後的子書、類書、道教經籍，也全未見引用❻❶，乃突然以完整面貌見於緯書殘佚的宋代中葉，而又未言文本淵源，其書豈可採信？

是以宋·晁公武《郡齋讀書志》（卷1，頁8《坤鑿度》條）、明·胡應麟《四部正譌》（卷上，頁10）、鍾肇鵬《讖緯論略》（第二章，頁46），皆論定《乾坤鑿度》乃宋人所僞造。但是仍有許多學者論述讖緯時，引用這部宋代的僞書來論斷東漢學術，如此造成的學術誤解，是可以想見的。

再如安居香山《重修緯書集成·孝經雌雄圖》收錄「三十五妖星占驗」長文，約計三千三百字，其實全部是取自《開元占經·妖星

---

❻❹ 如[漢]劉珍：《東觀漢記》、[晉]袁宏：《後漢紀》、[劉宋]范曄：《後漢書》皆無二書名稱，[清]顧懷三：《補後漢書藝文志》十卷、姚振宗《補後漢書藝文志》四卷，亦未著錄此二書。

❻❶ 如[唐]徐堅：《初學記》、歐陽詢：《藝文類聚》、[宋]李昉：《太平御覽》、張君房：《雲笈七籤》等類書固無其名，而《萬形經》名稱與道教經籍相類，惟詳覈[晉]葛洪：《抱朴子》多引道經名義，北宋《正統道藏》集道經之大成，亦皆未見是書名稱。

占下》❷，這一卷列舉了「天垣一、天樓二、天槍三……」等三十五種妖星，辭句型式整飭，占驗內容完整，但是驗辭與今存讖緯佚文不甚相同，只因為在卷首標示了「《孝經雌雄圖》三十五妖星占」，所以《重修緯書集成》將此卷三千餘字都收為佚文。再察考相關文獻，這些妖星，有些已見於秦・呂不韋《呂氏春秋・明理篇》、西漢初年馬王堆帛書《天文氣象雜占》中；北周庾季才《靈臺祕苑・妖星》則認為三十五妖星出自京房之手：「京房所載三十五座，皆見於月傍方氣之中，五星、五行氣之所生，將出不出日數候之。」❸唐・李淳風《晉書・天文志》❹說得更詳細：

> 漢京房著《風角書》有《集星章》，所載妖星皆見於月旁，互有五色方雲，以五寅日見，各有五星所生……，已前三十五星，即五行氣所生，皆出於月左右方氣之中，各以其所生星，將出不出日數期候之。當其未出之前而見，見則有水旱、兵喪、饑亂；所指亡國、失地、王死、破軍、殺將。（卷12，頁326）

可見庾季才撰《靈臺祕苑》（西元572之後）❺、李淳風編撰《天

---

❷ 日・安居香山：《重修緯書集成・孝經雌雄圖》(京都：明德出版社，昭和48年)頁95~106。[唐]釋瞿曇悉達：《開元占經》卷87，〈妖星占下〉頁1~13。

❸ [北周]庾季才原撰、[宋]王安禮重修：《靈臺祕苑》(臺北：臺灣商務印書館影印文淵閣《四庫全書》本，1986年)卷15，〈妖星〉頁3。

❹ 《晉書》為唐房玄齡、褚遂良等人監修，《天文》、《律曆》、《五行》三志出自李淳風之手。見北京中華書局編輯部：《晉書・出版說明》(北京：中華書局，1987年)頁1。

❺ 北周大冢宰宇文護謀反失敗(武帝天和7年（西元572）)，庾季才因曾於事先修書勸諫，所以得遷官太史中大夫，亦在此時前後，北周武帝詔其修撰《靈

文志》（唐太宗貞觀22年[648]前）**㊺**，都認為三十五妖星出自京房《風角書》，約百年後，釋瞿曇悉達在玄宗開元年間（西元724以前）**㊼**編成的《開元占經》，卻將這三千三百餘字的長段星占附上「《孝經雌雄圖》三十五妖星占」數字，就成了緯書輯本中最長的一段佚文。

　　考《孝經雌雄圖》篇名，首見於《隋書·經籍志》，此前並無其他類書、子史文獻言及；至於此篇讖文，黃奭《通緯》收錄22條、安居《重修》本收錄52條，全都出自《開元占經》，均無鄭玄、宋均注語，所言十二干支日食占驗，更與《開元占經》所引《魏氏圖》文字相近**㊽**；再考宋永亨說：「《孝經雌雄圖》本京房《易傳》，日星占相之書也。」**㊾**趙在翰《七緯·孝經緯敘錄》也說：「《雌雄圖》，《五代會要》載其書，周顯德六年（西元959）八月，高麗遣使所進，止說月之環暈，星之彗（字）[字]，災異之應；龐元英云『非奇書也』。」

　　臺祕苑》。事見[唐]魏徵：《隋書》（北京：中華書局，1987年)卷78，〈庾季才傳〉頁1765；[唐]令狐德棻：《周書》(北京：中華書局，1987年)卷11，〈宇文護傳〉頁175。

㊺　北京中華書局編輯部：《晉書·出版說明》頁1。

㊼　《四庫全書·開元占經提要》認為：《開元占經》「成于開元十七年以前」(《開元占經·目錄》頁17，臺北：臺灣商務印書館影印文淵閣《四庫全書》)。今人李克和說：「《開元占經》成書于唐代開元六年(西元718)，由瞿曇悉達奉敕而作。」(《開元占經·前言》『湖南：岳麓書社，1994年』，頁3)薄樹人則認為：瞿曇悉達可能在唐玄宗開元2年(西元714)2月之後，奉敕編撰《開元占經》；在開元12年(西元724)之前逝世，所以成書不會晚於此年。詳見薄樹人：〈開元占經—中國文化史上的一部奇書〉，《唐開元占經》(北京：中國書店，1989年)，頁3。

㊽　[唐]瞿曇悉達：《開元占經》卷6，〈日占二〉頁16引。

㊾　[清]朱彝尊：《經義考》(北京：中華書局，1998年)卷267，〈逸緯〉頁1351引。

❼由此可見，此篇應該是六朝時人裒輯星象占驗或京房書中星占之語而成者，並非東漢時的讖緯，應予刪除繗是。

三如黃奭《通緯‧春秋緯》卷一收錄與《左傳》有關的讖文四條，佚文下注明典出《災變應期占》。由於《通緯》此卷佚文分別出自《開元占經》的〈南方七宿占〉、〈流星占〉等篇，可以確信《災變應期占》也是指稱《開元占經‧災變期應》無疑，但是徧檢《開元占經》全書120卷（包括第64卷的〈災變期應〉），卻都未發現此段引文。再搜檢《春秋左傳》、《漢書‧五行志》與此四條相關的記載，列為一對照表：

黃奭《通緯‧春秋緯》（卷1，頁36）	《春秋左傳》	《漢書‧五行志》
《左傳》云：「隕石于宋五，六鷁退飛過宋都。叔興曰：『今茲魯多大喪，明年齊亦有亂。』後果如其言。」	（僖公）十六年，春，隕石于宋五，隕星也。六鷁退飛，過宋都，風也段周內史叔興聘于宋厘宋襄公問焉，曰：「是何祥也？吉凶焉在。」對曰喭嗠今茲魯多大喪，明年齊有亂，君將得諸侯而不終。	《左氏傳》曰：隕石，星也；鷁退飛，風也。宋襄公以問周內史叔興曰：「是何祥也？吉凶何在？」對曰：「今茲魯多大喪，明年齊有亂，君將得諸侯而不終。」
又曰：「鄭裨竈言于子產曰：『宋、衛、陳、鄭，將同日火災。若我用瓘斝玉瓚禳之，鄭必不火。』子產弗聽，四國果同日火。」	（昭公17年）鄭裨竈言於子產曰：「宋、衛、陳、鄭，將同日火。」若我用瓘斝玉瓚，鄭必不火。子產弗與。（昭公18年）傳：夏，五月，火始昏見。……宋、衛、陳、鄭皆火。……裨。」曰：「不用吾言，鄭又將火。」鄭請	傳：夏，五月，火始昏見。……宋、衛、陳、鄭皆火。……裨紜曰：「不用吾言，鄭又將火。鄭人請用之，子產不可。

---

❼ [清]趙在翰：《七緯》(收入《緯書集成》上冊，上海：上海古籍出版社，1994年)卷38，〈敘錄〉頁6。

	用之，子產不可段	
又曰：「鄭厲公之亡國也，內蛇與外蛇鬥于南門中，內蛇不勝而死。 申繻曰：『竈在內也，公其反乎？』未幾，厲公果復國。」	（莊公14年）初，內蛇與外蛇鬥於鄭南門中，內蛇死。六年而厲公入。公聞之，問於申繻曰：「猶有妖乎？」對曰：「人之所忌，其氣燄以取之。妖由人興也。人無釁焉，妖不自作。人棄常，則妖興，故有妖。」	《左氏傳》：魯嚴公時，有內蛇與外蛇鬥鄭南門中，內蛇死……蛇死六年，而厲公立。嚴公聞之，問申繻曰：「猶有妖乎？」對曰：「人之所忌，其氣炎以取之，妖由人興也。人亡釁焉，妖不自作。人棄常，故有妖。」
又曰：「《傳》云：『秋七月，龍鬥于洧淵。子品曰：鄭其有水災乎？未幾，鄭果大水傷禾，有備無患。』」	（昭公19年）鄭大水，龍鬥于時門之外洧淵，國人請爲禜焉。子產弗許，曰：「我鬥，龍不我覿也；龍鬥，我獨何覿焉。禳之，則彼其室也。吾無求於龍，龍亦無求於我。」乃止也。	《左氏傳》：昭公十九年，龍鬥於鄭時門之外洧淵。

　　讖文第一、二條「隕石于宋五」、「四國同日火」內容與《左傳》相同，其餘兩條則有差異，所以此處《春秋緯》應該不是直接抄自《左傳》。此段讖文，除了黃奭《通緯》外，並未見其他輯本（包括收錄最雜的安居香山《重修》本）收錄。由於此段佚文標示《左傳》書名，似乎說明以今文經義爲主的讖緯，仍有取用古文經之處，對於圖讖緯翼經文的說辭，算是直接的證據，所以具關鍵性的價值；但是其出處如此含混，真實性又令人質疑了。

　　四如黃奭《通緯·河圖絳象》第224條，有述及吳王與孔子談論「禹藏真文」一事：

　　　　太湖中洞庭山，林屋洞天，即禹藏真文之所，一名包山。吳
　　　　王闔閭登包山之上，命龍威丈人入包山，得書一卷，凡一百
　　　　七十四字而還。吳王不識，使問仲尼，詭云：「赤烏銜書以

授王。」仲尼曰：「昔吾遊西海之上，聞童謠曰：『吳王出遊觀震湖，龍威丈人名隱居，北上包山入靈墟，乃造洞庭竊禹書。天帝大文不可舒，此文長傳六百初，今強取出喪國廬。』某按謠言，乃龍威丈人洞中得之。赤烏所銜，非某所知也。」吳王懼，乃復歸其書。

關於《絳象》篇名，明楊愼謂：「余舊在京師見《河圖緯象》一書，緯候之流也，專言日月星辰，其文作古字。」❼清殷元正據其說，認爲：「升庵見有全書專言日月星辰，則《緯象》、《絳象》疑各爲一書。」❼但是喬松年卻認爲此條讖文其實出自孫瑴刻意僞造：「『太湖中洞庭山』一條，則孫氏附益者。……此文雜取《甄正論》、《吳越春秋》、《越絕書》、《靈寶要略》成之。孫氏妄作無疑。《甄正論》見《天中記》。」❼至於《河圖絳象》之篇名，喬松年更是提出反駁道：

> 《絳象》之名，未見於古籍，孫氏列此，蓋本楊升菴《丹鉛錄》。所引凡三條：一「河導崑崙山」一條、二「黃河出崑崙」一條、三「邠之隰上爲扶桑」一條。《丹鉛錄》雖有「絳象」字，只有一處，《格致鏡原》在《丹鉛錄》之後，所引「河導崑崙山」一曲至九曲，正引《錄》語，而目爲《象緯》。則「絳象」二字，當是「象緯」二字倒而又誤耳。孫氏未深

---

❼ [清]殷元正輯、陸明睿增訂：《緯讖候圖校輯》，頁661引《丹鉛錄》。

❼ [清]殷元正輯、陸明睿增訂：《緯讖候圖校輯》頁661。

❼ [清]喬松年：《緯攟》(山西：山西省文獻委員會，刊《山右叢書初編》，1986年)卷13，〈古微書訂誤〉頁16。

　　察而列爲篇名，誤也。**⓸**

以此而論，讖緯與道教的關係，並非讖緯引用道教文獻，而是後人摘擷道教文獻，權充讖緯佚文。學者談論此事，易生混淆誤斷。

（五）輯本誤判所衍生的譌誤

　　明、清學者輯佚緯書，因屬創始性的文獻工作，輯佚者對於讖緯的實際內容不甚了然，所以難免衍生許多誤解，造成研究者使用時的錯誤。以下略述其詳。

1.某緯中誤收其他緯篇

　　光武帝官定的八十一卷圖讖中，《尙書》、《春秋》等經讖，常有引用《河圖》、《雒書》的例子，可知「光武編定圖讖，《河》、《雒》撰定在先，經讖成書後」**⓹**。但是也有因爲輯本誤判，致使經讖有互相收錄的情況。黃奭《通緯·詩推度災》載錄：「奔星之所墜，其下有兵，列宿之所墜，滅家邦。眾星之所墜，萬民亡。《運期授》曰：『黃帝亡也，黃星墜。』」**⓺**佚文中收有《尙書運期授》一條，因而蕭登福在論述讖緯源起時，認爲「據《詩推度災》中引及《運期授》，知《運期授》之撰成，在《詩推度災》之先」**⓻**。但是覆查出典的《開元占經·雜星占》，原文其實是依次引用《荊州占》、《推

⓸ [清]喬松年：《緯攟》卷13，〈古微書訂誤〉頁16。
⓹ 詳見黃復山：〈東漢《河圖》、《雒書》與「經讖」關係之探討〉，《東漢讖緯學新探》頁81~92。
⓺ [清]黃奭輯：《通緯·詩推度災》卷3，頁12。
⓻ 蕭登福：《讖緯與道教》(臺北：文津出版社，2000年)頁16。

度災》、《運期授》、《文曜鉤》、《考異郵》幾段文字，每節引文並以空一格爲分界，並非《推度災》之中又有《運期授》❼❽。這是輯本誤收佚文，因而造成學者論斷的失實。

2.引文斷句難以解讀

安居香山《重修緯書集成·河圖》中，收錄《天地祥瑞志》所引《河圖》一條，斷句作：「西蕃將執、威誅不順、東蕃相執、美拒王侯、月犯、出其門爲使。」❼❾但是於《洛書》部分又收《開元占經》所引《洛書》一條，斷句作：「太微、西蕃將執威、誅不順、東蕃相執美、拒侯王。」❽⓿二條佚文皆出自安居本，而斷句不同，或許是因實際輯佚者乃不同二人所致。此條斷句其實應作：「太微西蕃將，執威誅不順；東蕃相，執美拒侯王。」其說意實指稱天象：「太微座中有東、西二藩星，西藩爲將星，執威儀、誅不順；東藩爲相星，執善政、拒侯王。」乃取傳統觀念而成者，1977年於安徽阜陽出土之西漢「太乙行九宮式盤」（西元前165入土），即取三相在左（東）、七將在右（西）之形式。

再者，黃奭《通緯·春秋元命包》：「殺失則攻戰刑，故太白逆經天辱，君父國被侵。」文意不明，而《春秋感精符》收錄此條，則標作：「殺失則攻戰刑，故太白逆經天，辱君父，國被侵。」❽⓵再

---

❼❽　[唐]釋瞿曇悉達：《開元占經》卷76，〈雜星占〉頁5。

❼❾　日·安居香山：《重修緯書集成·河圖》頁164，引《天地祥瑞志》卷7。

❽⓿　日·安居香山：《重修緯書集成·洛書》頁204。 [唐]釋瞿曇悉達：《開元占經·石氏中官》卷66，〈太微星占〉頁17。

❽⓵　[清]黃奭輯：《通緯·春秋元命包》卷3，頁62；《春秋感精符》卷6，頁29。

考《荊州占》「太白逆行失常，有兵革」❷，則斷句應以「逆經天，辱君父」為是。但是這兩條讖文都出自〈太白占二〉，查《開元占經·太白占》，引文實作「《春秋元命包》曰：『殺失則攻戰刑，故太白逆經天，屠君父，外夷征。』」❸「屠」字輯本誤作「辱」，文意較弱；末句「外夷征」應與輯本「國被侵」同義。再者，首句「殺失則攻戰刑」文意不通，查讖文有「刑殺當其罪」（《禮稽命徵》）、「刑殺無辜」（《春秋考異郵》）、「刑失則簡宗廟」（《春秋元命包》）等語，可知《元命包》此句當作「刑殺失則攻戰」方是。

　　三如《春秋感精符》有雲色占驗一段，黃奭《通緯》與安居《重修》本文字略異，斷句不順，列表比較於下，可見其間差異，作為校正後，第三欄為正確讖文：

黃奭《通緯·春秋感精符》（卷6，頁13）：	安居本《春秋感精符》（頁185）：	《春秋感精符》（正確斷句）：
妻黨翔則黃雲入國候，冬至日見黑雲，有水雲，黃白如人頭懸鏡之狀，既流。	妻黨翔、則黃雲入國候今、冬至日、見雲黑、有水雲、赤白如人頭懸鏡之狀、禍流、	妻黨翔，則黃雲入國。候冬至日見雲，黑，有水；雲赤白，如人頭懸鏡之狀，禍流。

「黃雲入國候，冬至日見黑雲，有水」，文意不明，考《漢書·天文志》：「凡候歲美惡，謹候歲始。歲始或冬至日，產氣始萌。」❹《易

---

❷　[唐]釋瞿曇悉達：《開元占經》卷46，〈太白占二〉頁7。

❸　[唐]釋瞿曇悉達：《開元占經》卷46，〈太白占二〉頁9。

❹　[漢]班固：《漢書》卷26，〈天文志〉頁1299。

❹　詳見黃復山：〈東漢圖讖《赤伏符》本事考〉，收入《東漢讖緯學新探》。

❹　[梁]沈約：《宋書》卷27，〈符瑞志上〉頁779。

通卦驗》：「謹候日，冬至之日，見雲送迎，從下鄉來，歲美，人民和。」㉟可知斷句當作：「黃雲入國。候冬至日，見雲，黑，有水。」至於雲色的「黃白、赤白」，考《河圖稽命徵》「傍多赤雲，如人頭，大戰」、《河圖帝覽嬉》「月旁多赤雲，如人頭，大戰」㊱，則以「赤白」爲是。這些都是輯本抄錄時的譌字、斷句不明，以致難以解讀，本意因而不明。

3.輯本誤收佚文

甲、誤認撰者的行文爲佚文

《七緯‧春秋元命苞》有論「五臟配五性」之讖文一條，與《七緯‧樂動聲儀》相同，而後者更爲詳盡：

《春秋元命苞》：「	《樂動聲儀》：「
	官有六府，人有五藏。五藏者，何也？謂肝、心、肺、腎、脾也。肝之爲言干也，肺之爲言費也，情動得敘；心之爲言任也，任於恩也；腎之爲言寫也，以竅寫也；脾之爲言併也，所以積精稟氣也。
脾者并也，心得之而貴，肝得之而興，肺得之而大，腎得之以化。	
肝仁、肺義、心禮、腎智、脾信。肝所以仁者，何？肝，木之精，仁者好生，東方者，陽也，萬物始生，故肝襐木色，青而有柔。	五藏：肝仁、肺義、心禮、腎知、脾信也。肝所以仁者，何？肝，木之精也，仁者好生，東方者陽也，萬物始生，故肝象木，色青而有枝葉。目之爲候，何？目能出淚，而不能內物，木亦能出枝葉，不能有所內也。
肺所以義者，何？肺，金之精，義者能斷，	肺所以義者，何？肺者金之精，義者斷決；

㉟ 日‧安居香山：《重修緯書集成‧尚書中侯》頁89。

㊱ [清]黃奭輯：《通緯‧易通卦驗》卷4，頁20。

㊲ 分別見於[清]黃奭輯：《通緯‧河圖稽命徵》卷6，頁1、《河圖》卷1，頁9；《河圖帝覽嬉》卷7，頁2。

㊳ [清]趙在翰：《七緯‧春秋元命苞》卷24，〈補遺〉頁6。

西方殺，成萬物，故肺襃金，色白而有剛。	西方亦金，殺成萬物也，故肺象金，色白也。鼻爲之候，何？鼻出入氣，高而有竅，山亦有金石累積，亦有孔穴，出雲布雨，以潤天下，雨則雲消，鼻能出內氣也。
心所以禮者，何？心者，火之精，南方尊陽在上，卑陰在下，禮有尊卑，故心襃火，色赤而光。	心所以爲禮，何？心，火之精也，南方尊陽在上，卑陰在下，禮有尊卑，故心象火，色赤而銳也。人有道尊，天本在上，故心下銳也。耳爲之候，何？耳能 內外，別音語，火照有似於禮，上下分明。
腎所以智者，何？腎，水之精，智者進而不止，無所疑惑，水亦進而不惑，故腎襃水，色黑。水陰，故腎雙。	腎所以智，何？腎者水之精，智者進止無所疑惑，水亦進而不惑。北方水，故腎色黑；水陰，故腎雙。竅之爲候，何？竅能瀉水，亦能流濡。
脾所以信者，何？脾，土之精，土主信，任養萬物，爲之襃生物無所私，信之至，故脾襃土，色黃。」❽	脾所以信，何？脾者土之精也，土尚任養萬物，爲之象生物無所私，信之至也，故脾象土，色黃也。口爲之候，何？口能啖嘗，舌能知味，亦能出音聲，吐滋液。」❾

從表中左右對照的標楷體，可以看出二條讖文相同處，《元命苞》除首句外，皆見於《動聲儀》所述。至於《動聲儀》問答句式「某爲之某，何爲」是《公羊》家、《白虎通》等今文經學所特有的文例，並未見於東漢讖文中；再考《七緯》此二條典出《五行大義·論雜配》與《白虎通·情性》；而《白虎通》此段又見於《太平御覽·人事部》中，文分五小段 ((1)~(5)) ，試將三書引文列表比較，可見其間關係：

---

❾ [清]趙在翰：《七緯·樂動聲儀》卷20，頁9。

《五行大義·論雜配》：	《白虎通·論五藏六府主性情》：	《太平御覽·人事部》：
《白虎通》云：「	《樂動聲儀》曰：「官有六府，人有五藏。」	(1)《樂動聲儀》曰：「
	五藏者，何也？謂肝、心、肺、腎、脾也。	
肝之爲言扞也；肺之爲言費也，情動得序也；心之爲言任也，任於思也；腎之爲言寫也，以竅寫；脾之爲言辨也，所以積精稟氣。	肝之爲言干也；肺之爲言費也，情動得序；心之爲言任也，任于恩也；腎之爲言寫也，以竅寫也；脾之爲言辨也，所以積精稟氣也。	(3)《白虎通》曰：「脾之爲言併也，所以併積氣。」
《元命苞》云：『脾者弁也，心得之而貴，肝得之而興，肺得之而大，腎得之以化。』		
	五藏：肝仁，肺義，心禮，腎智，脾信也。	(1)五藏：肝仁。
肝仁、肺義、心禮、腎智、脾信。	肝所以仁者，何？肝，木之精也；仁者好生，東方者，陽也，萬物始生，故肝象木，色青而有枝葉。目爲之候，何？目能出淚，而不能內物；木亦能出枝葉，不能有所內也。	肝所以仁者，何？肝，木之精也；仁者好生，東方者，陽也，萬物始生，故肝象木，色青而有枝葉。」
肝所以仁者，何？肝，木之精，仁者好生，東方者，陽也，萬物始生，故肝橡木色，青而柔。		
肺所以義者，何？肺，金之精，義者能斷，西方殺，成萬物，故肺象金，色白而有剛。	肺所以義者，何？肺者，金之精；義者，斷決，西方亦金，殺成萬物也。故肺象金，色白也。鼻爲之候，何？鼻出入氣，高而有竅；山亦有金石累積，亦有孔穴，出雲布雨，以潤天下，雨則雲消。鼻能出納氣也	(2)《白虎通》曰：「肺所以義者，何？肺者，金之精；義者，斷決，西方亦金，殺成萬物也。故肺象金，色白，繫於鼻。」
心所以禮者，何？心者，火之精，南方尊陽在上，卑陰在下，禮有尊卑，故心象火，色赤而光。」⑧⑨	心所以爲禮，何？心，火之精也；南方，尊陽在上，卑陰在下，禮有尊卑。故心象火，色赤而銳也。人有道尊，天本在	

---

⑧⑨ [隋]蕭吉：《五行大義》卷3，〈論雜配〉頁15。

⑨⑩ [清]陳立：《白虎通疏證》(北京：中華書局，1994年8月)卷8，〈論五藏六府主性情〉頁385。

| | 上，故心下銳也。耳爲之候，何？耳能偏內外，別音語，火照有似于禮，上下分明。
腎所以智，何？腎者，水之精；智者，進止無所疑惑，水亦進而不惑。北方水，故腎色黑；水陰，故腎雙。竅之爲候，何？竅能瀉水，亦能流濡。
脾所以信，何？脾者，土之精也；土尚任養，萬物爲之象，生物無所私，信之至也。故脾象土，色黃也。口爲之候，何？口能啖嘗，舌能知味，亦能出音聲，吐滋液。❾⓪ | (5)《白虎通》曰：「

腎所以智，何？腎者，水之精；智者，進止無所疑惑，水亦進而不惑。北方水，故腎黑；陰，故腎雙居。」
(4)（《白虎通》）又曰：「脾所以信，何？脾者，土之精；土尚任養，萬物無所私，信之至也。故脾象土，色黃，繫於舌。」❾① |

《五行大義·論雜配》引文首句已注明《白虎通》，比對的結果，也的確是節取《白虎通》「肝之爲言干也……象土色黃」部分，而刪除「目爲之候」等兩官說辭及「人有道尊」以下一百五餘字。至於《白虎通》這一長段文字，僅有首句引《樂動聲儀》讖文八字，其下「五藏者……吐滋液」約三百八十字，全屬《白虎通》闡釋經義的行文。這個推論，可以從《御覽》所錄五條引文證實。《御覽》除第一條以讖名篇，作「《樂動聲儀》曰：『五臟肝仁。肝所以仁……有枝葉』」，其餘四條書名都作《白虎通》。然而第(1)條所以取《樂動聲儀》爲篇名，顯然是抄寫的誤認，以「《樂動聲儀》曰」續接「五臟肝仁。肝所以仁……」，而其間的第(3)條「脾之……氣也」，又歸還予《白虎通》，可見抄錄有誤❾②。至於《大義》多出《元命苞》「脾者……

❾① [宋]李昉：《太平御覽》卷376，〈人事部十七〉頁6~8。

❾② 《太平御覽》這種傳鈔錯誤的情況，孫星衍也有過評議，他在論述《太平御

以化」讖文一條，則爲《白虎通》所無者，從讖文文式與《白虎通》不契，應該是蕭吉自作增述的可能性高。

由考證可知，《白虎通》此段行文，原來只有《樂動聲儀》八字，《大義》引用時又增添《春秋元命包》二十四字，兩條讖文的內容各自不同；《御覽》引文五條則都不是讖文。從三書所引文以作比對，可證《七緯》重複收錄、文長數百而字句相似的二段《元命包》、《動聲儀》佚文，實屬後世之誤認，絕非東漢圖讖八十一卷中之文字。

是以清·陳立《白虎通疏證》也認爲：「《五行大義·三》云：『五藏者，肝、心、肺、腎、脾也。』自此至『吐滋液』宜從《白虎通》原文。趙氏在翰輯《七緯》、孫瑴《古微書》，並屬上『官有六府，人有五藏』，皆爲《樂動聲儀》語，非也。」⑨蕭文郁點校《七緯》，謂：「自『五藏者，何也』以下至『吐滋液』，除其中『肝所以仁者何』至『色青而有枝葉』一節爲緯文外，餘均係《白虎通》之文，不應輯入《樂緯》中。」⑨雖已有所考，惜仍依循《御覽》而誤也，非是。而李美燕〈《樂緯》的樂教思想與音樂宇宙觀〉，取輯本此條全文，以論證「五德、五言、五德、五行、五色、五官……諸事，皆可類比對列在此一音樂宇宙圖式中」⑨。實乃取《白虎通》之

覽》誤引《韓詩內傳》，說道：「《御覽》一書，徵引頗多，舛誤亦最多。有一文未了，別起一行；前文之注，誤連後文；皆由傳刻譌謬之致。後人若引此以入《韓詩內傳》，又據此以證湯陵在徵之說爲西漢人語，甚謬甚矣！」（孫星衍：《岱南閣集》[北京：中華書局，1996年]卷1，〈湯陵考〉頁190。）

⑨ [清]陳立：《白虎通疏證》卷8，〈性情〉頁383。

⑨ 鍾肇鵬：《七緯點校》頁698。

⑨ 李美燕：〈《樂緯》的樂教思想與音樂宇宙觀〉，《中華學術年刊》第21期(民國89年3月)，頁114。

經義，附會爲《樂緯》之內容，此即依循輯本譌舛而衍生之錯誤論斷也。

乙、誤引撰者的注文爲佚文

黃奭《通緯·尚書帝命驗》有「天之五號」讖文一條，與古文《尚書說》及《詩毛傳》文字相同，將三段文字列爲一表，可看出字句異同：

黃奭《通緯·尚書帝命驗》129： 天有五號， 尊而君之則曰「皇天」， 元氣廣大則稱「昊天」， 仁覆閔下則稱「旻天」， 自上監下則稱「上天」， 據遠視之蒼蒼然則稱「蒼天」。	鄭玄引《尚書說》： 「天有五號，各用所宜稱之。 尊而君之則曰『皇天』， 元氣廣大則稱『昊天』， 仁覆閔下則稱『旻天』， 自上監下則稱『上天』， 據遠視之蒼蒼然則稱『蒼天』」。❾❻	《詩·王風·黍離·毛傳》： 「蒼天，以體言之。 尊而君之則曰『皇天』， 元氣廣大則稱『昊天』， 仁覆閔下則稱『旻天』， 自上監下則稱『上天』， 據遠視之蒼蒼然則稱『蒼天』」。

黃奭《通緯·尚書帝命驗》第129條「天之五號」，乃迻錄孫瑴《古微書》，安居《重修》本列之爲《尚書緯》第253條，並注曰：「〈大宗伯疏〉作《尚書緯》。」❾❼但是查對《周禮·大宗伯》賈《疏》，此段文字實爲鄭玄《駁五經異義》中所引的「《尚書說》」，原文並無「緯」字❾❽。殆因鄭玄解經義時，於所引讖緯或稱作「說」，因而孫瑴誤以此條爲緯書佚文，並率爾收入《帝命驗》中；安居《重修》本更改「說」字爲「緯」，以增其可信度。但是再查許慎《五經異義》：

---

❾❻ [唐]賈公彥：《周禮注疏》卷18，〈大宗伯之職〉頁4引。

❾❼ 日·安居香山：《重修緯書集成·尚書緯》頁68。

❾❽ 鄭玄《駁異義》此段文字，見[唐]賈公彥：《周禮注疏》卷18，〈大宗伯之職〉頁4引。

「古《尚書》說：『元氣廣大謂之昊天』，則昊昊，廣大之意。」❾❾

可知鄭玄所引「《尚書說》」，實即許慎所引之「古《尚書》說」，一如「今歐陽《尚書》說」、「今夏侯《尚書》說」，並非指稱《尚書緯》而言。實則這一段「古《尚書》說」也曾見於《詩經·黍離》的毛《傳》中，孔穎達疏並謂：「毛公此傳當有成文，不知出自何書？」❿ 今查許慎《說文》「旻」字下，引「《虞書》說：『仁覆閔下則偁旻天。』」⓫許慎為古文經學派，所論多據古文家言，可證《古尚書》當有此說，惟後世或佚而已。

是以此條《帝命驗》讖文出處，原本實作「古《尚書》說」，唐代以前凡引此文時，都未賦予緯書篇目，直到孫瑴輯《古微書》時，纔將之誤輯入《尚書帝命驗》中，應予刪除。

四、佚文的分類與製表

輯本佚文凌散殘敨，應依內容詳作分類、考釋，才能顯現其完整內容。筆者曾將黃奭《通緯·尚書緯》341條，輔以安居《重修》本580條，依星曆、帝王、經義等類別，分為166組，並製成表欄比較，撰為〈《尚書緯》內容考原〉一文⓬，深知此一方法對解讀讖緯佚文

---

❾❾ [唐]孔穎達：《禮記正義》卷14，〈月令〉頁7引。
❿ [唐]孔穎達：《詩經正義》卷4之1，〈王風·黍離〉頁4。又見[宋]邢昺：《爾雅注疏·釋天》所引；[後晉]劉昫：《舊唐書·禮儀志一》亦引。
⓫ [清]段玉裁：《說文解字注》七篇上，頁1。
⓬ 詳見黃復山：〈漢代《尚書》讖緯學述〉頁101~275。

甚有助益;近年來逐步作各緯的分類考釋,對於讖文的了解甚見功效。以下略舉二例,以明其用。

(一)輯本散佚不全

佚文分類的結果,也使原本難以解釋的斷簡殘文,更易於解讀,例如:安居本《河圖聖洽符》第798條:「昴者,白衣。」僅只四字,文意不明,但是類聚佚文中「白衣」一詞,則可知此條只是簡單的二十八宿星象占驗⑩。

又如《河圖聖洽符》「五星犯招搖、玄戈、匏瓜」之佚文,原本應有星象占驗上的完整性,但是黃奭本、安居本皆散見於不同頁數中(由編可知:黃奭本出現於806~808、824~826、828~830、840~842等12條中,安居本則出現於a745、a746、a749等3條中),若泛據輯本論述,很難看出彼此的關聯性。以下排比15條佚文,可以對照出各條字句傳鈔增減的情形:

806 歲星　犯　招搖，　邊兵大起,強鄰為寇。若守之,鄰國敗,其　主死,期不出三年。			
a745 熒惑有　招搖，　邊兵大起,邊人為寇,若守之,邊敗,其國主死,　不出二年。			
824 塡星　犯　招搖，　兵　大　起,邊人為寇,若守之,敵人敗,　　鄰君死,期不出二年。			
828 太白犯　招搖，　邊兵大起,敵人為寇,若守之,敵　敗,若敵君死,期不出三年。			
840 辰星　犯　招搖，　邊兵大起,敵人為寇,若守之,敵人敗,若敵君死,期不出三年。			
807 歲星　犯　玄武，　邊兵　起,胡人為寇。若守之,邊人敗,其國主死,期　在二年。			
a746 熒惑　犯守元戈，　邊兵大起,強人為寇,若守之,邊人敗,其國王死,期不出二年。			

⑩　如黃奭《通緯・河圖帝覽嬉》第496條:「月犯昴,天子破匈奴,不出五年中,若有白衣會。」《春秋文耀鉤》第252條:「流星入昴,四方交兵,白衣之會,若貴有急下獄,期三年。」蓋謂星、月犯入昴宿,將有白衣之會(喪事)。

825	填星	犯 元戈，	邊兵大起，邊人爲寇，若守之，敵人敗，若敵君守。
829	太白	犯守元戈，	爲邊兵大起，敵人爲寇，若守之，敵人敗，若敵君死，期不出二年。
841	辰星	犯 元戈，	邊兵大起，敵人爲寇，若守之，　　　　敵主死，期不出二年。
808	歲星	犯 匏瓜，	天下有憂，若有遊兵，各果物貴。一曰：魚鹽貴，　　在年中。
a749	熒惑	犯守匏瓜，	天下有憂，若有遊兵，名菓貴。　一曰：魚鹽貴價十倍，不出期年。
826	填星	犯守匏瓜，	天下有憂。
830	太白	犯守匏瓜，	天下有憂，若有遊兵，名果貴。　一曰：魚鹽價五倍。
842	辰星	犯守匏瓜，	天下有憂，若有游兵，水果貴。　一曰：魚鹽貴十倍，不出其年。

（二）諸緯可相互補充

輯本有述及「周公歸政成王」的讖文，內容繁複，經過仔細搜檢後，得十三條，讖文編號[104]有黃奭《通緯》的《尚書中候·摘洛戒》第322~228條、《尚書中候·合符后》第321條、《尚書中候》第407條、《禮斗威儀》第224條、《孝經援神契》第192條，另有安居《重修》本《中候摘雒戒》第521條，以及孔穎達《詩經正義》引《中候摘洛戒》一條，共計十三條，依次以(1)～(13)示其序。將之列表比對後，可得以下結果：

| (1)《中候摘洛戒323
周公踐阼理政，與天合志，萬序咸休，得氣充塞，藩侯陪位，羣公皆就，立如舜。周公差應。 | (4)《中候摘雒戒》a521
藩侯陪位，群公皆就，立如舜，周 | 奜《中候摘洛戒》云：「
日若稽古周公且，欽惟皇天順踐阼。 | (6)《中候摘洛戒》322
日若稽古周公且，欽惟皇天順踐阼。

(7)《中候摘洛戒》324 | (10)《孝經援神契》192
周公踐阼理政，與天合志，萬序咸得，休氣四塞。

(11)《中候摘洛戒》327 | |

[104] 爲了便於檢閱，筆者將二種輯本《河圖》部分分別編碼，黃奭本有863條、安居本有1299條。表中數字即佚文編碼，可以看出佚文在輯本中的先後順序。

[105] [唐]孔穎達：《詩經正義》卷19之1，〈周頌譜〉頁5引。

（承上頁）

烯《中候摘洛戒 325 周公攝政七年，制禮作樂，周公歸政於成王，鸞鳳見，蓂莢生。 周成王舉堯舜禮， 沈璧于河，禮畢， 王退俟， 至于日昧， 榮光竝出幕河， 白雲起而青雲浮至， 乃有青龍臨壇，銜玄甲之圖，吐之而去。成王觀於洛，沈璧禮畢，王退，有玄龜青純蒼光，背甲刻書，止蹄于壇，赤文成字，周公視，三公視。 烯《中候摘洛戒 326 其文言周世之事，五百之戒，與秦漢事。周公援筆，以時文寫之。	公差應， 至于日晨， 榮光汨河， 青雲浮至， 青龍仰玄甲，臨壇上， 濟止圖滯，周公視三公，視其文， 言周世之事，五百之戒，與秦漢事。	即攝七年， 鸞鳳見，蓂莢生。 青龍銜甲， 玄龜背書。」⑩	周公差應，邪錯在後，聖人在神位，故近之。 (8)《中候合符后》321 武王觀于河，沈璧，禮畢，且退，至于日昧， 榮光竝塞，河沈璧， 青雲浮洛，赤龍臨壇，銜玄甲之圖，吐之而去。 (9)《尚書中候 a407 周公泥壁，玄龜青純。	周公攝命七年， 歸政成王， 沈璧于河， 榮光幕河， 青雲浮至，青龍銜甲臨壇，吐圖而去。 (2)《中候摘洛戒》328 周公沈璧，玄龜青純。	⑬《禮斗威儀 224 周成王觀於河， 沈璧而退， 青雲浮洛，青龍臨壇，吐元甲之圖。

　　由第二欄的(4)《中候摘雒戒》，以及第三欄的(5)《中候摘洛戒》，可以推證第一欄(1)至(2)等三條《中候摘洛戒》，應可作爲完整一段，文句足以將十三條讖文旨意全數涵括。再者，《孝經援神契》、《禮斗威儀》也有與《尚書中候·摘洛戒》相同的讖文，似乎顯示三種讖緯的內容並非各自獨立無關。

　　至於字句咬誤的校對上，經由列表比對的結果，各條讖文的異

· 文獻學研究的回顧與展望——第二屆中國文獻學學術研討會論文集 ·

同很清楚可以看出：

一、(1)《中候摘洛戒》的「萬物咸休，得氣充塞」，經由(10)《孝經援神契》的比對，可知應爲「萬物咸得，休氣四塞」的倒置；

二、(4)《中候摘雒戒》的「周公視三公，視其文，言周世……」，由(2)、(3)兩條《中候摘洛戒》比對，可知(4)的斷句有誤，應當標點爲「周公視，三公視，其文言周世……」；

三、(2)及(11)的《中候摘洛戒》都有「榮光幕河」一詞，(4)安居《重修》本作「汨河」，以此可證(8)《中候合符后》的「榮光竝塞，河沈璧」，缺一「出」字、又衍「沈璧」二字，應改作「榮光竝出，塞河」；

四、(4)《中候摘雒戒》的「濟止圖滯」，由(2)《中候摘洛戒》可證爲「止蹟」誤舛，而「圖滯」則爲傳抄時的衍文；

五、(8)《中候合符后》的「武王」，由(2)《中候摘洛戒》、(13)《禮斗威儀》所述，可證爲「成王」之誤。

再者，黃奭《通緯·河圖》第24條論及青帝等星宿占驗，文句不夠完整，但是有《春秋運斗樞》第126~130等五條與之相近。以《河圖》爲證，可知《春秋緯》五條應合併爲一條，成爲旨意完整的讖文；《河圖》亦可依據《春秋緯》補足所欠缺的文句。

《河圖》24： 歲星帥五緯聚房，青帝起；	《春秋運斗樞》126~130： 歲星帥五星，聚於東方七宿，蒼帝以仁良溫讓起，皆以所舍占國。 熒惑帥五星，聚於南方七宿，赤帝以寬明多智略起。 塡星帥五精，聚於中央，黃帝以重厚賢聖起。

| 太白帥五緯聚參，白帝起；

辰星帥五緯聚於北方七宿，黑帝以清平潔靜通明起。 | 太白帥五精，聚於西方七宿，白帝以勇武誠信，多節義起。
辰精帥五精，聚於北方七宿，黑帝以清平靜潔通明起。 |

　　另外，黃奭《通緯·尚書考靈曜》有四條論述春政內容，與《尚書緯》相類，列為一表，可見彼此關係：

《考靈曜》a116： 氣在於春，其紀歲星， 是謂大門，禁民無得斬伐有實之木，是謂伐生絕氣， 於其時諸道皆通，與氣同光。	《尚書緯》017： 時五紀。氣在于春紀， 可以勸農桑，禁斬伐，以安國家。 如是，則歲星行度，五穀滋矣 政失于春，星不居其常。	《考靈曜》060： 時五紀。气在於春紀， 可以觀農桑，禁斬伐，以安國家。 如是，則气星得度，五穀滋矣 政失于春，星不居其常。
佩倉璧，乘倉馬，以出遊，衣青之時，是則歲星得度，五穀滋矣。	《考靈曜》061： 春佩蒼璧，乘蒼馬，以出遊，發令於外。 春行仁政，順天之常，以安國也。	《考靈曜》086： 春發令於外， 行仁政，式天常，其時衣青。

　　表中第17、60條相同，應該輯佚所使用的文獻，一有篇名、一無篇名，所以分別輯入；第61、86條也應該是相同讖文，只是後者有刪簡。將這四條與安居本第116條作一比對，可知原本應屬一條，安居本「是則歲星得度，五穀滋矣」，應改置於「伐生絕氣」下，文氣才順。可能古人引用此條讖文時，只取其部分，是以黃奭在輯佚時就分散成兩部分了。以安居本為證，可以將它們組合為一。

（三）可以通讀、校正輯本的用字

讖文有述遂人、伏犧功業的讖文，內容似乎頗爲晦澀，見《易通卦驗》：「遂皇始出，握機矩，表計宜，其刻曰：『蒼牙通靈，昌之成，孔演命，明道經。』」《易坤靈圖》有兩條相類似的讖文：「遂皇始出，握機矩，是法北斗，而成七政；表計眞圖，其刻曰：『蒼渠通靈。』」「蒼牙通靈，昌之成運，孔演命，明道經。」這些看似天書，讓人不知所云的文句，在參考相關讖文後，其實文意也很簡單。

文中的「遂皇」即三皇中的遂人氏，「蒼牙、蒼渠」即神農氏⓯。讖緯認爲遂人掌握北斗旋機，可以循之施行農業、人事等政令；而伏犧則是矩衡神，創造八卦以象萬事。所以《易緯》說：「遂皇機矩。」又說：「伏戲，矩衡神。」《易通卦驗》也說：「處方牙，蒼精作易，無書以盡序，驗曰：『矩衡神，五鈴興象，出亡徵應。』」以「處方牙，蒼精」稱呼神農；又說：「燧人之皇沒，處戲生，本尙芒芒，開矩聽八，蒼靈唯精。」認爲遂人歿後，伏犧出生，天下事茫昧渾然，神農使用矩衡神的力量（開矩），創造出八卦（聽八）；句末的「蒼靈」是「蒼牙通靈」的簡化。至於「表計宜」、「表計眞圖」，依馬驌《繹史》引文，應該是「表計賓圖」的譌誤，表是書寫文字（《尚書中候握河記》「表曰：『文命治淫水。』」），計有驗算的意思，賓當「置放」講，讖緯頗多神龍、河龜「賓（置）圖」於受命天子面前的記載。

⓯　緯書中，神農的稱號除了「蒼牙、蒼渠」外，還有《易通卦驗》「有人侯，牙渠倉軀演步」、《易坤靈圖》「伏羲方牙精作易」、《春秋合誠圖》「伏羲龍身牛首，渠肩連掖」等說法。其中，「蒼、倉」是說伏犧爲木德，色青蒼；「牙、渠」是其外貌「牙肩、渠肩」。

　　經由相關的讖文爲旁證，《通卦驗》、《坤靈圖》的文意，大致是說明：遂人氏初王天下時，持斗機考察天文，作爲施政依準；並且算出天運，以圖讖預言說出：將來會有能通神靈的伏犧氏，製造出八卦，周文王姬昌則接替完成爲六十四卦，孔丘運用這些卦來推演天命，闡明道經。

　　由此看來，這三條看似深奧的讖文，含意其實頗爲簡單。

　　另有敘述夏禹形貌的讖文5條，內容相似，列表如下：

《尚書帝命驗》132：禹身長九尺，有只虎鼻、河目，駢齒、鳥喙，耳三漏，戴成鈴，裹玉斗，玉骭履已。	《春秋合誠圖》a158：禹九尺有咫，虎鼻、河目，駢齒、鳥喙，耳三漏，戴鈴，懷玉斗，玉肝履己。	《雒書靈準聽》106：禹身長九尺有六，虎鼻、河目，駢齒、鳥喙，耳三漏，戴成鈴，襄玉斗，玉骭履已。	《孝經援神契》185：禹虎鼻。《論語摘輔象》40：禹虎鼻山準。

　　《尚書帝命驗》說禹的形貌「身長九尺，有只虎鼻、河目」，文意不順；《合誠圖》則說「禹九尺有咫，虎鼻、河目」；都不甚了然。以《雒書靈準聽》校正，則知前兩條的「只、咫」，其實是「六」字的誤，可能是《帝命驗》將「六」抄成了「只」，《合誠圖》又將「只」抄成了「咫」，以致文意顯得晦澀難解。《合誠圖》末句的「玉肝」當是「玉骭」之誤。再者，以《尚書中候·立象》「脩己剖背，而生禹於石紐，虎鼻彪口，兩耳參鏤，首戴鉤鈴，匈懷玉斗，足文履己」一文證之，上表中的「裹玉斗、襄玉斗」應是「懷玉斗」之誤。這就是將佚文依內容類分後，可以藉由字句的比對，以推知讖文的原意。

（四）製作表格，有利通讀讖文本意

有些讖文的文意晦澀，又無相關文獻以供參校、比對，這時可用列表的方式以求解讀。例如黃奭《通緯·易稽覽圖》第213條，敘述公、侯卦與24節氣配屬的關係，文式排列整飭：

中孚純坎公──	初六	冬至，十一月中，廣漠風。
解純震──	初九	春分，二月中，明庶風。
咸純離──	初九	夏至，五月中，凱風。
賁純兌──	初九	秋分，八月中，閶闔風。
屯侯──	九二	小寒，十二月節。
豫──	六二	清明，三月節。
鼎──	六二	小暑，六月節。
歸妹──	九二	寒露，九月節。
升公──	六三	大寒，十二月中，日在坎。
革──	六三	穀雨，三月中，日在震。
履──	九三	大暑，六月中，日在離。
困──	六三	霜降，九月中，日在兌。
小過侯──	六四	立春，正月節，條風。
旅──	九四	立夏，四月節，(溫風)。
恆──	九四	立秋，七月節，涼風。
艮──	九四	立冬，十月節，(不周風)。
漸公──	九五	雨水，正月中。
小畜──	六五	小滿，四月中。

損——　　　　六五　　處暑，七月中。

大過——　　　九五　　小雪，十月中。

需侯——　　　上六　　驚蟄，（三）（二）月節。

大有——　　　上六　　芒種，五月節。

巽——　　　　上九　　白露，八月節。

未濟——　　　上六　　大雪，十（一）月節。

由句首「純坎、純震、純離、純兌」云云，可知讖文以文王後天圖的「北坎、東震、南離、西兌」四方位爲意。但是讀者卻無法從行文中體認其意涵。如果我們將這24節氣的讖文分爲四欄，每欄依「初、二、三、四、五、六」次列成卦，讖文原意就豁然可解了：

1.中孚純坎公—初六冬至，十一月中，廣漠風。	5.屯侯—九二小寒，十二月節。	9.升公—六三大寒，十二月中，日在坎。	13.小過侯—一六四立春，正月節，條風。	17.漸公—九五雨水，正月中。	21.需侯—上六驚蟄，（三）[二]月節。
2.解純震—初九春分，二月中，明庶風。	6.豫—六二清明，三月節。	10.革—六三穀雨，三月中，日在震。	14.旅—九四立夏，四月節，[溫風]。	18.小畜—六五小滿，四月中。	22.大有—上六芒種，五月節。
3.咸純離—初九夏至，五月中，凱風。	7.鼎—六二小暑，六月節。	11.履—九三大暑，六月中，日在離。	15.恆—九四立秋，七月節，涼風。	19.損—六五處暑，七月中。	23.巽—上九白露，八月節。
4.賁純兌—初九秋分，八月中，閶闔風。	8.歸妹—九二寒露，九月節。	12.困—六三霜降，九月中，日在兌。	16.艮—九四立冬，十月節，[不周風]。	20.大過—九五小雪，十月中。	24.未濟—上六大雪，十[一]月節。

第一欄的卦象是「初六、九二、六三、六四、九五、上六」，合爲「坎卦」；第二欄的卦象是「初九、六二、六三、九四、六五、上六」，合爲「震卦」；至於第三、四欄也可依此合爲「離卦」、「兌卦」。恰好解釋讖文句首所說四個「純卦」的意思。至於讖文的旨意，就可循著漢代象數《易》學去尋求解釋了。

五、結　語

讖緯研究的內容雖然牽涉廣泛，定義雖然眾說紛紜，但是如果能將讖緯相關的歷史文獻作時代流衍的考證與編年，由此確認讖緯學研究所依據的主體——各種「緯書輯本」裒輯佚文的目的，就是想回復東漢光武帝時的圖讖八十一卷；學者如果依據當時流傳的圖讖篇名，針對內容作逐步的類分、校正與解釋，將不屬於八十一卷的部分一一剔除，就能夠更正確地呈顯出東漢讖緯學的眞貌。

在這樣的體認下，研究東漢讖緯或研究歷代不斷造生的讖語，應有兩個比較清楚的區隔，以下試以表列方式，標明這兩種讖緯主題研究的範圍：

學門	方式	議　題	所　依　據　之　資　料
讖緯學	專論	配經之讖緯：內容及思想。	光武圖讖八十一卷（歷代讖緯輯佚書如《古微書》等）
	泛論	讖緯學及歷代流變史。	歷代圖籙、符命、童謠、讖語、占驗……（包含經讖）之流變。

表中所說的泛論，是指世俗常言的預言之讖，這一類讖語，歷代不斷造作，或爲政治目的，或作爲日常生活之依準，皆與經學無關；偶有藉以附會經義者，也是少數⓯。至於光武朝編纂圖讖八十一卷時，始試圖將讖語融入經義中，進而更以之爲解經的依據，這也就是學者所說的「配經之緯書」；若以此爲研究主題，則時間當斷限在東漢，不必將它的成書時間附會至先秦、漢初，內容也不必下探至魏、晉、六朝以後纔造生的讖語，或《孔老讖》、《推背圖》、《易乾坤鑿度》之類的專書。

　　至於確實的研究方法，可以藉用與讖緯內容有關的各種文獻，如《尚書大傳》、《史記·天官書》、《開元占經》、各種天文星圖、漢代碑刻銘文……等，以助於讖文的斠覈、解讀。至於各種輯本的皎誤，有的源自東漢圖讖編纂之初，有的屬於後人傳鈔時有意、無意的增刪附會所致，也可透過歷史文獻及佚文全面的比對，盡量予其情境重塑的還原；俾使學者依據輯本佚文而考論東漢學術時，不致採用魏、晉以後文獻誤斷漢代思想。最後，若能將可信的佚文一一作全面的分類，必可廓清讖緯內容的迷霧；再藉用製作表格、比對文句的方法，更能將文義晦澀的長文（如《易緯》）、不易解讀的殘文短句（如星占），作較爲明確的解讀，進而破除傳統以謂讖緯難讀的舊說。

⓯　詳見黃復山：〈漢代《尚書》讖緯學述〉頁19-24、頁39。

《鹽鐵論》後半部非臆造之作論考

黑　琨[*]

摘　要

西漢昭帝時期，曾召開了一次旨在討論漢武時期某些政策得失的鹽鐵會議。至漢宣帝時，桓寬依據其所見到的鹽鐵會議記錄撰成《鹽鐵論》一書。此書《七略》及《漢書·藝文志》皆有著錄，且班固稱桓寬「推衍鹽、鐵之議，增廣條目，極其論難」而成此書。其後之歷代史志著錄皆承此說，別無異辭。至清，姚鼐始疑《鹽鐵論》中42—59篇所論為桓寬臆設之言。臺灣學者賴建誠先生繼之又提出此問題，並加以考證，稱《鹽鐵論》後半部文字並非根據鹽

鐵會議議文而撰，而是桓寬臆造的結果。筆者剖析了賴氏言論中的疏漏之處，又舉出大量實據，從而證明《鹽鐵論》後半部分非桓寬臆造之作。

關鍵詞　《鹽鐵論》　桓寬　臆造問題

《鹽鐵論》是漢宣帝時期桓寬依據鹽鐵會議記錄編撰而成的一部政論文集，其成書之後，劉歆《七略》❶及《漢書·藝文志》皆作：「桓寬《鹽鐵論》，六十篇」，班固又於《漢書·公孫田劉王楊蔡陳鄭傳贊》曰：「至宣帝時，汝南桓寬次公，……博通，善屬文，推衍鹽、鐵之議，增廣條目，極其論難，著數萬言；亦欲以究治亂，成一家之法焉」，稱《鹽鐵論》乃桓寬根據「鹽鐵之議」「推衍、增廣」而成。其後之歷代史志著錄皆承此說，別無異辭。

至清人姚鼐始疑其書42－59篇所論爲桓寬臆造：「（《鹽鐵論》）四十二篇以下，乃異日御史大夫復與文學論伐匈奴及刑法事，此殆尤是桓之設言」❷。其根據爲：《鹽鐵論》一書所敘不實，「又議鹽、鐵，自第一篇至四十一篇，奏復詔可而事畢，四十二篇以下，乃異日御史大夫復與文學所論，其首曰：『賢良、文學既拜，皆取列大夫。』按漢士始登朝，大抵爲郎而已，如嚴助、朱買臣對策進說爲中大夫，乃武帝不次用人之事，豈得多哉？昭帝時，惟韓延壽以父死難，乃自文學爲諫大夫，魏相以賢良對策高第，

❶　姚振宗《七略佚文》輯本，《快閣師石山房叢書》，浙江省立圖書館1932年排印本。

❷　姚鼐《惜抱軒全集·惜抱軒筆記·鹽鐵論》，清同治五年省心閣重刊本。

僅得縣令，其即與此對者與固未可決知，要之，無議鹽、鐵六十人取大夫之理，此必寬臆造也。」❸

　　臺灣學者賴建誠先生繼姚鼐之後又提出《鹽鐵論》後半部的臆造問題，他對姚鼐所稱「漢士始登朝，……無議鹽、鐵六十人取大夫之理」持反對意見，認爲：漢人桓寬應比清人姚鼐更明白漢代的官位倫理，不會犯如此幼稚的錯誤。至於「咸取列大夫」一語，賴氏未作明確解釋，僅稱「很難單憑此點來論斷42—59篇爲桓寬所臆造」❹。

　　對於姚氏所說的「不實」問題，王利器先生以《史記・樊噲傳集解》「文穎曰：『列大夫即公大夫，爵第七。』」爲據稱：「取列大夫」指賜爵而非授官，認爲姚氏意見有誤。此種看法有一定道理。另外，《漢書・百官公卿表》對「大夫」的解釋爲：「大夫掌議論，有太中大夫、中大夫、諫大夫，皆無員，多至數十人。」因此，賢良、文學「皆取列大夫」並不足爲奇，其義或指無員之官，或指賜爵，當實有其事，而並非桓寬所設之言。

　　賴建誠先生雖反對姚鼐的「不實」之說，但仍認爲姚鼐對《鹽鐵論》後半部之臆設問題的懷疑有一定道理，惟證據不夠堅實，故又重新提出這一問題，並列出以下幾點論據加以證明：

　　㈠如42—59篇所記仍是官方正式會議，則不應在〈擊之〉篇首曰：「辭丞相、御史」，而只剩文學、賢良、大夫三方繼續議論，且此與〈刑德〉之後幾篇御史的再次出現不合；此外，賢良在42—59篇中全未出現，「其雖未辭，卻未贊一詞」，此種形式奇怪，不似官

❸　姚鼐《惜抱軒全集・惜抱軒文後集・跋鹽鐵論》，清同治五年省心閣重刊本。
❹　賴建誠〈《鹽鐵論》的結構分析與臆造問題〉，載《中國文化》第14期。

方會議所有。

㈡鹽鐵會議所議主題在〈取下〉篇中已有結論：「罷郡國榷沽、關內鐵官」，不應再有42—59篇的另日之議，再議也不必「辭丞相、御史」；且42—59篇中並無具體政策性的結論，也毫無經濟方面的主題，與本書名稱「鹽鐵論」不符。

㈢匈奴問題在武帝晚年時威脅大減，昭帝時霍光主政期間匈奴問題重要性不大，因而在1—41篇的「主論」中有三篇談及匈奴問題，與實情吻合；而在42—59篇中匈奴問題卻佔有相當大的篇幅，不合當時的情況。此外，1—41篇中談匈奴問題的各篇，其篇名皆屬防衛性的，與昭帝時對匈奴所採取的防守和平路線相符；而42—59篇中的態度則較積極主動（如〈擊之〉、〈伐功〉），與1—41篇中的立論「在氣息上大異」。據此賴稱：42—59篇有可能是桓寬寫書時匈奴問題再度吃緊，使其有切膚之感，故在42—59篇中托事立言。

㈣《鹽鐵論》1—41篇之順序參差不齊，符合當時會議激辯的情形，而42—59篇卻井然有序，「似是個人作品的推理」；且1—41篇中有雙方互相進行激烈的人身攻擊之處，42—59篇中則不見或少見，不似政治對立雙方的常態，而是「單一作者抑壓激情轉化為理智語言的結果」。

㈤除以上四點論據之外，賴氏還引用日人山田勝美的研究成果作為旁證，稱山田勝美從《鹽鐵論》中找出60多處引用《公羊春秋傳》的文字，並稱這些文字多半存於42—59篇中，而在前半部中少見；從而認為後半部為公羊春秋學傳人桓寬所造。

賴氏以上諸見解，頗有疏漏之處，現分析如下：

第一，賴氏未明言其對〈擊之〉篇首「辭丞相、御史」一語具

體含義的理解，但按其思路推考，賴氏認爲「辭丞相、御史」一語乃指丞相、御史被「辭」，離會議現場而去，只餘文學、賢良、大夫三方繼續討論，此與其後書中出現的御史發言相矛盾。

細繹之，這種看法有失偏頗。因爲，「辭丞相、御史」中「御史」一詞乃是「御史大夫」的省稱。據王利器先生考證，漢人以「丞相、御史大夫」並提時，往往簡稱爲「丞相、御史」，如《漢書·賈捐之傳》：「對奏，上以問丞相、御史，御史大夫陳萬年以爲當擊。」〈蕭望之傳〉：「高者請丞相、御史，……於是天子復下其議兩府丞相、御史，以難問張敞。」以及〈循吏傳〉：「後詔使丞相、御史問郡國上計長吏守丞以政令得失」中的「丞相、御史」皆爲「丞相、御史大夫」的省稱❺。

而《鹽鐵論》本文中也有此類例證，其書首篇〈本議〉「有詔書使丞相、御史與所舉賢良、文學語」一句中的「御史」即爲「御史大夫」的省稱。因此，結合上下文語境理解，〈擊之〉篇首「辭丞相、御史」一語的含義不是指丞相、御史離會議現場而去，而是指賢良、文學向丞相、御史大夫辭行。這裏的「辭」應釋爲「告別」、「告辭」。馬非百之《鹽鐵論簡注》即釋「辭」爲「辭行」（其他注家如郭沫若、王利器等人亦無別樣解釋）；日本學者山田勝美在其著作《鹽鐵論》中將「辭丞相、御史」譯成日文爲：「丞相、御史大夫に辭す」，可見，其對「辭丞相、御史」一語的理解亦爲「向丞相、御史大夫辭行」。

因而，「辭丞相、御史」一語是承前省略了主語「賢良、文學」，其義實指賢良、文學「取列大夫」之後，向丞相、御史大夫告辭時，

---

❺　見王利器《鹽鐵論校注》（定本）上冊第5頁，中華書局1992年第1版。

御史大夫又提出出擊匈奴的問題，於是又引起進一步議論。因而此句與其後御史的存在、發言並無矛盾。況且，即便42—59篇爲桓寬的臆設之言，他也不會疏忽到出現先稱御史離開又讓其突然發言如此明顯的失誤，使行文前後矛盾。

至於賢良的「未贊一詞」，也當屬正常現象，而且這也正可表明桓寬在安排全書結構時的前後一貫：即在某一階段只表述賢良的言論，而在另一階段只表述文學一方的言論，其中又以文學發言爲主，1—41篇中直至第28篇始才表述賢良的言論，42—59篇之中只記述文學言論而不談賢良似乎亦無不可，不能據此而稱其爲臆設之言。

第二，鹽鐵會議由議鹽、鐵官營政策而起，但其討論內容並非只限於鹽、鐵等經濟政策，而是涵蓋了社會、政治、經濟、軍事等諸多方面的內容，對此，賴氏〈《鹽鐵論》的結構分析與臆造問題〉一文中所作詳盡的結構分析已可證明——「談論經濟問題的篇數，在比例上最低」。因此，既然1—41篇之「前議公事」已有「罷郡國榷沽、關內鐵官」等關於經濟問題的結論，42—59篇再次辯議不關經濟論題也並非不合情理。

當然，再次議論亦不必「辭丞相、御史」。賴氏對此產生的疑問仍然出自其對「辭丞相、御史」一語具體含義理解的偏頗，前已述及，茲不贅言。

另外，本書書名「鹽鐵論」本身就不是對整個會議內容的概括。如強求書中所有論述內容都與書名剴切，則有悖於常情。

第三，鹽鐵會議的中心議題即是討論漢武一代政策之得失，而匈奴問題在漢武時代居於舉足輕重的地位，亦是有目共睹之事。桑弘羊跟隨漢武帝多年，對抗擊、征伐匈奴的態度始終十分積極，早年他

便是制定、執行鹽鐵官營政策的主要參與者，亦曾有助於抗擊匈奴所需軍費問題的解決；此外，在其擔任大農中丞時，還親自策劃推行了屯田西域的政策❻；在擔任搜粟都尉期間，又曾上書諫屯田輪台之事❼。桑弘羊對匈奴問題如此關注，其在第一次會議後再次專門提出匈奴問題與賢良、文學討論，也是合情合理的事。而匈奴問題再次被專門討論，其在42—59篇中所占比重大於1—41篇，亦屬十分正常的現象。

　　賴氏從篇名入手分析所得的結論似乎也不能成立，因爲〈伐功〉篇篇名並非如賴氏所言有「積極主動」之意，「伐功」二字實際是指賢良、文學譏伐御史大夫桑弘羊「自稱其功」❽；而〈擊之〉篇篇名雖含有積極主動進攻之意，但亦不足以說明其即是桓寬臆設之言。況且42—59篇中所有談論匈奴問題的篇章內，也只有〈擊之〉篇篇名含積極主動意，其他篇名如〈結合〉、〈和親〉等也並非屬進攻性的，與1—41篇中的篇名並無賴氏所謂「氣息上的不同」；且從內容上分析也可看出：42—59篇中對匈奴問題的探討結論還是傾向於主和的賢良、文學一方的。

　　至於賴氏所稱桓寬著書時「對匈奴問題另有切膚之感」的問題，先不論桓寬著書時間是否在宣帝本始二年（前72年），單就對匈奴作戰一事，賴氏的理解就有一定的偏差，因爲宣帝時期的匈奴問題已不再像武帝時期那樣嚴重，此時的匈奴內部已發生分裂，雖然宣帝本始

---

❻　參見馬非百《桑弘羊傳》（中州書畫社1981年版），吳慧《桑弘羊研究》（齊魯書社1981年版）。

❼　參見馬非百《桑弘羊傳》，中州書畫社1981年版。

❽　參見王利器《鹽鐵論校注》（定本）下冊第495頁，中華書局1992年第1版。

二年「匈奴數侵邊」，但漢朝出擊匈奴在很大程度上是應烏孫國的請求，其時並未出現如賴氏所稱之「匈奴問題再度吃緊」的局面。因而關於這個問題，賴氏所提出的桓寬對匈奴問題有切膚之痛、進而托事立言的觀點也是站不住腳的。

第四，前已論及，《鹽鐵論》中1—41篇所論議題較多，且賢良、文學一方即有60餘人，會上人多言雜，據其記錄而撰的《鹽鐵論》一書之篇章順序參差不齊當屬實情；而42—59篇所論只兩大議題，秩序井然也符合會議情況。此外，42—59篇中亦有多處記述了較為激烈的人身攻擊之言，茲列舉如下：

〈結合〉篇大夫譏諷文學：「夫偷安者後危，慮近者憂邇，賢者離俗，智士權行，君子所慮，眾庶疑焉。故民可與觀成，不可與圖始。此有司所獨見，而文學所不睹。」

〈伐功〉篇文學譏諷大夫：「以搜粟都尉為御史大夫，持政十有餘年，未見種、蠡之功，而見靡弊之效，匈奴不為加俛、而百姓黎民以敝矣。是君之策不能弱匈奴，而反衰中國也。善為計者，固若此乎？」

此外，還有〈西域〉第四小節、〈世務〉第一小節、〈論鄒〉第一小節、〈論災〉第一、五小節、〈詔聖〉第六小節以及〈大論〉第一、五小節等等。此種情況與1—41篇的譏伐之詞沒有實質上的不同，然而其中卻不見賴氏所說的「抑壓激情」的「理智語言」。

第五，賴氏所稱引的山田勝美的研究成果並不能支持其《鹽鐵論》後半部為桓寬臆造的觀點。因為他對山田勝美著作中的觀點領會有誤。

山田書中未曾言《鹽鐵論》中有60多處引用《公羊春秋傳》，

而只是說《鹽鐵論》從《春秋》中引用60餘條,且明確聲稱:不能斷言這60餘條都是從《公羊傳》而來;其中有與《左傳》文一致處,還有一些可視爲從《穀梁傳》中所引。除此之外,山田甚至還認爲漢初今文十四家中的「嚴氏春秋學」也可能散見於此書❾。

　　且據王利器先生考察,《鹽鐵論》後半部確有引用《左傳》文字之處,如:〈擊之〉篇大夫所言「一日違敵,累世爲患」,即是合用了《左傳・僖公三十三年》之「一日縱敵,數世之患」及〈僖公三十一年〉「文不犯順,武不違敵」兩傳文。由此可知山田之論並非妄言。

　　因而雖然這60餘處引文多見於《鹽鐵論》的後半部,也根本不能說明問題,況且即使這些引文都出自《公羊春秋傳》,也不能斷然認爲《鹽鐵論》的後半部分就是桓寬一人臆設的結果,因爲不能排除賢良、文學這60餘人及御史、丞相史等人中有公羊學傳人的可能。因此,賴氏用山田勝美的成果作爲旁證也不能成立。

　　此外,賴氏還推斷:桓寬在前半部分書中亦借機暢書己見。其理由是:若參加鹽鐵會議的人「退而記錄議文」,通常以記錄論點爲主,而通觀《鹽鐵論》諸篇中代表朝廷的御史大夫與丞相的發言大多針對主題,要言不煩,堅定有力,甚引讀者注目。相對地,文學與賢良等儒生之論則顯得冗長反復,在有限的論點內循環。

　　其實,辯論本身往往以己所長,攻人之短,其中有反復之辭亦屬自然。且古書中所見議文繁複者,不單《鹽鐵論》有之,《漢書》

---

❾　見(日)山田勝美《鹽鐵論》,日本明德出版社1967年版。

所載韓安國與王恢論誘匈奴之辭亦稍繁，亦曾引起學者疑問❿。《漢書》所書當有所史實依據，以此推斷《鹽鐵論》中辯論情況的合乎歷史真實，反不失爲有力證據。況且韓安國與王恢所論只是擊伐匈奴事，而鹽鐵會議的論辯內容卻從鹽鐵而發，涉及社會政治、經濟、文化、軍事等諸多方面的內容；其參加會議的賢良、文學多達數十人，辯詞稍有繁複亦情有可原。

正如賴氏所言：《鹽鐵論》中賢良、文學的言論稍繁，大夫用語則頗見功力。這一點也恰好能說明桓寬的秉實而書——桓寬的思想是傾向于賢良、文學一方的。班固〈漢書·公孫田劉王楊蔡陳鄭傳贊〉稱桓寬「博通、善屬文」，桓寬既然善於「屬文」，則不應在作品中故意造成賢良、文學用語冗長、反復的弊病。且桓寬在〈雜論〉篇中已明確指出：「桑大夫據當世，合時變，推道術，尚權力，辟略小辯，雖非正法，然巨儒宿學恧然，不能自解，可謂博物通士矣。」通觀《鹽鐵論》可見，御史大夫桑弘羊對儒家經典稱引甚繁，此類引用包括引《易》三，引《詩》七，引《春秋》十二（多爲傳文），引《書》四，引《月令》二，引《論語》三，引《孟子》一；這些引用於42—59篇中居多，分佈在〈誅秦〉、〈徭役〉、〈險固〉、〈論功〉、〈論鄒〉、〈論災〉、〈刑德〉、〈詔聖〉等篇中。此外，從後半部的〈結合〉、〈誅秦〉、〈伐功〉、〈險固〉、〈論功〉諸篇皆可見其於先漢及漢初歷史十分精通，尤其是對於那些與抗暴戰爭有關的史料，更是如數家珍，不愧爲桓寬所稱譽的「博物通士」❶。

---

❿　同註❸

❶　參見馬非百《桑弘羊傳》，中州書畫社1981年版。

再者，考42—59篇內容，亦有許多言論都是結合武帝、昭帝時期政事而發，其所論亦非未參與鹽鐵會議的桓寬所能妄測、設言：

如〈擊之〉篇中大夫所言：「前議公事，賢良、文學稱引往古，頗乖世務。……匈奴壞界獸圈，孤弱無與，此困亡之時也。遼遠不遂，使得復喘息，休養士馬，負絀西域。……今欲以〈軍興〉擊之，何如？」此明指武帝末年至昭帝初年匈奴敝困之境況，桑弘羊欲借此機痛擊匈奴。

又如〈結合〉篇大夫曰：「匈奴以虛名市於漢，而實不從；數爲蠻、貊所紿，不痛之，何故也？……今以九州而不行於匈奴，……今有帝名，而威不信于長城之外，反賂遺而尚踞敖」，此乃針對昭帝初年漢、匈兩家和親之事而言，符合史實。

再如〈西域〉大夫曰：「胡西役大宛、康居之屬，南與群羌通。先帝推讓斥奪廣饒之地，建張掖以西，隔絕羌、胡，瓜分其援。是以西域之國，皆內拒匈奴，斷其右臂，曳劍而走，故募人田畜以廣用，長城以南，濱塞之郡，馬牛放縱，蓄積布野，未睹其計之所過也。」此處是桑弘羊對於自己所參與、策劃過的屯田西域政策所起作用的辯護之詞。繹之，亦非桓寬所能虛設。

《鹽鐵論》後半部還有〈論鄒〉、〈誅秦〉、〈申韓〉等篇，顯然是大夫與賢良兩派從不同立場出發，對先秦人物進行的評判，其觀點嚴重對立。正如《劍橋中國秦漢史》所言：「《鹽鐵論》表達的觀點反映了武帝末年政治思想中正在發生的變化」[12]。對之加以推考，亦可知非桓寬所能虛設。

---

[12] （英）崔瑞德、魯惟一《劍橋中國秦漢史》，中國社會科學出版社1982年版。

　　另，經徐復觀先生考察，《鹽鐵論》全書體例一致，「就《鹽鐵論》所記的辯論經過的情況，及個人立言的分寸來看，決不是未參與其事的人所能懸擬的。」❸這種說法是很有道理的。

　　班固《漢書》明言桓寬之《鹽鐵論》乃據鹽鐵會議議文「推衍」、「增廣」而成，而並未言及臆造之事。既然《鹽鐵論》中有「推衍」、「增廣」之處，則其書具有個人傾向就自然難免，其中文字也很有可能含有桓寬的一己之見，但如果將42—59篇皆看作桓氏臆造，則是無實據可言的。

　　況且如果《鹽鐵論》後半部分的文字不是根據議文來撰，而是臆設之言，則其同代之人對此應有所反映。但自開始著錄《鹽鐵論》一書的《七略》及《漢志》起，直至清人姚鼐前止，皆無質疑之微詞；而姚鼐也是由疑「皆取列大夫」一語的真實性繼而推論臆設之事的，並未對全書結構、內容作具體、確實的剖析，故其言亦不足為信。

❸　徐復觀〈《鹽鐵論》中的政治社會文化問題〉，載《新亞學報》第11卷。

試論章學誠的文獻學思想

楊秀英*

摘　要

章學誠的文獻學思想是在整理歷史文獻的具體實踐中總結出來的。其「辨章學術，考鏡源流」的思想主張，是對我國傳統目錄學理論的一大貢獻。這一理論是目錄學家實踐經驗的總結，章學誠集前人之大成，提出以「道」、「器」合一原則安排圖書順序，進行圖書分類，重視敘錄和大小序的作用，並明確提出「互著」和「別裁」的圖書著錄方法，以求辨明學術源流，對後世產生了較大影響。其「六經皆史」的思想，較前人也有新的突破，章學誠認爲「史」既具有「歷史資料」的「史」的含義，又具有「經世致用」的「史」的內容，他重視史書及圖書資料，並在纂修方志的實踐中提出了具體的修志理論，創立了方志學，其文獻

* 　山東大學古籍所博士生

學思想有重要的理論價值和參考意義。

關鍵詞　目錄學　辨章學術　考鏡源流　互著　別裁　六經皆
　　　　　史　方志

　　章學誠（1738-1801），字實齋，浙江會稽人。是清代浙東史學的
殿軍。關於清代浙東史學的統系及淵源，章學誠在《文史通義》內篇
二〈浙東學術〉裏說：「世推顧亭林氏爲開國儒宗，然自是浙西之學，
不知同時有黃梨洲氏出於浙東，雖與顧氏並峙，而上宗王劉，下開二
萬，較之顧氏，源遠而流長矣。」浙東史學的特點是反對門戶之見，
貴專家之學，主張學術經世致用。章學誠集浙東史學之大成，在理論
上發揚了浙東史學諸大師的優良傳統，係乾嘉間著名的史學家、校讎
目錄學家、方志學家，在清代中葉學術思想史上佔有重要地位，代表
作《文史通義》和《校讎通義》兩書，以「文史校讎」之學，來對抗
當時經學家所提倡的透過對六經進行文字訓詁以明「道」之學。也就
是由釐清古今著作的源流，進而探文史的義例，最後由文史以明「道」。
與對章氏史學的研究相比，其文獻學思想的研究顯得不足，而其文獻
學思想和主張，有重要的理論價值和參考意義。本文擬從三方面談一
下他的文獻學思想。

一、傳統目錄學理論的集大成者

　　章學誠是清代傑出的目錄學家，但他本人不但不以此自命，反

而不承認目錄學這個學科。他說：「校讎之學，自劉氏父子，淵源流別，最爲推見古人大體；而校訂字句，則其小焉者也。近人不得其說，而與古書有篇卷參差、敍例同異當考辨者，乃謂古人別有目錄之學，眞屬詫聞。」❶我們今天所說的文獻學，在古代一般稱爲校讎學。章學誠認爲校讎學的用意在於考求學術源流，深通道術精微。他在〈校讎通義序〉裏說：「校讎之義，蓋自劉向父子部次條別，將以辨章學術，考鏡源流，非深明於道術精微群言得失之故者，不足與此。」《校讎通義》是繼鄭樵〈校讎略〉之後的一部具有總結意義的校讎學專著。專講古籍目錄、校勘、亦涉輯佚等。因爲劉向父子編制政府藏書目錄工作是從校讎開始的，鄭樵所作的我國第一部目錄學理論專著《通志·校讎略》又是以「校讎」題篇的，所以他承認校讎學，反對那種狹義的目錄學。章學誠在《校讎通義》中提出的「校讎心法」代表著我國古代目錄學理論研究的最高成就，其目錄學思想的核心是「辨章學術，考鏡源流」。

要使目錄學起到「辨章學術，考鏡源流」的作用，章學誠提出了具體的實現途徑：

（一）以「道」「器」合一的原則排序和歸類

《易經》中的「道」和「器」是兩個一虛一實的抽象名詞，可以代表任何理論和事物。章學誠認爲學問與圖書資料的關係就如「道」與「器」的關係，所謂「道器合一，方可言學」。❷「『形而上者謂

---

❶　《章氏遺書外編》卷1，〈信摭〉。
❷　章學誠《文史通義校注》，北京：中華書局，1985。

之道，形而下者謂之器』，善法具舉，本末兼該，部次相從，有倫有脊，使求書者可以即器而明道，會偏而得全，則任宏之校兵書，李柱國之校方技，庶幾近之。」❸章學誠在這裏用「道」來代表理論書籍，「器」代表講方法和名數的書籍，就是他說的成「一家之言」的「皆所謂形而上之道也」，「著法術名數」的「所謂形而下之器也」，他把書籍分爲闡述理論和方法的兩大類，而在分類中，把講理論的排在前邊，講方法的依次排列，是對目錄排序的一大貢獻。

按照這一原則「充類求之，則後世之儀注當附《禮經》爲部次，《史記》當附《春秋》爲部次，縱使篇帙繁多，別出門類，亦當申明敘例，俾承學之士得考源流，庶幾無憾。」❹例如，在安排詩賦的次序時，因詩賦篇帙繁多，劉向劉歆遂自列一略，與六藝略中的詩分開。因爲賦爲古詩之流，這樣排序就導致源流不明，所以章學誠認爲「義當列《詩》於前而敘賦於後，乃得文章承變之次弟」。❺至於同一類目中的圖書排序問題，他提出了兩種方法，一是創書之人不能排在傳書人之後，二是以時代爲次。關於歌詩一類的排列法，他認爲應按〈風〉、〈雅〉、〈頌〉排列。

關於圖書的歸類，章學誠認識到「書當求其名實，不以人名分部次也。」❻就是按圖書內容分類。「部次群書所以貴有知言之學，否則徇於其名而不考其實矣。」❼按照這一標準，他把古代目錄書籍

---

❸　章學誠著，王重民通解《校讎通義通解》，上海：上海古籍出版社。
❹　同註❸。
❺　同註❸。
❻　同註❸。
❼　同註❸。

歸類于古名家之末。因爲他所討論的目錄學方法理論上的各種問題，有許多地方是使用名學的辯論法的。在《校讎通義》中，他按照「道」「器」合一，名實相符的原則排序和歸類，以求「明學術源委而使會通于大道。」

（二）重視敍錄和大小序

劉歆建立的第一部有提要的系統目錄《七略》，總結並採用了我國古代圖書目錄工作的優良方法和經驗，對我國圖書目錄事業和學術思想的發展，產生了巨大的影響。《七略》表現出了一套極其完整而嚴密的目錄編制方法，它不但能系統地著錄、揭示並評論古代的重要文化典籍，還反映了當時的學術思想體系和流派。可以說，《七略》的編纂方法和形式是與學術思想史、科學技術史密切結合的產物，這具體體現在敍錄和大小序的編纂上。

敍錄相當於書的提要或解題，其主要內容是對作者、作品加以辨析評價，並特別指出資治的意義。大小序即每類之後辨章學術源流，品評家派得失的總論性質的文字。四部分類法產生以後，目錄的編纂形式簡化了，有的只有簡單的書名著錄，沒有敍錄，有的連分類的大小序都沒有，即使有也非常膚淺，使目錄失去了辨明考究學術源流的作用。有感于此，章學誠提出了「就四部之成法，而能討論流別」❽的主張。爲了使目錄學與學術思想史相結合，發揮目錄的作用，章學誠指出像《七略·輯略》那樣的大小序「最爲明道之要。」他論〈輯略〉說：「其敍六藝而後，次及諸子百家，必云某家者流蓋出於古某

---

❽　同註❸。

官之掌，其流而爲某氏之學，失而爲某氏之弊。其云某官之掌，即法具於官，官守其書之義也；其云流而爲某家之學，即官司失職，而師弟傳業之義也；其云失而爲某氏之弊，即孟子所謂生心發政，作政害事，辨而別之，蓋欲庶幾於知言之學者也。」❾可見，〈輯略〉不但使目錄起到辨章流別的作用，還能夠評論學術思想的得失。

　　章學誠一向認爲，有敍錄（指大小序）的提要目錄是遠遠勝過「僅計部目」的簡單目錄的，而爲了辨章學術源流，系統目錄中的大小序，同樣是目錄的重要組成部分。總之，章學誠對於系統分類目錄所注重的，一是圖書的敍錄，敍錄有所不及可用史傳來補充；一是類目的大小序，其寫作要與學術史密切結合。這兩條在他的目錄學思想中佔有重要的地位。

（三）提出「互著」和「別裁」的方法

　　有些書性質和內容比較複雜，很難用單一標準分類，爲反映學術流別，章學誠又提出兩種補充例則：互著和別裁。

　　互著和別裁是圖書著錄的兩種並行而又互爲補充的重要方法。互著是根據讀者需要和學術源流把一書著錄在兩個（或兩個以上）類目內；別裁是把一書內的重要部分（或篇章）裁出，著錄在相關的另一類（或另幾類）裏。互著和別裁都是在分類著錄中，遇到「理有互通，書有兩用」的情況，在兩個或兩個以上的類目中「兼收並載」。它們的不同之處：互著的兼收並載是把同一種書著錄在不同的類目中，不避重複；別裁的兼收並載是把一書（原書）著錄在能體現其主要內容

---

❾　同註❸。

的一類中，而把書中與他類可以「互通」或「兩用」的部分，裁篇別出，著錄在相關的類目中。這樣看來，互著別裁的作用是相同的，方法也是相似的。

在章學誠之前，目錄學家在實踐中已經發現了各種圖書之間千絲萬縷的聯繫，並自覺不自覺地運用過這兩種著錄方法。就互著的起源來說，一般認為從馬端臨的《文獻通考·經籍考》開始，到明代祁承㸁的《澹生堂書目》已經熟練地使用。但第一次明確從理論上提出並給予特殊強調的，還是章學誠。他在《校讎通義》中說：「地理形家之言，若主山川險易，關塞邊防，則與兵書形勢之條相出入矣；若主陰陽虛旺，宅墓休咎，則與尚書五行相出入矣。部次門類，既不可缺，而著述源流，務要求全，則又重複互注之條，不可不講也。」❿互著別裁的使用對編制專科目錄很有幫助，可以細緻全面地使圖書分類著錄起到辨章學術源流的作用，從理論上講是很有創見的，但這種近於完美的設想在實踐中卻很難做到，如果求之過深，也會有失偏頗。別裁可把圖書弄得支離破碎，導致圖書滿天飛。例如，關於《淮南子》的分類問題，文廷式在《純常子枝語》卷四就批駁道：「實齋《校讎通義》自是確有心得，然亦有過於求深而不可從者，……此特為好異論而已！」⓫不過章學誠能在二百年以前就認識到學科的綜合性特點，並提出了處理意見，其認識價值之高不言而喻。

總之，章學誠把目錄學的任務規定為「辨章學術，考鏡源流」，把圖書資料的著錄、分類、評論與學術史、科技史聯繫起來，對目錄

---

❿　同註❸。
⓫　同註❸。

學做出了很大貢獻。他的目錄學思想代表了我國古代目錄學理論研究的最高成就，不僅對近現代目錄學有極大的影響，而且成爲學人治學的指導思想。

二、「六經皆史」說的新闡發

　　自漢武帝「罷黜百家，獨尊儒術」以後，經學成爲我國封建社會學術文化的正統，歷代統治者都以儒家經典爲工具，來鞏固他們的封建統治，由於經書的特殊地位，經與史從未相提並論過。宋元以來，隨著社會的發展變化，思想意識也有了很大改變，作爲儒家經典的六經開始受到人們的懷疑。章學誠在《文史通義》開篇提出了「六經皆史」的學說，這一學術思想曾引起許多爭論，有的說這是章學誠的創見，評價頗高；有的則說這是沿用前人的觀點，無足高論。張舜徽先生《史學三書平議》說：「王守仁《傳習錄》，已昌五經皆史。其後王世貞嘗言：『天地間無非史而已。』李贄亦曰：『《春秋》一經，春秋一時之史也；《詩經》、《書經》，二帝三王以來之史也；而《易經》則又示人以經之所自出，史之所從來，爲道屢遷，變易匪常，不可以一定執也。故謂六經皆史可也。』」其時，六經皆史的說法，由來已久。最早可追溯到漢代古文經學，古文家認爲六經非孔子所作，是孔子整理過的歷史文獻。唐代劉知幾在《史通》中也持此觀點，把《尚書》和《春秋》看作史書。至宋陳傅良，才明確提出六經皆史的說法，其後王守仁繼之，說：「《春秋》以事言之謂之史，以道言之謂之經，事即道，道即事。《春秋》亦經，五經亦史：《易》是包犧氏之史，《書》是堯舜以下之史，《禮》、《樂》

是三代之史。其事同，其道同，安有所謂異？」（《傳習錄》上卷）王明陽提出這種說法是要求思想解放，發揮個人見解，反對朱熹經注的束縛。章學誠針對時弊，重新提出這一命題，並賦予「六經皆史」以充實的內容和系統理論。

針對清初「經學即理學」、「道在六經」的觀點，章學誠在《校讎通義·原道第一》提出：「後世文字，必溯源於六藝，六藝非孔氏之書，乃周官之舊典也。」他在《文史通義》中提出「六經皆掌故」，「六經皆器」。「政典」、「掌故」、「器」都是史，也都是圖書資料，人們閱讀和研究它就能得到「道」。這就打破了六經的神聖偶像，把六經看作是「寓道之器」，是古代典章制度的記錄。他還提出「經」本非尊稱的說法，在《文史通義·經解下》說：「六經初不為尊稱，義取經綸為世法耳。六藝皆周公之政典，故立為經。」這就有尊史抑經的意味。他在〈原道下〉中又說：「事變出於後者，六經不能言。」也就是說，「道」具有歷史的性質，不斷發展，六經不足以盡道。那麼三代以下之道必當于史中求之。而「史」即「史料」，他不僅認為六經皆史，而且重視一般史書。這就提高了圖書資料的價值，明確了圖書資料在學術研究中的重要地位，對於宋學末流那種舍器求道，舍今求古的學風，也無異是一劑良藥。

清代的文字獄等殘酷的高壓政策，迫使學者不敢正視現實，於是埋頭故紙堆中，潛心搞名物訓詁，以求避嫌遠禍。當時的經學家認為：道在六經，而六經是由古代的語言文字所構成。因此明道必須從研究訓詁開始，這就助長了考據之風。訓詁考證對於明經確實起了很大作用，但當時的經學家以為六經中的道只有一種正確的解釋，經過客觀的考證之後便會呈現出來。所以他們脫離實際，盲目考訂。章學

誠「六經皆史」的提出，就是要奪六經之「道」以歸之于史。他認爲
經學與史學不應有高下之分，二者是殊途同歸的，而且獲取學問也並
非僅限於考據，六經並非是蘊藏聖人之「道」的唯一寶庫，因此他呼
籲學者們正確認識考據的作用，不要爲考據而考據，提出考據是功力
而非學問。他形象地比喻功力與學問的區別說：「指功力以謂學，是
猶指秫黍以謂酒也。」他認爲功力的成果屬「纂輯」，學問的成果才
是「著述」。然而，「考索之家，亦不易易，大而《禮》辨郊社，細
若《雅》注蟲魚，是亦專門之業，不可忽也。」⓬這種清醒的識見是
很可貴的。章學誠「六經皆史」論就是針對著宋學空談性命和漢學專
務考索的流弊提出的。他著《文史通義》就是想挽救當時的學風，他
要在當時的宋學、漢學外另闢一條治學的道路，折中漢學宋學，主張
訓詁、考據與義理辨析相結合，強調學術經世致用。他既反對漢學沈
溺於訓詁、考據，又反對宋學空言義理，既反對「溺於器而不知道」，
又反對「舍器而言道」，強調要兼綜二者的優點，既要像漢學一樣精
通訓詁、考證，不離明道之器，又要像宋學一樣精於析理，不忘求道。
同時要堅決糾正二者的偏頗。所以倉修良先生提出，「六經皆史」的
「史」，既具有「歷史資料」的「史」的含義，用以矯正宋學空談義
理的弊病，又具有「經世致用」的「史」的內容，以此反對乾嘉考據
學派閉口不談義理的不正之風。⓭這就爲歷史研究及史料搜集拓寬了
範圍，並使學術起到經世致用的作用。從這個意義上看，「六經皆史」
說在清代學術史上是有突破性的創見。

⓬ 《文史通義》外篇三〈答沈楓墀論學〉。

⓭ 倉修良著〈章學誠和《文史通義》〉，北京：中華書局，1984。

三、方志學的開山之祖

　　梁啓超說：「實齋以清代唯一之史學大師而不能得所借手以獨撰一史，除著成一精深博大之《文史通義》及造編太宏未能卒業之《史籍考》外，其創作天才，悉表現於《和州》、《亳州》、《永清》三志及《湖北通志稿》中，方志學之成立，實自實齋始也。」⑭ 方志爲最古之史，是記載某個地區的有關歷史、地理、社會經濟等內容的著作。如孟子所稱「晉《乘》、楚《檮杌》、魯《春秋》」，墨子所稱「周之《春秋》，宋之《春秋》，燕之《春秋》」，莊子所稱「百二十國寶書」，即相當於今天所說的府、州、縣誌。《隋書·經籍志》中分爲以下各類：一圖經之屬。二政記之屬。三人物傳之屬。四風土記之屬。五古迹之屬。六譜牒之屬。七文徵之屬。從宋代以後，薈萃以上各體成爲方志。但清代以前的學者，一直把方志歸入地理類。大學者戴震也認爲方志屬地理書類，主張只需悉心於地理沿革，志的任務就完成了。其實，方志既不屬地理書類，也有別于隋唐以來的圖經。直到章學誠提出「志爲史體」、「志屬信史」，才明確了方志在史學上的地位和作用，並使它進一步發展成爲一門學問。

　　章學誠認爲方志是「封建時列國史官之遺」，他說「志乘爲一縣之書，即古者一國之史也。而後人忽之，則以家學不立，師法失傳，

---

⑭　梁啓超著《中國近三百年學術史》第十五章〈清代學者整理舊學之總成績〉三。

文不雅馴，難垂典則故也。」❺他又指出方志是「國史羽翼」，其價
值與國史相當。因爲方志可補國史之不足。它是由地方官主持開局修
訂的，雖然有些算不上著作，但它卷帙浩繁、內容宏富，許多資料是
國史中無法見到的，對研究歷史及各地方分化發展很有幫助。各種方
志又是史的基本資料，修一國之史也要以方志作基礎，須綜合起各個
地方誌，才能成爲眞正有價值的國史。「方州雖小，其所承奉而施布
者，吏戶禮兵刑工，無所不備，是則所謂具體而微矣。國史於是取裁，
方將如《春秋》之藉資于百國寶書。」❻方志性質屬史體，作用也與
國史無異，所以章學誠強調方志的編修，必須有裨於風教，這就使他
的方志理論更富有現實意義，達到經世致用的目的。

　　章學誠不僅有理有據地論述了「志爲史體」，而且創立了一套
完整的修志義例，所著〈方志立三書議〉標誌著他方志理論的成熟和
方志學的建立。他曾經爲和州永清縣和亳州編寫縣志和州志，又編寫
《湖北通志》，長期的實踐和研究，使他積累了豐富的經驗。他說：
「凡欲經紀一方之文獻，必立三家之學，而始可以通古人之遺意也。
仿紀傳正史之體而作志，仿律令典例之體而作掌故，仿文選文苑之體
而作文徵。三書相輔而行，闕一不可；合而爲一，尤不可也。」❼這
是針對當時修志中存在的問題而發。因爲許多方志只是纂類家言，是
記注，而非著述。李南澗歷城、諸城兩志，全書都是纂集舊文，不自
著一字，以求徵信。以後的方志家競相效仿。還有的似志非志，似掌

---

❺　大梁本《文史通義》外篇二〈永清縣志前志列傳序例〉。

❻　章學誠〈方志立三書議〉。

❼　同註❻。

故而又非掌故，與「志乃史體」的要求格格不入。所以，於志文之外，別立掌故、文徵，就能做到「義例清而體要得」。三書當中，「志」是主體，是詞尚體要，成一家之言的著述。「掌故」如同會要、會典，目的在於既使志書做到簡明扼要，又使重要材料得以保存。「文徵」則類似文鑒、文類，其「大旨在于證史」。所以說，「志」是主體，「掌故」、「文徵」是兩翼，兩者相輔而行，構成一部完備的地方志。

明清兩代，方志編修發展迅速，但是各部通志和府、州、縣志等各類方志編修的體例不明，各類方志的內容界限不清，出現了一系列混亂現象。章學誠撰〈方志辨體〉，提出各部通志和府、州、縣誌各有不同的詳略義例，不能混淆不分。因為省志與府志、府志與縣誌地位有別，府縣誌為省志資料，省志為國史資料，各自有其任務與其組織，所以通志的編修要從全省角度出發，概括全省的情況，如果將它析為所屬府志是不恰當的。縣志有縣志的詳略要求，撰述府志時也不能將各個縣志機械地拼湊合併。這樣就澄清了各類方志的編修義例，豐富了方志理論。

為了取得修志用的可靠材料，章學誠建議清政府在各州縣設立志科，專門負責搜集鄉邦文獻，為修志做準備。他認為，有專人和專門機構管理文獻，才能保證各地方志有豐富的史料，以便修國史參考。儘管這種理想化的設想實行起來困難重重，其獨創性卻是不容抹煞的。

另外，章學誠早年在總結前人修志經驗的基礎上，曾在〈修志十議〉中提出了一個修志綱要，他說：「修志有二便：地近則易核，時近則迹眞。有三長：識足以斷凡例，明足以決去取，公足以絕請托。有五難：清晰天度難，考衷古界難，調劑眾議難，廣徵藏書難，預杜

是非難。有八忌：忌條理混雜，忌詳略失體，忌偏尚文辭，忌妝點名勝，忌擅翻舊案，忌浮記功績，忌泥古不變，忌貪載傳奇。有四體：皇恩慶典宜作紀，官師科甲宜作譜，典籍法制宜作考，名宦人物宜作傳。有四要：要簡，要嚴，要核，要雅。章學誠根據自己的修志經驗提出，在修志過程中，應當努力做到「乘二便，盡三長，去五難，除八忌，而立四體，以歸四要。」這個綱要是他多年實踐經驗的總結，直到今天仍有借鑒價值。

總之，章學誠在《文史通義》和《校讎通義》中表現的「文史義例，校讎心法」是對傳統史學理論的繼承和發展。他高揚「經世致用」的旗幟，勇於開風氣之先，打破當時沈悶的學術空氣，具備了一個文獻學家可貴的品質。在整理歷史文獻的具體工作中，提出許多有價值的理論和觀點，他的文獻學思想和主張，有重要的理論價值和參考意義，反映了我國古代文獻學的日趨成熟，對後世產生了深遠的影響。

博山孝婦傳說考略

劉心明[*]

摘　要

本文通過對孫廷銓《顏山雜記》中所引主要資料的排比分析，理清了關於孝婦顏文姜的傳說故事從六朝到清代發展變化的基本脈絡。同時，以古代典籍中的相關資料為依據，對顏文姜故事的形成過程，做出了這樣的推測：魏晉時期，人們在東漢以來流傳已久的「東海孝婦」、「齊之寡婦」以及「姜詩夫婦」等各類故事的基礎上，隱括舊聞，融合眾說，共同「創作」了孝婦顏文姜的故事。此後，在長期的傳播過程中，歷代都有人對它進行潤飾增益，形成了眾多的敘述「版本」，但它們都有一個共同的中心思想——提倡孝道，而這也正是故事得以流傳千年而不衰的根本原因。

關鍵詞　孝婦　顏文姜　傳說　孝道

＊　山東大學古籍研究所教授

現在的山東省淄博市博山區，大體相當於民國以前的博山縣。根據侯仁之先生的考證，博山最初設縣，是在清代雍正十二年（1734年），當時將青州府益都縣的孝婦、懷德二鄉，淄川縣的大峪等二十一莊和萊蕪縣的樂疃等七莊進行合併以設新縣，因境內有博山，故取以為縣名❶。博山縣的縣治設在當時的顏神鎮（博山設縣以前隸屬益都縣），鎮內有一條自南而北流經舊城西側的小河——孝婦河，河水的源頭是鎮南長城山腳下的一泓清泉。關於這條河的得名，當地流傳著這樣一個動人的故事：

> 顏文姜，顏子之後。初，許聘李氏。夫亡，憫舅姑之失養也，往事焉。嘗遠汲新泉，以供姑嗜。誠感靈泉，生於室中，文姜常以緝籠蓋之。姑怪其取水即得，值姜出，姑入室發籠觀之，水即噴湧，壞其宅。俗一名籠水，今孝婦河也。（《（康熙）益都縣志》）❷

這個故事有多種敘述「版本」，此處所引是明、清以來較為常見的一種。而在此之前，這個故事已經以各種不同的面貌流傳了一千多年了。正因如此，故事本身很容易引發人們研究的興趣。早在清代初年，就有人對這個故事做過一番考證。此人姓孫，名廷銓，字伯度，號沚亭。明萬曆四十一年（1613年）生于青州府益都縣顏神鎮。崇禎十三年（1640年）成進士，先後任魏縣縣令、永平推官等職。入清後，

---

❶ 見侯仁之所著《歷史地理學的理論與實踐》360頁，上海人民出版社1979年9月第1版。

❷ 見陳食花等所修《益都縣志》卷十「列女」門，清康熙十一年（1672年）刻本。

異常超擢,三爲尙書,累官至秘書院大學士。康熙三年（1664年）,
因病乞假歸里。十三年,卒於家,享年六十二歲。主要著作有《顏山
雜記》、《南征記略》、《琴譜指南》、《泜亭文集》等。其中,《顏
山雜記》四卷是孫廷銓歸休鄉里之後,於康熙四、五兩年編撰的一部
雜記地方史地的書,分山谷、水泉、城市官署緣起、鄉校、逸民、風
土歲時、長城考、顏文姜靈泉廟、災祥物變、物產、物暴、遺文等十
二門,對博山一帶的歷史、地理、政治、文化進行了簡要的論列。此
書寫定之後,即於康熙五年刻於孫氏家塾,後被收入《四庫全書》。
本文所據乃孫氏家刻本。

　　孫廷銓在《顏山雜記》的「顏文姜靈泉廟」一門中羅列了晉·
郭緣生《續述征記》、唐·李冗《獨異志》❸、宋代碑文、宋·董逌
《廣川書跋》、金代碑文、元代碑文、元·于欽《齊乘》、明代碑文、
明《青州府志》以及清代碑文中關於顏文姜故事的文字記載,借助這
些資料,人們可以對顏文姜的故事有較爲詳盡的瞭解。可惜的是,孫
廷銓並沒有在此基礎上,對顏文姜故事的形成過程作進一步的考察探
究,他只是對顏文姜故事本身,以自己的知識背景與道德觀念爲標準,
作了一般情理上的評析。《顏山雜記》卷三「顏文姜靈泉廟·籠水辨」
條略云:

　　　　後人好異,獨喜緝籠種種之說,更數百千年,增飾多方,違
　　　　情日遠,遂有如《齊乘》所言。甚矣,民之濫聽也。今略按
　　　　事理,裁其是非。夫姑之嗜水,量非杯勺,實取厭飫。文姜

---

❸　《獨異志》三卷,《新唐書·藝文志》題李亢撰,而傳世諸本均題李冗撰。
　　本文所據,乃《叢書集成初編》本。

　　既感泉生於室，當必顯告于姑，以慰旦夕之求。今掩覆秘密，居爲私藏，若將懷慳市重于姑者，孝者固若是乎？其謬一也；婦禮無出門之義，而文姜至以遠汲爲勤，則是室無多口。室無多口，則必居無廣宅，環堵之間，一席之地，姑來婦往，靡日不通，曷有耳目之前，可容蓋藏，不虞終露？雖愚者不爲。其謬二也；文姜既以至孝格天，天恤其勤而生此水，恤婦也實以慰姑，又何昭示而令蓋藏？慰姑也又須避姑，若其不受於天而有私覆，無端懷異，不爲善承。其謬三也；姑即不仁，有婦如此，宜從孝格，果疑此水，當從面詢，何必瞰亡乃來發覆？如其果爾，非姑頑嚚不可誠通，則婦慳深難以情得。大孝之家，豈其然乎？其謬四也；天生此水，既以應姑之求，則應發之無罪。即其有罪，當緣孝婦之心而恕之，何遽爲殃？今勃焉憑怒，壞其居宅，姑婦兩無所處，美始而惡終，是禍水也，實駭人情，豈名天道？其謬五也；此緝籠者，當受於天乎，抑成於人耶？若受於天，則事等於虹流星隕，當有光怪先動里閭，不必覆泉然後著異。若還成之於人，一梏桊窶藪耳，曷有神力足爲變征，蓋則水渟，發則泉湧？其謬六也；姑嗜此水，須飲無時，婦取呈姑，日爲三發，乃婦頻發而不驚，姑一發而致患，是必姑之惡毒觸犯神明，忽焉降罰。惡毒之人，不應鑒憐先爲生水。其謬七也。原其始倡，不過出於巫祝誇誕之詞，成於愚氓輕信之口。

　　孫廷銓認爲顏文姜的故事只是一種民間傳說，不能當作信史，無疑是正確的。但是，由於他沒有徹底理清這個故事的來龍去脈，同

時，限於當時的認識水平，他對這個故事本身所作的分析批評以及他所歸納的「七謬」，也不盡合理,因此，我們仍然有必要對這個故事作進一步的研究，尤其對於故事的形成過程，更應該進行深入的考察探討。

下面，我們首先對孫廷銓《顏山雜記》中所引用的幾條主要的材料進行排比分析，藉以理清故事本身發展演化的基本脈絡。

《顏山雜記》所引資料，最早的一條，出自晉·郭緣生的《續述征記》❹：

> 梁鄒城西有籠水，云齊孝婦誠感神明，湧泉發於室內，潛以緝籠覆之，由是無負汲之勞，家人疑之，時其出而搜其室，試發此籠，泉遂噴湧，流漂居宇，故名籠水。

這是在解釋籠水之得名時所引入的孝婦故事。根據現存的資料來看，這應該是古籍中關於孝婦顏文姜故事最早的文字記載。這則材料有兩個特點：一、從內容上看，情節大體完備，與後世的記載差別不大，說明至遲在南北朝時期，這個故事的敘事結構已經基本形成。二、從人物上看，還沒有婆婆的形象，也沒有孝婦的確切姓名，說明故事流傳的時間還不太長。

到了唐代，這個故事又出現在李冗所著《獨異志》一書中：

> 淄川有女曰顏文姜，事姑孝謹，樵薪之外，復汲山泉以供姑飲。一旦，緝籠之下忽湧一泉，清泠可愛，時人謂之顏娘泉。

❹ 《續述征記》一書今已失傳，本文所引此條，又分別見於《藝文類聚》卷八、《初學記》卷七、《太平御覽》卷五九，文字略有異同。

至今利物。

《獨異志》中的這則材料增加了兩個新的內容：一、出現了婆婆（姑）的形象，從而使孝婦的孝德有了具體的指向。二、孝婦開始有了確切的名字——顏文姜。這兩項新內容的增加不僅更爲有效地滿足了故事接受者的好奇心，而且使故事的眞實性得到了加強。這說明在故事的流傳過程中，人們不斷地對它進行補充潤飾，使它向著更加符合人們的心理願望與更加完整的方向發展。

孫氏所引宋代資料最多，除董逌的《廣川書跋》外，還有三通宋碑。不過，這四處資料中，有三處所講的顏文姜故事，除個別文字略有差異之外，與他書所載內容基本相同，此處不再一一贅引。只有北宋宣和七年（1125年）的一通碑文中❺，載有原順安軍州學教授陳琦的〈續翁姑因地記〉一文，所述顏文姜故事有部分內容是此前的記載所沒有的：

> 夫人祠之左有所謂翁婆堂者，夫人之舅姑也。舅姓李氏，家于鄃邑李顏村，姑郭氏。故居之地，今顏廟是也。舅贅于郭氏，生夫人之夫壯室。顏氏，即亞聖之裔順德夫人也。

不難看出，在這則故事中，又增加了兩項新的內容：一、關於孝婦的家庭成員，有了更爲詳細、具體的介紹。二、孝婦顏文姜被明確指認爲亞聖顏回的後代。這兩項內容的增加，使得故事中所提倡的孝道更加突顯，其教化意義得到了強調。

孫氏所引金、元以後的有關記載，雖然取捨詳略，互有出入，

---

❺　此碑今已不存，本文所引，全據《顏山雜記》。

但基本上沒有超出上面的幾項內容。本文開始時所引《益都縣志》，由知縣陳食花領銜纂修於康熙十一年（1672年），其時《顏山雜記》早已寫定並刻版印行，自然未及採用。而《益都縣志》中的這則故事，也新添了一項內容，即所謂「夫亡，憫舅姑之失養也，往事焉」。當時，宋明理學已經佔據了封建思想的統治地位，夫死守制的節婦觀念早已深入人心，故事中增加了這樣一項新內容，正是封建思想文化發展變化的一種具體體現。

通過以上對《顏山雜記》中所引主要資料的排比分析，孝婦顏文姜的故事從六朝到清代發展變化的脈絡已經基本上梳理清楚了。但是，孝婦的傳說究竟是怎樣形成的呢？它的源頭是什麼呢？孫廷銓的《顏山雜記》沒有能夠解決這個問題。本文的撰寫，就是想爲這個問題尋求一種可能的答案。

讓我們先看一則「東海孝婦」的故事。此事載於《漢書·于定國傳》❻：

> 東海有孝婦，少寡，亡子，養姑甚謹，姑欲嫁之，終不肯。姑謂鄰人曰：「孝婦事我勤苦，哀其亡子守寡。我老，久累丁壯，奈何？」其後姑自經死，姑女告吏：「婦殺我母。」吏捕孝婦，孝婦辭不殺姑。吏驗治，孝婦自誣服。具獄上府，于公（于定國之父——引者注）以爲此婦養姑十餘年，以孝聞，必不殺也。太守不聽，于公爭之，弗能得，乃抱其具獄，哭於府上，因辭疾去。太守竟論殺孝婦。郡中枯旱三年。後太

---

❻ 見《漢書》卷七十一，1962年中華書局點校本。參見《太平御覽》卷四百十五「人事部·孝女」。

> 守至，卜筮其故，于公曰：「孝婦不當死，前太守強斷之，
> 咎倘在是乎？」於是太守殺牛自祭孝婦塚，因表其墓，天立
> 大雨，歲孰。

將這個故事與顏文姜的故事進行比較，不難發現，二者之間有三個明顯的共同之處：一、二者都有孝婦事姑勤謹的內容；二、都提到了因感動神明而靈異顯現的情況；三、故事皆發生在齊地。在這種情況下，我們雖然不能武斷地認定「東海孝婦」的故事就是顏文姜故事的直接來源，但是，認為二者之間可能有一定的聯繫，應該是合乎情理的。

類似的故事還見於另一部東漢時期的著作，即高誘為《淮南子》一書所作的「訓」體注釋《淮南子訓》❼。高氏在《淮南子·覽冥》篇「庶女叫天，雷電下擊，景公台隕，支體傷折，海水大出」下訓曰：

> 庶賤之女，齊之寡婦，無子不嫁，事姑謹敬。姑無男有女，
> 女利母財，令母嫁婦，婦益不肯。女殺母以誣寡婦，婦不能
> 自明，冤結叫天，天為作雷電，下擊景公之台。毀景公支體，
> 海水為之大溢出也。

高誘的這段注文中所引用的「齊之寡婦」的故事，雖然由於正文的緣故，把時間提前到了春秋時的齊景公時代，但是，這個故事與《漢書》中「東海孝婦」的故事之間有著驚人的相似之處，卻是不爭的事實。就情理而言，高誘比班固晚百年左右，他承引《漢書》的資料為其他書籍作注，也是很自然的事。不過，我們應該看到，高誘《淮南子訓》中的這則故事與東海孝婦的故事之間也有差異：一、因神靈感應而引

---

❼　見何寧所撰《淮南子集釋》443-444頁，中華書局1998年10月第1版。

發的災異現象不同；二、寡婦的婆婆殞命的原因不同。這說明高誘的
《淮南子》注文應該有另外的來源，這個來源極有可能就是東海孝婦
故事的另外一種敘述版本。

除了這兩個故事之外，我們對於東漢時期流傳的關於姜詩夫婦
孝養母親的故事，也應該予以重視。漢·劉珍等《東觀漢記》曰❽：

> 姜詩字士遊，廣漢雒人。遭值年荒，與婦傭作養母。賊經其
> 里，束兵安步，云：「不可驚孝子。」母好飲江水，兒常取
> 水，溺死，夫婦痛，恐母知，詐云行學，歲作衣投于江中。
> 俄而，湧泉出於舍側，味如江水。

漢代廣漢舊地在今四川梓潼一帶，雖說離齊地尚遠，但是，這個故事
中因孝養母親而感泉湧出的情節，如果得到了廣泛的傳播，就有可能
會對顏文姜故事的形成與演變發生一定的影響。

綜上所述，關於顏文姜故事的形成過程，或許可以做出這樣的
推論：魏晉時期，人們在東漢以來流傳已久的「東海孝婦」、「齊之
寡婦」以及「姜詩夫婦」等各類故事的基礎上，隱括舊聞，融和眾說，
「創作」了孝婦顏文姜的故事。當然，這個故事決非成於一人一時，
應該有眾多的傳播者參與其中，應該有一個比較漫長的形成期。故事

---

❽ 《東觀漢記》原書已佚，本文據《太平御覽》（中華書局1960年2月第1版）
卷四一一所引。這個故事也見於《後漢書·列女傳》，意思略同，但文字過
繁，不便徵引。另外，晉·蕭廣濟《孝子傳》（清·茆泮林輯本，收入《叢
書集成初編》）載：「隗通字君相，母好飲江水，常乘舟概置之，深浚艱辛。
忽有橫石特起，直趁江脊，後取水無復勞劇。」可與姜詩夫婦的故事互相參
證。

形成以後,在長期口耳相傳的過程中,歷代都有人對它進行修改潤飾,因而形成了眾多的敘述版本,始終沒能完全定型。另外,這個故事不僅在博山地區廣泛流傳,而且以各種不同的面貌流傳於其他的周邊地區❾,甚至傳播到了省外的某些地方。明代《(嘉靖)太原縣志》❿卷三「雜志」門就記載了這樣一個故事:

> 俗傳晉祠聖母姓柳氏,金勝村人。姑性嚴,汲水甚艱。道遇白衣乘馬者,欲水飲馬,柳不吝,與之。乘馬者授之以鞭,令置之甕底,曰:「抽鞭則水自生。」柳歸母家,其姑誤抽鞭,水遂奔流不可止,急呼。柳至,坐於甕上,水乃安流。今聖母之座即甕口也。

據筆者的初步查考,山西地方文獻之中,關於聖母坐甕的故事,似乎還沒有早於《(嘉靖)太原縣志》的文字記載。因此,我們可以認為,這個流傳於山西太原一帶的故事應該有另外的來源,而來源於顏文姜故事的可能性是最大的。這不僅是一種合理的推論,而且有一定的事實依據,因為,在博山地區流傳的顏文姜故事中,就有一種敘述版本與聖母坐甕的故事極其相似⓫。

最後要說的是,我們不僅需要理清顏文姜故事形成與演變的整個過程,同時也應該關注這個故事中所包含的思想文化意義:在長達

---

❾ 《(道光)濟南府志》卷六山水二「孝感泉」條下轉引《濼水耆老傳》云:「昔有孝子事母,取水遠,感此泉湧出,故名孝水。」在這個故事中,不難看出顏文姜故事的影子。

❿ 見《天一閣藏明代方志選刊》,1963年2月上海古籍書店據明嘉靖刻本影印。

⓫ 見馬忻良等人所編《淄博鄉土文學·孝婦河的傳說》,山東大學出版社1992年7月第1版。

一千多年的流傳過程中，儘管出現了眾多內容各異的敘述版本，但它們都有一個共同的中心思想——提倡孝道，而這也正是故事得以流傳千年而不衰的根本原因。顧頡剛先生在《古史辨》第一冊的〈自序〉❿中指出：「研究孟姜女故事的結果，使我親切知道一件故事雖是微小，但一樣地隨順了文化中心而遷流，承受了各地的時勢和風俗而改變，憑藉了民眾的情感和想象而發展。」這番精闢的論述，同樣也適合於孝婦顏文姜的傳說。

---

❿　見《顧頡剛古史論文集》第1冊，中華書局1988年11月第1版。

從漢晉文獻看揚雄的聖人地位

劉保貞[*]

摘　要

本文運用漢晉時期文獻中的材料，說明了揚雄在漢晉時期是非常受人尊崇的，桓譚、王充、陸績、常璩等都把他看作是不亞于孔子的聖人，楊修對揚雄略有微詞，也是事出有因。

關鍵詞　揚雄　聖人　文獻

　　揚雄生前「祿位容貌不能動人」，所以那些勢利的小人自然沒把他放在眼裏，但揚雄還是以他的才學贏得了大多數人的尊重：成帝時因作賦似相如得以隨駕周遊四方，哀帝也曾咨以國政（論鼓妖、諫不許單于朝），平帝時能有機會把眾多「異能之士」的字說和樂說整理成〈訓纂〉、〈倉頡訓纂〉和〈樂〉，也說明他的學問要高那些人一

＊　山東大學易學與中國古代哲學研究中心講師

大截，王莽在眾多吹鼓手中單單要他撰寫〈元后誄〉，也是對他才學的極大肯定。當時的人心裏都明白，就文才而言，沒幾個人能望其項背。儘管有的人（如劉歆、張竦）對揚雄的《太玄》、《法言》有不同的看法，如張竦說《太玄經》的用途大概就如「鼠坻之與牛場也，如其用，則實五稼，飽邦民，否則，爲抵糞，棄之於道矣」。（揚雄〈答劉歆書〉，錢繹《方言箋疏》附，中華書局1991年版）但他們都對揚雄的《方言》給予了很高的評價，張竦稱之爲「懸諸日月不刊之書」，劉歆也說「非子雲澹雅之才，沈鬱之思，不能經年銳精以成此書」。（劉歆〈與揚雄書〉，同上）對於那些不喜歡揚雄的書的人，桓譚以爲是「凡人賤近而貴遠，親見揚子雲祿位容貌不能動人，故輕其書」。（《漢書·揚雄傳》，中華書局1962年版，下同）王充也說：「揚子雲作《太玄》、造《法言》，張伯松不肯一觀。與之並肩，故賤其言。使子雲在伯松前，伯松以爲金匱矣。」（《論衡·齊世》）事實上也確實如此。揚雄死後，其聲譽也一天天的高漲起來。在漢晉時期，大家都公認揚雄是一個很有才能的人，是與孟子、司馬遷等齊名的大作家。桓譚《新論·求輔》說：

> 賈誼不左遷失志，則文彩不發；淮南不貴盛富饒，則不能廣聘駿士，使著文作書；太史公不典掌書記，則不能條悉古今；揚雄不貧，則不能作玄言。（嚴可均輯《全漢文·全後漢文》，下同）

班固在《漢書·楚元王傳贊》中也說：

> 仲尼稱「材難不其然與！」自孔子後，綴文之士眾矣，唯孟

軻、孫況，董仲舒、司馬遷、劉向、揚雄。此數公者，皆博
物洽聞，通達古今，其言有補於世。傳曰「聖人不出，其間
必有命世者焉」，豈近是乎？（1972頁）

這一時期，對揚雄的仕莽提出任何異議的幾乎沒有，就連非常
注重忠孝的東漢朝廷上下，也很少有人對揚雄的仕莽說過半個「不」
字，大家論說某人的才能，就往往拿揚雄作參照物，如《漢書·谷永
杜鄴傳》說谷永：

> 永于經書，泛爲疏達，與杜欽、杜鄴略等，不能洽浹如劉向
> 父子及揚雄也。（3472頁）

《後漢書·宋弘傳》說：

> 帝嘗問弘通博之士，弘乃薦沛國桓譚才學洽聞，幾能及楊雄、
> 劉向父子。（904頁，中華書局1965年版，下同）

《後漢書·班彪列傳》下：

> 主人之辭未終，西都賓矍然失容，逡巡降階，慄然意下，捧
> 手欲辭。主人曰：「復位，今將喻子五篇之詩。」賓既卒業，
> 乃稱曰：「美哉乎此詩！義正乎楊雄，事實乎相如，非唯主
> 人之好學，蓋乃遭遇乎斯時也。小子狂簡，不知所裁，既聞
> 正道，請終身誦之。」（1371頁）

《三國志·吳書·闞澤傳》注：

> 吳錄曰：虞翻稱澤曰：「闞生矯傑，蓋蜀之揚雄。」（1250頁，

中華書局1959年版，下同）

晉常璩《華陽國志》卷十中〈先賢士女總贊〉也記載：

> 李尤字伯仁。……侍中賈逵薦尤有相如、揚雄之才，明帝召
> 作東觀、辟雍、德陽諸觀賦銘、〈懷戎頌〉、百二十銘，著
> 〈政事論〉七篇，帝善之。（劉琳《華陽國志校注》，巴蜀書社，
> 1984年版，下同）

對揚雄評價最高的是桓譚、王充和陸績等，他們都認爲揚雄已
經超越諸子，達到了聖人的境界。桓譚說：

> 今揚子之書文義至深，而論不詭于聖人，若使遭遇時君，更
> 閱賢知，爲所稱善，則必度越諸子矣。（〈揚雄傳〉）

《新論·啓寤》：

> 張子侯曰：「揚子雲西道孔子也，乃貧如此。」吾應曰：「子
> 雲亦東道孔子也。昔仲尼豈獨是魯孔子，亦齊楚聖人也」

又〈閔友〉：

> 王公子（「子」字衍）問：「揚子雲何人邪？」答曰：「揚子
> 雲才智開通，能入聖道，卓絕於眾，漢興以來，未有此人也。」
> 國師子駿曰：「何以言之？」答曰：「才通著書以百數，惟
> 太史公廣大，其餘皆叢殘小論，不能比之子雲所造《法言》、
> 《太玄經》也。玄經數百年，其書必傳。世咸尊古卑今，貴
> 所聞，賤所見也，故輕易之。」

陸績曰：

> 雄建立《玄經》，與聖人同趣，雖周公爻大《易》，孔子修
> 《春秋》，不能是過。（〈述玄〉）

《華陽國志》卷三〈蜀志〉說：

> 蜀自漢興，至乎哀平，皇德隆熙，牧守仁明，宣德立教，風
> 雅英偉之士命世挺生，感於帝思。……故司馬相如耀文上京，
> 揚子雲齊聖廣淵。

卷十上〈先賢士女總贊〉也記載：

> 子雲玄達，煥乎弘聖。……自劉向父子、桓譚等深敬服之。
> 其玄源淵懿，後世大儒張衡、崔子玉、宋仲子、王子雍皆爲
> 注解。吳郡陸公紀尤善於玄，稱雄聖人。

在〈先賢士女總贊·蜀郡士女〉中，常璩也常常引用揚雄的話對先賢
進行評論，由此也可見常璩對揚雄的推崇程度：

> 嚴遵，……揚雄少師之，稱其德。杜陵李強爲益州刺使，謂
> 雄曰：「吾眞得君平矣！」雄曰：「君但可見，不能屈也。」
> 強以爲不然。至州，修禮交遵，遵見之，強服其清高而不敢
> 屈也。歎曰：「揚子雲眞知人也！」年九十卒。雄稱之曰：
> 「不慕夷即由矣」，「不作苟見，不治苟得，久幽而不改其
> 操，雖隨、和何以加諸！」
> 李弘，字仲元，……揚子雲稱之曰：李仲元爲人也，「不屈

其志，不累其身」，「不夷不惠，可否之間」；「見其貌者
蕭如也，觀其行者穆如也，聞其言者愀如也」；「非正不言，
非正不行，非正不聽，吾先師之所畏」。

常璩在《華陽國志·益梁寧三州先漢以來士女目錄》中甚至把揚雄歸
入「德行」這一類中，認為揚雄的志趣、品德都是很高尚的：「德行：
給事黃門侍郎揚雄，字子雲。成都人也。」左思也對他淡泊自守的品
格大加讚揚，他在〈詠史〉中說：「寂寂揚子居，門無卿相輿。」對
於他的作品，也很少有人攻擊他奇奧、非聖而擬經等，很多人對他的
作品非常喜歡，班固、崔駰父子等都曾模擬揚雄的賦、箴；陸績深好
《太玄》、《法言》，曾卷不離手，並為之作注；有的人甚至把他的
擬經之作像真經一樣地引用，如《後漢書·袁紹傳》中記載：

> （袁紹）乃先遣顏良攻曹操別將劉延于白馬，紹自引兵至黎陽。
> 沮授臨行，會其宗族，散資財以與之。曰：「埶存則威無不
> 加，埶亡則不保一身。哀哉！」其弟宗曰：「曹操士馬不敵，
> 君何懼焉？」授曰：「以曹克州之明略，又挾天子以為資，
> 我雖剋伯珪，眾實疲敝，而主驕將忕，軍之破敗，在此舉矣。
> 楊雄有言：『六國蚩蚩，為嬴弱姬。』今之謂乎！」（2399頁）

《後漢書·儒林列傳》：

> 論曰：自光武中年以後，干戈稍戢，專事經學，自是其風世
> 篤焉。其服儒衣，稱先王，遊庠序，聚橫塾者，蓋布之於邦
> 域矣。若乃經生所處，不遠萬里之路，精廬暫建，贏糧動有
> 千百，其耆名高義開門受徒者，編牒不下萬人，皆專相傳祖，

莫或訛雜。至有分爭王庭,樹朋私里,繁其章條,穿求崖穴,以合一家之說。故揚雄曰:「今之學者,非獨爲之華藻,又從而繡其鞶帨。」(《法言》文)(2588頁)

這一時期對揚雄有點微辭的是楊修,他在〈答臨淄侯書〉中說:

> 今之賦、頌,古詩之流,不更孔公,風雅無別耳。修家子雲,老不曉事,強著一書,悔其少作。若此,仲山、周旦之徒,則皆有怒乎?君侯忘聖賢之顯迹,述鄙宗之過言,竊以爲未之思也。若乃不忘經國之大美,流千載之英聲,銘功景鍾,書名竹帛,此自雅量素所畜也,豈與文章相妨害哉?(《三國志·魏書·任城陳蕭王傳》注)(560頁)

在這裏,楊修對揚雄鄙薄辭賦、擬經做《太玄》的事提出了批評,然而細觀楊修與曹植來往書信,楊修在這裏其實是借批揚雄來勸解曹植,有點諂美的味道,所以很難說是出於公心。曹氏父子都很喜愛文學,招攬文士,在他們的倡導下,我國的文學創作進入了一個空前繁盛的時期,史稱「建安文學」。「三曹」、「七子」、蔡琰等,是這一時期的重要代表人物,而曹植又是其中的佼佼者,《詩品》稱他爲「建安之傑」,他少好辭賦,很有才氣,起初很得曹操寵幸,數次欲立爲太子,但他任性嗜酒,漸失恩寵,因而心中不快,就寫信給楊修,以舒胸中悶氣,他說:

> 辭賦小道,固未足以揄揚大義,彰示來世也。昔揚子雲先朝執戟之臣耳,猶稱壯夫不爲也。吾雖薄德,位爲藩侯,猶庶幾戮力上國,流惠下民,建永世之業,流金石之功,豈徒以

> 翰墨爲勳績，辭頌爲君子哉？若吾志不果，吾道不行，亦將
> 采史官之實錄，辯時俗之得失，定仁義之衷，成一家之言，
> 雖未能藏之名山，將以傳之同好，此要之白首，豈可以今日
> 論乎！（同上）（559頁）

正是在當時的那種文學已成社會時尚的情況下，楊修才對揚雄
鄙薄辭賦的說法提出不同意見，上以順時俗，下以寬藩侯之心。

關於魏晉南北朝文學研究的若干問題

劉躍進*

摘　要

本文從學術史的角度論述了魏晉南北朝文學研究的對象、研究範圍及其特殊性和二十世紀研究的特點、重要突破、專題研究及綜合性文學史等方面的問題，最後又從三個方面對魏晉南北朝文學研究所面臨的新問題作了總體性的描述，認為應當加強宗教與中古文學關係的研究，加強對東漢文學的研究，並在若干重要專題研究的基礎上，對於這個時期的文學作整體性的考察，提出撰寫《中古文學思潮》的構想。

＊　中國社會科學院文學研究所研究員、山東曲阜師範大學中文系特聘教授

關鍵詞　中古文學　魏晉南北朝文學　學術史

一、魏晉南北朝文學的研究對象和研究範圍

　　二十世紀的魏晉南北朝文學研究已經成爲歷史。縱觀百年歷程，在取得重大成就的同時，仍然還有許多有關這門學科建設方面的基本理論問題有待進一步思考。就其最基本的一點而言，這門學科的研究對象是什麼？如何劃定這門學科的研究範圍？表面上看，似乎不成問題。因爲魏晉南北朝文學，當然是研究魏晉南北朝時期的文學。但是，在實際研究過程中卻有這樣或那樣的困難。「魏」這個概念，至少要到曹操封魏公時算起，甚至從曹丕代漢算起。這樣，「建安七子」大多數只能歸到漢去。孔融不用說了，建安十三年被殺。就是建安七子，均死於漢獻帝建安年間，他們的創作大都作于魏國建立之前。如果我們嚴格按照「魏」的概念，這些詩人及其創作當然應當歸入漢代。事實當然不是如此。我們現在的習慣，還是把「建安七子」中絕大多數歸於魏代。再譬如樂府詩，我們談及「漢樂府」，不能排除「相和歌辭」；而「相和歌辭」中絕大多數和曹氏祖孫三代有關。《樂府詩集》中的「相和歌辭」大多歸入「平調」、「清調」等「清商三調」中，說明經過魏代樂府加工。甚至，有些「相和歌辭」中題署曹操等人的作品，是否完全出自他們的創作？都還是問題，因爲有許多詩歌明顯是在民歌基礎上略事加工而成，最後卻歸入他們的名下。魏明帝曹叡的詩，有的即是曹操、曹丕的片段，由他拼湊爲新曲，就算他的作品了。即以〈塘上行〉爲例。此詩有人說甄后作，有人說是曹丕作，但

《宋書・樂志》歸爲曹操詩。現在我們所見史料，《宋書・樂志》最早，總有根據。問題是，曹操的樂府詩就完全是自己創作的嗎？很可能也是從前代繼承下來的。因此之故，研究漢魏樂府詩歌，要截然把漢代和魏代分開，並不容易。余嘉錫先生在《世說新語箋疏》中根據大量資料，推溯魏晉士人的風氣，認爲多數源于東漢。正因爲如此，二十世紀初葉的劉師培將這段文學稱之爲中古文學，雖然以魏晉南北朝時期爲主，但是不受王朝斷代的限制。這樣的稱呼，確有它的道理。就古典詩歌發展而言，「律詩」歷來稱爲「近體」，它成就于唐代；律賦也出現于唐代；韓柳古文運動還是起于唐代。所以，劉師培把唐代以前稱爲「中古」，至少在文學史研究領域來說，較爲適用。如果再從變文、唐傳奇等文體看，把唐代和南北朝作爲兩個時期的分界線似乎也是合適的。

　　但是，這個問題比較複雜。許多學者會質疑：分期的標準是什麼？是根據歷史發展的不同階段來劃分，還是根據文學發展的不同段落來劃分？如果是以歷史的發展標準來劃分，是根據社會形態，還是生產力發展的不同階段，或者是制度的變異？這些問題，迄今還沒有得到很好的論證。如果根據文學發展的不同段落來劃分，是根據文學發展的成熟程度？還是根據文學的文體變化？或者是別的什麼東西？其次是分期的時間斷限問題：中古文學的上限和下限在哪里？這個問題也沒有統一的標準。中國的學者或上溯東漢，下至隋代，而日本學者研究這一段的文學批評，還包括了唐代。下限便有三種，何者爲是？從事明代文學研究的學者，通常把明代視爲從中古到近代的轉折，那麼他當然是把宋元都包括在中古文學之內。就是說，這不僅僅是一門學科的命名問題，也不僅僅是這段文學史的問題，而是涉及到整個文

學發展史的問題。如果我們把這一段叫做「中古文學史」，那麼，漢代以前的文學史就應叫作「上古文學史」，那麼，「中古」以後有沒有「近古」呢？是從什麼時候開始呢？是從隋代到清代？還是從元代到鴉片戰爭？如果文學史研究僅僅限於中古文學史，沒有上古，也沒近古，問題也許就比較簡單了。事實卻完全不是這樣。研究中國文學史不能不從全盤考慮問題。如果沒有統一的體例，沒有統一的標準，沒有統一的認知，文學史的研究就容易出現概念的混亂。從目前研究進展情況看，這個問題見仁見智，歸於一統，顯然不現實。但是，應當鼓勵學者對這些學科建設方面的基本問題再作深入的探討。

二、魏晉南北朝文學的特殊性及二十世紀研究的特點

魏晉南北朝文學的原始資料非常有限，可是依然有許多研究者對此情有獨鍾。在這一有趣現象的背後，實際上有許多值得思考的問題。就其顯而易見的一點而言，有可能涉及到魏晉南北朝文學本身的特點以及近百年的研究特點。魏晉南北朝文學吸引人的地方，不在於它的存世資料的多少，而在於這個時期的文學具有特殊的吸引力。第一，從中國思想史、學術史的發展來看，這個時期的學術思想表現得最為活躍。所以能夠形成這種多元化的特色，是當時社會各方面綜合因素相互作用的結果。首先，這個時期的社會結構大多處於分裂狀態，戰亂此起彼伏，朝代更替頻繁。在這種情況下，統治集團很少有精力來顧及思想文化事業。相對而言，政治權力對於文化事業的干預比較

少，思想文化就必然呈現一種放任自流的狀態。在這種多元化的局面中，就當時文學發展而言，最值得注意、也是最重要的一個特點，就是它的回歸文學的非功利性特徵。在中國文學發展史上，擺脫政教的束縛，將文學視爲抒發情感的工具，追求藝術的完美，的確是這個時期文學的重要特徵。這一點，與此前的文學迥然有別。第二，與上述特點直接關聯，這個時期的文學呈現一種鮮明的異端色彩。傳統儒學的分化，新興玄學的繁榮，外來佛學的傳播，爲當時的文人雅士的思想提供了廣闊的拓展空間。士大夫的傳統生活發生了變異。一個時期內，生活的怪異化，思想的極端化，形成了這個時期文人生活的重要特徵。怪異化、極端化的結果，就構成了「張力」的態勢，就拓展了文化發展的空間，就形成了後世看到的豐富多采的魏晉南北朝文學。這樣說，並不是說這個時期的總體文學成就特別大，而是說這個時期的許多作家，文學成就各有高下，而其文學個性卻異常鮮明突出，禰衡的顛狂放肆，嵇康的「非湯武而薄周孔」，潘岳的「乾沒不已」，陶淵明的「質性自然」，謝靈運的「躁動不安」，如此等等，均在文學史上堪稱一「絕」。個性的張揚，表現在文學理論主張上，表現在文學創作方面，就是對獨創性的自覺追求。曹丕所說「詩賦欲麗」等「四科不同」，陸機所說「誇目者尚奢，愜意者貴當，言窮者無隘，論達者唯曠」，皆意在張揚文學個性。儒學以禮教爲本，主張克己復禮，反對怪力亂神，提倡中庸，反對極端。這種傳統的觀念，極大地束縛了中國文人的思想。在這樣一個傳統勢力極盛的歷史背景下，強調提出文學個性的問題，往往意味著儒學的式微，意味著擺脫束縛和自由發展的新的趨勢。《世說新語》、《搜神記》、〈文賦〉、《文心雕龍》、《詩品》等，無論是內容還是形式，在三千餘年中國文學

史上不僅是空前的，基本上也可以說是絕後的。曹操詩歌的雄渾悲涼、陶淵明詩的平淡自然、玄言詩的「微言洗心」、宮體詩的纏綿悱惻等等，均以其特立獨行而在文學史上佔據重要的地位，皆堪稱中國文學史上一「極」而無愧。第三，這個時期文學發展的重要性，還在於它在中國文學發展史上，發揮著非常重要的作用，即爲唐代文學的全面繁榮作了充分的準備；沒有魏晉南北朝文學的繁榮，也就不會有唐代文學的繁榮。即以多種文體的萌發產生與發展成熟而論，「永明體」出現對於近體詩的成熟無疑起到了催化劑的作用；六朝小說的繁榮爲唐代傳奇的發展奠定了堅實的基礎；六代駢文更是取得了空前絕後的成就。第四，這個時期的文學理論、文學批評也高度繁榮，被視爲中國文學理論批評史上的黃金時代。所以這樣說，就在於它的基本形態，主要範疇，理論框架等，都是中國古代文學理論批評的非常重要的創始階段，或者說是它的成形階段。

　　由於魏晉南北朝文學具有這樣幾個鮮明的特點，就與傳統的儒家思想拉開了距離。唐宋以後，魏晉南北朝文學爲什麼總是受到歧視、貶斥？其中一個最重要的原因，就是用儒家的思想觀念作爲評價文學的重要標準。從韓愈的〈薦士詩〉到陳獨秀的大罵「選學妖孽」，明清人評詩論文，總是「文必秦漢，詩必盛唐」，我們看《古文辭類纂》，有先秦兩漢古文，有唐宋以後的文章，卻絕少魏晉南北朝文。二十世紀以來，不少研究者也是從這個觀念來貶斥魏晉南北朝文學。所不同的只是不僅限於儒家觀念，而是新時代的政治評價的標準，譬如人民性、階級性和現實性等，這其中依然蘊涵著儒家的重道輕文的傳統觀念。

　　至於說到二十世紀魏晉南北朝文學研究的特點，似乎不能一概

而論，因爲各個不同的時期具有不同的特點。二十世紀魏晉南北朝文學研究與中國政局的變化緊密相關，大體可以分爲三個不同的時期。1949年以前中國大陸地區的研究爲第一個時期。從指導思想來說，就是試圖運用新興的研究方法和研究視野來考察建造中國文學發展的歷史面貌。譬如作家生平創作、仕宦交遊以及作品中所反映出來的創作傾向等，基本上還是集中在作品的本身上。二十世紀第一個十年產生的劉師培《中國中古文學史講義》，是中國第一部斷代文學史，雖然書中敘述頗簡略，但對於兩漢、魏晉、南北朝的文學精神和文學風氣的嬗變，有精到概括。與劉師培幾乎同時，魯迅亦致力於魏晉文學的研究，並且做出了引人矚目的成就。他整理了魏晉南北朝的志怪小說，輯成《古小說鉤沈》，並編校《嵇康集》，對魏晉史事及文學有深入研究，其論文〈魏晉風度及文章與藥及酒之關係〉，濃縮了他對這一段文學史的看法，並且開創了對於魏晉文學作社會學的、文化學的、民俗學的綜合研究的先例，在整個二十世紀中國古典文學研究史上具有重要影響。至四十、五十年代，有王瑤對本時期文學再作細緻深入研究，發表了《中古文人生活》、《中古文人思想》、《中古文人創作》。三書的基本思路秉承魯迅的研究，並加以發揮、補充、擴展，論述更具體，系統性更強，對魏晉文人及文學風貌的把握更確切。以上三位人物及其著作，在二十世紀魏晉南北朝文學研究近代化進程中，具有里程碑的意義。關於這一點，下文還要具體評述，這裏不再贅論。此外，還應提到羅根澤的《樂府文學史》（1931年出版）和蕭滌非的《漢魏六朝樂府文學史》（1943年出版）這兩部書，它們對於二十世紀樂府文學的研究也作出了奠基性的貢獻。

　　二十世紀五、六十年代爲第二個時期。客觀地說，這個時期的

研究並沒有取得影響深遠的重大突破，只是在某些資料整理工作中取得一定成就。譬如陶淵明資料彙編、三曹資料彙編等對於學術研究有參考價值。另外在文學普及方面也做出一些成績，如本時期的一些詩選、賦選，當時頗有影響。這個時期強調「批判地繼承」。展開討論的問題主要是衡量文學的幾個標準，即文學的人民性、階級性和現實性，拿這三個標準來衡量一切作家和作品。當然，這一原則不僅僅適用于魏晉南北朝文學研究，而是整個古代文學研究的指導性原則。用這些基本原則肯定或否定作家及其作品，就脫離了作品本身的審美價值。研究的目的不在於說明作家的面貌和作品的價值，而是在於批判，在於從中找出所謂的精華和糟粕。這樣做並非一無是處，但是，如果把它當作放之四海而皆準的唯一評判標準，且無限擴大，很容易扼殺魏晉南北朝文學的特殊性。當然，這一段時間對於魏晉南北朝文學的研究也有一些可圈可點的成果，譬如關於《文心雕龍》的討論，對於一些重要的理論命題（如「風骨」「三准」等）展開討論，發表了好幾篇有深度的闡釋文章，迄今為人稱道和徵引。

二十世紀八十年代以後為第三個時期，魏晉南北朝文學研究和整個古代文學研究有一個比較大的變化，那就是：研究領域的多元化，研究觀念的多元化，研究方法的多元化。王運熙、楊明二位先生所著《魏晉南北朝文學批評史》是一部文論專史，此書對於魏晉南北朝時期的文學思想和理論批評的論述很全面，對材料的梳理抉剔頗為詳覈，對於有關文論著作的闡釋穩妥精當。曹道衡先生的著作特色在於對有關史料的深入發掘和清理，並在此基礎上對有關文學史面貌作重新描述，因而具有了開拓品格。羅宗強先生的研究側重在文學思想史，其特色在於眼界比較開闊，不僅僅就文論著眼，而是從廣闊的社會風

尚和深厚的文化背景中來考察文學思潮，是對於魯迅和王瑤的繼承，並且有所拓展。還有葛曉音先生的研究，其特色則表現在對於魏晉南北朝時期的文學發展脈絡的準確細緻的把握和對於影響文學發展諸多因素的全面深入理解方面。南開大學李劍國先生的「先唐」小說整理成績也很突出，其資料收集之完備、梳理考訂之精細，在魯迅研究的基礎上又前進了一大步。

　　二十世紀中古文學研究的重要創獲，具體可以從下列三個方面加以考察。

三、魏晉南北朝文學研究在三個方面的重要突破

　　第一，秉承樸學傳統，對原始資料進行系統的鈎沈索隱和考訂排比。這是古代文學研究的基礎性工作。過去側重於總集的編撰、作品的選釋，或按人而編，或以類而輯，雖然提供了大量的原始資料，但缺少深入細緻的考訂整理。真正為這項學科奠定堅實研究基礎的當首推劉師培《中國中古文學史》。

　　這部書原是北京大學講義，為便於教學，輯錄排比了很多當時的文學評論，並有引論和案語。史傳中的文論材料很多，雖然隻言片語的佔有不少，但集中起來，確實可以看出流行一時的文學觀念，這可能比專門的一家之言更具有代表性。系統地把這些散見的材料搜集起來，這對於中古文學史的研究，確有極大的啟發意義。魯迅〈魏晉風度及文章與藥及酒之關係〉評價此書說：「研究那時的文學，現在

較爲容易了，因爲已經有人做過工作……。輯錄這時代的文學評論
有劉師培的《中國中古文學史》……對於我們的研究有很大的幫助，
能使我們看出這時代的文學的確有點異彩。」全書五講：一、概論；
二、文學辨體；三、論漢魏之際文學變遷；四、魏晉文學之變遷；五、
宋齊梁陳文學概論。五講中，每子目下分門別類地輯錄有關史料，系
統而周詳。更重要的是每講前的題解和輯錄後的案語，議論不多，卻
自成體系。如總論部分，論及「聲律說之發明、文學之區別，」系統
地輯出當時所能看到的絕大多數的原始材料，排比考訂，細心辨析，
基本上勾勒出漢魏六朝文學發展的概貌。又如第三講，闡釋建安文學
的四個特點，即：清峻、通脫、聘詞、華靡。魯迅先生本此而論曰：
「漢末魏初的文章可以說是『清峻、通脫、華麗、壯大』。」這一觀
點已爲當今大多數研究者認同。

按照這種體例而編撰的專著還有劉永濟先生的《十四朝文學要
略》，四十年代初由中國文化服務社出版，1984年黑龍江人民出版社
重版。全書二卷：卷一述論先秦及秦代文學，分十個專題；卷二論漢
代到隋代文學，分十一個專題。每題下先有概說，爾後徵引歷代有關
材料，並加按語。材料比較豐富，是本書的一個特點。另外，注重史
的淵源關係，如論漢樂府三聲的消長，便附以漢至後周鐃歌曲目表等；
論南北風謠興盛及樂聲流徙的影響，便附以《舊唐書·音樂志》所載
清樂曲目表，便於比較研尋。上述兩書有史有論，並不是單純的資料
考訂類著作，但卻以資料的豐富、翔實而爲學術界所重視。

對中古文學史料作全面系統考訂的著作，陸侃如先生的《中古
文學繫年》堪稱代表。全書八十餘萬字，容量較上述兩書爲大，上自
西元前53年揚雄生，下迄西元351年盧諶卒，以年爲綱，以人爲目，

詳細考錄了一百五十二位作家的生平事件、著作篇目及著作年代。徵引史籍多達數百種，資料極為豐富，對史書記載和舊說不確之處，多有訂正，解決了不少疑年問題。譬如左思〈三都賦〉，《晉書》、《世說新語注》記載分歧很大。《晉書》說〈三都賦〉成於皇甫謐卒前，曾由皇甫謐作序。《世說新語注》引〈左思別傳〉則說皇甫謐死於〈三都賦〉作成前，故未能作序。陸書據《晉書》提到左思作〈三都賦〉時曾向張載詢問岷蜀之事，指出張載赴蜀省父在皇甫謐死後，《晉書》記載不免自相矛盾，因此皇甫謐作序不可信。此賦當成于晉惠帝太安二年（303）左右。但又考慮到另一種情況，即《世說新語》注引〈蜀都賦〉其中「鬼彈」二句為今本所無，文字也不同，因此認為「其〈三都賦〉改定至終乃止，」也不排斥〈三都賦〉初稿完成較早而後來又加改寫的可能。這樣的考訂是有說服力的。但此書有兩個明顯的缺憾：第一，有些繫年過於牽強。如桓譚生卒年繫在西元前23年生，卒於56年，就很欠妥。又卷一建武二十年（44）「班固為王充所稱」條，稱「其時充本年二十八歲，較固長十五歲」，恐誤。《後漢書·王充傳》未載其生年，但《論衡·自紀》稱「建武三年充生。」至建武二十年，為十八歲，非二十八。第二，這是一部未完稿，只寫到351年，即東晉永和七年。東晉還有六十九年未編，南北朝則未涉及。近來，陸先生的學生張可禮教授續補而成《東晉文藝繫年》近六十萬字，把東晉（包括北方的十六國）時期有關文學、書法、繪畫、雕塑和音樂等方面的史實，以時間為線索，分別繫於各年。全書收錄了一百七十多位文學家，書法家、美術家和音樂家，對其生卒、行迹和著述等，詳加考訂，同時對民間文藝也收錄較全。此書已由山東教育出版社1992年出版。

相類似的著作還有劉知漸《建安文學編年史》（重慶出版社，1985）、我與曹道衡師合著的《南北朝文學編年史》（人民文學出版社，2000）。《建安文學編年史》由代序、建安文學編年史前、正、後三編及附錄三部分組成。在題爲「曹操與建安文學的關係問題」的代序中，作者指出，通過文學編年的寫作，可以清楚地看出，文學創作高潮的來臨，必須具備三個前提條件：一、對前代文學遺產的積累達到一定的高度；二、現實生活的矛盾對作者產生了強烈的刺激；三、最重要是作者主動關心現實，情不能禁地反映現實。根據這樣三個前提條件，以往將建安文學的繁榮歸功於曹氏父子的觀念是錯誤的。建安文學前編就是追溯建安元年以前數十年間的文學現象，用以探討這一時期的文學創作對建安文學所起的「前因」作用。其中，〈陌上桑〉標誌著樂府民歌中五言敘事抒情的成熟。辛延年的〈羽林郎〉可與媲美。無名氏的「古詩十九首」標誌著五言詩脫離樂府而獨立，其風格表現了漢末衰世的悲涼。張衡的〈四愁詩〉則標誌著七言詩的問世，是騷體向七言過渡的開山之作。諷刺官吏貪暴的五言詩說明民間五言詩較爲普遍地接近成熟。蔡邕的作品則影響沾溉了王粲等人。正編包括建安元年（196）至建安二十五年（220）的文學創作活動。後編則略述建安文學餘風，以期全面展現建安文學的來龍去脈。附錄有三篇文章，即：〈重評郭沫若先生的《替曹操翻案》〉、〈從曹操詩文看他的政治思想〉、〈「建安風骨」新探〉。另有「建安作家詩文全目」。

《南北朝文學編年史》分爲前編、正編和後編三個部分。前編：南北分裂時期的十六國文學編年（西元279年—419年）。正編：南北朝時期文學編年（西元420年—589年），後編：南北融合時期的隋代文學編年（西元590年—618年）。正編爲全書骨幹，由五卷組成：第一卷題

爲「晉宋文學的轉變」。始于劉宋高祖劉裕永初元年（西元420年），止于宋文帝元嘉十七年（西元440年），考察晉宋之際重要作家的活動情況；第二卷題爲「從『元嘉體』到『永明體』」。從永明重要作家沈約出生的元嘉十八年（西元441年）開始系年，至蕭齊明帝建武元年，也就是北魏遷都洛陽的西元493年爲止。這一時期，文學的重心無疑是在南方，經歷了兩次文學高潮，特別是永明文學的出現，更是中國詩歌發展史上值得注意的重要現象。第三卷題爲「南朝文學的分化·北朝文學的復蘇」。蕭梁建國前後，永明文學潮流逐漸分化：以蕭統爲中心的文學復古思潮得其「清」，而以蕭綱、蕭繹兄弟爲核心的文學集團得其「麗」。但是這一時期，在文壇佔據主導地位的還是蕭統一派。其重要成果就是編纂了一部影響極爲久遠的《文選》。而在北方，北魏拓跋氏政權入主中原地區，加速漢化進程，文學方面出現了復甦的迹象。第四卷題爲「南北文學的分庭抗禮」。在南方，以蕭綱、蕭繹爲代表的「宮體」詩成爲文壇的主流，詩的內容無足稱道，而在藝術形式方面頗有進展。隨著南北文化交流的擴大，北方文學逐漸迎頭趕上，與南朝文學已經形成了分庭抗禮的局面。第五卷題爲「南衰北盛格局的形成」，主要考察陳及北齊、北周時期的文學發展情況。隨著庾信、王褒、顏之推的入北，以及北方重要作家的成熟，不論是文學作品的數量，還是質量，北朝後期的文學創作成就，實際上已經超過南朝。從上面的描述中可以看出，本書在編排上，較之以往的文學史試圖有所突破，即不以朝代爲斷限，而是特別注意疏通文學自身發展的內在脈絡，努力清晰地勾劃出南北文學興衰的軌迹。這是著者在編撰這部編年史時著重考慮的一個比較重要的問題。爲了更有力地展現南北文學的嬗變軌迹，本書特別安排了前編和後編兩個不可分割

的重要內容。十六國文學和隋代文學，以往的文學史通常一筆帶過，歷來較少涉及。曹道衡先生若干年前著有〈十六國文學家考略〉、〈從〈切韻序〉推論隋代作家的幾個問題〉等，在此基礎上又撰寫了《南北朝文學史》中的北朝文學史，可以說對北朝文學用力較勤。凡與編年史有關的研究成果，都盡可能地吸收到本書當中。譬如王褒的生卒年、薛道衡重要作品的繫年等，就有比較切實的考證。通過這些細緻的考證和資料的排比，使人們對於北方文學從十六國荒原起步到隋代文學融合與繁榮的過程就有了比較全面系統而又深刻的瞭解。爲什麼會有這樣巨大的變化？其轉變的契機在哪裡？其變化的深層次原因又是什麼？通過資料的系統排比和勘對，又向人們提出了許許多多類似的問題，這就促使人們作進一步的思考。一部編年史的作用，在這裏可以得到體現。此外，我與范子燁先生合編的《六朝作家年譜輯要》（黑龍江教育出版社，1999）彙集了十八種六朝作家年譜，大都是近二十年的新成果，對於這段文學史的研究也有參考價值。

第二，接受唯物史觀，注重於聯繫時代背景和社會生活，敏銳地捕獲最能體現一定歷史時期的文學特徵，並從中探尋文學發展過程和演變規律。

魯迅先生〈魏晉風度及文章與藥及酒之關係〉、〈漢文學史綱要〉以及計劃撰寫的中國文學史的有關章目，對魏晉南北朝文學風尚作了深入的闡釋和準確的概括。他用「藥、酒、女、佛」四字概括魏晉六朝文學現象。藥與酒同文學的關係，他在〈魏晉風度及文章與藥及酒之關係〉的著名講演中作了精湛的闡釋，而「女」與「佛」當然是指彌漫于齊梁的宮體詩和崇尚佛教以及佛教翻譯文學的流行。雖然魯迅先生沒有展開討論，卻爲後來的研究指點了方向。魯迅先生注意

研究能夠體現一定歷史時期文學特徵的具體現象,並從中闡明文學發展的過程和規律,而用這四個字,是可以反映和概括魏晉六朝文學的歷史特徵的。

四十年代,王瑤先生沿著魯迅的方向,注意聯繫時代背景和社會生活,系統深入地廣泛收羅了魏晉南北朝文學的有關史料,前後披尋,輯事比類,對資料進行系統的歸納和整理,並將研究視角轉向整個魏晉南北朝文學尚未開墾的領域,從研究社會經濟、政治狀況、文人生活、學術思潮與文學的關係入手,完成了爲魏晉南北朝文學學科的現代化奠定扎實基礎的《中古文學史論》。全書由十四篇文章組成,大致分「文學思想」、「文人生活」、「文學風貌」三個範圍,論及了魏晉南北朝文學除樂府之外幾乎所有重要學術問題。葛曉音先生在〈王瑤先生對中古文學研究的貢獻〉中指出,《中古文學史論》所涉及的範圍之廣泛,幾乎是將這段文學史中的重要文學現象全部囊括在內;所論及的材料之翔實,差不多將凡能作爲論據的史料皆搜羅無遺;而其論點則一直影響著五十年代到八十年代的魏晉南北朝文學研究。譬如九品中正制和門閥制度造成的士庶之隔,是魏晉南北朝特有的一種政治現象,也是史學家研究這段歷史所關注的重點之一。漢魏六朝文學主要是士大夫的文學,而對於士人來說,政治上的趨進乃是他們最重要的人生目標。如果脫離這一背景來孤立地研究文學,勢必無法透徹理解文士在作品中所表現的思想感情。〈政治社會情況與文士地位〉對東漢士族形成的背景、華素之隔的遠源,作了詳盡的分析,指出門閥勢力在政治經濟上享有絕對的特權,同時也以絕對的優勢操縱著整個社會,因而也是文化的保存者和繼承者。這就構成了他們獨特的享有和承繼文化傳統的特權。「所以,每一種文學潮流、作風或表

現內容的推移變化，都是起於名門貴胄們自己的改變，寒素出身的人是只能追隨的。」這種觀點直到今天仍有啓發意義。現在一些中青年學者已經比較注意前輩學者的開創之功，不再把目光僅僅局限在政治、經濟領域，而是特別著意于考察魏晉南北朝時期比較突出的宗族文化和區域文化的種種複雜現象，從宗族文化批評的角度研究魏晉南北朝文學。這個研究思路得到了越來越多的學者的重視。近年發表的有關論著主要有：蕭華榮的專著〈華麗家族——兩晉南朝陳郡謝氏傳奇〉（三聯書店，1994）、《簪纓世家——兩晉南朝琅邪王氏傳奇》（三聯書店，1995）及其論文〈論東晉南朝陳郡謝氏的文學傳統——兼論山水詩的產生〉，井上一之〈陶潛與潯陽〉，謝文學〈潁川長社鍾氏家族研究〉、〈鍾嶸家世考〉，曹旭〈鍾嶸身世考〉，劉躍進〈從武力強宗到士族——吳興沈氏的衰微與沈約的振起〉、〈吳興沈氏考略〉，丁福林專著《東晉南朝的謝氏文學集團》，程章燦專著《世族與六朝文學》，范子燁專著《中古文人生活研究》，胡阿祥專著《魏晉本土文學地理研究》，等等。

第三、融合中外文論，對魏晉南北朝文學批評史，文學思想史的歷史地位、重要價值，作深入系統的探討。

陳鍾凡《中國文學批評史》，1927年中華書局出版；郭紹虞《中國文學批評史》，1934年商務印書館出版，以後多次修訂再版；羅根澤《中國文學批評史》，1934年北平人文書店出版；朱東潤《中國文學批評大綱》，1946年開明書店出版，1957年、1983年兩次再版；黃海章《中國文學批評簡史》，1962年廣東人民出版社出版；復旦大學中文系《中國文學批評史》，上冊（1979年）中冊（1981年）下冊（1985年）上海古籍出版社出版；周勛初《中國文學批評小史》，1981年長

江文藝出版社出版；敏澤《中國文學理論批評史》，1981年人民文學出版社出版；等等。在這些著作中，魏晉南北朝文學批評均佔有很大篇幅。尤其值得注意的是四部魏晉南北朝文學批評專史：萬迪鶴《魏晉六朝文學批評史》，獨立出版社1941年出版。羅根澤先生《魏晉六朝文學批評史》。王運熙、楊明先生《魏晉南北朝文學批評史》，上海古籍出版社1989年出版，羅宗強先生《魏晉南北朝文學思想史》，中華書局1996年出版。羅根澤的著作是四卷本《中國文學批評史》中的一種，資料的收集考訂頗為豐富。王、楊二先生新著晚出，集魏晉南北朝文論研究之大成。全書分二編：一編是魏晉文學批評，分緒論、曹魏文學批評、西晉文學批評、東晉文學批評四章。二編是南北朝文學批評，由緒論、南朝文學批評、劉勰《文心雕龍》、鍾嶸《詩品》、北朝文學批評等五章組成。以時代先後為序，對於重要批評家及其著作各立專章予以評論，對於過去研究中論析較少或未加論列的批評家也作了較為具體的介紹，對一些重要範疇、概念如氣、風骨、文質、文筆、四聲八病等，也加以較細緻的分析。在論述中，努力闡明各種文學觀點與思想文化背景、時代風氣的聯繫，理清其歷史發展線索，並注意比較各批評家觀點之間的異同，從整體上把握中古文學批評發展的軌迹，受到了學術界的重視。羅宗強的著作是中國文學思想通史中的一種，上起建安，下迄隋朝建立前夕，共三百八十餘年。本書與以往的文學批評史和文學理論史的最大區別就在於它不僅僅關注具有理論形態的文論資料，同時還關注文學創作中所反映出來的文學思想傾向。依據這樣的理解，本書專闢「陶淵明的創作傾向在中國文學思想史上的價值」一節，就拓寬了中國文學理論批評史的範圍。

　　一個世紀以來，經過幾代學者的不懈努力，在魏晉南北朝文學

思想史這塊誘人的學術領域，儘管有許多具體問題尚存在不少爭論，而在一些基本問題上，學術界已經取得了某種共識。

（一）人物品藻之風對魏晉南北朝文學思想的影響

人物品評，又稱人論識鑒，主要包括識鑒和品藻兩方面內容。《世說新語》、《史通》是把這兩方面內容分開討論的，識鑒是對人物才、德、識的評價；品藻是根據這種評價而定其優劣的，但在實際運用中是難以截然分開的。這種品評始盛于東漢，是一種鑒別人材、選擇官吏的選舉手段。「溯自漢代取士大別爲地方察舉，公府徵辟，人物品鑒遂極重要。有名者入青雲，無聞者委溝渠。朝廷以名爲治（顧亭林語），士風亦競以名行相高。聲名出於鄉里之臧否，故民間清議乃隱操士人進退之權。於是月旦人物，流爲俗尚；講目成名（《人物志》語），具有定格，乃成社會中不成文之法度」（湯用彤《魏晉玄學與文學理論》，北京大學出版社《理學·佛學·玄學》）。入魏以後人物品評在九品中正制下得到新的發展，並且人物品評的標準和內容也開始由實用性向非功利性過渡。這就爲人物品評到文學批評鋪平了道路。不僅詩文，兩晉以後，隨著品評的日益廣泛應用，《棋品》、《書品》、《畫品》也先後出現，推動了一代審美風尚的形成。這種審美風尚有這樣幾個明顯的特點：首先，它通過形象的比較表達作者的褒貶態度。其次，它通過精心選擇的語言表達精微的藝術感受。再者，把許多人物品評的概念如風、骨、氣等直接引進文學批評領域，豐富了文學理論批評的內涵。

（二）玄學對中古文學觀念的影響

二十世紀初，劉師培始把玄學與文學的關係列入考察的範圍，可惜繼者寥寥。直到湯用彤先生的大力倡導，這個問題才日益引起學術界的關注。湯先生的兩部重要著作《魏晉玄學論稿》與《魏晉玄學與文學理論》可以說爲這一重要課題的研究奠定了基礎。《魏晉玄學論稿》由〈讀《人物志》〉、〈言意之辨〉、〈魏晉玄學流別略論〉、〈王弼大衍義略釋〉、〈王弼聖人情義釋〉、〈王弼之周易論語新義〉、〈向郭義之莊周與孔子〉、〈謝靈運〈辨宗論〉書後〉、〈魏晉思想的發展〉等九篇論文組成。作爲一個博大精深的理論體系，玄學對於文學的影響既深且廣 。即以「言意之辨」爲例，有言不盡意論，有得意忘言論，也有言盡意論。言不盡意，對中古文學思想的影響，表現在注重言外之意，這不僅是中國詩歌的特點，也是中國古代文學藝術共同的特點。詩歌講究言外之意，音樂追求弦外之音，繪畫重在象外之趣，其中的美學觀念是相通的，即要求虛中見實。得意忘言，引入到文學領域，可以引申出重神忘形的主張，具體表現在對神氣、風骨、風力的提倡；還可以引申出形似神似之說。確實，湯用彤先生提出的這個題目，涉及到思想史和文藝史的一個關鍵，應當認眞探討。再譬如謝靈運的〈辨宗論〉「提出孔釋之不同，折中以新論道士（道生）之說，則在中國中古思想史上顯示一極重要之事實」。學者們再進一步探討了這篇宏論的產生背景，還可以看出，這篇作品作于初到永嘉時，在他身體康復後大肆遊覽郡中名山勝水之前。就是說，這篇作品的意義，不僅顯示了中古思想史上重要的演進軌迹，而且在謝靈運的山水詩創作中，它也是一個重要的積蓄和疏理思緒的必然結果，

確有值得注意、值得探討的深刻內涵。

《魏晉玄學與文學理論》以「得意忘言」爲中心，從音樂、繪畫、文學三個方面具體疏理了玄學與文學藝術相互浸透的發展線索。根據這一思路，孔繁先生著《魏晉玄學和文學》一書，論及了魏晉玄學產生的社會歷史背景、魏晉玄學和人物批評、文學批評、魏晉玄學和文學理論、魏晉玄學言意之辨與文學創作、魏晉玄學和遊仙詩、招隱詩、玄言詩、山水詩、田園詩以及和音樂、美術思想的關係等問題。作者指出：「玄學重在探求天地自然虛玄之體，完全擯棄了漢儒陰陽象數的淺陋神學，其玄遠曠放的精神境界，使人形超神越，個性受到尊重，提高了人的價值。表現于文學，是由個性和天才證明風格之豐富多彩，文章成爲情性風標，神明律呂，由文學以窺視精神，打開了作家靈魂的鎖鑰，而使文學彙成蓬勃的運動，出現了曹植、嵇康、阮籍、謝靈運、陶淵明那樣的大詩人，出現了曹丕，陸機、劉勰、鍾嶸、蕭統那樣的大文論家，無論文學創作或文學理論，他們都爲後代留下永不泯滅的心聲，爲文學史儲備下取之不盡的寶藏。」高華平的《魏晉玄學人格美研究》（巴蜀書社，1999）也是這方面的論著。

探討玄學與文學的關係，以往的問題主要是停留在概念的比較上。羅宗強先生《玄學與魏晉士人心態》（浙江人民出版社，1991）則通過士人心態的變化捕獲到了玄學對於文學影響的中間環節。全書四章，首章把魏晉玄學的興起放在東漢後期宦官專權，外戚當政及黨錮之爭這樣一個歷史背景下加以考述，從而證明玄學的興起有其歷史的必然性。以下三章依次敘述了正始玄學興衰、西晉士人心態變化以及東晉玄釋合流趨向。其中阮籍和陶淵明是全書論述的重點。作者不滿足于一般概念術語的闡釋，而是結合當時的政局、哲學、社會思潮、

生活環境、所受教養等方面探討魏晉文學思想變遷的深層原因，對以往的研究確有較大的突破。

（三）佛學對中古文學思潮的影響

佛學與中古文學思潮的關係，是二十世紀學術界較爲關注的一個研究課題。魯迅先生對中古小說的考察、郭紹虞先生、羅根澤先生、饒宗頤先生對中古文論的研究、錢鍾書先生、季羨林先生、王瑤先生等對中古詩文的闡釋，都論及到佛學對於中古文學的深刻影響。蔣述卓《佛經傳譯與中古文學思潮》（江西人民出版社，1990）則專門就這一課題作了細緻研究，具體辨析了志怪小說與佛教故事、玄佛並用與山水詩興起、四聲與佛經轉讀、齊梁浮豔文風與佛經傳譯等對應關係。作者指出，佛經的傳譯對中古文學思潮的影響至少表現在三個方面：第一，它的理論概念、範疇是從傳統的文學、美學理論中借用或引發出來的，如以「本無」譯「性空」，以「無爲」譯「涅槃」，反過來又影響文學理論，如「境界」等即從佛經借用過來。第二，中古時期佛經翻譯的中心議題也是中國傳統的議題，這就是文質之爭，其實就是內容與形式的關係問題，因此又可以把佛經翻譯理論看作是中古文學、美學理論的表現形態之一。第三，由於中國僧人和文人參加到佛經翻譯中去，既溝通了佛經翻譯文學與中古文學的關係，也溝通了中古文學理論與佛經翻譯理論之間的關係，使二者更趨於一致。

四、魏晉南北朝文學的專題研究與綜合性文學史

二十世紀魏晉南北朝文學研究可謂「點面生輝」，實際包涵專題研究與綜合文學史這樣兩方面內容。

專題研究可稱之日「點」。

第一，傳統的研究課題，隨著新材料的發現，或者新的研究方法的運用，出現了某種復興的態勢。這在傳統的「文選學」研究上表現較爲明顯。這是富有戲劇性的研究領域。唐代即有所謂的「文選學」，宋代甚至流傳「《文選》爛，秀才半」的說法。但是到「五四」時卻成了「妖孽」而被打翻在地，幾十年未能翻身。從1949年到1978年，近三十年間，「文選學」方面的研究論文不足十篇，它在大陸的境遇可想而知。1988年在長春召開了首屆《昭明文選》國際學術研討會，1992年、1995年、2000年又分別召開了第二、三、四屆學術討論會。每次參加人數都在七、八十人以上。「文選學」所以能夠在新時期表現出復興的趨勢，可能有兩個原因，其一，海內外不時發現一些新的版本資料，日益引起學術界的重視。其二，《文選》以及諸家舊注是研究中古文學，乃至研究唐宋文學的津梁。以《滄浪詩話》爲代表的宋代詩話，凡是論及唐前文學，所例舉的作品，幾乎沒有超出《文選》的範圍。在某種程度上說，《文選》就是先唐文學的代稱。近代著名學者李詳在其〈文選學著述五種〉（《李審言文集》，江蘇古籍出版社，1989）中對於杜甫、韓愈等唐代詩人的作品作了詳盡的考察，結論是唐代詩

人幾乎沒有不受《文選》影響的。這已是千古不移之論。當代學術界重新喚起對於「文選學」研究的興趣，這一動向首先在《文學遺產》得到了及時的反應。作爲全國「文選學」研究會會長，曹道衡先生在該刊連續發表了〈論《文選》中幾篇齊梁應用文〉（1993年3期）、〈從樂府的選錄看《文選》〉、〈關於《文選》中六篇梁代作品的寫作年代〉（1996年2期），對於《文選》的撰錄標準、所收作品的創作年代等問題作了系統的考察。周勛初先生〈《文選》所載〈奏彈劉整〉一文諸注本之分析〉（1996年2期），通過對日本所藏《文選集注》的考察，推測〈奏彈劉整〉的原貌以及各家舊注的得失。劉躍進〈從〈洛神賦〉李善注看尤刻《文選》的版本系統〉（1994年4期）、傅剛〈俄藏敦煌文獻φ242號〈文選注發覆〉〉（2000年4期）等，對於《文選》的版本問題發表了自己的看法。一個世紀以來，海內外出版各類專著多達數十餘種之多，或彙集版本資料，或考訂綜論。其中宋本李善注《文選》、《六臣注文選》、《敦煌吐魯蕃本《文選》》（並中華書局出版）、《唐鈔文選集注彙存》（上海古籍出版社）、《影印宋本五臣集注文選》（臺灣「中央圖書館」）、奎章閣本《文選》（韓國正文社）等在版本方面具有重要的價值。駱鴻凱《文選學》（中華書局影印）、傅剛《昭明文選研究》（中國社會科學出版社）、《文選版本研究》（北京大學出版社）、羅國威《敦煌本昭明文選研究》、《敦煌本文選注箋證》以及胡大雷《文選詩研究》（廣西師範大學出版社）《昭明文選與中國傳統文化》（吉林文史出版社）等專著推動這門學科的進一步發展。

第二，開拓新的研究領域。最值得稱道的是曹道衡先生對於北朝文學的研究。二十世紀八十年代，他在《文學遺產》和其他刊物上發表了〈試論北朝文學〉、〈十六國文學家考略〉、〈關於北朝樂府

民歌〉、〈從〈切韻序〉推論隋代文人的幾個問題〉、〈讀賈岱宗〈大狗賦〉兼論《僞古文尚書》流行北朝的時間〉等文章以及與沈玉成先生合著的《南北朝文學史》中北朝文學部分，將過去被視爲「文學作品幾乎絕迹」的十六國及其以後的北方文學分爲不同的發展階段，進行縱橫比較，提出了一系列富有啓發意義的創見，奠定了北朝文學研究的基本格局。這些研究成果，多已收錄在《中古文學史論文集》（北京中華書局，1986）、《中古文學史論文集續編》（臺灣文津出版社，1994）以及《漢魏六朝文學論文集》（廣西師範大學出版社，1999），代表著近十年來魏晉南北朝文學研究的最高成就。

第三，在中古小說史研究方面，已故胡念貽先生在〈《逸周書》中的三篇小說〉（《文學遺產》1981年2期）、曹道衡先生〈《風俗通義》與魏晉六朝小說〉（《文學遺產》1988年3期）等文，不僅對於古小說作了鈎沈索隱的工作，還對於兩漢子部小說研究方面的價值作了充分的論證。此外，曹先生的〈論王琰和他的《冥祥記》〉（《文學遺產》1992年1期）在考訂作者生卒年的基礎上，對於《冥祥記》的內容、史料價值和這部書產生的歷史背景作了考察，有些推論，與日本發現的《觀世音應驗記三種》（中華書局，1994）多有吻合（參見孫昌武先生〈關於王琰《冥祥記》的補充意見〉，《文學遺產》1992年5期）。李劍國先生的《唐前志怪小說集釋》（上海古籍出版社）《唐前志怪小說史》（南開大學出版社）對於唐前志怪小說作了系統的研究。王能憲、范子燁、蔣凡各自撰寫的《世說新語研究》則對於這部志人小說作了各具特色的闡釋。

第四，利用出土文獻資料研究《楚辭》，取得重要的進展。湯炳正先生〈從包山楚簡看〈離騷〉的藝術構思與意象表現〉（《文學

遺產》1994年2期）根據1987年出土的大量楚簡對於楚國每事必卜的風
尚以及卜筮的程式、用具及方法作了詳盡的考察，不僅訂正了歷代《楚
辭》研究在卜筮方面存在的問題，還以嚴密的論證，對於學術界有人
斷言屈原為「巫官」的說法作了辨駁，持之有故，言之成理，充分體
現了老一代學者嚴謹求實的學風。此外，劉信芳〈包山楚簡神名與《九
歌》神祇〉（《文學遺產》1993年5期）也在利用出土文獻方面對《楚辭》
研究作了較為成功的嘗試。閱讀這些文章，耳邊總是響起六十多年前
陳寅恪先生說過的話：「取地下之實物與紙上之遺文互相釋證」乃是
古史研究的重要途徑。長期以來，我們的文史專業分得越來越細，將
活生生的歷史強制性地劃分成條條塊塊。條塊分割的結果，隔行如隔
山。文學研究界對於考古學界的成果，相對來講，就顯得比較隔膜，
人為地限制了自己的學術視野。《文學遺產》2000年第3期發表對李
學勤、裘錫圭的訪談〈新學問大都由於新發現──考古發現與先秦、
秦漢典籍文化〉以及北京廣播學院出版社2000年出版的《出土文獻與
中國文學研究》表明，這種狀況開始得到初步的改變。

　　研究觀念的變化、研究領域的擴展，客觀上也促進了研究方法
的轉變。最明顯的變化是由過去的大題小作，變為小題大作。這樣，
許多問題才能說深說透，才不至於隔靴搔癢。其實，這種研究方法並
非今人獨到胸襟，本世紀二、三十年代許多學者運用這種研究方法已
經取得了劃時代的成績。再說乾嘉學派中第一流的學者，又何嘗不是
如此。我們只不過在走了許多彎路以後又重新認識到它的價值罷了。
譬如陳寅恪先生《金明館叢稿初編》、《二編》中的多數文章，就是
成功地運用這種研究方法的典範。如〈書《世說新語·文學》類鍾會
撰〈四本論〉始畢條後〉，乍看起來僅僅是篇讀書箚記，僅僅論述了

魏晉清談時期的一個哲學命題，但是陳先生卻能在所謂「才性同，才性異，才性合，才性離」這個抽象的哲學命題中極精闢地洞察了魏晉時代兩大政治陣營的對立與轉化。以曹氏爲代表的寒族以爲才性相異相離，而以司馬氏爲代表的望族則認爲才性相同相合。對這個命題的理解，兩派針鋒相對，這不僅僅是一個哲學問題，而是驚心動魄的政治問題。作者目光如炬，論析可謂入木三分。如果再聯繫到中國七十年代末期那場實踐是檢驗眞理的唯一標準的大討論，起初似乎也不過是一個抽象的哲學命題，最終卻轉化爲政治變革的理論先聲。經歷了這場變革，使我們更深刻地認識到陳寅恪先生這種以小見大，一針見血的研究所蘊含的理論意義。曹道衡先生〈從〈雪賦〉〈月賦〉看南朝文風之流變〉（《文學遺產》1985年2期）、〈從兩首〈折楊柳行〉看兩晉文人心態的變化〉（《文學遺產》1995年3期）就明顯地受到了陳寅恪先生的影響。謝惠連的〈雪賦〉與謝莊的〈月賦〉是南朝小賦的名篇。歷來的文學史家多有論及。而曹先生不僅辨析了這兩篇賦從「體物」向「緣情」轉變過程中重要藝術價值，而且還進一步分析了這種轉變的歷史緣由，包括作者的社會地位的變化、文壇風尚的轉變等，具體而微，令人信服。樂府舊題〈折楊柳行〉，歷代文人多有擬作，這裏反映了哪些問題，以往的研究多語焉不詳，曹先生卻能從陸機和謝靈運的兩首詩中辨析出兩晉文人心態的變化。兩人都出身于高門貴族，但是生活的背景卻全然不同。如果說陸機的思想基本上屬於儒家的話，謝靈運的情況則要複雜得多，不僅有儒家思想的影響，還有老莊和佛教思想的影響。他在〈折楊柳行〉中關心的是個人的「泰」與「否」，不像陸機那樣旨在刺世。陸、謝兩人的這種思想差別，其實不僅僅是他們兩人特有的情況，而是代表著太康詩人和元嘉詩人的不

同。太康詩人志在用世，而元嘉詩人則更多地關心個人的榮辱。這種心態的不同，其根本原因就在於魏晉以後「門閥制度」的形成與衰微、儒釋道對士人的不同影響所致。這篇文章由兩首〈折楊柳行〉入手，就像剝筍一樣，層層剖析魏晉到南朝士人心態的變化，還縱論了南北文化的不同，視野頗爲開闊。眾所周知，中古文學更需要一種通識，一種學養，這正如傅璇琮先生在〈中古文學史論文集續編序〉中所說：「我覺得中古文學研究之難，主要不在於如後代那樣需用全力搜尋大量的不經見的材料，而是要在較高的學識素養上來細心研索材料，又要兼具文學、史學、經學的根柢，把研究對象放在社會文化的整體歷史背景下加以觀照。本世紀以來凡在這一領域作出較大成就者，如劉師培、魯迅、陳寅恪、唐長孺等，都莫不如此。在當今，我認爲曹道衡先生即繼這些前輩學者，在中古文學研究中創獲最多、最有代表性的一位。」

綜合文學史可稱之曰「面」。

近一個世紀以來，有關中古文學通論、中古文學史的著作，海內外出版了許多部，二十年代有上文已經敘及的《中國中古文學史》及徐嘉瑞《中古文學概論》；三十年代有陳鍾凡的《漢魏六朝文學》、陳家慶《漢魏六朝詩研究》、洪爲法《古詩論》；四十年代有上文已述的《十四朝文學要略》及羅常培《漢魏六朝專家文研究》；五十年代有王瑤《中古文學史論》前身《中古文學思想》、《中古文人生活》、《中古文學風貌》；六十年代有文學研究所及游國恩先生等主編的兩部《中國文學史》之《魏晉南北朝文學》部分；七十年代有鄧仕樑《兩晉詩論》、洪順隆《六朝詩論》；八十年代有胡國瑞《魏晉南北朝文學史》、王鍾陵《中國中古詩歌史》、葛曉音《八代詩史》、王次澄

《南朝詩研究》；九十年代有程章燦《魏晉南北朝賦史》、曹道衡、沈玉成《南北朝文學史》、徐公持《魏晉文學史》等，近百年的不斷拓展，魏晉南北朝文學的綜合研究已從沈寂走向活躍，從零星走向系統，展現了廣闊的前景。

徐嘉瑞《中古文學概論》（上海亞東圖書館，1924）包括唐代，但在五編中唐代僅占一編，所以主要還是漢魏六朝文學史。這五編是：一、緒論，五章，論貴族文學與平民文學的關係、音樂與文學的關係，中國音樂與西域文化的關係、詩與散文的關係。以下四編依次爲：平民文學、舞曲，貴族文學和唐代平民化文學。本書最重要的特點是把平民文學擺在突出位置。作者認爲：「六朝文學的正統不在一班文人學士，而在當時的一班平民和外國人。」論南方文學則遠溯漢相和曲，分吳越文學和荊楚文學；吳越文學以吳聲歌曲爲主，以爲其中的神的理想與希臘很類似，只是缺乏偉大的藝術和普遍的信仰，中國神秘思想多源於南方。荊楚文學以西曲歌爲主，認爲最有特色的作品是描寫商人的生活。胡適先生爲此書作序，稱讚這種研究「是一種開先路的書」。本書另一重要特點強調音樂與文學的關係，因爲所論大抵以民間歌曲爲主，所以探討了音樂與文學所共有的直觀化和感覺類推（也就是錢鍾書先生後來提出的著名的「通感」說），論及了樂器和音調以及樂府詩在音樂上的特點，都有很大的啓迪意義。

胡國瑞《魏晉南北朝文學史》（上海文藝出版社，1980）是新時期具有拓荒性質的斷代史專著。該書採用分文體論述的形式，凡十一章。前七章論述這一時期的詩歌，後四章論述賦、駢文、文學理論和小說。從前七章的題目就可以看出各個時代的基本特徵：表率詩風的建安詩壇、魏末及晉代詩風的變化、陶淵明詩歌的卓越成就、南朝初期詩壇

的新貌、南朝中後期詩壇的昏曉、北朝文壇的異象、民歌藝壇的絢爛芳菲等。作者認為，西晉以後，文人繼續建安時代文學形式趨向精美的風氣，並有力量從事藝術形式的追求，以與前人爭勝，故對藝術形式的加工不遺餘力。他們在語言上追求聲色之美，在句法上講求對偶整齊，形成了文學創作的駢驪之風。至齊永明中，加之聲律說的發明、運用，遂形成與魏晉古詩顯然有別的新變體。針對學術界對這一時期文學的嚴酷批評，作者以「形式追求的功過」為小標題，專門論述了南朝詩人對詩歌題材的擴展，語言、對偶、聲律等形式上的講求，對於唐代格律詩的重大意義以及齊梁宮體詩人在七言古體詩的形成過程中的作用。因此，魏晉南北朝詩人無論在創作精神、創作內容以及表現方法和手段 ，甚至對詩體的探索創造上，都為唐代詩歌的發展準備了優裕的條件。論及這一時期的賦及駢文的成就，作者從漢語文字的獨音體特點，分析了駢文形式的客觀性，並指出「文章的駢化，開始于東漢而成熟於南北朝。」魏晉南北朝時期的文學思想也是本書的一個重點，只可惜還沒有充分注意到宗教對文學思想的影響。作為新中國成立以來第一部魏晉南北朝斷代文學史，本書的出版，「對於文學史的寫作填補了一個慘痛的空白。」（朱東潤評論語，見《社會科學戰線》1982年2期）

王鍾陵《中國中古詩歌史》（江蘇教育出版社，1988），全書近七十萬字，分上下兩卷：上卷五編著意於從宏觀的角度去把握中古文學發展的進程，論述其審美情趣的轉變。下卷七編則結合文學史的具體發展過程，論述其最具代表性的文學理論及詩歌發展的概況。這部書問世後，得到了學術界的關注，有熱烈的讚譽，也有不以為然的。一部學術著作能得到學術界或褒或貶的關注與評論，說明中國學術界已

逐漸從僵化單一的模式中走向成熟。

葛曉音《八代詩史》（陝西人民出版社，1989）以時代先後爲序，以問題研究爲綱，把自漢至隋八代詩歌作爲研究對象。除陶淵明和南北朝樂府民歌作專章論述外，其餘八章分別是八個文學分期，即：兩漢詩歌的源流、建安風骨、正始之音、西晉詩歌的雅化、晉宋詩運的轉關、齊梁詩風的功過、北朝詩歌的演進、隋詩的過渡狀態。各章第一節均爲總論，主要結合各個時代的社會政治、學術思想、文化背景等論述這一時期的文學風貌的基本特徵，以及詩歌題材、內容、形式、風格的變化原因和發展軌迹，力求相對集中地展示每一時代橫斷面上的文學現象。書末又以題爲〈關於八代詩史中若干問題的再認識〉的文章作爲小結，著重對八代詩史中某些帶有規律性的現象進行探討。

縱觀近二十多年魏晉南北朝文學史的研究，最具有集大成性質的著作當首推由中國社會科學院文學研究所總編的中國文學通史系列中的兩種：一是徐公持《魏晉文學史》（人民文學出版社，1999），另一部是由曹道衡、沈玉成合著的《南北朝文學史》（人民文學出版社，1991）。兩部專史的著者長時間從事漢魏六朝文學的專題研究，發表了許多精湛的學術見解。在此基礎上撰寫斷代文學史，就表現出一種與眾不同的風格，從某種意義上說，代表了新時期魏晉南北朝文學史研究的最高成就。

《魏晉文學史》分爲三編：第一編三國文學、第二編西晉文學、第三編東晉文學。在體例上較之以往的文學史沒有太大的突破，但是在內容方面多所創新。譬如論嵇康，就從他的人格魅力寫起，這是以前的文學史所忽略的一個重要方面。論曹丕「蓋文章，經國之大業，不朽之盛事，」指出這是楊修最早提出來的，曹丕只是作了發揮補充

而已。另外,本書以「寬鬆夷曠」作為西晉社會文化環境的重要內容來談,這對於研究西晉文學是有啓發意義的。魏晉文學,研究者不乏其人,成果也很多,但是,依然留下許多空白點。從地域上說,吳蜀文學過去就較少涉及,本書則專闢章節。再從時段上說,曹魏後期文學、東晉文學,以往論述也較泛泛。本書不僅對文學現象、作家作品進行了清理,還對各時段作家的交潛過渡的情況多所論列。至於大量的中、小作家,本書涉及之廣,也是前此文學史所未曾有過的。它幾乎涉及到《漢魏六朝百三名家集》及《隋書·經籍志》內凡有詩、文、賦創作的所有作家。許多重要作家被忽略的方面,如曹操、曹丕整理圖書的貢獻,也作精到的論述。再從大的方面來看,有關這一時期的社會文化背景的研究,也作了有意義的探索,譬如西晉文化中的佛教、道教的影響、史學與文學的關係等,均要言不煩,線索清晰。在體例方面,本書的章節設計,詳略得當,顯示了著者的匠心。注文方面容量很大,每一條資料都能發掘出新意來,如對楊修、李密生卒年的考證,對於「二十四友」的有關史料的梳理,對戴良及其〈失父零丁〉詩的開掘,等等,翔實、穩妥、準確。全書的語言也富於學術個性,典雅、清新、明快。書中不但對古代作家有精彩的敘述和分析,而且字裏行間透露著作者本人的風貌、他自己對於生活、人生的體驗。如寫到曹植,在分析曹植性格時還順手寫到:「曹植正是這樣一種人:在順境中意氣風發,志氣高揚,不知有所檢抑;在逆境下則沮喪頹唐,志意摧折,難以保持自尊氣骨。」這裏顯然已經跳出曹植研究,進而在作人性評論。

曹道衡、沈玉成《南北朝文學史》凡二十七章,依次敘述了南朝宋齊梁陳以及北方十六國文學、北魏北齊北周隋代文學的代表作家

及重要作品。除了過去常常論及的重要作家如謝靈運、顏延之、鮑照、江淹、謝朓、何遜、庾信等外，一些過去所忽略的作家作品在這部書中也專門見之於有關章節中，如王儉、虞炎、虞羲、張融、劉繪、沈烱、周弘正、張正見、姚察、苻朗等。從容量上說，1962年中國科學院文學研究所編《中國文學史》，南北朝文學只有65頁，這部《南北朝文學史》擴充到536頁，是前者的近八倍。特別值得重視的是北朝文學部分，從作家生平事迹的考索到作品內容風格的評價，大都是前人和當代研究者極少觸及的。因此說，這部書最重要的價值在於它全面詳盡地論述了南北朝文學發展的總體面貌以及有關的政治、社會、學術文化的背景，填補了文學史分期研究和大量作家研究的空白。從體例框架上說，它基本上採用了傳統的文學史的寫法，以時代先後為綱，以作家作品為目，將二十七章大體劃分為兩大部分：南朝文學十七章，北朝及隋代文學十章，眉目清晰、嚴整、有序，是其顯而易見的特點，也可以稱之曰優點。但是以作家作品為線索又不免有「塊塊結構」的弱點，為此，這部書加強了概說章節，同時加強了對文風流變的研究。如第二章「晉宋之間的詩文風氣的嬗變」，第七章「永明詩風的新變」，第十三章「從永明體到宮體」，第二十七章「南北文風的融合」等，從宏觀上描述了南朝文學從元嘉體到永明體、再到宮體以及南北朝文學從隔絕走向融合的發展脈絡，再配合大量的作家作品論，形成了以塊為主，條塊結合，經緯相織的新面貌。使讀者在作家作品的介紹之外，看到文學發展的線索，體現了史的特色。此外，評述每一個作家，在通常的介紹生平事迹和文學活動之外，特意標舉文集的存佚、版本的流傳等情況，不僅拓寬了文學史家眼光，而且大大提高了文學史的文獻和實用價值。還應當特別值得注意的是每章後

面的注釋，不論是對作家生平的考證，還是對作品的辨析，或者是關於某一問題的異說的介紹，很見功力。可以使正文簡明清晰，同時又可以補充正文敘述的不足，不枝不蔓。至於注解中爲新說補充論據，爲諸說並存俟考的例子尤其多得不勝枚舉。如鮑照一章中，關於鮑照的注釋，既有關於他的生年、郡望的種種推測、考釋，也有關於〈蕪城賦〉寫作用意及寫作時間的歷代看法的介紹，爲讀者提供了進一步研究的線索。又如第二十四章介紹北朝民歌〈木蘭詩〉，正文只是論述其產生的大致背景和語言藝術特色，關於這首詩的著錄、流傳的過程，產生的時代、地域的爭論等情況，均在注解中加以考述。這一篇注解，實際就是一篇短小精悍的考據文章。這部書在具體文學背景的闡釋、對南北朝文學觀念的辨析以及對作家作品的分析等也有許多精彩之見。就文學發展背景的闡釋而言，本書論文學創作在南朝統治者心目中的分量、南朝文人集團的作用、陳代詩歌中賦得體的流行、北朝文人尊儒務實的特點對其文學復古觀念的影響、李諤的主張與北齊世家大族觀念的關係、隋文帝與隋煬帝的不同文學觀基於山東文化和南方文化的不同背景等等，都使這段文學史中一些重要現像得到了深入一層的闡發；就文學觀念的辨析而言，本書分析謝朓「圓美流轉」說與沈約「三易」說的關係；指出劉勰和蕭統在人事和思想上的密切聯繫促使《文心雕龍》和《文選》在文體分類和基本觀念方面的相互呼應；通過分析《文選》所錄作品和不錄作品的作家，論述其選編的標準；在詳考《玉臺新詠》編纂時間、目的和背景之後，與《文選》加以比較，指出這兩種選集是蕭統、蕭綱兩種不同文學觀的體現，從而糾正了從劉肅《大唐新語》到《四庫全書總目提要》的傳統看法。這些都是在文學批評方面的重要進展。再就作家作品的分析而言，本

書指出顏延之是最早提出文筆對舉的作家，他在性格上近于阮籍而文風卻典雅重拙，並分析其原因。江淹與鮑照代表著元嘉體向永明體過渡的詩風。沈約在文壇上的領導作用對永明體的影響。謝朓受曹植、謝靈運、鮑照影響的另一面。孔稚圭〈北山移文〉的主旨不在譏刺而在遊戲嘲謔。吳均大力寫作邊塞詩是對鮑照的繼承。宮體詩形成於蕭綱入主東宮之前。絕句名稱起源于宋齊之際等。這些論述，不僅使得南北朝文學發展的內在聯繫和轉化軌迹顯得格外清晰，而且體現了著者並不刻意求新，卻處處都能在辯證、求實的分析中自見新意的特色。所以，學術界評論其特點是「在平實中創新。」這是恰如其分的。

五、魏晉南北朝文學研究的新課題

　　揮手之間，百年的光陰如白駒過隙，倏然而逝。站在新世紀的前沿，回顧上一個世紀魏晉南北朝文學研究的狀況，確有許多問題值得思考。比如前面已經討論過的「中古文學」的概念問題，它與魏晉南北朝文學是否可以劃等號等，依然值得重視。事實上，學術文化本身是一個流動的歷史，自有其分合的標準。當某種文化形態佔據當時文化界的中心，並形成一股時代潮流，這就是一個相對獨立的文化時代。它可能受政權變化的影響，但兩者的發展並非總是同步。東漢遷都洛陽，文化中心隨之東移。與西漢文化相比，東漢文化由過去儒家一統變為儒釋道三分天下的局面。傳統的儒家思想已不再為士人視為萬古不變的真理，神聖的光環失去了色澤，文學才有可能從傳經佈道的束縛中掙脫出來而走向獨立。如前所述，余嘉錫先生《世說新語箋

疏》排比大量材料,疏理了漢魏風尚變化,揭示出這樣一個基本事實:
魏晉風度多源于東漢。既然如此,我個人認爲,用「中古文學」取代
魏晉南北朝文學似乎更爲合適,而它的研究上限應當始于東漢遷都伊
始。理論依據之一,就是文化中心論。至於中古文學時期各個階段的
劃分,不必再象過去那樣完全依據政權變化來劃分,而應當充分考慮
到文學自身的發展變化。即以南朝文學研究爲例,以元嘉文學、永明
文學、宮體詩取代過去沿習已久的宋齊梁陳文學的概念,似乎更符合
六朝文學的發展實際。

確定了中古文學的時間斷限,它在中國文學發展史上的重要地
位也就顯而易見了。從東漢開始的中國文化思想界,經歷了一場空前
的文化變革:儒學的衰微,道教的興起,佛教的傳入,形成了三種文
化的衝突與融合:第一是外來文化 (如佛教) 與中原文化的衝突與融
合;第二是傳統文化與新興文化 (如道教) 的衝突與融合;第三是官
方文化與民間文化的衝突與融合。中古文學實際就是在這三種文化的
衝突與融合中不斷地得到發展,不斷地得到繁榮的。儘管這種發展與
繁榮還很不平衡,但是它卻遙遙預示了燦爛的唐代文化的到來。從這
樣一個大的文化背景下重新來審視中古文學的發展,就有許多使人感
到振奮的新課題有待進一步思考。

第一,宗教與中古文學的關係。季羨林先生爲《饒宗頤史學論
著選》作序時寫到:「中印文化交流關係頭緒萬端。過去中外學者對
此已有很多論述。但是,現在看來,還遠遠未能周詳,還有很多空白
點有待於塡補。特別是在三國至南北朝時期,中印文化交流之頻繁、
之密切、之深入、之廣泛,遠遠超出我們的想象。」中古時期中印文
化交流最重要的表現,當然就是佛教的傳入及對中古知識界的巨大影

響。研究中古文學，西域文明、印度佛教的影響研究無法繞開。我在《文學遺產》1998年第4期刊發的〈別求新聲於異邦——介紹永明聲病理論研究的最新進展〉對此有具體的論述。使人高興的是，已經有不少中青年研究者作了很好的嘗試。道教問題，更需要給予充分的注意。近年我只是粗略地閱讀了幾部《道藏》中的名著，有一種強烈的感受：這幾乎還是一座未開墾富礦。當然，這部大書自身存在的問題殊多，線索繁亂，許多材料令人將信將疑。首要的任務就是摸底、溯源，在對有關史料進行必要的辨析基礎上，清理出大體可以信據的發展線索。至於有關專題，比如道教在江南的流傳及對士人的影響等，更有待於來日。這方面，中國大陸的研究起步較晚。但是奮起直追，是可以拉小差距的。這就需要學術界同仁共同努力，水漲船高，從整體上提高研究水平。

第二，東漢文學研究有待加強。這裏不僅僅是指對這一時期作家作品的研究，也包括對這一時期文體、文風、文人集團的研究，還包括對這一時期社會文化背景的研究。一個明顯的事實是，東漢的文化重心開始由官方下移到民間。比如漢魏時期許多野史在民間的流傳，就反映了這種情形。這些野史筆記，不像是某些文人的胡編亂造，有許多內容，並非向壁虛構。似乎可以作這樣的推測，某些貴族因敗落而流落民間，許多宮闈秘事就這樣在世間流傳開來。這有點像唐代安史之亂以後，「天寶遺事」紛紛在世間流傳一樣。這一方面反映了社會階層的巨大變化，另一方面，也反映了統治者在很多方面已經失控，從而給各類野史乘機而出提供了機會。其影響所及，遍及民間。這就使得東漢文化具有明顯的平民化與世俗化的特點。平民文學對學術文化產生了怎樣的影響，就需要我們給予解答。

第三，與上述問題相關聯，傳統的研究課題，並未因爲時代久遠、研究基礎雄厚而失去它特有的魅力。比如經學問題，東漢以後迅速分化，鄭玄治古文經學，但並不一概排斥今文經學，同時，對於道教的東西也多所吸收（參見饒宗頤先生〈《太平經》與《說文解字》〉），反映了上人文化與平民文化的通融。這些對於文學風尙的變化起到何種程度的影響，都還是問題。又比如傳統的小學研究，過去偏重于經史上的材料。近代學術界對於俗字俗語研究又取得了令人矚目的成就。已故蔣禮鴻先生、郭在貽先生在這方面作了大量的具有開創性的工作，對我們的研究極富啓發意義。最近讀到《漢語俗字叢考》、《六朝別字記新編》、《中古漢語研究》等書，又促動我對這個問題的思考。下層文化的興起，必然在當時的作品中得到反映，其中之一就是大量的方言土語，還有別字俗字進入書面文字中，當時人就已經感到頗難識別，所以有《方言》、《釋名》、《通俗文》之類的書紛紛問世。這些書面文字，歷代傳鈔，許多別字被誤認，代代相承，特別是有了刻版印刷之後，就幾乎約定俗成，沒有人再懷疑它的正確性了。事實上，根據後來發現的大量漢魏六朝碑帖簡帛，許多俗字是很容易產生歧議的（參見《于豪亮學術文存》，中華書局，1983）。中古文學研究應當充分借鑒這些研究成果，重新對我們的閱讀文本進行必要的審理。

第四，在對若干專題作深入研究的基礎上，希望能從一個更高的層次上重新疏理中古文學的嬗變軌迹，重新評價中古文學所特有的承前啓後的歷史地位。要完成上述既定的工作，必須加強對資料搜集工作重視，因爲這是決定我們研究成敗的關鍵因素之一。中古文學研究的基本資料大體可以歸爲四類：一是總集類，二是別集類，三是小

說文論類，四是資料類。除此之外，研究中古文學，還必然要涉及另外一些相關的重要文獻。像「正史」中的《後漢書》、《三國志》、《晉書》及南朝五史和北朝四史，編年體如《資治通鑒》，類書如《初學記》、《藝文類聚》，典章制度如《通典》等，這些文獻資料不僅是作家生平研究的淵藪，也是作品背景考察的重要依據，藉此還可以考察中古政治文化風尚變遷的軌跡。這幾個方面的資料整理與研究情況，拙著《中古文學文獻學》已經有所論及，這裏不必贅述。近來我在《新國學》第二卷發表〈歸於平淡後的思考〉一文，就目前研究的趨勢，著重對中古文學資料的整理與研究提出了三個方面的設想。這裏想結合新資料再作闡釋。

（一）資料系統化。其一，總集的重新整理。詩集已有逯欽立的輯校本，而嚴可均《全上古三代秦漢三國六朝文》卻始終沒有人作系統的整理，其漏輯、失考、誤編、重出以及失校等問題，觸目皆是，不下一番清理的功夫，使用起來甚感不便。至於新近出土的新資料更是層出不窮，重新編校唐前文章總集應當列入新世紀的首要任務。其二，別集的研究可視不同情況而定，從系統的角度來考慮，不妨依照明人張溥《漢魏六朝百三名家集》的體例，輯校先唐諸家文集，每集應盡可能完備地匯總各類資料，如著錄、版本、集評、年譜等，這樣，一編在手，資料皆備。另外，還可以有選擇地對一些重要作家的集子詳加箋注。現在看到的中古文學別集，很多是明清人的舊注，問題不少，應當吸收當今最新成果，重新箋注。其三，文獻考訂類的基礎性工作應大力加強。《漢魏學術編年》、《東晉南北朝學術編年》至今仍不可替代。近年又出版了《中古文學繫年》、《東晉文藝繫年》、《南北朝文學編年史》等，都必將大大推動中古文學研究的深入，目前，

《先秦文學編年史》和《秦漢文學編年史》、《魏晉文學編年史》正在積極撰著之中，相信這些論著的出版，必將有力地帶動這段文學史研究向縱深進展。

（二）檢索科學化。我們的社會已經進入了科學化的時代。可惜我們的中古文學研究者多還處在手工操作階段。我們的許多著作，尤其是一些文獻考訂著述如《漢魏南北朝墓誌彙編》、《東觀漢紀校注》、《八家後漢書輯校》、《九家晉書輯本》、《眾家編年體晉史》、《漢唐方志輯校》等都未備索引，使用起來十分不便。至於大量的宋元明方志，如臺灣影印的方志叢刊、文物出版社《日本藏中國罕見地方誌叢刊》等，卷帙浩繁，由於沒有索引，讀者每每望「書」興歎。加強科學化的檢索工作，當今已勢在必行。因此，編纂《魏晉南北朝文學家傳記資料綜合索引》也應當提到議事日程上來。此外，通過電腦建立學術資料庫並如何利用問題也應引起高度重視。臺灣「中央研究院」早在1984年就率先設立研究小組，先後創立多種文獻資料庫，如二十四史、十三經註疏、簡帛金石等。香港中文大學中國文化研究所建立先秦兩漢魏晉南北朝一切傳世文獻全文資料庫。中國社會科學院1987年也陸續建立起全文檢索資料庫。可惜這些現代化的資料資訊庫，還未能有效而廣泛地得到開發和利用。

（三）學術國際化。幾十年來，我們過分熱衷於學術的政治化，而今又被商品大潮衝擊，把學術商品化，迫使學術失去獨立存在的價值，走向庸俗化。對此，大多數學者都有切膚之痛。還有一個問題，往往為人們所忽視，那就是學術研究的相對封閉性。汲取經驗教訓，需要研究界和出版界共同努力。就研究界而言，即使一時難以看到原著，至少應當借助於國外工具書跟蹤國際漢學界的最新研究動態，更新知

識結構，拓展研究領域，拿出高水準的學術力著走向世界。就出版界而言，應當爲研究界走向世界搭橋鋪路，將國際漢學的重要成果有系統地翻譯出來，或者是加以評介，彙集成帙，相信一定會受到學術界的歡迎。

1999年，我曾就魏晉南北朝文學研究的若干問題訪問羅宗強師、曹道衡師以及徐公持先生（訪談錄發表在《文學遺產》1999年第2期，題目是〈分期·評價及其相關問題〉）。以上見解，部分緣于這次訪談，但是更多的還屬於個人一點膚淺的想法；而個人的能力終究是有限的。學術的繁榮與發展，需要大家共同努力。在《文學遺產》成立四十周年的紀念會上，我曾作過一個專題發言，結尾是這樣說的：「七十多年前，王國維曾說：『大抵學問常不懸目的，而自生目的。有大志者，未必成功；而慢慢努力者，反有意外之創獲』（姚名達〈哀餘斷憶〉之二，載述學社刊物《國學月報》第二卷。1927年10月）。上古、中古文學研究是一個相對寂寞的領域，沒有別的捷徑可走，只有慢慢努力，不尚空談，也許才是唯一的出路。經過近十餘年辛勤的耕耘，我們的學術界已經打下了較好的基礎，培養了一代代新人。儘管現在還面臨著許許多多的困難，但是對於未來，我們應當抱有樂觀的態度，畢竟，前程還是美好的。」當新世紀來臨之際，我對此更是充滿信心。

關於中國古文獻學科建設
的幾點思考

鄭傑文*

摘　要

大陸古文獻學科的管理和劃分較為混亂。人文社會學科應
依據研究對象、研究者情況、研究目的與需求來劃分。依
此，古典文獻學與現當代文獻學應該劃清界限，古典文學
文獻學與歷史文獻學應合併研究。那麼，古典文獻學研究
應包括以下三個方面：古典文獻理論研究、古典文獻整理
和研究、古典文獻保存和利用。而古典文獻理論研究又包
括狹義的古典文獻學研究、古籍整理與研究之研究、古籍
刊刻聚散研究三個側面，古典文獻整理和研究又包括傳統

＊　山東大學古籍所教授

文獻整理、傳統文獻研究、特種文獻整理和研究、少數民
族文獻整理和研究、古籍整理理論研究五個側面，古典文
獻保存和利用又包括古文獻保存和複製、古文獻檢索和利
用、古文獻學工具書編制三個側面。從另一方面講，古典
文獻理論研究即傳統文獻學研究，古典文獻整理和研究即
傳統的文史整理和研究，古典文獻保存和利用即傳統的古
籍保存和利用研究，它們都屬於傳統的國學研究。

關鍵詞　古文獻學科　古典文獻理論研究　古典文獻整理和研
究　古典文獻保存和利用　國學研究

　　在中國，有案可稽的古文獻整理已有三千餘年的歷史，古文獻
學理論研究也可追尋到兩千年前劉向等人校理群書。二十世紀初葉，
更出現了借鑒西方近代學科分類的文獻學綜合理論研究著作。自1933
年商務印書館出版鄭鶴聲等《中國文獻學概要》至今，已有數百部文
獻學著作問世。特別是思想大解放的近二十年來，文獻學理論的探討
更加深入、細緻，除了文獻學理論綜合探討，和古文獻學研究專題即
版本學、目錄學、校勘學的研究外，更出現了專科文獻學研究著作，
如張君炎《中國文學文獻學》（江西人民出版社1986年）等文學文獻學
研究著作、王余光《中國歷史文獻學》（武漢大學出版社1988年）等歷
史文獻學研究著作、單淑卿《中國經濟文獻學》（青島海洋大學出版社1991
年）等經濟文獻學研究著作，等等；出現了黃宗忠《文獻信息學》（科
學技術文獻出版社1992年）、周慶山《文獻傳播學》（書目文獻出版社1997
年）、邱均平《文獻計量學》（科學技術文獻出版社1988年）等借鑒西方
新學科理論的諸多文獻學研究著作。而古文獻整理方面，也在前人此

一方面理論探索基礎上，產生了諸多古籍整理理論著述，如黃永年《古籍整理概論》、馮浩菲《中國古籍整理體式研究》。眞可謂百花齊放，盛極一時。

但是，在此學科繁榮的背後，也存在著一些問題，最主要是學科界定不嚴、研究範圍不定，致使古今研究相雜，本學科研究與他學科研究相混，某些著作中既講以傳統的版本、目錄、校勘爲主要內容的古文獻學，也講仿照西方圖書理論建立起來的現當代文獻學。這不但給研究者帶來諸多困惑，在研究管理上也出現了諸多問題。如教育部在學科管理和學生培養中，把中國古典文獻學作爲僅研究古代文學文獻的二級學科歸在中文學科中，把歷史文獻學作爲二級學科歸在歷史學科中，把文獻學作爲二級學科劃在圖書館、情報與文獻學中。而全國哲學社會科學規劃辦公室發佈的學科體系中，除將歷史文獻學歸歷史學科，將文獻學歸圖書館、情報與文獻學科外，卻無中國古典文獻學。有鑒於此，文獻學科的界定問題亟需研究、規範。

文獻學科的界定依據同其他人文社會學科的劃分依據相同，至少應有如下幾點：其一，研究對象；其二，研究者情況；其三，研究目的與需求。具體到古文獻學與現當代文獻學，就研究對象來講，古文獻學的研究對象是文言文的古文獻，現當代文獻學的研究對象是白話文的現當代文獻；就研究者情況特別是研究者的知識結構來講，古文獻學研究需要有相當的古漢語基礎，和古代史、古代思想史、古代文化史等修養，而現當代文獻學研究更需要對西方圖書分類與管理和研究的嫻熟；所以，古文獻學與現當代文獻應該劃清界限。但就研究物件來講，古典文學文獻學、歷史文獻學，其研究對象都是古文獻，且年代距今愈遠，文學文獻與歷史文獻的範圍愈不易劃清；就研究者

情況特別是研究者的知識結構來講，古典文學文獻研究者與歷史文獻研究者無一例外地需要有相當深厚的古漢語基礎，需要掌握古代史、古代思想史、古代文化史等知識；就研究目的與需求來說，古典文學文獻研究也好，歷史文獻研究也好，都無一例外地要爲當代新文化建設服務；所以，古典文學文獻學與歷史文獻學應合併研究。

今據上述理解，就古典文獻學的學科建設提出淺見如下，以就正於同好。

一、古典文獻學的研究範圍和分類

民國前產生的文言文獻，一般稱爲古典文獻。中國五千年連綿不斷的文明史，產生了眾多的古典文獻。古典文獻研究應包括緊密關聯的三大方面：古典文獻理論研究、古典文獻整理與研究、古典文獻保存和利用。這三大方面各包括不同的研究方面，各不同的研究方面有不同的研究側面。

（一）古典文獻理論研究

古典文獻理論研究以三千年來的古籍整理和研究爲研究對象，進行形而上的研究。它至少應包括古典文獻學研究、古籍整理與研究之研究、古籍刊刻聚散史研究三個方面。

⑴**古典文獻學研究具體包括**：①普通古典文獻學研究，即版本目錄校勘學研究（如張舜徽《中國文獻學》、程千帆和徐有富《校讎廣義》、李致忠《古書版本學概論》、錢玄《校勘學》）。②專科古典文獻學研究（如

楊燕起等《中國歷史文獻學》、劉躍進《中古文學文獻學》）、③古典文獻學發展史研究，即古典文獻學通史研究（如孫欽善《中國古文獻學史》、王余光《中國文獻史》）、古典文獻學斷代史研究（如張富祥《宋代文獻學散論》）、古典文獻學發展個案研究（如「四庫學」研究）。④古籍辨偽研究（研究辨偽的方法、規律、歷史等。如鄭良樹《古籍辨偽學》、楊緒敏《中國辨偽學史》）。⑤古籍輯佚研究（研究輯佚的方法、作用等）。

　　(2)**古籍整理與研究之研究**具體包括：①古籍整理研究通史研究（如韓仲民《中國書籍編纂史稿》）。②古籍整理研究斷代史研究（如楊忠《高校古籍整理十年》）。③古籍整理研究個案研究（如孔子整理六經研究、劉向父子校書研究）。

　　(3)**古籍刊刻、聚散史研究**具體包括：①中國圖書發展史研究（如劉國君、鄭如斯《中國書史簡編》）。②古籍刊刻史研究（如魏隱儒《中國古籍印刷史》、李致忠《歷代刻書考述》）。③藏書家與藏書史研究（如徐雁《中國歷史藏書論著讀本》、王紹曾等《山東藏書家史略》）。④古籍目錄輯錄與研究（如王紹曾和杜澤遜等《清史稿藝文志拾遺》、李致忠《宋版書敘錄》、孫啓治等《古佚書輯本目錄》）。

（二）古典文獻整理與研究

　　古典文獻整理與研究，對三千年來流存的古籍進行整理和研究。它應包括傳統文獻整理、傳統文獻研究、出土文獻整理與研究、少數民族文獻整理與研究、古籍整理理論研究五個方面。

　　(1)傳統文獻整理具體包括古籍點校、注釋、**翻譯**及影印、古籍輯佚等。其中不應忽視古佚書整理。

　　(2)傳統文獻研究具體包括作者研究、作品思想研究、作品影響

與流傳研究、古籍辨僞（如張心澂《僞書通考》）等。其中不應忽視古佚書研究。

⑶特種文獻整理與研究，包括歷代金石碑刻、出土簡帛文獻的整理和研究。出土文獻整理與研究，除綴合、重編、初步隸釋一般由考古界進行外，文獻學界的任務有：字句的進一步考釋和點校、文獻斷代考證、作者考訂、思想內容研究，以及由出土文獻揭示的某時代社會思潮、文學思想、史學觀點、哲學觀念等方面的發展變化的研究等等。

⑷少數民族文獻整理與研究（如張公瑾《民族古文獻概覽》）。

⑸古籍整理理論研究（如黃永年《古籍整理概論》、馮浩菲《中國古籍整理體式研究》）。

（三）古典文獻保存和利用

古典文獻保存和利用，以現存古典文獻（包括出土文獻）爲對象。它包括古典文獻的保存和複製、古典文獻的檢索和利用、古典文獻學工具書的編制三個方面。

⑴古典文獻的保存和複製，除研究古典文獻的保存技術、管理措施、古典文獻複製技術如攝製膠片等外，還應研究古代的古典文獻管理和保存技術等。

⑵古典文獻的檢索和利用，除傳統的檢索和利用研究外，應特別強調古典文獻數字化改造和利用的研究。

⑶古典文獻學工具書的編制，應包括古文獻學家工具書編制（如申暢等《中國目錄學家辭典》）、古代藏書家工具書編制（如梁戰等《歷代藏書家辭典》）、歷代書賈工具書編制、古籍刊刻工具書編制等。

二、古典文獻學的研究現狀與今後研究任務

依據上述劃分，對近二十年來的古典文獻學研究現狀分析如下：

（一）古典文獻學理論研究方面

版本目錄校勘學的研究一直是經久不衰的傳統課題，有多種論著發表和出版。如今更有聯繫其他學科而綜合研究者，如高路明的《古籍目錄與中國古代學術研究》。古典文獻學發展史研究近年來亦引起了人們注意，正在策劃編寫《中國文獻學發展通史》；古典文獻學斷代史、古典文獻學專門史的研究，亦有不少論著出現。古籍辨僞學的研究則不絕如縷，時有論著出現，如鄧瑞全《中國僞書綜考》；古籍辨僞學發展史研究，有楊緒敏《中國辨僞學史》等；而古籍輯佚學的研究，則有曹書傑《中國古籍輯佚學論稿》等。

古籍整理史個案研究，不斷有論文發表；但古籍整理斷代史的研究作較少，除楊忠《高校古籍整理十年》外，僅在相關著述（如劉躍進《中古文學文獻學》）中摻雜進行；中國古籍整理通史的研究成果更少。

中國圖書發展史、古籍刊刻史、歷代藏書家的研究，歷代古籍書目的整理和研究，都有人在做。近二十年來此一方面頗具特色的成果有：李雪梅《中國近代藏書文化》聯繫彼時的社會背景研究藏書、周少川《藏書與文化：古代私家藏書文化研究》從文化學的角度考察

藏書事業，袁詠秋等《中國歷代國家藏書機構及名家藏書敘傳選》資料頗豐；分區藏書家研究著作有王紹曾、沙嘉孫《山東藏書家史略》、薛愈《山西藏書家傳略》；謝水順等《福建古代刻書》亦具地域特色。

（二）古典文獻整理與研究方面

近二十年來的古籍整理，已經百花齊放；特別是在高校古委會的部署和資助下，已取得很大成就。但古籍的研究，目前還處於「單兵作戰」的狀況。

傳統文獻的整理和研究中，應特別注意讖緯和古佚書的整理和研究。讖緯是上古炎族文化影響下的產物，久爲黃族文化承傳者之一的儒家文化所排斥和掩蔽，幾禁幾出，目前除《易緯》外，僅有佚文存世，再不搶救，這一探索上古炎族文化系統思想特色的文獻資料，將複散失不存。據孫啓治等《古佚書輯本目錄》調查，今存前人所輯上古至南北朝古佚書輯本四千餘種。這批豐富的文獻資料，僅有個別部分被人們重視和整理、研究。古佚書的系統整理，應予特別重視，以爲進一步研究、利用打下基礎。

特種文獻的整理和研究近二十年來亦有較大成就，特別是出土文獻的整理和研究，隨著郭店楚簡的公佈，及上海博物館即將發佈「新出簡帛」，近幾年形成熱潮，在美國達思慕大學和我國武漢大學、北京大學等，都相繼召開過大型國際學術研討會。「國際儒聯」於1999年發起成立了「國際簡帛研究中心」，並發行《國際簡帛研究通訊》；姜廣輝主編《哲學研究》第二十輯收錄郭店楚簡研究論文30餘篇，《哲學研究》第二十一輯收錄郭店楚簡研究論文20餘篇；陳鼓應主編《道家文化研究》第十七輯「郭店楚簡專號」，收錄1998年5月在美國達

思幕大學召開的「郭店《老子》國際研討會」論文等；武漢大學等編
《郭店楚簡國際學術研討會論文集》收錄相關論文數十篇。但是，除
其中的文字校釋研究由北京大學裘錫圭先生等擔綱外，其他諸如思想
學說研究、與傳世文獻的比較研究等，多為中國社科院哲學所和歷史
所的相關人員所主持，北京大學、清華大學等高校部分人員僅作為主
要參與者；北京廣播學院發起並主辦過「出土文獻與中國文學研究學
術研討會」，並有論文集出版，但影響不是太大。這種狀況，與我國
高校那雄厚的國學研究實力不甚相稱。

還應注意的是，近二十年來專門的古籍整理理論研究不斷有新
作出現，如黃永年的《古籍整理概論》、馮浩菲的《中國古籍整理體
式研究》、時永樂的《古籍整理教程》等。

（三）古文獻保存和利用方面

近二十年來的古文獻保存和利用研究，有梁戰、郭群一的《歷
代藏書家辭典》、申暢《中國目錄學家辭典》，還有張振鐸《古籍刻
工名錄》等。

三、關於人文社會學科分類的一點思考

中古典文獻學研究管理方面的缺失，反映了目前人文社會科學
分類中的一個誤區。古典文獻學的研究和管理，不應劃入圖書情報學
科中。現當代文獻管理與古典代文獻學研究，可謂隔行如隔山。

1996年曾討論過古典文獻學的保留和歸屬問題。從表像來看，

古典文獻學以古書爲研究對象，其物質屬性與現當代圖書情報學同類；但在其本質上，即在古典文獻學的實際研究內容、研究特點、特別是它所要求的研究者的知識結構諸方面，卻與圖書情報學大相徑庭。所以，不應將它們生硬地歸爲一類。

將古典文獻學劃歸圖書情報學科，無疑是借鑒了國際人文社會科學的分類。但是，世界上其他任何國家現存文獻中的古典文獻，沒有一國像我國這樣佔有如此大的比重；世界上其他任何國家，沒有一國像我國這樣有著三千年連綿不斷的古典文獻積累史和研究史。所以，我們不應生硬地照搬國外經驗。

我國人文社會學科的分類，應從我國的現實情況出發。這裏所說的現實情況應包括三種含義。其一，研究對象的現實情況。其二，社會對於此類研究的要求。其三，研究者的知識結構現狀。我國現存如此豐富的古典文獻，有著源遠流長的古典文獻發展史；社會新道德風尚的樹立，青少年道德品質的教育，都需要傳統文化的深入研究，而傳統文化的最主要載體是古典文獻；就當前人文社會科學研究者的知識結構來說，可以分爲現當代知識結構型和古代知識結構型。只有依據上述三種實際情況去劃分，才利於人文社會科學研究順利進行，才能多出、快出成果。所以，除現存古籍管理和利用的研究應歸入圖書情報學科外，其他古典文獻學研究內容應從圖書情報學科中剝離出來。

目前，人文社會學科提倡綜合性研究。而古代文、史、哲的交叉綜合研究早已在實際中進行，所以往往有古代哲學研究者、古代史研究者、古代文學研究者、古典文獻學研究者，到非本專業的古典文獻學、古代文學、古代史學、古代哲學選題規劃中，交叉申請課題的

情況。而古代文、史、哲的研究，無一例外地皆以古典文獻資料的整理和研究爲研究基礎。

鑒於上述情況，是否可考慮將古典文獻學、古代文學和古漢語、古代史和古代專門史、古代哲學和古代宗教從現屬學科中剝離出來，重新組建以古典文獻學研究爲基礎的、以古代文史哲綜合研究爲主要內容的國學研究學科，從而適應我國傳統文化源遠流長、古代典籍積累豐厚、古代文史哲研究早已交叉進行的現實情況，適應我國古代文史哲研究者綜合知識結構的現實情況，以利於我國古代文史哲研究的開展和管理。

附：近二十年大陸出版古典文獻學著作

目錄（部分）

1、中國文獻學綜說　王燕玉著　貴陽：貴州人民出版社，1997　299頁。

2、文獻學概論　倪　波主編　南京：江蘇教育出版社，1990.11　405頁。

3、校讎目錄學纂要　蔣伯潛著　北京：北京大學出版社，1990.5 181頁。

4、中國古文獻學史　孫欽善著　北京：中華書局，1994.2 2冊（1268頁）。

5、宋代文獻學散論　張富祥著　青島：青島海洋大學出版社，1993.7 436頁。

6、古籍目錄與中國古代學術研究　高路明著　南京：江蘇古籍出版社，1997.　306頁。（中國古文獻研究叢書）

7、目錄學發微　余嘉錫著　成都：巴蜀書社，1991.5　153頁。

8、中國目錄學史論叢　王重民著　北京：中華書局，1984.12　342頁。

9、校讎廣義·目錄編　程千帆、徐有富著　濟南：齊魯書社，　1991.7 614頁。

10、中國著名目錄學家傳略　李萬健著　北京：書目文獻出版社，
1993.6　249頁。

11、校讎廣義·版本編　程千帆、徐有富著　濟南：齊魯書社，　1991.7
614頁。

12、古書版本學概論　李致忠著　北京：書目文獻出版社，1990.8　272
頁。

13、古籍版本學概論　嚴佐之著　上海：華北師範大學出版社，1989.10
204頁。

14、中國古籍版本概要　施廷鏞著　天津：天津古籍出版社，1987 142
頁。

15、古書版本鑒定　李致忠著　北京：文物出版社，1997　184頁。

16、古籍版本鑒賞　魏隱儒著　北京：北京燕山出版社，1997　148
頁。

17、版本古籍鑒賞與收藏　黃燕生、林岩編著　長春：吉林科學技術
出版社，1996　236頁。（古董鑒賞收藏叢書）

18、古籍版本鑒定叢談　魏隱儒　王金雨　編著　北京：印刷工業出
版社，1984.4　196頁。

19、宋版書敘錄　李致忠著　北京：北京圖書館出版社，1994　365
頁。

20、以正史爲中心的宋元版本研究　（日）尾崎康著；陳捷譯　北京：
北京大學出版社，1993.7　115頁。

21、清代版刻一隅　黃裳編　濟南：齊魯書社，1992.1　428頁。

22、宋元書刻牌記圖錄　林申清編著　北京：北京圖書館出版社，1999
138頁。

23、校讎學史　蔣元卿著　上海：上海書店，1991.12　312頁。

24、校勘學史略　趙仲邑編　長沙：嶽麓書社，1983.7　162頁。

25、校勘述略　王雲海、裴汝誠著　開封：河南大學出版社，988.6 180頁。

26、校勘學　錢玄著　南京：江蘇古籍出版社，1988.5　175頁。

27、校讎學　胡樸安著　上海：上海書店，1991.12　84P。（民國叢書選印）

28、中國僞書綜考　鄧瑞全、王冠英主編　合肥：黃山書社，1998 47、1024頁。

29、中國辨僞學史　楊緒敏著　天津：天津人民出版社，1999　323頁。

30、中國僞書大觀　俞兆鵬主編　南昌：江西教育出版社，1998　508頁。

31、僞書通考　張心澂編著　影印版　上海：上海書店出版社，1998 1142頁。

32、古今僞書考補證　黃雲眉著　濟南：齊魯書社1980.6　333頁。

33、古書眞僞及其年代　梁啓超著　揚州：江蘇廣陵古籍刻印社，1990.11.　135，15，32，96頁。

34、中國古籍輯佚學論稿　曹書傑著　長春：東北師範大學出版社，1998.　443頁。（東北師範大學文庫）

35、中國文獻史·第一卷　王余光著　武漢：武漢大學出版社，1993.3 284頁。

36、中國書籍編纂史稿　朝仲民著　北京：中國書籍出版社，1988.5 344頁。（出版知識叢書）

37、中國古代圖書事業史　來新夏等著　上海：上海人民出版社，1990.4　380頁。（中國文化史叢書，周穀城主編）

38、中國古代圖書事業史概要　來新夏著　天津：天津古籍出版社，1987　71頁。

39、中國古代書籍史話　李致忠著　北京：商務印書館，1991.12　133頁。（中國文化史知識叢書）

40、中國古今書籍縱橫　操時傑、劉慧華編著　北京：中國物資出版社，1995　319頁。

41、文獻家通考：清、現代　鄭偉章著　北京：中華書局，1999　3冊。（11，49，1787頁）

42、中國古代文獻史話　崔文印編著　哈爾濱：黑龍江人民出版社，1995　141頁。（中國文明史話叢書）

43、中國的古籍　鄧瑞全、任寶菊編著　北京：北京科學技術出版社，1995　93頁。（中國歷史知識全書，燦爛文化）

44、典籍志　李致忠等撰　上海：上海人民出版社，1998　473頁。（中華文化通志，第8典，藝文；079）

45、中國古籍印刷史　魏隱儒編著　北京：印刷工業出版社，1988.5　245頁。

46、民族古文獻概覽　張公瑾主編；中央民族大學少數民族語言文學學院古籍教研室編　北京：民族出版社，1997　629頁。

47、古籍整理概論　黃永年著　西安：陝西人民出版社，1985.7　172頁。

48、古籍整理教程　時永樂著　保定：河北大學出版社，1997　350頁。

49、中國古籍整理體式研究　馮浩菲著　北京：書目文獻出版社，1997.2　415頁。

50、高校古籍整理十年　楊忠主編；全國高校古籍整理研究工作委員會秘書處編　南昌：江西高校出版社，1991.10　515頁。

51、藏書組織學概要　吳晞著　北京：北京大學出版社，1987　131頁。

52、書香心怡：中國藏書文化　曹正文著　上海：上海古籍出版社，1994.　201頁．　（中國古代生活文化叢書）

53、藏書與文化：古代私家藏書文化研究　周少川著　北京：北京師範大學出版社，1999　378頁。

54、從藏書樓到圖書館　吳晞著　北京：書目文獻出版社，1996.11 160頁。

55、中國近代藏書文化　李雪梅著　北京：現代出版社，1999　377頁。　（現代文庫，收藏藝術卷）

56、中國古代藏書史話　焦樹安著　北京：商務印書館，1991.12 121頁。　（中國文化史知識叢書）

57、中國藏書史話　焦樹安著　北京：商務印書館，1997　186頁。　（中國文化史知識叢書）

58、中國歷史藏書論著讀本　徐雁、王燕均主編　成都：四川大學出版社，1990.7　751頁。

59、藏書四記　王余光主編　武漢：湖北辭書出版社，1998 418頁。　（古籍今讀精華.第二輯）

60、浙江藏書家藏書樓　顧志興著　杭州：浙江人民出版社，　1987.11　328頁。　（浙江文化叢書）

61、中國歷代國家藏書機構及名家藏書敘傳選　袁詠秋、曾季光主編　北京：北京大學出版社，1997　461頁。

62、古代藏書史話　許碚生著　北京：中華書局，1982　48頁。（中國歷史小叢書）

63、中國古代藏書與近代圖書館史料：春秋至五四前後　李希泌、張椒華編　北京：中華書局，1982　16，546頁。

64、明清著名藏書家·藏書印　林申清編著　北京：北京圖書館出版社，2000　11,255頁。

65、山西藏書家傳略　薛愈編著　山西：山西古籍出版社，1996　205頁。

66、劉承幹與嘉業堂　李性忠著　北京：文物出版社，1994　75頁。

67、山東藏書家史略　王紹曾、沙嘉孫著　濟南：山東大學出版社，1992.12　411，21頁。

68、上海近代藏書紀事詩　周退密、宋路霞著　上海：華東師範大學出版社，1993.4　160頁。

69、歷代藏書家辭典　梁戰、郭群一編著　西安：陝西人民出版社，1991.10　463頁。

70、中國著名藏書家傳略　鄭偉章、李萬鍵著　北京：書目文獻出版社，1986　277頁。

71、江浙藏書家史略　吳晗撰　北京：中華書局，1981　234頁。

72、藏書家·第一輯　本社編　濟南：齊魯書社，1999　167頁。

73、中國古代藏書樓研究　黃建國，高躍新主編　北京：中華書局，1999　445頁。

74、歷代刻書考述　李致忠著　成都：巴蜀書社，1990.4　408頁。

75、中國古代版刻版畫史論集　周心慧著　北京：學苑出版社，1998 324頁。

76、福建古代刻書　謝水順等著　福州：福建人民出版社，1997 528頁。（福建文化叢書）

77、古代刻書與古籍版本　盧賢中著　合肥：安徽大學出版社，1995 236頁。

78、明清江南私人刻書史略　葉樹聲、餘敏輝著　合肥：安徽大學出版社，2000　225頁。

79、江西歷代刻書　杜信孚、漆身起編　南昌：江西人民出版社，1994 366頁。（江西出版史志叢書）

80、江蘇刻書　江澄波等編著　南京：江蘇人民，1993　612頁。（出版史志叢書）

81、中國目錄學家辭典　申暢等編　鄭州：河南人民出版社，1988.12 782頁。

82、古籍刻工名錄　張振鐸編著　上海：上海書店出版社，1996 275頁。

吳縣王大隆先生傳略

吳　格[*]

　　王大隆先生，字欣夫，以字行，號補安。室名有學禮齋、抱蜀廬、蛾術軒等。江蘇吳縣人。原籍浙江嘉興府秀水縣新塍鎮。

　　始祖□□，明末處士，世稱望山先生。子孫散處江浙，歷世以耕稼自給。十世傳至元松，字翠亭，號蘅娛，報捐國子監生，是爲先生高祖。元松遷江蘇吳江縣盛澤鎮，以經營絲綢致富，王氏族由此而盛。曾祖亨臨，官名師晉，字以莊，號晉齋、敬齋。報捐國子監生。佐父經營家業，好學未仕，晚年精研理學，曾著《資敬堂家訓》二卷，以立身積德、崇儉力學勗子孫，人稱能得張楊園、陸清獻之傳。祖利榦，官名偉楨，字宗謣，號仙根。屢散家財，輸金辦賑。咸豐八年（1858），以捐餉功欽賞舉人、內閣中書。後以子祖慶入仕，誥贈榮祿大夫。同治初，率家遷居蘇州，經營藥材及醬園等業。光緒二十四年（1898）卒。自利榦逝世，王氏家道漸替。

　　父祖詢，原名祖培，字慕唐，號次歐，別號蟬廬。喜讀《漢書》，寢饋不廢。好蘇詩，工書法。光緒十七年（1891）由廩膳生舉優貢。

＊　復旦大學圖書館古籍部主任、古籍整理研究所兼任教授

十八年（1892），朝考一等一名。分發江西，改湖北。三十二年（1906），湖廣總督張之洞派赴日本考察。次年歸，保授通城知縣。未赴卒，年四十二。配吳氏，同邑翰林院侍講廣東學政吳寶恕第三女。王氏藏書，自祖詢始，藏書室名二十八宿齋，所藏有宋元本數十種。

祖詢三子。長大文，字廣華。幼穎異，年十三而殤。仲大森，字直夫，號蔭嘉、蒼虬、殷泉。生於清光緒十八年（1892），卒於1951年。配周氏，字瓊虬，卒於1960年後。大森長先生九歲，與先生手足情深，同學共業。平生酷嗜藏書，勤於閱市，搜討鄉邦文獻，不遺餘力。卷軸以外，並銳志蒐羅古錢。王氏二十八宿齋藏幣之名，周於海內。所著有《藏書紀事詩補正》（與先生合作）、《雙長生書屋泉觶》、《殷齋長物志》等。身後遺書散失，近年猶見於京滬書市。次大隆，即先生。

先生自高祖以下，歷世業商，至父輩始入仕，生父雖授知縣，未任而卒，故自言出身，仍爲工商業者，然賑災行善，世傳義聲。外家吳氏，兩世狀元，故慕學尊儒，守爲家訓。

先生生於光緒二十七年（1901）五月十五日子時，卒於1966年，壽六十有六。妻黃翠雲，後先生數年卒。子四：長君衡，次健輿，啓焯，啓棟。長子嗣爲仲兄後。

先生生六齡，父祖詢捐館武昌。母氏鍾愛逾恆，期望甚殷。七歲，入蘇州小學就讀。年十三，因報考高等小學未被錄取，遂於家塾延師授學，發奮自修。越數載，學大進，塾師不能教，惶謝以去。年十九，經友人介紹，從吳江名士金松岑先生讀書，習詩古文辭始。同年，復從虞山丁國鈞（秉衡）游，論學談藝，結爲忘年之交，相約同校《晉書》，嗣以丁先生辭世而未果。年二十一，經金先生介紹，從師吳縣

宿儒曹元弼先生，受《三禮》之學，自此篤志經學，用力甚勤，並由治經而究心名物訓詁。嘗顏其齋曰「學禮齋」，金先生爲撰〈學禮齋記〉；友人武進徐震，亦爲撰〈學禮齋銘〉，並以通經致用相期許。先生又因徐震而結識武進呂誠之、莊通百、吳伯喬、陸忍謇諸先生，學識益進。

歲乙丑（1925），先生年二十五，因金先生介紹，任太湖水利工程局書記。自謂此年始究心版本目錄學。同年夏，張一麐、李根源於蘇州發起「平旦學社」，延請名師如章太炎、吳梅等講學，先生年齒尚幼，亦被邀講演兩月。少年績學，聲名播於士林。時與同邑王佩諍先生，有「王氏雙鳳」之目。未幾，吳中成立國學會，先生又由金先生介紹，任研究組經學幹事。

丙寅秋（1926），先生年二十六，經同學薛頤平介紹，赴滬任聖約翰大學附屬中學國文教員。次年（1927）約大因學潮停辦，先生請假返蘇。由同學王佩諍介紹，兼任省立蘇州女子中學國文教員。明年（1928）約大復學，先生被聘爲約大專任國文教員。辛未（1931），升任中國文學系副教授。越十年辛巳（1941），升教授。自丙寅至1952年，先生任教於約大凡二十七年。約大爲美國聖公會所辦教會學校，地在滬西梵皇渡，濱蘇州河曲，林木蓊鬱，屋宇幽深，爲讀書藏修之佳境。先生隨師自修，迄無學歷，廁身於外籍教員及留學歸國者之間，居大學講席二十餘年，實因其湛深國學，爲眾推服之故。先生以課徒餘暇，擁書萬卷，讀書校讎，精研經史百家，學養與日俱進，平生著述編纂，亦由此發軔。

癸酉歲（1933），先生受《安徽通志》編纂處之邀，編纂《安徽藝文志》。同年，輯刻黃蕘圃、顧千里書跋始（至1940年完成），此爲

先生從事書目之學始。歲甲戌（1934），趙詒琛、王保讓輯印《甲戌叢編》，命先生爲助。叢編之輯，以傳布先賢未刊遺著爲宗旨，多選前賢詁經訂史、小學金石、目錄掌故、藝術說部之作，尤著意於短篇小種、流傳罕見而有裨實學者。印書採用活字豎排，白紙線裝，費省而猶饒古趣，印資則募諸並時同好，集股以行。自乙亥（1935）以後，選本借書，集貲校印，先生多任煩劇，歲出一輯，輯各十數種，歷八載而不輟，遂成世所謂《八年叢編》者，至今爲學林所推重。溯自「九一八」事變，東人亡我之心日熾，時勢危迫，先生雖枝棲於教會學校，傷時憫亂，憂深故國，遂藉流傳先賢文字以寄意。所輯印《倭情考略》、《遼廣實錄》、《惕齋見聞錄》、《靖康稗史七種》各書，既存遺聞，復昭史鑑，流傳至敵僞地區，竟列爲禁書。丁丑（1937）之秋，先生避居洞庭東山，猶手自一編，校刊不輟。

先生身際憂患，痛近世故家文物半遭摧殘，深恐先哲遺書淪胥殆盡，遂立志搜求遺獻，收拾殘叢，以保存文獻爲職志。中年以還，與並世南北學人及藏書家游，銳意搜討前賢著述之未刊稿本、或雖刊而流傳稀見者，傳鈔校輯，集貲刊佈，矻矻孜孜，不遺餘力，終其身而不懈。所搜集傳鈔之善本秘籍，數十年所積，盈笥溢篋。凡事關文獻流傳，如師門著述之流傳刊布，合眾圖書館之輯印叢刊，嘉業堂藏書之播遷易主，先生皆勉盡己責，貢其勞績。

先生之學，原本經史小學，泛及子書集部。中年以後，益肆力於流略之學，而其歸在網羅散佚文獻。先生少從曹復禮先生受《三禮》之學，深慕吳中惠氏之四世傳經，亦欲以經術自任，於《禮》於《易》，均深研討，所撰輯《元貞本論語注疏攷證》、《松崖讀書記》諸作，世稱力作；又奉常熟丁先生之教，勤於治史，於典午佚乘有王隱《晉

書》之輯，於陳壽書有《三國兵志》之補，於蒙元史有《元史校釋》
之作，咸推名作；治諸子學，則有《管子校釋》之作，考定版本，商
榷異說，時賢為之折服；而讀書萬卷，見聞廣博，輯佚補闕，寫錄勤
劬，一如鄉先輩吳枚庵老人之晨鈔雪纂。先生鈔輯之書，積稿隱身，
成書者有百數十種之夥，所輯《抱蜀廬叢書》收羅百種，俱出親手纂
輯。茲舉其卓犖著稱於人口者：於清代藏書家黃丕烈、校讎學家顧廣
圻著述，則有《黃顧遺書》、《士禮居遺詩》之編；於歷朝詩文，則
有元歐陽圭《玄齋集補遺》、清孫星衍《孫淵如文補遺》、清陳奐《三
百堂集》之輯；於五代以來藏書史料，則有葉昌熾《藏書紀事詩》之
補正、清人藏書題識之收集；於師門著述，則有金天羽《天放樓遺集》、
曹元忠《箋經室遺集》、胡玉縉《許廎遺集》、《許廎學林》等編；
晚年校訂胡氏《四庫全書總目提要補正》，寫定自著《蛾術軒篋存書
錄》，尤推近世目錄學之精撰。

　　先生性和易，慕古風，交游有道，篤於師友，並世宿儒學人，多
為文字之交。師門如金松岑（天羽）、曹叔彥（元弼）、胡綏之（玉縉），
少日受教，終身禮敬；前輩如張菊生（元濟）、趙學南（詒琛）、傅沅
叔（增湘）、葉遐庵（恭綽）、周叔弢（暹）、盧慎之（弼），搜輯遺佚，
誼堅金石；同輩如周子美（延年）、潘景鄭（承弼）、顧起潛（廷龍）、
陸維釗（微昭）、任心叔（銘善）、徐聲越（震堮）、胡宛春（士瑩）等，
俱博雅君子，為一時之彥，借書問字，賞奇析疑，詩酒唱酬，極朋簪
之樂。而先生學行醇厚，尤為眾所推重。同里胡綏之先生，湛精學術，
著書等身，人稱清季樸學之後勁，其年輩於先生為尊行，晚年歸自燕
都，息影家園。先生以年家子進謁，胡先生一見傾心，清談竟日，別
後音問稠疊，至以身後事相託付。1940年胡先生既逝，先生背負遺稿，

矻矻鈔纂，歷十餘載始編定，而中經世亂，謀刊未成，致叢怨謗，而
《許顧學林》、《四庫提要補正》煌煌鉅帙，字逾百萬，終於六十
年代前後由中華書局次第出版問世，譽重學林。即此一事，先生之尊
師重道，不負委任，概可想見。

1952年高校院系調整，先生移硯滬北復旦大學。曾執教中文與新
聞兩系。1956年，入民盟，爲會員。課餘仍潛心學問，撰著不已，而
體弱多病，頗爲肺喘心疾所苦。1957至1960年，先生主中文系古典文
獻學講座。所撰《文獻學講義》（1959），以目錄、版本、校讎三者，
述文獻學之要義，謂文獻之學，應以搜集與整理文獻之方法爲鵠的。
《講義》中所論列，俱爲平日研治學問之心得，自出機杼，迥越流輩。
凡所稱引，言必有據，而書末自識，猶引宋衛湜「他人著書，惟恐不
出于己；予之著書，惟恐不出於人」之語以撝謙。自六十年代起，先
生致力於所藏鈔校稿本之整理，並逐種寫成書錄。今觀《蛾術軒篋存
書錄》遺稿，於篋藏諸書，考作者之行實，述學術之原委，博綜約賅，
精審詳明，而通篇楷書精整，光彩流動，實爲先生畢生學業之所萃，
自必信今而傳後。刊布攸待，後起者有責焉。至丙寅（1966）夏，動
亂驟起，舉世騷然，鉛槧俱廢。冬，先生因肺疾發作，遽然辭世，享
年六十有六，僅得中壽。一代文獻大家，志業未竟，言之惻愴。時遭
擾攘，人心倉皇，身後遺書，幾遭散失，幸有識者爲之維護，鈔稿本
尚未全失。亂定董理，損者三分之一，而餘書今存復旦大學圖書館。

附錄一　王欣夫先生著述目錄

（一）著作部份（已出版者）：

《補三國兵志》（1936－1937《國學論衡》第8、9、10期）

《黃蕘圃年譜補》（《省立蘇州圖書館刊》）

《安徽藝文志》（安徽通志館印本）

《文獻學講義》上海古籍出版社（1986）

《藏書紀事詩補正》上海古籍出版社（1989）

《王欣夫說文獻學》上海古籍出版社（2001）

《蛾術軒篋存善本書錄》　上海古籍出版社（2002）

（二）著作部份（已成書者）：

《元貞本論語注疏攷證》

《元史校釋》

《管子校釋》

《松崖讀書記》

《鵑心詞》

（三）編輯部份（已出版者）：

《黃丕烈顧千里遺書》（1935－1941）

曹元忠《箋經室遺集》（1941）

陳奐《三百堂集》（1935）

孫星衍《孫淵如文補遺》（1938）

《藝海一勺》二十三種（1933）

《甲戌叢編》二十種（1934）

《乙亥叢編》十六種（1935）

《丙子叢編》十二種（1936）

《丁丑萃編》十一種（1937）

《戊寅叢編》十種（1938）

《己卯叢編》四種（1939）

《庚辰叢編》十種（1940）

《辛巳叢編》九種（1941）

胡玉縉《許廎學林》　中華書局　1958

胡玉縉《四庫全書總目提要補正》　中華書局（1962）　上海書店出版社（1998）

（四）編輯部份（已成書者）：

《王隱晉書》

《清各家藏書題識》

元歐陽玄《圭齋集補遺》

黃丕烈《士禮居遺詩》

胡玉縉《鄦廎遺集》

《抱蜀廬叢書》一百種

附錄二　吳縣王氏鈔校稿本簡目

乙閏錄　鍾文烝撰　一冊

二何書跋　何　焯等撰　王欣夫
　輯　一冊

二知室遺集　諸成琮撰　一冊

三國志校勘記　周星詒撰　二冊

三國志補注　沈欽韓撰　二冊

小眠齋讀書日札　汪　沆撰
　一冊

小萬卷樓賸稿　顧棟高撰　王欣
　夫輯　一冊

不暇懶齋雜錄　一冊

元史校釋　王欣夫撰

元貞本論語注疏攷證　王欣夫撰
　一冊

日知錄札記　丁國鈞撰　王欣夫
　校　一冊

四庫全書提要稿　翁方綱撰
　十冊

四庫全書總目提要補正　王欣夫
　輯　廿四冊

石笥山房集外文　胡天游撰
　一冊

伊江筆錄春明雜錄　吳熊光撰
　一冊

圭齋文集補遺　王欣夫輯　二冊

存友札小引　徐晟撰　一冊

安徽藝文志　王欣夫撰　安徽通
　志館石印本

竹垞道古錄　朱彝尊撰　一冊

行人司重刻書目　徐　圖等編
　一冊

吳下尋山記　黃安濤撰　一冊

孝經集解　桂文燦撰　一冊

孝經集證　桂文燦撰　一冊

孝經義疏補訂補　鐘文烝撰
　一冊

秀水王氏文獻叢鈔二至六編　王
　大隆輯　五冊

松崖讀書記　惠　棟撰　王欣夫
　輯　一冊

資治通鑑校述　王大綸撰　王大
隆編　二十二冊

述古堂經說　馮 梅撰　王欣夫
輯　一冊

南海伍氏所刻書跋　王大隆輯
一冊

恬養齋文集　羅以智撰　二冊

拜經樓詩話續編　吳 騫撰　張
金吾撰　一冊

春暉軒古文　朱右曾撰　一冊

禹貢地名集說　洪符孫撰　一冊

唐昭陵陪葬名氏攷　馮 繕輯
一冊

家語弟子補註　呂承恩撰　一冊

桃鄉精舍文集　任雲倬撰　一冊
埠倉　一冊

崇陵補樹圖題詠　劉承幹輯
一冊

巢經巢詩補遺　王欣夫輯　一冊

採薴集　惠士奇撰　二冊

梵麓山房筆記　王汝玉撰　一冊

淮南子正誤　陳昌齊撰　一冊

章安雜說　趙之謙撰　一冊

許廎集林　胡玉縉撰　王欣夫輯

二冊

許廎隨筆　胡玉縉撰　王欣夫輯
四冊

許廎遺集　胡玉縉撰　王欣夫輯
六冊

黃蕘圃年譜補　王欣夫撰　載
《江蘇省立蘇州圖書館館
刊》

黃顧遺書　王大隆輯　六冊

復社紀事　一冊

復禮堂日記　曹元弼撰　王欣夫
輯　二冊

復禮堂朋舊書錄存　王欣夫輯
一冊

復禮堂書牘　曹元弼撰　王欣夫
輯　一冊

復禮堂詩集　曹元弼撰　王欣夫
輯　四冊

循陔纂聞　周廣業撰　四冊

景刊元貞本論語注疏解經攷證
王大隆撰　一冊

景刊元貞本論語注疏解經攷證
王大隆撰　五冊

硯希先生遺稿　惠周惕撰　二冊

程氏續攷古編　一冊

絲□積聞　張金吾撰　一冊

葉文莊公書跋　一冊

補三國兵志　王大隆撰　一冊

補三國兵志　王欣夫撰　載《國
　學論衡》第八、九、十期（1936
　－1937）

道咸諸賢與潘功甫尺牘　一冊

集韻校勘記　二冊

傳書堂書目　王國維撰　三冊

愛日精廬文稿　張金吾撰　王欣
　夫輯　二冊

新論正誤　陳昌齊撰　一冊

當湖葛氏守先閣書目　王欣夫編
　一冊

詩古音　一冊

詩異文釋　馮登府釋　一冊

頑石廬文集　徐養原撰　一冊

嘉業堂群書序跋　王欣夫輯
　一冊

嘉業藏書樓鈔本書目附補編
　一冊

漁洋山人精華錄評　王欣夫輯
　一冊

漢世別本禮記長義　許桂林撰
　王欣夫編　一冊

漢石經殘字證異　孔廣文撰
　二冊

箋經室賦錄　曹元忠撰　王欣夫
　選　一冊

箋經室遺集　曹元忠撰　王大隆
　輯　一冊

管子校釋　王欣夫撰　六冊

維西見聞紀　余慶遠撰　一冊

蜚雲閣金石錄　淩　曙輯　一冊

說文引經考　程際盛撰　一冊

說文古本攷補證　孫傳鳳撰
　一冊

說文段注記　胡玉縉撰　十冊

說詩　汪宗沂撰　一冊

鄭氏經學考　杜貴墀撰　一冊

儀禮今古文疏證　潘妙根撰
　一冊

儀禮古今文攷　程際盛撰　一冊

論語皇疏考證　桂文燦撰　二冊

學禮齋日記　王大隆撰　十五冊

學禮齋餞春圖詠　王欣夫輯
　一冊

學禮齋叢鈔第一冊　王欣夫輯
　二冊

學禮齋雜纂　王大隆撰　七冊

燕閑筆記　一冊

禮記參訂　陳鱣撰　三冊

禮記鄭讀攷　孔廣文撰　一冊

禮經漢讀考　陳光旭撰　二冊

（楊秋室先生批校）鮚埼亭集
　一冊

謹庭老人自訂年譜　一冊

鵑心詞　王欣夫撰　一冊

曝書亭集外文　朱彝尊撰　二冊

麗情集　壽平子撰　一冊

釋龜　張金吾撰　一冊

讀四書偶筆　潘道根撰　一冊

讀相臺五經隨筆　周廣業撰
　二冊

讀書證疑　陳詩學撰　一冊

觀我齋日記　祁寯藻撰　一冊

文獻解析中的層累詮釋現象

周彥文*

摘　要

　　文獻的解析，時常是會架構在前人的說法之上去進行的。尤其是經書的研究，每一位研究者並不是直接由經文去作個人的認知和詮釋而已，而是將前人的詮釋也納入我們的認知之中，一併承襲並且加以延申，於是就形成了詮釋上的層累現象。

　　有時在層累詮釋的過程之中，還會有岐出新義的現象。例如清代的《四庫全書總目》中，就對一些《詩經》、《春秋經》、《四書》的著作，作出了「牽合時事」的新議題。這種在原有的層累詮釋上所作的新詮釋，就是二次元的層累詮釋。

　　二次元的層累詮釋，可說是一部典籍的研究學譜中的

*　淡江大學中國文學系教授

　　分枝學譜。其分枝後的學術體系，是否和原典籍還是隸屬
於同一個系統，則是有待重新思考和商榷的。

關鍵詞　文獻　層累詮釋　二次元的層累詮釋　研究學譜　分
　　枝學譜　目錄學　分類　四庫全書總目

一、前　言

　　所謂文獻的解析，可以從兩個不同的角度來詮釋：一種是對於
外在字、辭的註解；另一種則是對文獻內在意義的闡發。前者雖然在
詮釋時難免會有異議，但是基本上不會離開文本；但是後者在詮釋時，
則常大見歧異：或者僅守文本之原意而說明並引申，或者依一己之創
見而另有所發明。此創見與發明是否合於原著，當然不能起作者於地
下而徵實之，於是後人對於前代文獻是否有過度詮釋的現象，實爲研
究文獻時應著意探究的問題之一。

二、層累詮釋的現象

　　或許我們在研究古代文獻時，難免會有依賴後人的註解以認識
原典的現象。在傳統文獻中，尤其以經書最具代表性。我們在面對經
書時，歷代的注、疏更是我們必需要同時了解的對象。究其原因，實
乃中國傳統經學的研究，並不是停留在經文本身的原始資料性的意義

上，而是在前人所構築的詮釋系統上，做因革損益的工作。

　　以《詩經》為例，首篇〈關雎〉，如果以單純的文本來看，其實這是一首情詩，講的是一位男子追求女子的心境過程。我們頂多能從詩句中的「琴瑟」、「鐘鼓」之類的字辭，推斷出這可能是一位貴族子弟的作品；而由「關雎」、「荇菜」之類的字辭，解說這首作品的作法是用「興」的筆法。除此之外，這首作品並沒有給我們其他任何在詮釋上可資利用的訊息。孔子在提到這首詩時，也只是從詩句中的意境說：「關雎樂而不淫，哀而不傷」而已，❶並沒有從文獻的內在指涉作出任何推斷。可是漢儒說詩時，卻可以不知來由的，將這首詩引申作「后妃之德也」，並且推衍出一大套的道德教化論。很明顯的，〈關雎〉這首詩從文本上來看，根本沒有證據顯示與「后妃之德」有任何的直接關係，這必然是漢儒自行設定的詮釋角度，用以配合當時整體的學術環境及道德理念。所以，所謂的「后妃之德」，是後人在詮釋時附加上去的，並不等同於〈關雎〉的原始意義。

　　後人在研究《詩經》時，固然也有直指本義的說法，但多數學者基本上還是沿襲著前人的解說來發揮的。例如宋代朱熹作《詩集傳》，就是在漢儒的基礎上，再層累構築其學說體系。❷朱氏詮釋〈周南〉十一篇詩作時說：

---

❶　見《論語·八佾篇》。除此之外，《論語·泰伯篇》中說：「師摰之始，關雎之亂，洋洋乎，盈耳哉」，那是從音樂的角度談論，不涉及詮釋意義。

❷　此處「層累」一辭，乃借用顧頡剛先生的學說。顧氏有「層累造成的古史說」，見1923年2月25日顧氏〈與錢玄同先生論古史書〉。原文收錄於《古史辨》第一冊中編，p59-61。

> 按此篇首五詩皆言后妃之德。〈關雎〉舉其全體而言也。〈葛
> 覃〉、〈卷耳〉言其志行之在己。〈樛木〉、〈螽斯〉美其
> 德惠之及人，皆指其一事而言也。其詞雖主於后妃，然其實
> 則皆所以著明文王身修家齊之效也。至於〈桃夭〉、〈兔罝〉、
> 〈芣苢〉則家齊而國治之效也。〈漢廣〉、〈汝墳〉則以南
> 國之詩附焉，而見天下已有可平之漸矣。若〈麟之趾〉則又
> 王者之瑞，有非人力所致而自至者，故復以是終焉，而序者
> 以爲關雎之應也。夫其所以至此，后妃之德固不爲無所助矣，
> 然妻道無成，則亦豈得而專之哉。今言詩者，或乃專美后妃
> 而不本於文王，其亦誤矣。❸

是則朱氏不但本諸漢儒之詩說，而且還在此基礎上，依循修身齊家治
國平天下、以及內聖外王的學理，再次累進構築成爲一個完整的學術
體系。

我們若照著這個層累構築的詮釋方式往下推，後代必有再以朱
熹的學說爲基礎，以累進其學說者。例如明代前七子之一的何景明，
在其七言歌行〈明月篇〉前的序文中即說：

> 夫詩本性情久發者也，其切而易見者，莫如夫婦之間。是以
> 三百篇首乎〈關雎〉，六義首乎風。而漢魏作者，義關君臣、
> 朋友，辭必托諸夫婦，以宣鬱而情達焉，其旨遠矣。❹

---

❸ 見《詩集傳·周南》註。台北市：臺灣中華書局，1974年台六版，p7-8。
❹ 見《何大復集》卷十四，七言歌行三十六首之二十五。河南省：中州古籍出
版社，1989年7月第一版，p210-211。

我們雖然不能從何景明的論述中找出直接的證據來證明他的說法是承襲自朱熹，但是「首乎〈關雎〉，托諸夫婦」的理論觀點，和朱熹「美后妃而本於文王」的觀點，無疑是一脈相承的。

由漢儒而朱熹，由朱熹而何景明，這種層累詮釋的現象在經學或其他學術的研究上比比皆是。前文曾經提及，中國歷代經學的研究，並不是停留在經書的文本上。如果只是停留在文本的研究上，那麼經書的研究價值就不會那麼高。歷代之所以會一直不斷的研究經書，就是因為各個時代可以因其學術環境或其他客觀因素，對經書提出不同的詮釋，而經書也可以不斷的因新詮釋所賦予的新意義，而在其時代產生新的價值。因此，層累詮釋的價值，不在於經書本身，而是在於層累詮釋所產生的時代，以及之所以會產生層累詮釋的學術肇因。

三、二次元層累詮釋的商榷

當一部文獻在作層累詮釋時，通常都是在前人的詮釋基礎上，配合其自身之學術理念，再加以累積詮釋。這種層累詮釋，大都是直襲文本而來的。雖然詮釋愈趨複雜，可是基本上並不脫離原始文本的引申意義。例如前文所討論的《詩經・關雎》即是如此。可是如果在層累詮釋的過程之中，在其中某一階段又再開出新的詮釋方向，那就是岐出成為另一個議題了。這種岐出的新議題，往往會和原始的文本相去日遠，甚至和原始的文本一點關係都沒有。這個現象，因為是屬於第二個層次的層累詮釋，所以本文在此暫時將之取名為「二次元的層累詮釋」。

這種二次元的層累詮釋，當然都是後之學者所創發的。如果在詮釋時有憑有據，那麼也就沒有任何疑義可言。問題是在後世學者作二次元的詮釋時，往往只是「想當然耳」的作法。我們雖然不能說必無是理，但是卻又沒有證據顯示必有此事。因此在必無必有之間，以及岐出後的學術系統問題，實是有待商榷。

茲以《四庫全書總目》中對宋代《春秋》學的詮釋舉例而言：宋代的《春秋》學十分興盛，其中最主要的關鍵，即緣於經傳之間的詮釋關係。按《春秋》學至唐代，而有啖助、趙匡、陸淳等人，倡棄傳從經之說。自此之後，宋代之《春秋》學，即多發揮經義，直據《春秋》經文，各有創發。推衍而下，各種不同體例之《春秋》學相關論著，在宋代皆可得見，蔚爲大觀。❺明、清兩代沿波逐流，各門各派多藉唐宋諸儒之學說，或承襲，或考辨，而形成《春秋》學上層累詮釋的現象。

以現今之學術觀念而論，其實唐宋以來《春秋》學之爭，無論是「棄傳從經」、「尊經衡傳」、「春秋無襃辭」等等各家各派之學說，皆是詮釋《春秋》學的一種角度，皆可並存共參。所謂「異端」之說，現今實已沒有存在的理由與必要。然而其中《四庫全書總目》對某些《春秋》學論著的詮釋，卻值得我們在探討文獻學研究方法時，提出重新思考。

按南宋初年，胡安國奉高宗詔，於紹興十年三月撰成《春秋傳》三十卷呈上。《四庫全書總目・經部・春秋類》該書提要說：

---

❺ 參見拙著〈從唐宋時期的春秋學著作論文獻繫學架構〉。收錄於中國書目季刊33卷4期。台北市：2000年3月。

顧其書作於南渡之後，故感激時事，往往借《春秋》以寓意，不必一一悉合於經旨。《朱子語錄》曰：胡氏《春秋傳》有牽強處，然議論有開合精神。亦千古之定評也。**❻**

《四庫全書總目》不但認為胡氏的《春秋傳》是為時事而發，同時還更進一步的認為胡氏在作傳時並且「堅主復讎之義」。**❼**按《宋史》胡安國本傳中，記載胡氏曾上〈時政論〉二十一篇，其中〈尚志篇〉中有「當必志於恢復中原，祗奉陵寢，必志於掃平讎敵，迎復兩宮」之語，**❽**此或即為《四庫全書總目》所論之張本。其實終胡氏《春秋傳》三十卷之中，並無一語是直接明白述及「時事」或為宋代兩帝之事「復讎」的。我們只能相反過來，從「時事」或「復讎」的觀點，找到一些可以迎合《四庫全書總目》論點的類似說法。例如在胡氏《春秋傳》卷二十七，「定公四年三月」條，原文是：

> 三月，公會劉子、晉侯、宋公、蔡侯、衛侯、陳子、鄭伯、許男、曹伯、莒子、邾子、頓子、胡子、滕子、薛伯、杞伯、小邾子、齊國夏于召陵，侵楚。

胡氏的詮釋是：

> 按《左氏傳》書「伐」而《經》書「侵楚」者，楚為無道，憑陵夏，為一裘一馬，拘唐、蔡二君三年而後遣。蔡侯既歸，請師於晉，晉人請命於周，大合諸侯，天子之元老在焉。若

---

❻ 見文淵閣本《四庫全書總目》。以下同。

❼ 見《四庫全書總目·經·春秋·春秋王霸列國世紀編》之提要。

❽ 見文淵閣本《四庫全書》。

> 能暴明其罪，恭行天討，庶幾哉，王者之師，齊桓晉文之功
> 褊矣。有荀寅者，求貨於蔡侯，弗得，遂辭蔡人，晉由是失，
> 諸侯，無功而還。書曰「侵楚」，陋之也。

類似之說，在胡氏《春秋傳》中比比皆是。《四庫全書總目》中所說
之「時事」、「復讎」等語，多皆由此類傳文而發。

在《四庫全書總目》之中，除了胡氏《春秋傳》之外，還有許
多典籍也被詮釋爲藉經文以論「時事」。例如經部·春秋類中，宋代
戴溪所撰的《春秋講義》四卷；宋代李琪所撰的《春秋王霸列國世紀
編》三卷；經部·四書類中，宋代張栻所撰的《癸巳孟子說》七卷等。
在《四庫全書總目·存目》中也有類似的說法，如經部·詩類中，宋
代張耒所撰的《詩說》一卷；經部·四書類中，明代魯論所撰的《四
書通義》三十八卷等。❾

雖然《四庫全書總目》都說它們是「牽合時事」而作，但是詳
細考察這些書籍的內容，並沒有一句話是有直接證據的。最多只有一
些似是而非的例子。如明代魯論的《四書通義》，《四庫全書總目》
說：

> ……解《孟子·許行章》，謂：「堯之欽明，足以知人，四
> 岳之咸舉，爲之師錫，猶其難其慎。然則枚卜豈易易哉。」
> 亦以隱指莊烈帝命相之非……。❿

按明代自世宗之後，即多用枚卜以舉官吏。⓫然而枚卜之事，早在《尙

---

❾　《四庫全書存目叢書》據江西省圖書館藏清乾隆二十八年刻本所影印的《四
　　書通義》，止有二十九卷。

❿　參見註❾。

⓫　參見《明儒學案》卷56，及《明史紀事本末》卷71、72等。

書 · 大禹謨》中已見之。《四庫全書總目》將之詮釋爲明代之事,固然未必爲非,但是畢竟沒有直接證據。又如李琪的《春秋王霸列國世紀編》,《四庫全書總目》說:

> 所論多有爲而發,如譏晉文借秦抗楚,晉悼結吳困楚,則爲徽宗之通金滅遼而言。譏紀侯鄰於讎敵而不能自強,則爲高宗之和議而言,其意猶存乎鑑戒。至於稱魯已滅之後,至秦漢猶爲禮義之國,則自解南渡之弱。霸國之中,退楚莊、秦穆而進宋襄,則自解北轅之恥。置秦楚吳越於諸小國後,則又隱示抑金尊宋之意。蓋借《春秋》以寓時事,略與胡安國傳同……。

可是考索該書之內容,卻又如同上述諸書,也是似是而非,模稜兩可的辭句而已。李琪所論,其實我們可以單純的說是尊王攘夷的說法而已,由文本中來看,並沒有証據顯示他的著作是有爲時事而發的現象。當然,若純粹由詮釋的角度來說,後代的確可以對於前代文獻作出後設性的解說,可是這至少要有一部份的證據可以証實,其後設性的解說才能成立。然而我們在《四庫全書總目》中所看到的,只是推論與臆測而已,可以說完全沒有證據可言。

胡安國、李琪、魯論等人的著作,是接續唐人「棄傳從經」,以及宋人發明經義的傳統而引申出來的,所以已經是爲《春秋經》作了層累詮釋。可是《四庫全書總目》又直接從胡安國等人的著作上,岐出新義,再作了第二次的層累詮釋。於是這就形成了本文所謂的「二次元的層累詮釋」。

在此,我們不必去討論可不可以的問題,也不必去討論對錯的

問題。因爲如何詮釋，以及詮釋結果是對是錯，本就是因人而異，仁智互見的事。但是《四庫全書總目》的作法，已經使文獻的學譜產生了兩個不同的詮釋系統。二次元的層累詮釋岐出了另一個議題，而這個議題，是和原始文本的固有本旨是無關的。而且，它還可以利用這個議題的觀念，獨自形成了一個詮釋體系，用以詮釋其他相同形態、或是在撰寫時有著類似背景的典籍。例如上述的二次元層累詮釋，是用「牽合時事」作爲詮釋觀點的，《四庫全書總目》用此觀點，不但詮釋了《春秋經》，同時也詮釋了《詩經》和《四書》的某些作品。

因此，單純的層累詮釋，以及二次元的層累詮釋，其實是兩種不同的文獻詮釋系統方法。前者在原始文本中進行，而後者則在進行到二次元的詮釋時，就已然脫離原始文本，另闢蹊徑。關於這兩個不同的詮釋系統，我們可以用下圖來表現：

層累詮釋：

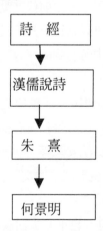

二次元的層累詮釋：

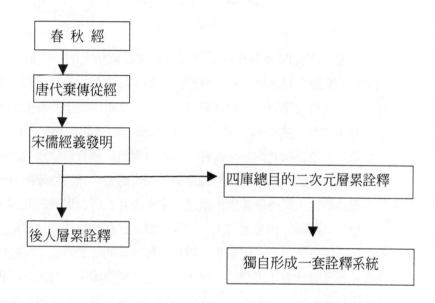

四、結　論

　　這種二次元的層累詮釋，可以說是文獻解析上的一大問題。當我們在做文獻典籍的研究時，我們應該要了解文獻的詮釋歷程，是可以形成一個研究學譜的。這個學譜，決定了文獻研究上的學術體系。

　　在中國歷代的學術傳統之中，目錄學上的分類就幾乎等同於學術體系。但是二次元的層累詮釋，卻可以導致一個分枝學譜的出現。而這個分枝學譜，是否還應屬於原有的學術體系，在目錄學的分類上是否還應該隸入同一個類別，就是一個值得我們再去思考的問題。

　　以上文所舉的例證而言，二次元的層累詮釋，是「以經釋史」，而不是「以史證經」。後者可以說是一種經學的研究方法；可是前者則應是一種時代史學思想的表現，所以應該別裁出來，隸入史學研究的學術體系範疇之內。尤其是在分枝學譜的分化點上，當時的學術思潮，更是構成該分枝學譜的重要肇因。這是我們在做文獻研究時，不可忽略的一個關鍵。

後　記

　　海峽兩岸第二屆中國文獻學學術研討會於2001年3月31日、4月1日在山東大學逸夫館隆重舉行，會議共收到學術論文40篇，範圍涉及中國文獻學各方面，論文的作者來自北京、臺北、上海、南京、西安、武漢、杭州、濟南、泰安等地。就作者年齡來講，有九十一歲的王紹曾先生，有七十歲以上的黃永年先生、程毅中先生，也有中青年學者及在讀的博士生、碩士生。短短的兩天會議，會上會下充溢著學術的空氣，充分實現了兩岸文獻學界的交流，實現了老、中、青三代文獻學者的交流，實現了基礎研究與理論研究的交流，實現了傳統研究與現代研究的交流。在拓寬史料範圍、揭示前沿課題、展現最新成果、探索研究方法等方面都給人勝義紛呈的印象。毫無疑問，這次會議對中國文獻學學科的發展有不容忽視的推動作用。

　　第一屆中國文獻學學術研討會是1998年5月由淡江大學中文系周彥文教授發起的，會議由淡大與臺灣故宮博物院合辦，主題是「兩岸四庫學研究」，會後出版了論文集《兩岸四庫學》。我十分榮幸地獲得邀請，出席了那次會議，留下了美好的記憶。

　　2000年秋，周彥文教授向我提出了舉辦第二屆中國文獻學學術研討會的建議，地點選在山東大學，主辦單位爲淡江大學中文系與山東大學古籍所。我向劉曉東所長以及老所長董治安先生報告了這一消息，兩位先生均表示要大力支持，隨即向山東大學社科處作了彙報，

李紅處長給予很大鼓勵。山東大學徐顯明副校長親自對會議籌備工作作了具體安排。全國高校古籍整理研究工作委員會提供了主要經費。作爲地主單位的負責人，劉曉東所長主持了會議全過程，徐顯明副校長出席開幕式並致詞。我作爲聯絡人向支持這次會議的單位和個人致以深深的敬意。

　　這本論文集的編校出版工作由淡江大學中文系負責。作爲合作單位，雙方在會前協調、會議召開、會後收尾過程中都配合十分默契。我想與會學者不會忘記淡大中文系高柏園主任和周彥文教授的辛勞。

　　希望在不久的將來舉行第三屆中國文獻學研討會。

山東大學古籍整理研究所　杜澤遜

2001年5月1日記於濟南

國家圖書館出版品預行編目資料

文獻學研究的回顧與展望：第二屆中國文獻學學術
研討會論文集

周彥文主編. – 初版. – 臺北市：臺灣學生，
2002[民 91]
面；公分

ISBN 957-15-1122-6 (精裝)
ISBN 957-15-1123-4 (平裝)

ｉ 文獻學 – 論文，講詞等

011.07   91004370

文獻學研究的回顧與展望

第二屆中國文獻學學術研討會論文集

主　編　者：周　　　　　彥　　　　　文

出　版　者：臺　灣　學　生　書　局

發　行　人：孫　　　　　善　　　　　治

發　行　所：臺　灣　學　生　書　局
　　　　　　臺北市和平東路一段一九八號
　　　　　　郵政劃撥帳號：00024668
　　　　　　電　話：(02)23634156
　　　　　　傳　眞：(02)23636334
　　　　　　E-mail：student.book@msa.hinet.net
　　　　　　http：//studentbook.web66.com.tw

本書局登
記證字號　：行政院新聞局局版北市業字第玖捌壹號

印　刷　所：宏　輝　彩　色　印　刷　公　司
　　　　　　中和市永和路三六三巷四二號
　　　　　　電　話：(02)22268853

　　　　　精裝新臺幣八一○元
定價：平裝新臺幣七三○元

西　元　二　○　○　二　年　三　月　初　版

臺灣 學生書局 出版
文獻學研究叢刊